D0487544

LIONEL SHRIVER

Dieses Leben, das wir haben

Roman

Aus dem Amerikanischen
von Monika Schmalz

Piper München Zürich

Mehr über unsere Autoren und Bücher:
www.piper.de

Die Originalausgabe erschien 2010 unter dem Titel »So Much for that« im Verlag Harper Collins, New York.

Von Lionel Shriver liegt im Piper Verlag außerdem vor:
Liebespaarungen

ISBN 978-3-492-05441-6

Satz: Kösel, Krugzell
Druck und Bindung: CPI – Clausen & Bosse, Leck
Printed in Germany

Für Paul. Verloren. Befreit.

Zeit ist Geld.

Benjamin Franklin, *Guter Rat an einen jungen Handwerker*, 1748

Kapitel 1

Shepherd Armstrong Knacker
Merrill Lynch Konto-Nr. 934-23F917
01.12.2004 - 31.12.2004
Gesamtnettowert des Portfolios: $731778,56

WAS PACKT MAN ein für den Rest seines Lebens?

Auf ihren Recherchereisen – »Urlaub« hatten er und Glynis dazu nie gesagt – hatte Shep immer zu viel eingepackt, um für jede Eventualität gewappnet zu sein: Regenzeug, einen Pullover für den Fall, dass das Wetter in Puerto Escondido für die Jahreszeit ungewöhnlich kalt war. Angesichts der nun unendlichen Eventualitäten war sein erster Impuls, überhaupt nichts mitzunehmen.

Es gab keinen vernünftigen Grund, heimlich von einem Zimmer ins andere zu schleichen wie ein Dieb, der sein eigenes Haus ausrauben wollte – auf leisen Sohlen über die Dielen zu tappen, bei jedem Knarren zusammenzuzucken. Er hatte sich vergewissert, dass Glynis am frühen Abend nicht zu Hause war (wegen eines »Termins«; dass sie nicht erzählt hatte, mit wem oder wo, beunruhigte ihn). Er hatte sich bestätigen lassen, dass Zach bei einem Freund übernachtete; er hatte seinen Sohn unter dem schwachen Vorwand angerufen, sich nach dessen Plänen fürs Abendessen erkundigen zu wollen, obwohl Zach im vergangenen Jahr kein einziges Mal mit seinen Eltern gegessen hatte. Shep war allein im Haus. Er musste nicht jedes Mal aufschrecken, wenn die Heizung ansprang. Er musste nicht zitternd in der obersten Kommodenschublade nach seinen Boxershorts greifen, als würde man ihn im nächsten Moment am Handgelenk packen und ihm seine Rechte vorlesen.

Nur, dass Shep in gewisser Hinsicht tatsächlich ein Einbrecher war. Vielleicht sogar von der Sorte, wie sie jeder amerikanische Haushalt am meisten fürchtete. Er war etwas früher von der Arbeit nach Hause gekommen, um sich selbst zu stehlen.

Die Innentasche seines großen schwarzen Samsonite-Koffers lag mit offenem Reißverschluss auf dem Bett, so wie sie das auch bei den alljährlichen weniger dramatischen Abreisen getan hatte. Bislang bestand der Inhalt aus: einem Kamm.

Er zwang sich dazu, ein Reiseshampoo und sein Rasierset einzusammeln, wobei er bezweifelte, dass er sich im Jenseits noch rasieren würde. Mit der elektrischen Zahnbürste wurde es schon wieder schwierig. Es gab Strom auf der Insel, ganz bestimmt, aber er hatte herauszufinden versäumt, ob es die Stecker mit den zwei flachen amerikanischen Kontaktstiften waren, die klobigen britischen Dreierstifte oder aber die schlanke europäische Variante mit den weit auseinanderstehenden runden Stiften. Er hätte nicht mal genau sagen können, ob die Stromspannung 220 oder 110 Volt betrug. Schlamperei; genau diese praktischen Details hatten sie sich auf früheren Rechercheexpeditionen immer akribisch aufgeschrieben. Aber in letzter Zeit waren sie überhaupt weniger systematisch gewesen, vor allem Glynis, die auf jüngeren Auslandsreisen nachlässig geworden war und das Wort »Urlaub« verwendet hatte. Es hätte ihm zu denken geben sollen, und nicht nur das.

Während ihm das misstönende Surren der Oral B im Kopf anfangs noch unangenehm gewesen war, hatte Shep irgendwann nach überstandener Mühe Geschmack an der Glattheit seiner Zähne gefunden. Wie bei jedem technologischen Fortschritt fühlte sich die Rückkehr zum alten Hin und Her der Handzahnbürste unnatürlich an. Aber was, wenn Glynis nach Hause kam, ins Badezimmer ging und feststellte, dass sein blau geringelter

Aufsatz fehlte, während ihr rot geringelter noch immer neben dem Waschbecken stand? Es wäre besser, er würde nicht ausgerechnet an diesem Abend ihr Misstrauen wecken. Er hätte problemlos den Aufsatz von Zach nehmen können – er hatte den Jungen das Gerät noch nie benutzen hören –, aber dem eigenen Sohn die Zahnbürste zu entwenden brachte Shep nicht über sich. (Natürlich hatte Shep das Ding mit seinem Geld bezahlt, wie fast alles hier. Und doch fühlte sich nichts in diesem Haus an, als gehörte es ihm. Früher hatte ihn das gestört, aber umso leichter fiel es ihm jetzt, die Salatschleuder, den Heimtrainer und die Sofas zurückzulassen.) Schlimmer noch, er und Glynis benutzten dasselbe Aufladegerät. Er wollte sie nicht mit einer Zahnbürste zurücklassen, die fünf oder sechs Tage lief (er wollte sie überhaupt nicht zurücklassen, aber das war wieder eine andere Geschichte) und seiner Frau den langsam verklingenden Soundtrack zu ihrer neuesten Depression lieferte.

Nachdem er also mit wenigen Drehungen angefangen hatte, die Wandhalterung abzuschrauben, schraubte er sie wieder fest. Beschwichtigend schloss er seinen Zahnbürstengriff wieder an das Aufladegerät an und kramte eine manuelle Zahnbürste aus dem Medizinschränkchen. Er würde sich an den technologischen Rückschritt gewöhnen müssen, was bestimmt auf eine gewisse Weise, die er nicht ganz festmachen konnte, gut für die Seele war.

Es war nie seine Absicht gewesen, einfach die Zelte abzubrechen und das Weite zu suchen, sich ohne Vorankündigung oder Erklärung von seiner Familie loszumachen. Das wäre ja grausam, oder: noch grausamer. Er würde sie zumindest nicht ganz vor vollendete Tatsachen stellen, nicht einfach an der Haustür noch einmal winken. Offiziell würde er ihnen die Wahl geben, wofür er ehrlich gesagt einiges hingeblättert hatte. Die Chancen standen gut, dass er nichts als eine Illusion gekauft hatte, die für ihn persönlich allerdings noch von unschätzbarem Wert sein konnte. Also hatte er nicht nur *ein* Ticket, sondern gleich drei gebucht. Ohne Rückerstattung. Doch selbst wenn er mit seiner

Intuition total danebenlag und Glynis überraschend zusagte, würde Zach noch immer nichts davon halten. Aber der Junge war fünfzehn Jahre alt, und apropos Rückentwicklungen: Ausnahmsweise mal würde ein amerikanischer Teenager machen, was man ihm sagte.

Aus lauter Angst, auf frischer Tat ertappt zu werden, hatte er am Ende zu viel Zeit. Es waren noch ein paar Stunden, bis Glynis nach Hause käme, und der Samsonite-Koffer war voll. Angesichts der Verwirrung über die Stecker und Stromspannungen hatte er noch ein paar manuelle Werkzeuge und ein Schweizer Messer mit eingepackt; von einer Flachrundzange hatte man im üblichen Krisenfall mehr als von einem Blackberry. Nur wenige Hemden, ein paar wollte er zur Auswahl haben. Oder gar kein Hemd. Ein paar Dinge, von denen ein Mann seines Berufsstands wusste, dass sie zwischen zufriedenstellender Unabhängigkeit und der ganz großen Katastrophe entscheiden konnten: Klebeband; diverse Schrauben, Bolzen und Unterlegscheiben; Silikonfett; Dichtungsmittel; Gummibänder (*Elastik*bänder, wie sein Vater gesagt hätte, aus New Hampshire und von der alten Schule); eine kleine Rolle Draht. Eine Taschenlampe für Stromausfälle und einen Vorrat an Mignonbatterien. Einen Roman, den er sich genauer hätte aussuchen sollen, wenn er schon nur einen mitnahm. Ein Wörterbuch Englisch–Suaheli, Malariatabletten, Insektenschutz. Rezeptpflichtige Cortisonsalbe gegen das hartnäckige Ekzem an seinem Fußgelenk, wobei in der Tube nicht mehr sehr viel drin war.

Um es dabei belassen zu können, sein Merrill-Lynch-Scheckheft. Er sah sich selbst ungern als berechnenden Charakter, aber es stellte sich jetzt als günstig heraus, dass er dieses Konto immer nur auf seinen Namen geführt hatte. Er konnte – würde – ihr natürlich anbieten, ihr die Hälfte zu überlassen; sie hatte keine zehn Cents davon selbst verdient, aber sie waren verheiratet, und Gesetz war Gesetz. Er würde sie allerdings warnen müssen, dass sie selbst mit mehreren hunderttausend Dollar in Westchester nicht weit käme, und über kurz oder lang würde sie nicht mehr »ihre Arbeit«, sondern die eines anderen machen müssen.

Er musste den Samsonite-Koffer mit Zeitungspapier ausstopfen, damit das bisschen kläglicher Krimskrams im Gepäckraum der British-Airways-Maschine nicht hin und her klapperte. Er versteckte ihn in seinem Kleiderschrank und deckte ihn vorsichtshalber mit seinem Bademantel zu. Ein fertig gepackter Koffer auf dem Bett würde Glynis weitaus mehr beunruhigen als eine fehlende Zahnbürste.

Shep machte es sich zur Stärkung mit einem Bourbon im Wohnzimmer bequem. Eigentlich hatte er nicht die Gewohnheit, den Abend mit härteren Sachen einzuläuten als mit einem Bier, Gewohnheiten aber hätten die Dinge an diesem Abend auf unbestimmte Zeit verzögert. Er legte die Füße hoch, ließ den Blick durch das nett, aber billig möblierte Zimmer schweifen und bedauerte es bei keinem einzigen Gegenstand, dass er ihn würde zurücklassen müssen – abgesehen von dem Zimmerspringbrunnen. Über den Abschied von den Dekokissen oder dem gläsernen Wohnzimmertisch war er regelrecht froh. Der Zimmerspringbrunnen hingegen, der auf dem Tisch vor sich hin blubberte, hatte ihn immer mit einem ausgeprägten Mittelschichtsbegehren erfüllt, mit dieser Sehnsucht nach dem, was man ohnehin schon besitzt. Er fragte sich, einfach nur so, ob der Springbrunnen, eingepackt in das Zeitungspapier, das er zwischen seine karge Beute gestopft hatte, in den Samsonite-Koffer passen würde.

Sie nannten ihn immer noch den »Hochzeitsbrunnen«. Das Gerät aus Sterlingsilber hatte vor sechsundzwanzig Jahren bei der bescheidenen Versammlung von Freunden das mittlere Blumengesteck ersetzt und Arbeit, Begabung und, ja, Charakter von Braut und Bräutigam aufs Trefflichste verbunden. Bis heute stellte der Hochzeitsbrunnen das einzige Projekt dar, bei dem er und Glynis fifty-fifty zusammengearbeitet hatten. Shep hatte sich um die technischen Aspekte des Apparats gekümmert. Die Pumpe war gut versteckt hinter einem Bogen Hochglanzmetall, der sich um das Becken wickelte; da der Mechanismus dauerhaft in Betrieb war, hatte er ihn über die Jahre ein paarmal ersetzen müssen. Weil er sich mit Wasser auskannte, hatte er Glynis hinsichtlich Breite und Tiefe der Abflüsse und der Tropfenfallhöhe von Etage zu Etage fachkundig beraten. Glynis hatte die künstlerische Linie vorgegeben und in ihrem alten Studio in Brooklyn die Einzelteile geschmiedet und gelötet.

Für Sheps Geschmack war der Brunnen nüchtern; für Glynis' Geschmack war er verschnörkelt; sogar stilistisch verkörperte die Konstruktion also ein Treffen der Denkweisen auf halbem Wege. Und der Brunnen war romantisch. Er war oben zusammengeschweißt, und zwei silberne Rinnen teilten sich und fügten sich wie Schwanenhälse erneut ineinander, der eine stützend, der andere sich öffnend, um sein Wasser in die wartende Schale des Gefährten zu ergießen. Ausgehend von einer schmalen Spitze, zogen sich die beiden Hauptlinien ihrer gemeinsamen Schöpfung schwungvoll in breiteren, immer verspielteren Variationen bis zum Becken hinunter. Dort bildeten beide Zuflüsse einen seichten überdachten See, der im buchstäblichen Sinne ein *Sammelbecken* darstellte. Handwerklich hatte Glynis auf höchstem Niveau gearbeitet. Egal, wie beschäftigt er gewesen war, Shep hatte ihrer Virtuosität die Ehre erwiesen und regelmäßig Wasser nachgefüllt und auch das Silber geputzt, damit der Gelbstich des Metalls nicht noch deutlicher wurde. Sobald er weg war, war es gut möglich, dass sie das Ding ausschalten und irgendwo in die Ecke stellen würde.

Als Allegorie vertraten die ein gemeinsames Becken füllenden Zuflüsse ein Ideal, an dem sie gescheitert waren. Nichtsdestotrotz nahm der Brunnen erfolgreich die Elemente ihrer jeweiligen Persönlichkeit auf. Glynis arbeitete nicht nur mit Metall (oder hatte es mal getan); sie *selbst* war aus Metall. Steif, unkooperativ und unflexibel. Hart, das Licht reflektierend und widerscheinend vor Trotz. Ihr Körper war lang, mager und eckig wie der Schmuck und das Besteck, das sie früher geschmiedet hatte – ihr Medium hatte sich Glynis auf der Kunstschule nicht zufällig ausgesucht. Sie identifizierte sich mit dem Material, das sich so erbittert gegen jede Handhabung wehrte, dessen Form gegen Veränderung resistent war und das lediglich auf starke Krafteinwirkung reagierte. Metall war aufmüpfig. Bei Misshandlung fing sich das Licht in den Dellen und Kratzern, als hegte es einen Groll.

Sheps Element, ob er wollte oder nicht, war das Wasser. Anpassungsfähig, leicht zu manipulieren und immer geneigt, den Weg des geringsten Widerstands zu nehmen. Shep schwamm mit dem Strom. Wasser war nachgiebig, fügsam und leicht einzufangen. Stolz war er auf diese Eigenschaften nicht; Biegsamkeit erschien ihm wenig männlich. Andererseits war die vermeintliche Passivität des Wassers ein Trugschluss. Wasser war findig. Wie jeder Hausbeitzer mit einem alternden Dach wusste, war Wasser auch heimtückisch; auf seine eigene Art konnte es sich seinen Weg durch alles hindurchbahnen. Wasser hatte eine ganz eigene, hinterlistige Sturheit, eine verstohlene, sickernde Beharrlichkeit, einen Instinkt dafür, die eine vergessene Naht oder offene Fuge zu finden. Früher oder später findet Wasser immer einen Weg hinein oder – wichtiger noch, in Sheps Fall – hinaus.

Die ersten Zimmerspringbrunnen seiner Kindheit, zusammengeschustert aus ungeeigneten Materialien wie Holz, leckten aufs Schlimmste, und sein sparsamer Vater hatte ihn wegen seiner verschwenderischen »Blubbergeräte« getadelt. Doch Shep wurde erfinderischer und verbaute allerlei Fundstücke: angeschlagene Servierschüsseln, die Gliedmaßen der abgelegten Puppen seiner Schwester. Bis zum heutigen Tag hatte er sein Hobby gepflegt. Als Gegengewicht zur unerbittlichen Funktionalität seines Berufs hatten Zimmerspringbrunnen etwas wunderbar Frivoles.

Diese ausgefallene Freizeitbeschäftigung entstammte bestimmt nicht irgendeiner hochtrabenden Metapher für seinen

Charakter, sondern ganz gewöhnlichen Kindheitsassoziationen. Jeden Juli hatten sich die Knackers eine Hütte neben einem rauschenden breiten Fluss in den White Mountains gemietet. Damals genossen Kinder noch das Privileg echter Sommer mit langen Strecken unverplanter Zeit, die sich bis in den diesigen Horizont hineinzogen. Eine Zeit, deren Endlosigkeit zwar eine Lüge, aber immerhin eine betörende Lüge war. Zeit zur Improvisation, Zeit, die man spielen konnte wie ein Saxofon. Also hatte er das Trällern von fließendem Gewässer stets mit Frieden, Gelassenheit und einem trägen Mangel an Druck verknüpft – in dessen Genuss die heutigen Kinder mit ihren Schulferienlagern, Nachhilfestunden, Fechtkursen und organisierten Spielterminen offenbar nicht mehr kamen. Und genau darum ging es ja im Jenseits, erkannte er nicht zum ersten Mal und schenkte sich einen weiteren Fingerbreit Bourbon ein. Er wollte seinen Sommer wiederhaben. Das ganze Jahr über.

Keine Sonntagsschulklasse, keine christliche Jugendgruppe hatte bei ihm angeschlagen, aber eine der wirklich charakterbildenden Maßnahmen, die Gabriel Knacker seinem Sohn hatte angedeihen lassen, war die Reise nach Kenia, als Shep sechzehn war. Unter der Ägide eines Austauschprogramms der Presbyterianer hatte der Pastor eine temporäre Stelle als Lehrer in einem kleinen Seminar in Limuru angenommen, eine gute Autostunde von Nairobi entfernt, und die Familie mitgenommen. Zu Gabe Knackers Verzweiflung hatten nicht etwa seine tiefgläubigen Seminarschüler den stärksten Eindruck bei seinem Sohn hinterlassen, sondern der Lebensmittelkauf. Auf dem ersten Proviantierausflug hatten Shep und Beryl ihre Eltern zum örtlichen Markt begleitet, um Papayas, Zwiebeln, Kartoffeln, Maracujas, Bohnen, Zucchini, ein mageres Hühnchen und ein Riesenstück undifferenzierbares Rindfleisch zu kaufen: alles in allem genug Nahrung, um fünf Einkaufsnetze prall zu füllen. Stets die Finanzen im Blick – noch heute musste sich Shep von seinem Vater anhören, er denke immer nur an Geld –, rechnete Shep im Kopf die Shillinge in Dollar um. Die ganze Fuhre hatte weniger als drei Dollar gekostet. Selbst für die Währungsverhältnisse von 1972 war das, für mehr als einen Wochenvorrat, eine lächerliche Summe.

Shep hatte seine Bestürzung darüber zum Ausdruck gebracht – wie konnten die Händler mit so miserablen Preisen überhaupt Profit machen? Sein Vater hatte betont, dass diese Menschen sehr arm seien; ganze Landstriche des umnachteten Kontinents kämen mit weniger als einem Dollar pro Tag aus. Doch der Pastor räumte ebenfalls ein, dass die afrikanischen Bauern Pennybeträge für ihre Ware verlangen konnten, weil sie ihre Ausgaben ebenfalls in Pennybeträgen rechneten. Der Wert eines Dollars war demnach nichts Feststehendes, sondern relativ. Zu Hause in New Hampshire bekäme man dafür eine Schachtel Büroklammern; auf dem kenianischen Land ein zwar gebrauchtes, aber voll funktionstüchtiges Fahrrad.

»Wieso nehmen wir dann nicht unser Erspartes und ziehen hierher?«, hatte Shep gefragt, während sie ihren Einkauf über den Feldweg der Farm schleppten.

In einem seltenen Moment der Milde hatte Gabe Knacker seinem Sohn auf die Schulter geklopft und den Blick über die in flammende äquatoriale Sonne getauchten üppigen Kaffeefelder schweifen lassen. »Das frage ich mich auch.«

Shep bekam die Frage nicht wieder aus dem Kopf. Wenn man in Ostafrika mit einem Dollar pro Tag zumindest über die Runden käme, wie gut ließe es sich dann erst mit zwanzig Dollar leben?

Schon auf der Highschool hatte Shep mühsam nach Orientierung gesucht. Doch leider war er, genau wie heute sein Sohn Zach, in allen Fächern gut, aber in keinem hervorragend gewesen. In einer Zeit, die der Beherrschung des Abstrakten immer mehr Wert beimaß – bis zur benebelnden Welt der »Informationstechnologie« waren es nur noch zehn Jahre hin –, bevorzugte Shep diejenigen Aufgaben, deren Ergebnisse er sowohl im

Kopf als auch mit den Händen nachvollziehen konnte: ein klappriges Geländer austauschen zum Beispiel. Doch sein Vater war ein gebildeter Mann und erwartete etwas anderes von seinem Sohn, als Handwerker zu werden. Mit seinem wässrigen Herzen hatte Shep als Kind nie rebelliert. In Anbetracht seiner Neigung zum Bauen und Reparieren schien ein Ingenieursstudium das Naheliegende zu sein. Wie er seinem Vater seitdem immer wieder versicherte, hatte er wirklich, ehrlich studieren wollen.

Doch inzwischen war aus der in Limuru geborenen Laune ein fester Entschluss geworden. Sparen mochte aus der Mode gekommen sein, aber ein amerikanisches Mittelschichtsgehalt würde es doch gewiss zulassen, dass man ein wenig Geld auf die hohe Kante legte. Mit Betriebsamkeit, Fleiß und Bescheidenheit – die einstigen moralischen Stützpfeiler des Landes – sollte es doch möglich sein, ein finanzielles Pölsterchen zur Größe eines Rettungsrings aufzublasen und irgendwann einfach ins nächste Flugzeug zu steigen. Ausverkauf in der Dritten Welt: zwei Leben zum Preis von einem. Leben A und Leben B. Seit er volljährig war, hatte Shep sich der Verwirklichung von Leben B gewidmet. Er war nicht mehr sicher, ob der Begriff Fleiß noch passte, wenn man dermaßen hart arbeitete, nur um irgendwann nicht mehr arbeiten zu müssen.

Im Hinblick auf sein wahres Ziel – nämlich Geld – hatte es Shep also instinktiv dorthin gezogen, wo Amerika das meiste davon verwahrte: Er bewarb sich am City College of Technology in New York. Eine Zeit lang nannte Gabe Knacker seinen Sohn charakterlos und beschimpfte ihn wegen seiner Anbetung des Mammon als »Philister«, während Shep überzeugt war, dass Geld – das Netzwerk der finanziellen Beziehungen zwischen dem Individuum und der Welt als Ganzem – eben gerade ein Zeichen von Charakter war; dass sich die Ambitionen eines Mannes am besten danach beurteilen ließen, wie er mit seinem Verdienst verfuhr. Insofern rührte er als anständiges, halbwegs begabtes Kind auch nicht das magere Gehalt seines Vaters als Kleinstadtpastor an (ein Schritt, dem sich Beryl nicht anschloss, als sie vier Jahre später ungeniert von ihrem Vater verlangte, ihr ein Filmstudium an der NYU zu finanzieren). Seit er mit neun Jahren seine ersten fünf Dollar fürs Schneeschippen verdient hatte, war Shep immer für sich selbst aufgekommen, sei es für einen Schokoriegel, sei es für seine Ausbildung.

Da er also entschlossen war, zunächst arbeiten zu gehen und sich sein Studium dann selbst zu finanzieren, hatte er seinen Studienbeginn am City Tech in Downtown Brooklyn aufgeschoben und sich in der Nähe von Park Slope eine Einzimmerwohnung gesucht, einer damals – heute schwer vorstellbar – schäbigen Gegend, und unsagbar billig. Der Wohnungsbestand im Bezirk war heruntergekommen und wimmelte von Familien, die kleinere Reparaturarbeiten vornehmen lassen mussten und sich die halsabschneiderischen Stundenlöhne der gewerkschaftlich organisierten Handwerker nicht leisten konnten. Da er sich im Zuge seiner Mithilfe beim Erhalt des ewig bröckelnden spätviktorianischen Elternhauses in New Hampshire allerhand rudimentäre Elektriker- und Tischlerfähigkeiten angeeignet hatte, hängte Shep in den Lebensmittelläden Flugblätter auf und bot seine Dienste als Handwerker von der alten Schule an. Über Mundpropaganda wurde schnell bekannt, dass da ein junger Weißer war, der zu bescheidenen Preisen Dichtungsringe austauschen und morsche Dielen ersetzen konnte, und schon bald wuchs ihm die Arbeit über den Kopf. Als er den Studienbeginn an der City Tech um ein zweites Jahr verschob, hatte er eine Firma gegründet und beschäftigte als »Der Allrounder« bereits die ersten Teilzeitkräfte. Zwei Jahre später stellte Shep seinen ersten Vollzeitmitarbeiter ein. Als gestresster Unternehmer genoss Shep wenig Freizeit, und außerdem hatte er gerade geheiratet. Aus reinen Effizienzgründen fungierte Jackson Burdina deshalb nicht nur als Arbeitskollege, sondern, damals wie heute, zudem als sein bester Freund.

Dass Shep nie studiert hatte, war seinem Vater noch immer ein Dorn im Auge, wenn auch unsinnigerweise; der Allrounder hatte expandiert und gedieh auch ohne akademischen Segen.

Das eigentliche Problem war, dass Gabriel Knacker von körperlicher Arbeit nichts hielt – es sei denn, es ging darum, mit dem Friedenskorps für verarmte Dorfbewohner in Mali einen Brunnen auszuheben oder aus reiner Nächstenliebe einem Renter das Dach auszubessern. Für Geldangelegenheiten hatte er keinen Sinn. Er verurteilte jede Tätigkeit, die nicht in direktem Sinne tugendhaft war. Dass eine Welt, in der sich jeder nur dem Guten als Selbstzweck verschrieb, vermutlich rasant zum Stillstand käme, kümmerte den Mann nicht im Geringsten.

Bis vor etwas mehr als acht Jahren hatte Leben A durchaus seine Vorzüge gehabt. Shep hatte nicht das Gefühl, dass er die beste Zeit seines Lebens einem Luftschloss opferte. Körperliche Arbeit hatte ihm immer zugesagt, schon immer hatte er eine gewisse Form von Erschöpfung zu schätzen gewusst, die sich nicht etwa im Fitnessstudio, sondern eher beim Bau von Bücherregalen einstellte. Es gefiel ihm, sein eigener Chef zu sein und niemandem Rechenschaft ablegen zu müssen. Auch wenn sich Glynis als ein anstrengender Charakter entpuppte und sich selbst niemals als glücklich bezeichnet hätte, ließ sich wahrscheinlich behaupten, dass sie mit ihm glücklich war – zumindest so weit, wie sie es eben sein konnte mit einem anderen Menschen. Er war froh, als sie sofort mit Amelia schwanger wurde. Er hatte es eilig, wollte unbedingt in der Hälfte der üblichen Zeit durch sein Leben rasen; es wäre ihm weitaus lieber gewesen, wenn Zach gleich im Anschluss geboren worden wäre und nicht erst zehn Jahre später.

Was das Jenseits betraf, hatte Glynis in der Anfangszeit den Eindruck gemacht, dass sie mit von der Partie sei. Sein Status als Mann mit Mission hatte ihn in ihren Augen wohl überhaupt erst attraktiv gemacht. Ohne seine Vision, ohne das immer konkretere Leben-B-Konstrukt, das in seinem Kopf Gestalt annahm, war Shep Knacker nur einer von vielen Kleinunternehmern, die eine kleine Marktnische entdeckt hatten: also nichts Besonderes. So aber war die Suche nach einem Zielland in Form der allsommerlichen Rechercheireise ein belebendes Ritual ihrer Ehe gewesen. Sie waren ein Team, oder zumindest hatte er das geglaubt, bis ihm im letzten Jahr allmählich zu dämmern begann, dass das Gegenteil der Fall war.

Als ihm also im November 1996 ein Kaufangebot gemacht wurde, konnte er nicht widerstehen. *Eine Million Dollar.* Nüchtern betrachtet erkannte er, dass eine Million nicht mehr das war, was es einmal gewesen war, und dass er Kapitalgewinnsteuer würde zahlen müssen. Dennoch war die Summe noch immer eine ehrfurchtgebietend runde Nummer; ganz gleich, wer alles »Millionär« wurde, das Wort hatte nichts von seinem Zauber verloren. Zusammen mit den Früchten seines lebenslangen Knauserns würde der Erlös aus dem Verkauf von Allrounder genügend Kapital einbringen, um nie wieder zurückblicken zu müssen. Also spielte es keine Rolle, dass der Käufer – ein Angestellter so faul und schlampig, dass sie den Kerl fast entlassen hätten, bis er zu aller Überraschung an seinen Treuhandfonds kam – ein unerfahrener Großkotz und Schwätzer war.

Und dieser Mensch, Randy Pogatchnik, war jetzt Sheps Chef. Nun ja, anfangs erschien es schon sinnvoll, in seiner ehemals eigenen Firma als Angestellter weiterzuarbeiten – die über Nacht »Handy Randy« getauft worden war, ein Name, der wohl kaum ein professionelles Firmenimage vermittelte, da »randy« in den Ohren nicht weniger Amerikaner etwas anzüglich klang: rallig. Die ursprüngliche Idee war gewesen, ein bis zwei Monate dabeizubleiben, um in Ruhe zu packen, diverses Hab und Gut zu verkaufen und zumindest fürs Erste ein Haus in Goa zu finden. Unterdessen hatte Shep das Kapital in bombensicheren Investmentfonds geparkt, um es vor der Schlachtung noch ein wenig zu mästen; der Dow Jones war im Höhenflug.

»Ein bis zwei Monate« hatten sich ausgedehnt auf über acht Jahre unter den sadistischen Launen eines übergewichtigen, mit Sommersprossen übersäten Bengels, der von seiner Beinahe-Entlassung Wind bekommen haben musste und den Laden nur gekauft hatte – so viel musste man dem Kerl lassen –, um teuflisch effektiv Rache zu nehmen. Nach dem Verkauf war das Qualitätsniveau so in den Keller gesunken, dass sich Sheps Stelle in der »Kundenbetreuung« zur Entgegennahme von Beschwerden, eine Position, die zu seiner Zeit als Geschäftsführer nicht mal existierte, zu einem anspruchsvollen und ausgesprochen unangenehmen Vollzeitjob entwickelt hatte.

Rückblickend war es natürlich völlig idiotisch, einige Jahre zuvor das Haus in Carroll Gardens abgestoßen zu haben – kurz nach einer Rezession und kurz vor einem Immobiliencrash –, um nach Westchester zu ziehen und dort zur Miete zu wohnen. Shep wäre liebend gern in Brooklyn geblieben, aber Glynis hatte beschlossen, dass sie sich nur dann endlich auf »ihre Arbeit« konzentrieren könne, wenn sie den »Ablenkungen« der Stadt den Rücken kehrte. (Wohl wissend um seine Schwäche, hatte sie zudem ein listiges finanzielles Argument ins Spiel gebracht: Das hohe Niveau der öffentlichen Schulen in Westchester werde ihnen das kostspielige Schulgeld der New Yorker Privatschulen ersparen. Und das war auch so gewesen, zumindest in Amelias Fall. Aber später, als Glynis der Meinung war, dass Zach Hilfe benötigte – womit sie recht hatte –, schien es nötig, eine »bessere Schule« zu finden, um das Gefühl zu haben, dass man überhaupt irgendetwas unternahm, und inzwischen mussten sie auch so ihre 26 000 Dollar pro Jahr an eine Privatschule abdrücken.) Jackson und Carol waren in Windsor Terrace geblieben, und sogar deren heruntergekommene Bude war inzwischen im Wert auf 550 000 Dollar gestiegen. Da er selbst vom Immobilienboom profitiert hatte, war Jackson hinsichtlich der selbstgefälligen Eigenheimbesitzer nachsichtiger als Shep; als Handwerker war man heutzutage keine fünf Sekunden durch die Tür, da krähte schon die Ehefrau, wie viel der Schuppen jetzt wert sei, also pass auf mit der Werkzeugkiste, die schöne Vertäfelung! Wahrscheinlich war Shep nur neidisch. Dennoch hatte dieser Frohsinn etwas Geschmackloses, es war eine Manie, die er mit Glücksspiel assoziierte. Als Sohn eines Predigers sah er einfach nicht ein, was man von einem Jackpot haben sollte, der nicht auch darauf verwies, dass man etwas Gutes oder Schwieriges geleistet hatte.

Auch in Westchester waren die Immobilien über die letzten zehn Jahre auf den dreifachen Wert gestiegen, also klar, rückblickend hätten sie kaufen sollen – und er hätte im Laufe der Zeit in etwa so viel Profit gemacht wie durch den Verkauf seiner ganzen Firma, den Früchten von zweiundzwanzig Jahren schweißtreibender Arbeit.

Für das Wohnen zur Miete hatte sich Shep aus demselben Grund entschieden, der alle großen Entschlüsse in seinem Leben motiviert hatte. Er wollte die Zelte abbrechen können – einfach, schnell, sauber und ohne darauf warten zu müssen, dass sein Haus einen Käufer fand auf einem Markt, dessen Klima er nicht vorhersehen konnte. Das war es ja auch, was ihn an den Eigenheimbesitzern so ärgerte: All diese Leute mit ihren eigenen vier Wänden taten immer so, als hätten sie den Boom kommen sehen, als wären sie Finanzgenies und nicht nur die Nutznießer eines Zufalls; schon möglich, dass er es bereute, das Immobilienglück an sich vorbeigezogen haben zu lassen. Aber den Grund dafür bereute er nicht. Er war stolz auf den Grund, stolz darauf, dass er die Absicht hatte zu gehen. Er schämte sich allenfalls, geblieben zu sein.

Er gab sich alle Mühe, Glynis nicht dafür verantwortlich zu machen. Wenn er sich statt dessen selbst dafür verantwortlich machte, schien ihm das nur gerecht. Das Jenseits war seine Eingebung – dieses Wort zog er dem Begriff *Phantasie* vor –, und verwässert und abgenutzt war doch jeder Traum. Er gab sich wegen vieler Dinge Mühe, nicht auf sie wütend zu sein, und zum großen Teil gelang ihm das auch.

Bei ihrer ersten Begegnung hatte Glynis ihr eigenes kleines Unternehmen gehabt. Sie stellte von zu Hause aus Schmuck von auffallend klarer und stromlinienförmiger Gestalt her, und das in einer Zeit, in der Klobigkeit, Schlamperei und Federn vorherrschten. Sie hatte sich mit Allrounder in Verbindung gesetzt, um sich eine festschraubbare Werkbank bauen zu lassen und später, aus Sympathie für den Chef – seine breiten, geäderten Unterarme, sein Gesicht, offen wie ein Weizenfeld –, noch einen Satz Regale für Hammer, Zangen und Feilen. Shep wusste ihre minutiösen Angaben zu schätzen und sie ihrerseits seine minutiösen Ausführungen. Als er zum zweiten Mal auftauchte, um bei dem Tisch letzte Hand anzulegen, hatte sie zahlreiche Arbeitsproben hier und da im Studio herumliegen lassen (absichtlich, wie sie lachend zugab, als sie anfingen, sich zu verabreden; sie hatte ihrem hübschen Handwerker den glitzernden Tand vor die Nase gehalten »wie Angelköder«). Obwohl er seiner Meinung nach keine künstlerische Ader hatte, war Shep von ihr in Bann geschlagen. Verschiedene längliche Broschen, zart und morbide, sahen aus wie aus Vogelknochen; die Armbänder, die sie ihm vorführte, wanden sich bis zum Ellenbogen hinauf wie Schlangen. Glynis' Schöpfungen, sehnig, geheimnisvoll und streng, waren eine unheimliche Manifestation der Frau, die sie geschaffen hatte. Ob er sich zuerst in Glynis verliebte oder in ihre Schmiedekunst, war schwer zu sagen, denn für Shep war beides ein und dasselbe.

Zu der Zeit, als sie sich verliebten, unterrichtete Glynis in Ferienlagern und fertigte im Jewellry District Auftragsarbeiten an, um ihre Miete zahlen zu können. Nebenbei stellte sie in zweitrangigen Galerien einzelne Halsketten aus, sodass sich ihre Silberschmiedearbeiten gerade eben gegenfinanzierten. Und dann legte sie noch lange und fieberhafte Arbeitsstunden ein, um ihre Telefonrechnung ausgleichen zu können. Gewiss hätte jeder Mann angenommen, dass es für einen Menschen mit so viel Eigenantrieb – diszipliniert, asketisch und feurig, wie Glynis war – Ehrensache sein würde, in einer Ehe ihr Scherflein beizutragen. (Wenn man's bedachte, war das wahrscheinlich auch der Fall gewesen.) Insofern hatte er nie damit gerechnet, ganz allein für das Jenseits sparen zu müssen.

Weniger mitfühlende Männer hätten vielleicht das Gefühl gehabt, einem Etikettenschwindel aufgesessen zu sein. Die Schwangerschaft war ein einleuchtender Vorwand gewesen, das Schmiedewerkzeug zu vernachlässigen, aber innerhalb der letzten sechsundzwanzig Jahre waren das gerade mal achtzehn

Monate gewesen. Mutterschaft war nicht das eigentliche Problem, wobei es lange dauerte, bis er dahinterkam, was das eigentliche Problem war. Sie brauchte Widerstand, genau jene Eigenschaft, die das Metall am nachweislichsten bot. Auf einmal hatte Glynis kein Hindernis mehr zu überwinden, kein schweres Kunsthandwerkerleben zu führen und sich mit Galerien herumzuschlagen, die die Hälfte eines ohnehin viel zu niedrigen Preises für eine Mokumebrosche kassierten, in der drei Wochen Arbeit steckten. Nein, ihr Mann verdiente gutes Geld, und auch wenn sie lange schlief und den Nachmittag mit der Lektüre diverser Kunstmagazine vertrödelte, würde die Telefonrechnung bezahlt werden. Was sie brauchte, war schlicht die Notwendigkeit zur Arbeit. Nur wenn sie keine Wahl hatte, konnte sie ihre Ängste überwinden und einen Gegenstand in Angriff nehmen, der bei der Fertigstellung vielleicht nicht ganz ihren hohen Erwartungen entsprechen würde. In dieser Hinsicht hatte ihr Sheds Hilfe eher geschadet als genützt. Indem er ihr ein finanzielles Polster bot, mit dem sie sich eigentlich hätte ganz ihrer Kunst widmen können, hatte er ihr das Leben ruiniert.

Es war ja nicht so, dass sie faul gewesen wäre. Da Glynis die Fiktion aufrechterhielt, beruflich als Kunstschmiedin zu arbeiten, galten alle anderen häuslichen Aktivitäten als Verzögerungstaktik und wurden daher energisch und eilig in Angriff genommen. Es war auch nicht so, dass sie gar nichts machte – das heißt, aus Metall. Nachdem sie Schmuck als nutzlosen Firlefanz abgetan hatte, verlegte sie sich ganz auf Besteck und schuf über die Jahre eine Handvoll bezaubernder Essgeräte; erinnerungswürdig waren der Fischheber mit einer Einlegearbeit aus Bakelit sowie ein Paar wunderbar ergonomischer silberner Essstäbchen, deren dickere Enden ein klein wenig, fast schmerzlich gekrümmt waren, als würden sie schmelzen. Allerdings entpuppte sich jedes beendete Projekt als so mühsam und zeitraubend, dass sie sich am Ende zum Verkauf der Gegenstände nicht durchringen konnte.

Geld hatte sie also keines verdient. Hätte er jemals laut ausgesprochen, dass Glynis nie auch nur zehn Cent mit zum Haushalt beigetragen hatte, selbst nachdem Zach und Amelia in die Schule gekommen waren, wäre sie in eiskalter Wut erstarrt (also hatte er's gelassen). Ihr Einkommen von null Dollar war eine unveränderbare Tatsache. Dass sich Shep bei seiner Heirat nicht vorgestellt hatte, bis in alle Ewigkeit allein den gesamten Haushalt zu tragen, war zwar ebenfalls eine Tatsache. Aber er konnte den Haushalt tragen, und so trug er den Haushalt eben auch.

Außerdem konnte er sie ja verstehen. Oder er konnte verstehen, wie viel er nicht verstehen konnte, und das war ja auch schon mal was. Glynis hatte zwar den Motor, aber der Anlasser war defekt. Sie konnte beschließen, etwas zu tun, aber dann passierte nichts. Es war bei ihr etwas Inwendiges, ein Designfehler, und wahrscheinlich kein behebbarer.

Nachdem er jahrzehntelang den Mund gehalten hatte, hätte er (während einer besonders aufreibenden Woche bei Handy Randy) niemals vor einigen Jahren andeuten dürfen, wie sehr es doch zu bedauern sei, dass sie nicht die ganzen Jahre über den Rest zweier Gehälter auf die hohe Kante gelegt hatten, womit sie längst im Jenseits hätten sein können … noch bevor er den Satz beendet hatte, war sie wortlos vom Tisch aufgestanden und aus der Tür marschiert. Als er am selben Abend nach Hause kam, hatte sie einen Job. Offenbar hätte er ihr über die ganzen Jahre nur etwas Feuer unterm Hintern zu machen brauchen, anstatt sie mit Samthandschuhen anzufassen. Seitdem hatte sie Modelle für die Firma Living in Sin hergestellt, einem besseren Chocolatier mit Fabrik im nahe gelegenen Mount Kisco. Diesen Monat rüstete sich die Firma bereits für das Ostergeschäft. Statt also Avantgardebesteck fürs Museum zu polieren, schnitzte seine Frau kleine Wachshäschen, die – passenderweise – mit Bitterschokolade ausgegossen wurden. Es war ein Teilzeitjob ohne Leistungen. Ihr Gehalt trug lächerlich wenig zur Haushaltskasse bei. Aus Gehässigkeit behielt sie den Job.

Und er gestattete ihr aus Gehässigkeit, den Job zu behalten.

Es war nicht schön, systematisch für etwas bestraft zu werden, was ihm doch eigentlich ein Minimum an Dankbarkeit hätte bescheren müssen. Glynis beklagte ihre Abhängigkeit; sie empfand sie als entwürdigend. Sie beklagte, dass sie keine gefeierte Kunstschmiedin war, und sie beklagte, dass ihr Status als berufliche Null offenbar für alle, einschließlich sie selbst, als selbst verschuldet zu erkennen war. Sie beklagte, dass ihre beiden kleinen Kinder ihre ganze Energie absorbiert hatten; und als die Kinder dann nicht mehr klein waren, beklagte sie, dass sie ihre Energie nicht mehr genug absorbierten. Sie beklagte, von ihrem Mann und den mittlerweile gnadenlos anspruchslosen Kindern dessen beraubt worden zu sein, was sie am meisten geschätzt hatte – ihrer Ausflüchte. Da der Unmut eine Art seelisches Sodbrennen darstellte, beklagte sie das Beklagen selbst. Der Umstand, dass sie nie genug Grund zum Klagen gehabt hatte, bildete einen weiteren Anlass zur Verdrossenheit.

Vom Temperament her neigte Shep dazu, sich glücklich zu schätzen, obwohl er selbst Grund genug zur Klage gehabt hätte. Er sorgte für den Lebensunterhalt seiner Frau und seines Sohnes. Er unterstützte seine Tochter Amelia, obwohl ihr Collegeabschluss schon drei Jahre zurücklag. Er unterstützte seinen alten Vater, ohne dass der stolze Pastor im Ruhestand davon etwas mitbekam. Er hatte seiner Schwester Beryl mehrere Darlehen eingeräumt, die sie nie zurückzahlen würde, und es würden nicht die letzten sein; aber weil es offiziell Darlehen und keine Geschenke waren, würde Beryl ihm niemals danken. Er hatte die gesamten Kosten für die Beerdigung seiner Mutter übernommen, und da es sonst niemandem auffiel, fiel es auch Shep nicht auf. Jedes Familienmitglied hatte eine Rolle zu spielen, und Shep war eben derjenige, der zahlte.

Er kaufte sich selten etwas, aber er wollte ja auch nichts. Beziehungsweise nur eine Sache. Aber warum gerade jetzt? Wenn der Verkauf von Allrounder schon acht Jahre zurücklag, warum sollten nicht auch neun daraus werden? Wenn heute Abend der richtige Moment war, warum dann nicht auch morgen Abend?

Weil es Anfang Januar war im Bundesstaat New York und kalt. Weil er schon achtundvierzig Jahre alt war, und je näher die fünfzig heranrückte, desto mehr sah das Jenseits, falls es überhaupt noch dazu kommen sollte, wie die gewöhnliche Frührente aus. Weil seine »bombensicheren« Investmentfonds erst im vorigen Monat den ursprünglichen Investitionswert wieder erreicht hatten. Weil er in seiner idiotischen Unschuld schon seit Jahrzehnten überall seine Absicht kundtat, die Welt von Steuerplanung, Autoinspektion, Verkehrsstau und Telemarketing zu verlassen. (Während sein Publikum gealtert war, hatte sich deren jugendliche Bewunderung hinter seinem Rücken längst in Häme verwandelt. Oder auch nicht hinter seinem Rücken, denn bei Handy Randy genoss Sheps »Fluchtphantasie«, wie Randy Pogatchnik flapsig dazu sagte, beschämenderweise Unterhaltungswert.) Weil er selbst inzwischen die Realität des Jenseits bedenklich in Zweifel zog und weil er ohne Begnadigungsversprechen nicht weitermachen konnte – nein, es ging einfach nicht. Weil er sich selbst wie einem verfluchten Esel eine Möhre vor die Nase gehängt hatte, sich mit der verführerischen Vorstellung endlosen Aufschubs in Sicherheit gewiegt hatte, ohne darauf zu kommen, dass er, wenn er immer morgen fahren könnte, auch heute schon fahren könnte. Es war die reine Willkür dieses Freitagabends, die die Sache so vollkommen machte.

Als Glynis die Haustür aufschloss, schrak er schuldbewusst zusammen. Er hatte seinen Eröffnungstext so lange geprobt, und jetzt fehlten ihm die Worte.

»Bourbon«, sagte sie. »Gibt's einen besonderen Anlass?«

Noch immer hing er seinem letzten Gedanken nach und wollte erklären, dass es eben keinen Anlass gebe, genau das sei ja das Besondere. »Gewohnheiten sind dazu da, um abgelegt zu werden.«

»Manche«, sagte sie vorwurfsvoll und zog ihre Jacke aus.

»Möchtest du auch einen?«

Überraschenderweise sagte sie ja.

Glynis war noch immer schlank, und niemand schätzte sie auf fünfzig, wobei sie heute so erschöpft wirkte, dass man sie sich auf einmal mit fünfundsiebzig vorstellen konnte. Mindestens seit September war sie müde gewesen und hatte ständig über leichtes Fieber geklagt, das er allerdings nicht bei ihr hatte ausmachen können. Obwohl sie in letzter Zeit ein kleines Bäuchlein entwickelt hatte, war der Rest ihres Körpers, wenn er sich überhaupt verändert hatte, dünner geworden; eine solche Gewichtsverteilung war in den mittleren Jahren normal, und er war zu sehr Gentleman, um eine Bemerkung darüber fallenzulassen.

Dass sie beide kurz nach neunzehn Uhr schon harte Spirituosen zu sich nahmen, erzeugte ein warmes Gefühl der Eintracht, das er nur ungern untergraben wollte. Doch sein harmloses »Wo warst du denn?« hatte etwas von einer Anklage.

Ausweichende Antworten waren bei ihr normal, aber dass sie überhaupt nicht reagierte, kam selten vor. Er ließ es dabei bewenden.

In ihrem üblichen Sessel drückte sie schützend ihren Highball an sich, zog die Knie hoch und schob die Fersen unter. Sie wirkte eigentlich immer verschlossen, in gewissem Sinn zusammengeballt, aber heute war das ganz besonders der Fall. Vielleicht erahnte sie seine Absicht, nach so langem Vorlauf. Als er in seine Innentasche griff und wortlos drei e-Tickets auf den Glastisch neben den Hochzeitsbrunnen legte, zog sie die Augenbrauen hoch. »Jetzt bin ich aber gespannt.«

Glynis war eine elegante Frau, und sie interessierte ihn – in der Art, wie schlichtere Gemüter gern von verkorksten Menschen gefesselt sind. Er hielt inne und überlegte, ob es im Jenseits ohne Glynis, ob nun als Partner oder als Gegner, nicht sehr einsam werden würde.

»Drei Tickets nach Pemba«, sagte er. »Ich, du und Zach.«

»Schon wieder eine ›Recherchereise‹? Hättest du dir das nicht vor den Weihnachtsferien einfallen lassen können? Zach hat doch schon wieder Schule.«

Obwohl sie den Begriff sonst nie in Anführungszeichen gesetzt hatte, gemahnte der leicht verbitterte Unterton, mit dem sie das Wort »Rechercherereise« aussprach, an Pogatchniks hämische »Fluchtphantasie«. Er bemerkte, wie schnell sie einen Grund zur Hand hatte, um seinen Vorschlag als unmöglich einzuschätzen, wie hastig sie sogar den vermeintlichen Kurztrip abtat. Bei seiner Arbeit setzte Shep seine Intelligenz ein, um Probleme zu lösen; Glynis dagegen setzte ihre Intelligenz ein, um Probleme zu erfinden, sich Steine in den Weg zu legen. Dieses exzentrische Verhalten hätte ihm ja nichts ausgemacht, wenn ihr Weg nicht auch sein Weg gewesen wäre.

»Die Tickets sind nur für die Hinreise.«

Sobald der Groschen fiel, hatte er gedacht, sobald sie die wahre Natur des Fehdehandschuhs erkannte, den er da auf den Wohnzimmertisch geworfen hatte, würde sich ihr Gesicht verfinstern, andächtig werden oder in Vorbereitung auf den Kampf in Misstrauen erstarren. Stattdessen wirkte sie leicht belustigt. Häme war er von Randy gewohnt (»Na klar ziehst du nach Afrika, schon in wenigen Tagen, du und Meryl Streep«), und auch wenn er sich dafür hasste, spielte er gelegentlich sogar mit. Doch es ging ihm an die Nieren, dass er nun von Glynis den gleichen mitleidigen Zynismus zu hören bekam. Er wusste ja, dass sie keine Lust mehr aufs Jenseits hatte, aber dass ihre Einstellung so negativ geworden war, hätte er nicht gedacht.

»Verschwendung«, sagte sie ruhig. »Das sieht dir nicht ähnlich.«

Sie vermutete ganz richtig, dass die Hinreise allein mehr gekostet hatte als eine Hin- und Rückreise. »Es soll eine Geste sein«, sagte er. »Es geht hier nicht um Geld.«

»Ich kann mir nicht vorstellen, dass du irgendetwas tust, wobei es nicht um Geld geht. Dein ganzes Leben, Shepherd«, erklärte sie, »dreht sich doch nur um Geld.«

»Aber nicht um Geld als Selbstzweck. So geldgierig war ich nie, wie du weißt – ich habe nie einfach nur reich sein wollen. Ich will mir auch was dafür kaufen können.«

»Früher habe ich dir das abgenommen«, sagte sie traurig. »Jetzt frage ich mich, ob du irgendeine Ahnung hast, *was* du dir eigentlich kaufen willst. Du weißt doch nicht mal, aus was du raus willst, geschweige denn, was du anfangen willst.«

»Oh doch«, konterte er. »Ich will mich freikaufen. Tut mir leid, wenn ich schon wieder genauso rede wie Jackson, aber irgendwie hat er recht. Ich bin ein Leibeigener. Wir leben hier nicht in einem freien Land, nicht mal ansatzweise. Wer seine Freiheit will, muss sie sich kaufen.«

»Aber Freiheit ist doch auch nichts anderes als Geld, oder? Freiheit hat nichts zu bedeuten, solange man nicht weiß, wofür man sein Geld ausgeben will.« Der Einwand klang hohl, ja gelangweilt.

»Wir haben doch darüber geredet, wofür ich sie ausgeben will.«

»Ja«, sagte sie erschöpft. »Ohne Ende.«

Er steckte die Beleidigung weg. »Zum Weggehen gehört auch, genau diese Dinge herauszufinden.«

Shep wäre kein Gespräch eingefallen, das seine Frau mehr gefesselt hätte als dieses, und doch hätte er schwören können, dass sie mit den Gedanken woanders war.

»Gnu«, sagte er beschwörend; der Kosename ging auf ihre allererste Keniareise zurück, wo sie großartige Gnu-Imitationen hingelegt hatte, bei denen sie die Hände über dem Kopf zu Hörnern geformt und ihr langes Gesicht zu einem flehenden, traurig-dümmlichen Ausdruck verzogen hatte. Es war ein mädchenhafter, betörender Spaß gewesen. Damals nannte er sie ständig Gnu, und in letzter Zeit – nun, in letzter Zeit, wie er erschrocken feststellte, hatte er sie gar nichts mehr genannt. »Das hier sind echte Tickets. Für ein echtes Flugzeug, das in einer Woche startet. Ich möchte, dass du mitkommst. Ich möchte, dass Zach mitkommt, und wenn wir als Familie fliegen, schleife ich ihn notfalls an den Haaren über den Flugsteig. *Ich werde jedenfalls fliegen*, ob du mitkommst oder nicht.«

Verdammt, seine Erklärung schien sie ja außerordentlich

zu amüsieren. »Also ein Ultimatum?« Sie nahm den letzten Schluck Bourbon, als wollte sie ein Lachen ersticken.

»Eine Aufforderung«, gab er zurück.

»In einer Woche willst du in ein Flugzeug steigen und auf eine Insel fliegen, auf der du noch nie gewesen bist, um da den Rest deines Lebens zu verbringen. Und wozu waren dann die ganzen ›Recherchereisen‹ gut?«

Da sie das Wort *du* anstelle von *wir* verwendete, schien ihre Antwort schon jetzt festzustehen, und auf das bange Gefühl ums Herz war er nicht vorbereitet gewesen. Obwohl er versucht hatte, realistisch mit sich zu sein, hatte er offenbar die Hoffnung genährt, dass sie und Zach doch mit nach Pemba kommen würden. Aber die Diskussion war noch jung, und er hielt die Hoffnung aufrecht, dass es ihm – zum ersten Mal in der Geschichte des Universums – gelingen würde, ihre Meinung zu ändern.

»Ich habe mich für Pemba entschieden, eben weil wir da noch nie waren. Du kannst dir also nicht schon gleich eine Milliarde Gründe ausgedacht haben, warum wieder eine Option vom Tisch ist.«

Als sie darauf nichts erwiderte, fiel ihm etwas von dem ein, was er nachmittags auf dem Henry Hudson Parkway hinter seinem Lenkrad geübt hatte. »Goa hatte grünes Licht, bis du diesen Artikel über die britische Auswanderin gelesen hast, die von einem Bekannten vor Ort in ihrem eigenen Haus ermordet wurde, und plötzlich war es da zu gefährlich. Ein einziger Mord. Als würden sich die Leute in New York nicht gegenseitig umbringen. Bulgarien wäre ein Schnäppchen gewesen, bei unserem ersten Besuch, und es lag sogar im westlichen Teil der Welt, wenn auch knapp, mit Breitband und Post und sauberem Wasser. Aber das Essen war dir zu fade. Das *Essen*. Als hätten wir nicht ein bisschen Knoblauch und Rosmarin auftreiben können. Inzwischen sind die Immobilienpreise derart explodiert, dass es zu spät ist. Auch Eritrea hat zuerst deine Phantasie angeregt: stolzes neues Land, warmherzige Menschen, Espresso an jeder Ecke, Wahnsinns-Fünfzigerjahre-Architektur. Dein Glück, dass die Regierung gerade den Bach runtergegangen ist. Marokko hat dir richtig gut gefallen, weißt du noch? Zimt und Terrakotta; weder das Essen noch die Landschaft waren *fade*. Es wirkte so vielversprechend, dass ich bereit war, noch länger zu bleiben, als meine Mutter ihren Schlaganfall hatte; wir sind einen halben Tag zu spät zurückgekommen, und ich konnte mich nicht mehr von ihr verabschieden.«

»Das hast du ja wiedergutgemacht.« Ja ja, die Kosten für die Beerdigung. Wenn Shep die familiären Ansprüche auf seine Finanzen schon nicht selbst beklagte, wollte wenigstens Glynis diese Aufgabe übernehmen.

»Aber nach dem elften September«, fuhr er unerbittlich fort, »waren auf einmal alle muslimischen Länder – inklusive der Türkei zu meiner Enttäuschung – ersatzlos gestrichen. Als das Finanzsystem in Argentinien kollabierte, hätten wir die Gelegenheit gehabt. Davor hätten wir während der Finanzkrise in Südostasien mehr oder minder alles kaufen können. Aber inzwischen haben sich all diese Währungen wieder erholt, und dreißig bis vierzig Jahre würden wir mit unseren Reserven in keinem dieser Länder auskommen. Auf Kuba konntest du ohne Haarshampoo und Klopapier nicht leben. Kroatiens Einwanderungsbestimmungen waren dir zu kompliziert. Die Slums in Kenia waren dir zu deprimierend; in Südafrika hattest du Schuldgefühle, weil du Weiße bist. Laos, Portugal, Tonga und Bhutan – ich kann mich nicht mal mehr erinnern, was an *den* Ländern verkehrt war« – und er fügte verbittert hinzu –, »aber du bestimmt schon.«

Glynis verströmte eine aggressive Milde und wirkte belustigt. »Aber Frankreich hast du ja verworfen«, flötete sie.

»Das stimmt. Die Steuern hätten uns den Rest gegeben.«

»Immer dieses Geld, Shepherd«, sagte sie tadelnd.

Auf einmal ging ihm auf, dass genau die Leute, die immer taten, als wäre das Thema Geld unter ihrer Würde – Künstlertypen wie seine Schwester oder sein alttestamentarischer Vater –, nie nennenswert viel verdienten. Glynis wusste ganz genau, dass sich das Jenseits finanziell rechnen musste, sonst würde es einfach nur ein langer, ruinöser Urlaub werden.

»Du hast uns hinten und vorne ausgebremst«, fuhr er fort. »Nicht nur ist kein Ziel gut genug, sondern es ist nie die richtige Zeit. Wir müssen warten, bis Amelia aus der Schule ist. Wir müssen warten, bis Amelia fertig studiert hat. Wir müssen warten, bis Zach die Grundschule hinter sich hat. Die Mittelschule. Jetzt ist es die Highschool. Wir müssen warten, bis sich unsere Investitionen von der Dotcom-Blase erholen, und dann vom elften September. Also, es ist jetzt so weit.«

Shep war es nicht gewohnt, so viel zu reden, und er kam sich idiotisch vor. Vielleicht war er genauso süchtig nach *Widerstand* wie Glynis, das heißt: süchtig nach *ihrem* Widerstand. »Du hältst mich für egoistisch. Vielleicht bin ich das wirklich. Es geht aber nicht um Geld, es geht um« – beschämt hielt er inne – »um meine Seele. Du wirst jetzt sagen, und du hast es auch schon gesagt, dass es nicht so sein wird, wie ich erwarte. Das akzeptiere ich. Ich mache mir keine Illusionen, dass ich den ganzen Tag am Strand liegen werde. Ich weiß, die Sonne wird langweilig, und es gibt Fliegen. Aber trotzdem, so viel kann ich dir sagen: Ich habe vor, acht Stunden Schlaf zu bekommen. Hört sich lächerlich an, ist es aber nicht. Ich schlafe nun mal wahnsinnig gern, Glynis, und« – jetzt bloß keine zugeschnürte Kehle, bevor es raus war – »besonders gern schlafe ich mit dir. Aber wenn ich auf einer Dinnerparty in Westchester erzähle, acht Stunden Schlaf? Da *lachen* die Leute. Für die Pendler hier in der Gegend ist das eine so absurde Ambition, dass sie bloß Heiterkeit auslöst. Also ist es mir egal, was ich sonst noch so in Pemba machen werde oder dass es ständig Stromausfälle gibt. Wenn ich jetzt wieder einen Rückzieher mache, wüsste ich tief in meinem Herzen, dass die Sache gegessen ist. Und ohne ein gelobtes Land, auf das ich mich freuen kann, kann ich nicht weitermachen, Gnu. Ich kann nicht weitermachen und Randys ungelernten Trotteln hinterherräumen. Ich kann nicht weiter auf dem West Side Highway im Stau stehen und NPR hören. Ich kann nicht weiter zum Supermarkt fahren und Milch kaufen und unsere Bonuskarte aufstocken, damit wir, nachdem wir mehrere Tausend Dollar dagelassen haben, einen Gratis-Thanksgiving-Truthahn bekommen.«

»Es gibt schlimmere Schicksale.«

»Nein«, sagte er. »Da habe ich meine Zweifel. Ich weiß, wir haben jede Menge Elend gesehen – überschwemmte Kanalisationen und Mütter, die nach Mangoschalen im Müll wühlen. Aber diese Leute wissen, was in ihrem Leben falsch läuft, und sie haben die Vorstellung, dass es ihnen mit ein paar Shillingen oder Pesos oder Rupien in der Tasche besser ginge. Das Schlimmste ist doch, dass man immer wieder vorgebetet bekommt, man würde das beste Leben auf Erden führen und es gäbe kein besseres, und trotzdem ist es Scheiße. Das hier soll das großartigste Land der Welt sein, aber Jackson hat recht: Man wird nur abgezockt, Glynis. Ich muss vierzig verschiedene Passwörter haben, für Banking und Telefon und Kreditkarte und Internet-Account, und vierzig verschiedene Kontonummern, und wenn man alles zusammenzählt, dann hat man die Summe seines Lebens. Und es ist alles hässlich, hässlich anzusehen. Die Einkaufszentren in Elmsford, die Kmarts und Wal-Marts und Home Depots ... nichts als Plastik und Chrom mit grellen Farben, die sich alle beißen, und jeder ist ständig in Eile, und wozu?«

Es war keine Einbildung. Sie hörte ihm wirklich nicht zu.

»Tut mir leid«, sagte er. »Du hast das alles schon gehört. Vielleicht habe ich ja unrecht, vielleicht komme ich ja wirklich in ein paar Wochen auf den Brustwarzen nach Hause gekrochen. Aber lieber der gescheiterte Versuch und die Schmach, als die Idee von vornherein aufzugeben. Die Idee aufzugeben wäre der Tod.«

»Ich glaube, du wirst feststellen –« ihre Stimme war so gemessen, sie strotzte von irgendeiner großartigen neuen Weisheit, von der er gar nichts wissen wollte –, »dass es überhaupt nicht so sein wird wie der Tod. Es gibt nichts, das so ist wie der Tod. Den Tod verwenden wir immer nur als Metapher für etwas anderes. Etwas Kleineres und Lächerliches und weitaus Erträglicheres.«

»Wenn du glaubst, dass du mich damit umstimmen kannst, muss ich dich enttäuschen.«

»Und wann genau gedenkst du unsere heimischen Gefilde zu verlassen?«

»Nächsten Freitag. Flug BA-179 von JFK mit Anschluss in London um 22.30 Uhr. Dann weiter nach Pemba über Nairobi und Sansibar. Du und Zach könnt dazukommen, bis das Gate schließt. Bis dahin, habe ich gedacht, bin ich mal hier weg und gebe dir die Chance, die Sache in Ruhe zu überdenken.« *Die Chance, mich zu vermissen*, ist das, was er meinte. *Mich zu vermissen, solange du mich noch ent-vermissen kannst*. Und ehrlich gesagt hatte er Angst vor ihr. Bliebe er hier, würde es ihr gelingen, ihm die ganze Sache wieder auszureden. Dazu wäre sie imstande. »Ich wohne solange bei Carol und Jackson. Sie erwarten mich, und du kannst mich da jederzeit erreichen, bis zu meiner Abreise.«

»Mir wäre es lieb, wenn du das nicht tätest«, sagte Glynis. Nachdem sie ihr Glas vom Tisch genommen hatte, stand sie auf und strich sich die Hose glatt, eine Geste, die er als Signal zum Sichaufraffen und Zubereiten eines weiteren durchschnittlichen Abendessens erkannte. »Ich fürchte, ich werde deine Krankenversicherung brauchen.«

WÄHREND GLYNIS SPÄTER am Abend noch immer die Küche aufräumte, lief Shep nach oben und zog den Bademantel von seinem Koffer. Er legte die beiden Hemden zurück in die dritte Schublade seiner Kommode und strich sie glatt, damit sie in ordentlichem Zustand fürs Büro waren. Er nahm Flachnadelzange, Schraubenzieher und Metallsäge und legte das Werkzeug zurück in seine zerbeulte rote Werkzeugkiste. Ehe er am Ende den Kamm an seinen angestammten Platz neben die Zigarrenkiste mit der ausländischen Restwährung legte, fuhr er sich einmal damit durch die Haare.

Kapitel 2

»Der fährt nie im Leben«, sagte Carol beim Rucolawaschen.

»Blödsinn«, sagte Jackson und stibitzte sich aus dem Paprikagemüse eine Scheibe italienische Wurst. »Er hat ja schon das Ticket. Ich hab's gesehen. Beziehungsweise *die* Tickets. Ich hab zu ihm gesagt, das Geld für die anderen beiden kann er sich sparen. Sie geht niemals mit, so viel ist sicher. Das war mir schon immer klar, lange vor Shep. Diese vielen Reisen waren für Glynis doch nur ein Spiel. Von dem sie irgendwann genug hatte.«

»Du denkst immer, ich meine, dass er zu feige ist. Aber das ist es nicht. Er ist zu vernünftig. Er würde niemals seine Familie im Stich lassen; er ist einfach nicht der Typ dafür. Die Reisetasche schnappen und nie wieder einen Blick zurück werfen? Noch mal bei null anfangen, jetzt, wo er auf die fünfzig zugeht? Kennst du irgendjemanden, der das wirklich gemacht hätte? Und selbst wenn er geht, weil er sich vielleicht etwas beweisen will, er wird postwendend wieder nach Hause kommen – Flicka, die halbe Stunde ist bestimmt schon wieder rum. Hast du an deine Tropfen gedacht?«

Ihre älteste Tochter stieß einen nasalen Seufzer aus, halb Stöhnen, halb Blöken. Es war ein raffinierter Ton, der sowohl

Nein als auch Ja heißen konnte. Grollend kramte sie in der Tasche ihrer Strickjacke und benetzte ihre Augen mit künstlichen Tränen aus einer von mehreren Dutzend kleiner Plastikampullen, deren Form Jackson immer an die Bombe »Fat Man« erinnerte, die über Nagasaki abgeworfen worden war. Wie immer waren Flickas Augen entzündet und die Wimpern von Vaseline verkrustet.

»Was denn, er zieht den Schwanz ein?«, sagte Jackson. »Du hast keinen Sinn für männlichen Stolz.«

»Ach nein?« Carol warf ihm einen Blick zu. »Wo liegt dieses ›Pemba‹ überhaupt?«

»Pemba ist eine Insel vor Sansibar«, sagte Jackson. »Berühmt für den Anbau von Nelken. Die ganze Insel stinkt danach, behauptet zumindest Shep. Ich seh ihn schon vor mir, meinen Kumpel, wie er sich in seiner Hängematte räkelt, und überall der Duft von heißem Whiskey und Kürbistorte.«

»Ich wette, er fährt«, sagte Flicka. »Wenn er das gesagt hat. Shep ist kein Lügner.« Obwohl sie oft für die jüngere Schwester der elfjährigen Heather gehalten wurde, war sie sechzehn; ähnlich wie man das relative Alter von Haustieren berechnet, bewegte sich im Anbetracht ihres Leidens ihr wahres Alter vermutlich um die hundertdrei. Da sich für sie das Hier und Jetzt als ewige Prüfung darstellte, war Flicka selbstverständlich gefesselt von der Vorstellung eines Anderswo.

Jackson fuhr seiner Tochter durch das feine blonde Haar. Als Kind hatten sie es ihr immer kurz schneiden lassen, damit nicht ständig ihr Erbrochenes darin hängenblieb, doch seit der Fundoplikation konnte sie ohnehin nur noch würgen und hatte sich die Haare wachsen lassen. »Endlich mal jemand, der den Glauben an die Menschheit noch nicht verloren hat!«

»Aber was will er da?«, bohrte Carol weiter. »Raffinierte Zimmerspringbrunnen für die Dritte Welt bauen? Shep ist doch gar nicht der Typ, der den ganzen Tag in der Hängematte liegt.«

»Vielleicht keine Zimmerspringbrunnen, aber, na ja, Brunnen könnte er tatsächlich bauen. Shep ist *praktisch veranlagt*.

Er kann gar nicht anders. Wenn ich irgendwo in einer Lehmhütte wohnen würde, hätte ich auch am liebsten ihn als Nachbarn.«

»Flicka, weg vom Herd!«

»Ich bin nicht mal in der Nähe von deinem verdammten Herd«, sagte Flicka, wie üblich etwas lallend. Sie näselte nicht nur, sondern klang zudem immer leicht angetrunken, wie Stephen Hawking nach einer Flasche Wild Turkey. Außerdem klang sie schlecht gelaunt, aber das war echt. Es gehörte zu den Dingen, die Jackson an ihr liebte. Sie weigerte sich, das behinderte Sonnenscheinchen zu spielen, das mit seinem unglaublichen Lebensmut die Herzen aufgehen lässt.

»Jetzt lass das!«, sagte Carol, nahm Flicka das Schälmesser aus der Hand und knallte es zurück auf die Arbeitsplatte.

Mit einem Gang, der auf die meisten unbeholfen wirkte, den Jackson aber immer als seltsam anmutig empfand, torkelte Flicka zum Tisch: Sie schwankte mit dem Oberkörper, während sie mit eleganten kleinen Ruderbewegungen das Schlingern ausglich und dabei vorsichtig die Füße abrollte wie eine Drahtseilartistin. »Wovor hast du denn schon wieder Angst?«, sagte sie. »Dass ich meine Finger in den Salat schneide, weil ich sie nicht von den Mohrrübchen unterscheiden kann?«

»Das ist nicht lustig«, sagte Carol.

Es war nicht lustig. Als Neunjährige hatte Flicka in der Küche helfen wollen und den Krautsalat gerieben, und nur weil der Kohl auf einmal von grün zu rot wechselte, hatte Jackson überhaupt bemerkt, dass das Ende ihres linken Zeigefingers fehlte. Man hatte ihn ihr auf der Intensivstation wieder angenäht, aber seitdem war ihm der Appetit auf Krautsalat vergangen. Auf den ersten Blick mochte es vielleicht ein Vorteil sein, dass die Gliedmaßen seiner Tochter so wenig schmerzempfindlich waren, dass der Finger sogar ohne örtliche Betäubung wieder angenäht werden konnte, doch als er seine Kollegin in der Firma aufforderte, ernsthaft über die Sache nachzudenken, wurden sie blass. Diese Kinder, hatte er erklärt, brechen sich ein Bein und schleifen es kilometerweit hinter sich her, und sie kommen erst drauf, dass irgendwas nicht stimmt, weil das Bein ständig im Weg ist.

»Ich hab nie verstanden, warum dir Sheps Auswanderung so am Herzen liegt«, fuhr Carol fort. »Er ist dein bester Freund. Würdest du ihn denn nicht vermissen?«

»Klar, Süße. Ich werd ihn sogar sehr vermissen.« Jackson nahm sich ein Bier und schwor sich, Shep auch vor all den Ungläubigen bei Allrounder weiterhin zu verteidigen. (Für Jackson hieß die Firma immer noch Allrounder, egal, welchen bescheuerten Namen der Fettsack ihr verpasst hatte.) Vielleicht hätte er warten sollen, bis Shep in seinem Flieger saß, aber heute nach der Mittagspause hatte er sich nicht zurückhalten können, als der Webdesigner mal wieder eine hämische Bemerkung fallen ließ. So konnte Jackson mit unsagbarer Genugtuung verkünden, dass Shep sein Flugticket bereits in der Tasche habe, *du Armleuchter*, und von diesem heutigen Nachmittag an nie wieder das Innere dieser überheizten Büroräume würde ansichtig werden müssen. Da war diesem Vollidioten aber die Kinnlade runtergeklappt. Er hatte Carol noch nicht mit der Idee vertraut gemacht, aber er stellte sich vor, dass er selbst mal hinfahren würde, sobald Shep dort Fuß gefasst hatte. Streng genommen stellte er sich vor, wenn auch noch sehr unkonkret, dass er seine Familie irgendwann unter den Arm nehmen und für immer zu seinem Kumpel nach Pemba ziehen würde. Offenbar wollte Carol noch nicht darüber nachdenken, aber irgendwo am Horizont dräute eine finstere Zeit, in der ein Tapetenwechsel therapeutische Wirkung haben könnte.

»Einem muss es doch mal gelingen, hier rauszukommen und ein besseres Leben zu führen, oder nicht?«, fuhr er nach einem Schluck aus der Flasche fort und legte die Füße hoch. »Großer Gott, sollen die Einwanderer das Land ruhig haben. Wir leben hier in einer Riesenabzocke von einem Land; die ursprünglichen Bewohner sollten ihre Sachen packen, die Tür hinter sich zuziehen und dem Pöbel den Schlüssel zuwerfen, das wär's doch. Dann ziehen wir in diese hippen Ethnodörfer nach Mosambik und Cancún, wo die Häuser alle leer stehen, weil die Besitzer bei uns die Klos putzen. Wenn die alle so versessen drauf sind, hier zu leben, meinetwegen. Sollen sie sich totarbeiten und ihren halben Lohn an die Regierung abdrücken, die dafür hin und wieder einen Bürgersteig erneuert oder ein fremdes Land überfällt –«

»Jackson, fang nicht wieder damit an.«

»Ich hab noch gar nicht angefangen. Ich hab *gerade erst* angefangen –«

»Du willst doch nicht, dass sich Flicka *zu sehr aufregt.*«

»Regst du dich etwa *meinetwegen* zu sehr auf, Mäuschen?«

»Ich würde mich allenfalls dann *zu sehr aufregen,* wenn du *nicht* mehr über Steuern und Geschröpftwerden und Absahner und arme Säue wettern würdest«, sagte Flicka gedehnt. »Und dass die Asiaten gerade dabei sind, die Weltherrschaft zu übernehmen. Dass ›niemand in diesem Land noch irgendwas produziert, das nicht sofort kaputtgeht‹. Dass wir ›unsere Kinder zu Schlappschwänzen erziehen‹.«

Das Mädchen mochte aussehen wie eine Zehnjährige und sich anhören, als wäre sie leicht zurückgeblieben, aber Flicka war blitzgescheit – »high functioning«, ein Ausdruck, den Jackson immer als Beleidigung empfunden hatte. Da Carol den Großteil der elterlichen Schwerstarbeit leistete, war es vielleicht unfair, aber Flicka und ihr Vater waren immer schon Verbündete gewesen. Sie mochte ein blasses, schmächtiges Kind mit kraftlosem Haar, fleckiger Haut und einem dauerhaft defekten »autonomischen« System sein (einem biologischen Netzwerk, von dem er vor ihrer Diagnose noch nie gehört hatte), während er ein vierundvierzigjähriger dunkelhaariger, kräftig gebauter Handwerker halb-baskischer Abstammung war, doch gefühlsmäßig hatten beide die gleiche Standardeinstellung, nämlich: *Ekel.*

»Jetzt plapper mir nicht wieder das mit den Asiaten und der Weltherrschaft nach, ohne hinzuzufügen, dass dein Vater der Meinung ist, sie hätten den Erfolg nicht auch verdient«, sagte Jackson tadelnd; wer aus ihrer quäkenden, schleppenden

Sprechweise überhaupt schlau wurde, hätte Flicka beziehungsweise ihrem Vater diese aufgeladene fremdenfeindliche Rhetorik durchaus übelnehmen können. »Die Chinesen, die Koreaner – sie arbeiten hart und hören nicht auf den Rat ihrer armseligen Pädagogen, denzufolge sie ihre Hausaufgaben erst dann machen sollen, wenn sie *Lust* dazu haben. *Das* sind die echten Amerikaner, wie es die Amerikaner selbst einmal waren, und sie besetzen die Plätze an sämtlichen Eliteuniversitäten, und zwar nicht dank irgendwelcher gönnerhaften Quoten, sondern durch *Verdienst* –«

Carol hörte wie üblich überhaupt nicht zu. Beim Surfen im Büro hatte er jede Menge wenig bekannte Informationen aus dem Netz gezogen, doch seine Frau tat sie mit der Behauptung ab, alles schon mal gehört zu haben. Manch eine Frau wäre dankbar gewesen für einen Mann, der jeden Tag neue, faszinierende (wenn auch höchst ärgerliche) Fakten mit nach Hause brachte, der eine ungewöhnliche, dezidierte Meinung hatte und sich ein (wenn auch deprimierendes) Bild von der Welt machte. Aber bei Carol war nichts zu holen. Sie wäre offensichtlich glücklicher gewesen mit einem braven Packesel, der gutgläubig seine Mayonnaisegläser ausspülte, obwohl der Großteil seines »Recycling« auf der stinknormalen Mülldeponie landete, und der frohgemut an die Polizeigewerkschaft spendete, obwohl er dadurch nicht im Geringsten freundlicher behandelt wurde von der Polizei.

Klar, politischen Biss hatte sie noch nie gehabt, aber trotzdem war Carol nicht schon immer so gewesen. Damals hatten sie sich kennengelernt, als sie für ein Haus, für das er einen dicken Rigipsauftrag hatte, den Garten entwarf; den Hausbesitzer hatten sie als Arschloch und sich gegenseitig als Verbündete betrachtet. Insofern war es nicht von Belang gewesen, dass sie, wie sich herausstellte, trotz Fronarbeit nach dem College einen Abschluss in Gartenbau von der Penn State hatte oder dass ihr Vater (der immer der Ansicht war, seine Tochter habe unter ihrem Stand geheiratet) kein dahergelaufener Handwerker war, sondern Bauunternehmer. Damals bei dem Job fühlte sich Jackson von einer hübschen Frau in den Bann gezogen, die keine Angst hatte, sich die Hände schmutzig zu machen und ihre Fünfzehn-Kilo-Torfsäcke selbst wuchtete. Aber am meisten gefiel ihm, dass sie sich streiten konnte. Sie war mit nichts von dem, was er sagte, einverstanden, hatte aber offenbar Spaß daran, beim Feierabendbier grandios mit ihm zu streiten. Heute tut sie so, als hätte sie den Sieg von vorneherein in der Tasche, wozu also die Mühe, was rätselhaft war, da Jackson sich nicht erinnern konnte, auch nur einen einzigen Streit verloren zu haben.

Und auch diese spielverderberische Ernsthaftigkeit hatte sie früher nie ausgestrahlt. Sie war immer zum Schreien komisch gewesen oder hatte immerhin über seine Witze gelacht. Schuld war vermutlich Flicka. Die Verantwortung verändert einen. Das war auch mit ein Grund, weshalb Carol heute kaum noch Alkohol trank: Jederzeit konnte das Leben ihrer Tochter davon abhängen, dass ihre Mutter einen klaren Kopf hatte. Es war ähnlich, als wäre man Arzt, nur ohne den Golfklub. Man hatte immer Bereitschaftsdienst.

Also kehrte Jackson zu jenem Thema zurück, bei dem seine Frau nun überraschend Engagement an den Tag legte. »Du verstehst nicht, warum mir so viel daran liegt, dass Shep dieses Zerrbild von Freiheit hinter sich lässt. Aber drehen wir den Spieß um. Was liegt *dir* daran, dass er's nicht tut?«

»Ich habe nicht gesagt, dass mir daran etwas liegt«, sagte Carol. »Ich sagte, er ist ein liebenswerter, rücksichtsvoller Mensch, der seine Familie niemals im Stich lassen würde.«

Jackson knallte seinen Stiefel zurück auf das blaue Forbo Marmoleum (und wer hatte ihm beim Verlegen geholfen? *Shep Knacker*). »Du kannst die Idee einfach nicht ertragen, dass es irgendjemandem gelingen könnte, aus allem rauszukommen! Dass jemand vielleicht mal nicht wie ein Automat durchs Leben stapft und im Gleichschritt in sein Grab marschiert! Dass es vielleicht einen *echten Mann* geben könnte. Mit Mut! Phantasie! Einem *eigenen Willen*!«

»Du suchst Streit, ja? Toll, so schaffst du's hundertprozentig, deine Tochter aufzuregen. Aber bitte, nur zu, mach sie nervös«, murmelte Carol gleichmäßig und mit dieser an Wahnsinn grenzenden Ruhe. »*Du* musst ihr ja kein Diazepam in den Hintern schieben, weil sie die Tabletten nicht bei sich behalten kann.«

Kaum hatte sie das Medikament erwähnt, kam Heather wie auf Stichwort in die Küche gehüpft. »Ist es nicht Zeit für mein Cortomalaphrin?« Jackson hatte keine Ahnung; er konnte sich nicht merken, ob sie so taten, als müsse sie vor oder nach den Mahlzeiten ihre Tabletten einnehmen.

»Heather, ich muss kochen, weil wir heute Besuch bekommen, der jeden Moment hier sein kann, also nimm's doch einfach nach dem Essen, wenn Flicka ihre Medikamente zerstößt.«

»Ich fühl mich aber schon ein bisschen komisch«, protestierte Heather leicht schwankend. »Mir ist schwindlig, und es prickelt, und mir ist heiß und so. Ich kann mich überhaupt nicht konzentrieren.«

»Ach, meinetwegen; gieß dir ein Glas Milch ein.« Carol schloss das obere Schränkchen auf; Pillen aus Zucker unter Verschluss zu halten war natürlich völlig überflüssig, aber es gehörte zur Show. So wie der Name »Cortomalaphrin«, ein Name, den sie mühelos in Anlehnung an Catapres, Clonazepam, Diazepam, Florinef, Rotalin, ProAmatine, Depakote, Lamictal und Nexium erfunden hatten, die seit Jahren auf Flickas Medikamententabelle prangten wie Unsinnsreime aus *Alice im Wunderland*. Auf dem Etikett stand »Cortomalaphrin«, mitsamt den Dosierungsempfehlungen. Jackson war fassungslos gewesen, als er erfuhr, dass jede Apotheke standardmäßig Placebos aus Zucker auf Lager hatte, also war Heather vermutlich nicht die Einzige, die die kleinen braunen Lakritzkapseln für zehn Doller pro Glas verschlang.

Während Carol drei Kapseln herausschüttelte, wandte Jackson den Blick ab. Er war mit diesem Quatsch überhaupt nicht einverstanden. Er konnte Carols Einwand ja verstehen, dass Heather hinter den unaufhörlichen medizinischen Krisen ihrer Schwester litt. Aber wenn Heather mehr Aufmerksamkeit brauchte, war ein Pseudorezept keine Lösung. Man sollte ihr lieber beibringen, ihre Gesundheit zu schätzen und dankbar dafür zu sein. Klar, damals, als Carol mit Flicka schwanger war, hatte es noch keinen Labortest für familiäre Dysautonomie gegeben, und nachdem man ihnen versichert hatte, dass das Baby gesund sei, waren sie entspannt gewesen. (Und dann kam die große Überraschung. Als ihr Kinderarzt endlich davon abließ, die schwache Diagnose wie aus vorvergangenen Zeiten vorzuschieben, dass das Kind »nicht gedeihe«, und als er endlich erkannt hatte, warum ihr Neugeborenes nicht an die Brust wollte, immer magerer wurde und sich pausenlos übergeben musste, war die Nachricht gerade wegen der fälschlichen Beruhigung aus dem ersten Trimester umso schwerer zu ertragen gewesen.) Aber Herrgott, pünktlich zu Carols zweiter Schwangerschaft war ein Test entwickelt worden, und sie wussten, dass die Chancen, ein weiteres Kind mit FD zu bekommen, eins zu vier standen; das Warten auf das Ergebnis der Fruchtwasseruntersuchung hatte sie an den Rand des Herzinfarkts getrieben. Als die Geburtshelferin mit strahlendem Lächeln grünes Licht gab, war Heathers zukünftige Mutter so erleichtert, dass ihr die Tränen kamen. Ahnte Heather, dass es sie gar nicht gäbe, wenn ihr Fötus ebenfalls zwei Ausführungen des FD-Gens aufgewiesen hätte, um die sie ihre Schwester törichterweise beneidete? Wohl kaum, denn für gewöhnlich teilte man seinen Kindern nicht mit, wie knapp sie an einer Abtreibung vorbeigeschrammt waren.

Und auch sein Erstgeborenes weihte man nicht ein, denn die Schlussfolgerung war klar: Hätten sie davon gewusst, wäre Flicka postwendend zurückgeschickt worden. Jackson würde nicht so weit gehen und behaupten, dass sie es tatsächlich hätten tun sollen, aber natürlich machte man sich seine Gedanken. Manchmal, in den schlimmsten Phasen – kaum war die Skoliosekorrektur überstanden, mussten sie ihr beibringen, dass als Nächstes eine »Fundoplikation« anstand, mit der ihr chronischer Säurereflux behandelt werden sollte –, kam bei ihm der

Verdacht auf, dass Flicka wütend war, und zwar nicht nur wütend im Sinne von »ausgerechnet ich«, sondern vor allem wütend auf ihre Eltern, die dafür verantwortlich waren, dass sie überhaupt auf der Welt war.

So hoch der Preis für sie war, er hatte Flicka immer wieder versichert – gerade weil sie nicht die abgedroschene Unschuldsengel-Show abzog, mit der sie ihren Vater zu Tode gelangweilt hätte –, dass sie ihnen wirklich Freude machte. Es war seine Schuld, dass sie so eine Zicke war – eine boshafte Zicke, eine unterhaltsame Zicke, aber dennoch eine Zicke. Aber wie hätte man das Mädchen nicht verwöhnen sollen, zumindest ein bisschen? Auch wenn er es nicht wahrhaben wollte, FD war nun mal eine degenerative Krankheit, und dementsprechend ging es mit Flicka bergab.

Dabei war sie mal so niedlich gewesen. In den Augen ihres Vaters war sie noch immer niedlich, aber dennoch fiel ihm auf, dass ihr Kinn begonnen hatte, sich nach oben zu runden und vorzustehen wie bei Popeye, wodurch ihr Gesicht etwas permanent Kampflustiges hatte. Ihre Nase wuchs in die entgegengesetzte Richtung und wirkte wie eingeschlagen, wobei sich die Spitze nach unten wölbte und nach innen bog, als wollten sich Nase und Kinn berühren. Ihr Mund war unverhältnismäßig in die Breite gewachsen, die Augen zu weit auseinandergerückt, und seitdem ihre Kinnpartie nach oben wuchs, hatte sie angefangen, ihre Vorderzähne auf die Außenkante der Unterlippe aufzusetzen. Es war nicht seine Sorge, dass sie an Reiz verlor; es war seine Sorge, dass es die äußerliche Manifestation einer weitaus schlimmeren, unsichtbaren Entwicklung war, die er noch immer nicht richtig begreifen wollte, und selbst wenn er es täte, würde es nichts ändern.

Er fing an, über Heather nachzudenken, und landete dann wieder bei Flicka, also hatte Carol vielleicht doch recht, dass Heather sich vernachlässigt fühlte. Ein paar Zuckerpillen waren wahrscheinlich harmlos, und sie konnte sich im Freundeskreis damit brüsten, auf »Cortomalaphrin« zu sein. Die meisten Kinder in Heathers Grundschule wurden mit Medikamenten vollgepumpt, und offenbar war eine Diagnose das Must-have ihrer Generation, ähnlich wie es in den Sechzigerjahren die Wildlederjacken mit Fransen gewesen waren. Aber was ihn an dieser Placebosache wirklich verblüffte, war, dass die ohnehin kräftig gebaute Heather anfing zuzunehmen, kaum dass sie mit der Pilleneinnahme begonnen hatte. Es waren nicht die Pillen selbst, die pro Stück keine fünf Kalorien enthalten konnten; es war reine Einbildung. Ihre Mitschüler, die Antipsychotika und Antidepressiva und alle möglichen anderen Antiproblem-Medikamente schluckten, waren allesamt Fettsäcke.

Es trieb Jackson fast zur Verzweiflung, dass Heather sich mit ihren elf Jahren schon als Mitläuferin entpuppte. Dieser Impuls, genauso sein zu wollen wie alle anderen, wo alle anderen totale Vollidioten waren, war ihm immer unbegreiflich gewesen. Selbst als Junge hatte Jackson schon auffallen wollen; die Altersgruppe ihrer Tochter hingegen schien davon getrieben, mit der Menge zu verschwimmen. Die Ausnahmen, die einzig wirklich ehrgeizigen Kinder, die sich unbedingt hervortun wollten, kamen mit einem Waffenlager unterm Trenchcoat in die Schule.

Aber vielleicht war er ja selbst viel mehr Konformist, als er zugeben wollte. Heathers Name zum Beispiel. Sie hatten ihn gewählt, weil sie ihn für ungewöhnlich hielten. Jetzt waren noch drei andere Heathers in ihrer Klasse. Er hatte keine Ahnung, wie die Sache mit der Namensgebung funktionierte. Da denkt man, dass niemand den Namen je zuvor gehört hat, und dann liegt er in der Luft wie ein Geruch oder ein Gas, und jedes schwangere Pärchen in der Straße beschließt, sein Kind Heather zu nennen, weil der Name ja so *ungewöhnlich* ist. Zumindest aber wimmelte durch irgendein Wunder die Highschool ihrer Erstgeborenen nicht von Flickas, Carols vorpubertärem Pferdebuchfimmel sei Dank. Da, schon wieder, sagte er verärgert zu sich. Schon wieder Flicka. Du bist nicht in der Lage, auch nur zehn Sekunden über deine jüngere Tochter nachzudenken. Aber eine Zeit würde kommen, vielleicht schon bald, da würde er über Heather nachdenken müssen, weil Heather dann seine einzige Tochter sein würde.

»Jackson, soll ich den Kindern schon mal ihr Essen geben? Es ist schon spät.«

»Ja, denk ich schon. Shep und Glynis haben sich bestimmt in die Haare gekriegt. Wie ich Glynis kenne, lässt sie ihn bestimmt nicht ohne Streit aus dem Haus. Wer weiß, wann er hier aufschlägt.«

»Schatz«, sagte Carol sanft. »Du solltest dich darauf einstellen, dass er möglicherweise kalte Füße kriegt. Oder zurück auf den Teppich kommt und feststellt, dass er einen Sohn und eine Frau und ein Leben hat und dass die Sache mit Pemba einfach lächerlich ist. Nelken. Also ehrlich.« Es war eine eigentümlich weibliche Form der Herablassung: Ach, diese Männer mit ihren jugendlichen Ideen, ihren eitlen, unpraktischen kleinen Projekten.

Jackson verzog wütend das Gesicht. Es war wieder einmal so ein Moment, da war der Anblick seiner Frau eine echte Tortur. Sie war unglaublich schön. Es war vielleicht ein wenig missgünstig, aber es brachte ihn zur Verzweiflung, dass sie älter geworden und noch immer genauso sexy war wie eh und je, groß – größer als er –, mit langen rotbraunen Haaren und vollkommenen runden Brüsten von der Größe halber Grapefruits. Sie hatte nie ein Gramm zugenommen. Aber nicht weil sie Diäten gemacht oder regelmäßig zum Joggen gegangen wäre, sondern weil sie ständig fünfundachtzig Pfund zappelndes und würgendes Fleisch ins Bett hieven oder auf die Intensivstation schleppen musste. Er war inzwischen nicht mehr sicher, ob Carol schon immer diese wie gemeißelte und teilnahmslose Miene gehabt hatte oder ob sie ihre Gelassenheit und Selbstbeherrschung erst entwickelt hatte, um auf Flicka beruhigend zu wirken. Jedenfalls war sie seit Jahren derart schwer aus der Fassung zu bringen, dass er es aus Prinzip immer wieder versuchte.

Er war stolz darauf, in Gesellschaft anderer Männer und deren aus der Form gegangener Ehefrauen mit ihr gesehen zu werden, aber hier zu Hause war der einzige erwachsene Mensch, von dem sie sich abhob, er selbst. Hässlich war er nicht gerade, aber er machte sich seine Gedanken, dass sie zu den Paaren zählen könnten, über die sich andere Leute insgeheim mokierten, nach dem Motto: *Carol ist ja echt der Hammer, aber was hat sie nur je an ihm gefunden? Warum sucht sich so eine Wahnsinnsfrau einen kleinen, untersetzten Arbeiter mit behaarten Schultern?* Irgendwo hatte er gelesen, dass eine glückliche Ehe unter anderem davon abhing, dass beide Beteiligten in etwa gleich attraktiv waren, und das hatte ihm zu denken gegeben. Die meisten Männer hätten ihn vermutlich für verrückt erklärt, aber er wünschte, sie wäre eine Spur unscheinbarer.

Jackson deckte für die Kinder den Tisch, und er sah schon Flickas entsetzte Miene. Paprikagemüse mit Wurst gehörte zu Carols Standardgerichten und kam bei Gästen immer gut an, wobei man mit Fenchelsamen und Knoblauch bei Flicka auf verlorenem Posten war. Mit ihrem verkümmerten Geruchssinn und einer Zunge so glatt wie ein Schuhlöffel konnte sie so gut wie nichts schmecken. Sie mochte mühselig gelernt haben, ihren Kehldeckel zu falten, damit sich keine Nahrung in ihre Luftröhre verirrte, aber noch immer kaute sie jeden Bissen so lange, dass man den Eindruck hatte, sie wollte sich durch die Tischplatte nagen, und ihre Mutter musste ihr nur einen Augenblick den Rücken kehren, da hatte sie die Reste auch schon von ihrem Teller in den Abfall befördert. Die eigentümliche Wahrheit war, dass sie zwischen Hunger und Essen keinerlei Zusammenhang sah. Und dementsprechend kam ihr die Zeit, die zum Kochen aufgewendet wurde, erstaunlich unverhältnismäßig vor. Der ganze kulturelle Schnickschnack ums Essen – separate Salatschüsselchen und Fischgabeln, die Qual der Wahl im Restaurant, geteilte Enttäuschung über einen klitschig geratenen Pizzaboden, der schlimmstenfalls sogar den Abend verderben konnte –, das alles war für Flicka so unnachvollziehbar wie die Opferriten einer obskuren animistischen Sekte. Der Schokoladenhunger ihrer properen Schwester, deren Organismus die Kalorien eigentlich gar nicht benötigte, schien ihr schlichtweg sinnlos, als würde Heather immer weiter den Tankhahn drücken, obwohl das Benzin längst aus dem Deckel blubberte und an der Seite des Autos herunterlief.

»Flicka, ich habe dir was auf einen Extrateller getan, ohne Soße.«

»Lass mal«, sagte Flicka mürrisch. »Da hau ich mir lieber ’ne Dose Compleat rein.«

»Ich habe keine Lust, jeden Abend mit dir darüber zu streiten.« Carols Stimme war so ruhig, dass ein unbeteiligter Beobachter niemals auf die Idee gekommen wäre, von Streit zu reden.

»Ja, klar, total gemeinschaftsbildend. Wenn das mal nicht einleuchtet.«

»Deine Ernährungstherapeutin sagt, du musst versuchen, jeden Tag etwas zu essen, und diese Portion dort ist sehr klein. Wenigstens ein bisschen essen zu können ist wichtig, um Freundschaften zu schließen.«

Flickas vielsagendes Schnauben klang mehr wie ein Gurgeln, und sie wischte sich mit dem Frotteeschweißband an ihrem rechten Handgelenk den Speichel vom Kinn. Da es ständig durchnässt war, hatte sie darunter einen chronischen Hautausschlag. »Was denn für Freundschaften?«

»Wir bezahlen diese Therapeutin aus eigener Tasche –«

»Ja, klar, und wie würde es *euch* gefallen, wenn *euch* irgendeine Tante ständig ihre Finger in den Mund steckt? Ihr habt Karen Berkley doch nicht für *mich* angeheuert, sondern für *euch* –«

»*Iss es einfach.*« Großer Gott, Carol klang ja fast eine Spur aufgebracht.

Nachdem sie in ihrem Schulrucksack nach einem großen abgegriffenen Reißverschlussbeutel gewühlt hatte, zog sich Flicka an Carols mit Kornblumen bedruckter Gardine hoch und torkelte an die Küchentheke, wo die kleine Pfanne ungewürztes Paprikagemüse stand. Bevor Carol sie aufhalten konnte, hatte sie den Inhalt der Pfanne in den Mixer gleiten lassen, zwei Kaffeebecher Wasser dazu gekippt und das Gerät auf höchste Stufe gestellt. Die Mahlzeit wurde zu einem flockigen bräunlich-rosafarbenen Brei verquirlt, und Jackson verging schlagartig der Appetit. Mit boshaft funkelndem Vaselineblick befestigte sie die große Spritze an den dazugehörigen durchsichtigen Schlauch und das andere Schlauchende am Plastikaufsatz über ihrem Magen – der sich vom Verschluss an einem Orangensaftkarton nicht wesentlich unterschied. Sie nahm den Stopfen ab und goss eine kleine Menge Brei in die durchsichtige Plastikspritze; sie öffnete die Klemme und drückte den kotzefarbenen Brei hinein. Mit siegesgewissem Lächeln hielt Flicka in Nachahmung der Freiheitsstatue die Spritze in der rechten Hand hoch.

Ja, es war ein Akt der Boshaftigkeit. Um weiter Salz in die Wunde zu streuen, verkündete Flicka: »Ich ess ja schon.«

»Der Schlauch wird sich schwer ausspülen lassen«, sagte Carol und ließ sich zu einem Hauch von Frostigkeit hinreißen. Dann klingelte das Telefon. »Schatz, könntest du bitte rangehen? Ich muss hier erst mal ein bisschen sauber machen.«

»Das war's«, verkündete Jackson knapp, als er zurück in der Küche war. »Er kommt nicht.«

»Er kommt nicht, oder er fährt nicht?«

»Weder noch.«

Carol stellte noch zwei Teller raus, und er nahm ein Flackern in ihrem Gesicht wahr.

»Und wieso macht dich das jetzt so verdammt glücklich?«

»Ich habe doch gar nichts gesagt!«

»Du *freust* dich, stimmt's?«

Carol nickte diskret in Flickas Richtung und schüttelte den Kopf, als hätte er laut geschrien. »Ich freue mich«, sagte sie, und ihre Stimme klang wie ein Küchenspachtel beim Verteilen einer Frischkäseglasur, »für Glynis.«

»Das lass mal lieber.«

Handy Randy hatte zwar in die anderen Stadtbezirke expandiert, aber Hauptsitz und Lager befanden sich noch immer auf der 7th Avenue in Park Slope, kaum eine Meile von Windsor Terrace entfernt. Da er zur Arbeit laufen konnte, war es für Jackson kein Problem, am nächsten Montag zeitig im Büro zu sein, um die spöttische Grundstimmung wenigstens auf ein Minimum zu reduzieren, bevor Shep durch die Tür trat. Er strahlte bewusst eine fürsorgliche Geladenheit und Gewaltbereitschaft aus, was ihm unter den Umständen nicht schwerfiel. Dennoch herrschte im Büro eine Atmosphäre von kaum verhohlener Heiterkeit; der Buchhalter, der Webdesigner, der Disponent – alle bis hin zur Empfangsdame sahen aus, als müssten sie an sich halten, um nicht in lautes Gelächter auszubrechen. Als Shep tatsächlich durch die Tür trat, schien er sich wenig daran zu stören, dass die restliche Belegschaft plötzlich verstummte, und mit roboterhafter Passivität, die Jackson irgendwie bekannt vorkam, ging er auf seine Wabe zu; vielleicht waren sich Shep und Carol vom Temperament her gar nicht so unähnlich. Egal, was ihm das Leben Übles bescherte – das »Leben« war noch milde ausgedrückt; besser gesagt, was andere Leute ihm Übles bescherten –, Shep absorbierte es ebenso wie die sorglose Weggucknummer seiner Familie, als er vom Sarg bis zur Leberpastete die Beerdigung seiner Mutter bezahlte; die ganze Gesellschaft verhielt sich, als wäre die Übernahme all dieser Kosten wie ein Furz, den man höflich schweigend überging. Als Mark, der Webdesigner, den Jackson am Freitag noch in die Schranken gewiesen hatte, schelmisch fragte: »Wie, gar nicht braun geworden?«, gab Shep milde zurück, dass der Himmel verhangen gewesen sei. Er saß an seinem Arbeitsplatz und klickte sich durch die Beschwerdemails; Jackson konnte von der anderen Seite des Raums erkennen, dass es nicht wenige waren.

Es war heiß. Jackson hatte sich angewöhnt, in den Wintermonaten kurzärmlige Sachen anzuziehen, um nicht nass geschwitzt nach Hause zu kommen. Pogatchnik drehte die Heizung immer auf volle Pulle, und sei es, um Shep zu ärgern, der die Verschwendung beklagte. Genau darum ging es aber ihrem Wichser von einem Chef: um die Verschwendung. Ein Betrieb, der seine Räumlichkeiten im Januar auf tropische Temperaturen aufheizte und im August auf arktische Gefriergrade herunterkühlte, sollte die Kunden glauben machen, der Laden liefe prächtig. Es sei ein Zeichen der Prosperität, ähnlich wie Fettleibigkeit einst ein Zeichen des Wohlstands war: Früher konnte man es sich leisten, sich zu überfressen; heute konnte man es sich leisten, seine Räume zu überheizen. Shep hatte eingewendet, ihm leuchte nicht ein, wie sich ein halbwegs gesunder Mensch in der einen Saison bei dreißig Grad und in der anderen bei zwölf Grad wohlfühlen könne, doch jede Meinungsäußerung gegenüber Pogatchnik war ein Schuss, der nach hinten losging, und das letzte Mal, als Shep höflich darum gebeten hatte, das Thermostat herunterzudrehen, ging der Regler um zwei Grad hoch. Jede von Pogatchnik eingeführte Neuerung war eigens darauf zugeschnitten, Shep Knacker zu ärgern, bis hin zu einem Fortbildungsseminar zum Thema »Umgang mit schwierigen Kollegen«. Wobei doch Pogatchnik selbst der schwierige Kollege war.

Um elf ließ sich ihr Chef herab, ins Büro geschlendert zu kommen. Er steuerte direkt auf Sheps Wabe zu. »Ich erwarte eine Entschuldigung von Ihnen, Knacker.«

»Richtig«, sagte Shep mit steinerner Miene.

»Also?«

»Ich entschuldige mich.«

Pogatchnik baute sich weiter vor Sheps Schreibtisch auf und schien noch nicht zufrieden zu sein.

»Ich möchte mich in aller Form entschuldigen«, sagte Shep. »Ich hatte wohl einen schlechten Tag.«

»Nur weil der Betrieb Ihnen gehört hat, als er noch ein mieser kleiner Eckladen war, heißt das noch lange nicht, dass Sie hier Sonderrechte genießen. Diesmal will ich ein Auge zudrücken, aber jeden anderen Mitarbeiter hätte ich vor die Tür gesetzt. Allerdings, da Sie ja ein anderer Mitarbeiter *sind* –«

»Ich bin sehr dankbar für Ihr Entgegenkommen. Ich erwarte

überhaupt keine Sonderbehandlung. Es kommt nicht wieder vor.«

Jackson, der aus sechs Meter Entfernung diese groteske öffentliche Selbstkasteiung mit anhören musste, hatte eine gute Vorstellung davon, warum in allen Winkeln der Nation die Angestellten mit einer Tasche voller Automatikwaffen zur Arbeit fuhren. Vor allem der »miese kleine Eckladen« war ein Schlag ins Gesicht. Shep hatte Allrounder genau zu der Zeit verkauft, als das World Wide Web im großen Stil abhob; wie hätte er ahnen sollen, dass der Heimwerkerservice im Internet florieren würde? Nachdem Pogatchnik die Domain www.handiman.com gesichert hatte (www.handyman.com war schon vergeben, aber so fingen sie eben diejenigen Kunden, die nicht buchstabieren konnten; da sie in Amerika waren, hatte das dem Geschäft keinerlei Abbruch getan), war ihr Kundenstamm regelrecht explodiert. Pogatchnik rechnete sich den Erfolg als seinen eigenen Verdienst an, als habe er das Internet persönlich erfunden. Jetzt war die Firma wahrscheinlich viermal so viel wert wie das, was der Mistkerl dafür hingeblättert hatte, und Pogatchnik hatte sogar einen Fernsehwerbespot geschaltet, in dem er höchstpersönlich in Anlehnung an Sammy Davis jun. fürchterlich schief »The handyman can, oh, the handyman can!« schmetterte und bei dem Jackson mit nahezu hysterischer Dringlichkeit den Sender wechselte. Damals war es der Wahnsinn gewesen, dieser fette Scheck über eine Million, doch inzwischen hatte sich herausgestellt, dass der Verkauf von Allrounder das Dümmste war, was Shep jemals getan hatte.

Als die beiden sich am Mittag in einem Café in derselben Straße ihr übliches Sandwich holten – Jackson hätte auch ohne den ganzen Büffelmozzarella- und Prosciuttoquatsch leben können, war ja im Grunde nichts anderes als Schinken und Käse –, musste er einfach fragen: »Was sollte denn diese Mea-Culpa-Arschkriecherei vorhin bei Pogatchnik?«

Shep war zwar immer schon ein eher ruhiger Mensch gewesen, aber selbst für seine Verhältnisse war er heute Morgen unmenschlich temperamentlos, bis zur Selbstlosigkeit kooperativ. Man hätte ihn einem Alkoholtest unterziehen und ihn seine Nasenspitze berühren, auf einem Bein stehen und rückwärts in Siebenerschritten von hundert bis null zählen lassen können, und er hätte nicht mal gemerkt, dass man gar kein Bulle und er gar nicht Auto gefahren war.

»Ach so«, sagte Shep monoton. »Als ich am Freitag bei Randy raus bin« – er nannte die Firma sonst nie Randy, sondern immer Allrounder; Herrgott, der arme Kerl hörte sich an wie Paul Newman, der in *Der Unbeugsame* tagelang in Einzelhaft sitzt und anschließend nur noch willenlos »ja Sir, ja Sir« sagen kann. »Ich glaube, ich hab so was gesagt wie, ›mach's gut, Arschloch‹. Ist mir rausgerutscht. Ich hab ja gedacht, ich komm nicht wieder.«

»Okay, ich versteh ja, dass du dich bei ihm entschuldigst, aber musstest du ihm auch noch die Füße küssen?«

»Ja, musste ich.«

Jackson überlegte. »Die Krankenversicherung.«

»Richtig.« Shep nahm einen Bissen von seinem Sandwich und legte es wieder hin. »Du kannst mir gern widersprechen, aber ich hatte den Eindruck, meine Kollegen waren im Bilde, dass ich ursprünglich eine Exkursion geplant hatte. Dass ich heute zur Arbeit gekommen bin, schien einige Leute zu belustigen.«

»Hör zu, es tut mir leid. Letzte Woche hat Mark wieder gelästert, und – na ja, vielleicht hätte ich die Klappe halten sollen. Aber ich war mir so sicher, dass du diesmal wirklich fährst ... ich will mich nicht rausreden, aber es wäre für uns beide einfacher gewesen, du hättest vor Jahren deinen großen Plan für dich behalten.«

»Vor Jahren hatte ich aber keinen Grund dazu. Es war einfach das, was ich vorhatte.«

»Trotzdem, ich wünschte, du würdest es den Kollegen erzählen, das mit Glynis. Sie nicht in dem Glauben lassen, dass du bloß deshalb nicht nach Pemba gefahren bist, weil du die Hosen voll hattest oder weil du ein Spinner bist. Sie würden dir das Leben jedenfalls weniger schwer machen.«

»Glynis will nicht, dass es alle erfahren. Dir und Carol durfte ich es sagen. Aber sonst geht es nur sie was an. Ich hab nicht vor, mir auf ihre Kosten mein Arbeitsleben angenehmer zu machen. Es ist ohnehin nicht angenehm und wird's auch nie sein, insofern ist es egal.«

»Was meinst du denn, warum sie es geheim halten will?«

Shep zuckte mit den Achseln. »Privatsache. Und wenn man's jedem auf die Nase bindet, wird es plötzlich real.«

»Aber es ist doch real.«

»Allerdings«, sagte Shep.

»Hör zu«, sagte Jackson, als sie sich auf den Rückweg machten. »Willst du noch auf ein Bier bei uns vorbeikommen, bevor du zurück nach Elmsford fährst?«

Es war offensichtlich, dass die Aussicht, irgendetwas aus Spaß zu tun oder zum Trost oder aus irgendeinem Grund, der mit ihm selbst zusammenhing oder mit dem, was er »wollen« könnte, Shepherd Knacker über Nacht fremd geworden war, doch Jackson hatte ihn um etwas gebeten, also würde er es tun. »Klar«, sagte er.

»Ich kann aber nicht lange bleiben«, sagte Shep warnend, als er sie zur Windsor Terrace fuhr.

»Das macht nichts. Wir haben sowieso um neun ein Treffen mit unserer FD-Selbsthilfegruppe. Mir graut schon wieder davor. Es wär ja noch auszuhalten, wenn es einfach darum ginge, sich mit den Leuten über die Nebenwirkungen der Medikamente auszutauschen. Aber diese ganze Sache mit dem Judentum wird mir etwas zu viel. Versteh mich nicht falsch, ich gehöre nicht zu diesen Juden, die in Selbsthass schwelgen. Ich bin einfach nur nicht sonderlich, na ja, jüdisch.« Jackson plauderte drauflos, aber einer musste ja schließlich reden, wenn hinterm Steuer ein Zombie saß. »Meine Mutter ist nichtpraktizierend, und mein Vater hat diese Baskennummer am Laufen, was ja durchaus was hat – nicht, dass ich deswegen jetzt irgendwelche spanischen Politiker in die Luft jagen wollte oder so. Und Carol, na ja, sie ist katholisch erzogen worden. Sie hatte *einen Großvater* väterlicherseits, der Aschkenase war. Also werden wir in unserer Gruppe ständig bedrängt, Flicka mit gefilte Fisch zu füttern, dabei ist sie ja streng genommen nicht mal jüdisch. Und dann diese ganzen orthodoxen Irren … Wenn sie heiraten, weigern sich die Paare, den DNA-Test machen zu lassen. Selbst die, die schon ein Kind mit FD haben, lassen keine Fruchtwasseruntersuchung vornehmen. In Crown Heights gibt's eine Familie, die hat gleich *drei* davon. Das ist doch die gerechte Strafe für so viel Blödheit. Weil, natürlich sind die Juden gegen Abtreibung. Und trotzdem erzählen einem *sämtliche* Rabbiner aller Formen des Judentums – von den Reformjuden bis zu den Ultraorthodoxen –, wenn der Fötus FD hat, dann weg damit. Nach dem Motto, Gott will nicht, dass es leidet. So weit ist es nämlich schon gekommen. So was macht mich total fertig, verstehst du? Vermutlich liegt es am jüdischen *Glauben*, und eigentlich sollte man sich doch aussuchen können, woran man glaubt. Aber nein. Diese verfluchten Gene verfolgen mich, Mann, durch die Generationen hinweg.« In Anbetracht der Umstände hätte Jackson eigentlich nicht in eigener Sache klagen sollen, und er hielt den Mund.

Carol und Shep umarmten sich zur Begrüßung, und Carol sagte, es täte ihr unendlich leid. Sie setzten sich in die Küche, und Shep erklärte, dass er das Wochenende hauptsächlich im Internet verbracht habe, er erzählte ihnen, was er wusste. Er werde sich Ende der Woche einen Tag freinehmen, um mit Glynis zu einem Onkologen zu gehen, und danach werde man klüger sein. Carol fragte, wie Glynis seiner Meinung nach die Sache aufgenommen habe, und Shep sagte, sie sei stinksauer, aber sie sei ja immer stinksauer, also schwer zu sagen. Dann fragte Carol, wie Shep die Sache aufgenommen habe, aber die Frage schien für ihn irrelevant zu sein. Er habe natürlich Angst, sagte er, könne sich Angst aber eigentlich nicht leisten oder sonst irgendein Gefühl. Ich bin derjenige, der alles zusammenhalten muss. Also spielt es keine Rolle, wie es mir geht. *Ich spiele keine Rolle mehr.* Es war seine erste wirklich leidenschaftliche Äußerung an diesem Tag.

Carol sagte, schade wegen Pemba, wobei Shep genau wusste, dass sie die Sache von vornherein für eine Schnapsidee gehalten hatte. Sein »Jenseits« über Bord zu werfen, komme ihm jetzt schon wie eine Lappalie vor, sagte er, als wär's ewig her. Das einzig Gute an dieser furchtbaren Schicksalswendung sei die Einsicht in das, was wirklich wichtig sei. Jetzt müsse er nicht mehr entscheiden, ob er fahren wolle oder nicht, denn nachdem Glynis ausgepackt hatte, gab es keine Wahl mehr. Pemba war gestorben. Es war, als sei die ganze Insel im Meer versunken. Man würde es nicht für möglich halten, sagte er, aber er habe in seinem ganzen Leben noch nie so einen Moment erlebt, wo alles auf einmal ganz einfach ist. Shep fragte sich laut, ob diese Sache aus heiterem Himmel insgesamt eine perverse Form von göttlicher Intervention darstellte. Er hatte nicht ohne Glynis und Zach nach Pemba gehen wollen. Er sollte nicht ohne sie gehen, und jetzt konnte er nicht. Es war eine saubere Sache. In diesem Sinn war die Planänderung eine Erleichterung. Das Nicht-zögern-Müssen. Die große und grell leuchtende Offensichtlichkeit dessen, was er zu tun hatte. Und ja auch tun wollte, wie Shep emphatisch hinzufügte. Glynis braucht mich. Vielleicht brauchte sie mich schon vorher, aber da war es nicht so deutlich. Als Shep sagte, es sei gutes Gefühl, dass seine Frau ihn brauchte, war Jackson ein wenig neidisch, ohne genau zu wissen, warum.

So vertrauensselig war Shep normalerweise nicht. Als er jetzt ausbuchstabierte, dass er Glynis liebte und dass ihm zuvor gar nicht klar gewesen sei, wie sehr, und dass er das, was er noch vor einer Woche als letzte Möglichkeit der Selbstrettung entworfen hatte, inzwischen bereute, war Jackson sowohl gekränkt als auch gerührt. Jackson dachte darüber nach, wie sehr Flicka ihn und Carol verändert hatte und dass manche dieser Veränderungen schlecht waren, zum Beispiel, dass sie wegen der spätnächtlichen Fütterungsaktionen so wenig Schlaf bekamen, dass sie nur noch selten Sex hatten, aber wie manche Veränderungen auch gut waren. Die Veränderungen waren notwendig. Sie hatten ein gemeinsames Projekt, das lebenswichtiger war als Sex und, wie sich herausstellte, weitaus intimer, was ihn erstaunt hatte. Vielleicht hatte eine Frau, die ihren möglicherweise bevorstehenden Tod verkündete, einen ähnlichen Effekt der Neuordnung, vielleicht führte sie die beiden Ehepartner auf eine Art und Weise zusammen, die nicht vollkommen hoffnungslos und immer nur furchtbar war.

Doch als Shep fortfuhr und sagte, wie froh er sei, dass er nicht mehr die Verantwortung übernehmen müsse dafür, »Glynis zu verlassen« und »seinen Sohn zu verlassen«, erschrak Jackson. Shep sagte, durch die Diagnose sei, um mit seinem Vater zu sprechen, »der Kelch an ihm vorbeigegangen«, und Jackson dachte, ohne es auszusprechen, dass die einzige Verwandlung, die er *nicht* hinnehmen würde, die plötzliche Verchristlichung seines Freundes wäre. Stattdessen sagte Jackson, eigentlich komisch, die Verantwortung bist du los, indem du die volle Breitseite abbekommst. Stimmt, sagte Shep, aber jetzt fühl ich mich mehr wie ich selbst. Normaler. Weil ich das Richtige tue. Mich um meine Frau kümmere. Ich fand ja schon, sagte Carol behutsam, dass dieses Einfach-so-Verschwinden dir nicht ähnlich gesehen hätte. Nein, sagte Shep mit einem Anflug von Trauer. Ganz bestimmt nicht. Wie auch immer, sagte Carol. Erstens kommt es anders ... Ja, pflichtete Shep ihr bei, dass wir uns überhaupt noch die Mühe machen, irgendetwas zu planen. Der philosophische Ton machte ihn älter, und Jackson bemerkte die Jungenhaftigkeit seines besten Freundes erst jetzt, wo sie nicht mehr da war.

Wie immer bei feinfühligeren Leuten erinnerten die eigenen Probleme daran, dass andere Menschen auch ihre Probleme hatten, dass es überhaupt auch noch andere Menschen auf der Welt gab. Also hielt sich Shep nicht beim Thema Glynis und Pemba auf, sondern fragte nach Flicka – die Mädchen saßen oben bei den Hausaufgaben –, und er besaß den Anstand, auch nach Heather zu fragen. Er fragte sogar nach Carols Arbeit, was eigentlich nie jemand tat, weil ihre Arbeit so langweilig war, und er fragte Carol, ob sie die Landschaftsgärtnerei nicht vermisse. Doch, sagte sie, die körperliche Arbeit, das Arbeiten mit der Erde. Ihm gehe es genauso, sagte Shep, ihm fehle das Reparieren, er wolle den Leuten das Leben spürbar erleichtern und die Früchte seiner Arbeit sehen, statt bloß am Telefon dafür zu sorgen, dass irgendein vermurkster Job in Ordnung gebracht wurde. Er entschuldigte sich, aber er könne sich nicht genau erinnern; er wusste, dass Carol teilweise auch deshalb im Marketing für IBM jobbte, weil sie von überall aus arbeiten konnte, egal, ob der Computer zu Hause oder in Tahiti stand; sie konnte arbeiten, wann sie wollte, und konnte so viele Stunden einlegen, wie sie wollte, solange die Arbeit gemacht wurde – eine Politik, die, wie sie sich lachend einigten, eigentlich nicht revolutionär sein sollte und es dennoch war: Das einzige Kriterium für die Erledigung der Arbeit war, dass die Arbeit erledigt wurde. Doch auch die Landschaftsgärtnerei war freiberuflich gewesen, ebenfalls mit flexiblen Arbeitszeiten, und wie Shep noch wusste, hatte sie kein Problem damit gehabt, rechtzeitig zurück zu sein, wenn die Mädchen von der Schule nach Hause kamen oder sie Flicka zu ihren diversen Therapeuten oder Hals über Kopf in die Notaufnahme fahren musste. Ob es das Opfer wirklich wert gewesen sei, fragte er, für ein höheres Gehalt?

Jackson musste seinen Ärger unterdrücken; es störte ihn, dass Carol mehr verdiente als er, ebenso wie es ihn störte, dass sie eine Arbeit hatte aufgeben müssen, die sie liebte, aber zwischen Männern und Frauen war ja jetzt angeblich alles anders, und eigentlich hätte er sich an solchen Dingen nicht mehr stören sollen.

»Ach, den Job bei IBM habe ich eigentlich nicht wegen des besseren Gehalts angenommen«, erklärte Carol. »Als Randy Allrounder übernahm – und du weißt ja selbst, was er für ein Halsabschneider ist –, ist er zu einer billigeren Krankenversicherung gewechselt. Mit all unseren Ausgaben wegen Flicka – den Therapien und Operationen und Klinikaufenthalten – konnten wir uns auf Jacksons Versicherungsschutz nicht mehr verlassen. Weißt du«, fuhr sie fort, »diese World Wellness Group ist ein Albtraum von einer Krankenversicherung. Die erheben Zuzahlungen auf alles, einschließlich der Medikamente, da sind fünf Riesen weg, bevor man auch nur zehn Cents zurückerstattet bekommen hat. Und zu den Zuzahlungen kommt dann noch die Selbstbeteiligung hinzu: zwanzig Prozent der Gesamtkosten, und zwar für Leistungen *innerhalb des Vertragsnetzwerks.* Zähl das zur Höchstsumme hinzu – du weißt schon, das, was sie insgesamt locker machen –, und die ist ziemlich niedrig, nur zwei bis drei Millionen Dollar, ein Betrag, den jemand wie Flicka noch vor ihrem zwanzigsten Lebensjahr locker ausgeschöpft hat … Na ja, wir mussten uns eine andere Versicherung suchen.«

»Herrje, davon hatte ich keine Ahnung.«

»Solltest du aber, Shep«, sagte Carol. »Bei denen bist du nämlich auch versichert.«

Kapitel 3

Shepherd Armstrong Knacker
Merrill Lynch Konto-Nr. 934 – 23F917
01. 12. 2004 - 31.12. 2004
Gesamtnettowert des Portfolios: $ 731 778,56

Auf der Fahrt zum Phelps Memorial Hospital in Sleepy Hollow hatte Shep eine Hand am Lenkrad, und in der anderen hielt er die Hand seiner Frau. Ihre Hände lagen entspannt ineinander; ihre Handfläche war trocken. Beide starrten geradeaus.

»Du hättest die Diagnostik nicht allein durchstehen müssen«, sagte er.

»Du warst ja in deine kleine Welt abgetaucht«, sagte sie. »Also bin ich in meine abgetaucht.«

»Du musst dich einsam gefühlt haben.«

»Ja«, sagte sie. »Aber schon seit Längerem.«

Bei der nächsten Ausfahrt fügte sie hinzu: »Du bist ein Planer, Shep. Du schaust immer hin, bevor du springst. Eigentlich springst du sogar, bevor du springst. Im Kopf hast du doch schon vor Monaten diesen Flieger nach Tansania genommen.«

Er war erleichtert, dass sie überhaupt mit ihm redete. Er war ja bereit, Kritik dafür einzustecken, er war sogar froh darüber.

Zu seinem Entsetzen hatte sich Glynis bereits mehrmals den Unterleib röntgen lassen und sich einer Computertomografie sowie einer Magnetresonanztomografie unterziehen müssen.

Zweimal morgens im Dezember hatte sie nicht nur ihr Frühstück verweigert, sondern sogar den Kaffee, was bei Glynis noch nie vorgekommen war. An ihren Vorwand konnte er sich nicht mehr erinnern, aber er war wohl nicht sehr überzeugend gewesen, denn vor allem der verschmähte Kaffee hatte ihn gekränkt; sie hatte eines der heiligen Rituale ihres gemeinsamen Tages mit Füßen getreten. An zwei Abenden war sie immer wieder aufgestanden, um sich ein Glas Wasser zu holen. Also hatte sie nicht einfach einen besonders großen Durst gehabt, sondern sich das Kontrastmittel aus den Adern gespült. Ebenso fügte sich nun eine seltsame, schwebende Erinnerung zu einer sinnfälligen Geschichte: Als er einmal ins Bad kam, ehe sie hatte abziehen können, sah er, dass der Inhalt der Toilettenschüssel rot war. Es war noch extrem früh in ihrem Zyklus gewesen, aber sie war fünfzig, vielleicht war er inzwischen nicht mehr regelmäßig. Jetzt wurde ihm klar: Es war gar nicht ihre Regel gewesen. Ebenso fiel ihm auf, dass sie angefangen hatte, ein Nachthemd zu tragen, angeblich, weil ihr kalt sei; in Wirklichkeit aber hatte sie die Narbe von ihrer Bauchspiegelung verstecken wollen, die er inzwischen zu Gesicht bekommen hatte. Sie war zwar nur zweieinhalb Zentimeter lang, hatte ihn aber dennoch beunruhigt: Es war eine erste Verletzung, und es würde nicht die letzte sein. Auch das Nachthemd hatte ihn gekränkt. Sechsundzwanzig Jahre lang hatten sie Haut an Haut geschlafen.

Seit jenem denkwürdigen Freitagabend vor einer Woche hatte sie ihm nur bruchstückhaft von den Tests erzählt. Insofern war eine Einzelheit, von der sie gesprochen hatte, aufgefallen. Vor der MRT, für die der Schmuck abgelegt werden musste, hatte man ein zusätzliches Röntgenbild machen müssen, ehe seine Frau in die Röhre geschoben wurde. »Und zwar, nachdem sie erfahren hatten, dass ich Silberschmiedin bin«, sagte sie. »Das Bild wird ja durch ein Magnetfeld erzeugt. Metall macht das Bild kaputt. Man darf keine Feilspäne am Körper haben.«

Er hätte darauf kommen müssen, weshalb sie ihm das erzählte: aus Stolz. Er hätte nicht fragen dürfen: »Und, haben sie welche gefunden?« Sie antwortete erst gar nicht auf seine Frage, was ein effektiver, aber höchst ärgerlicher Schachzug war, auf den sie immer öfter zurückgriff. Nein, man hatte keine Metall- oder Feilspäne gefunden. In den letzten Monaten hatte sie so selten in ihrem Atelier gearbeitet, dass sie sich wie jeder andere der MRT auch so hätte unterziehen können. Selbst in einem so kritischen Moment hatte er noch Salz in die Wunde streuen müssen.

Deine eigene kleine Welt. Ohne seine Achtlosigkeit wäre sie mit ihrer Heimlichtuerei niemals durchgekommen. Wenn er bemerkt hatte, dass sie trotz der Fülle um die Bauchgegend dünner geworden war, hatte er der Beobachtung wenig Bedeutung beigemessen, was ungefähr so war, als hätte er sie gar nicht gemacht. Ich hatte ja keine Ahnung, dachte er, dass unsere Ehe in einem so desolaten Zustand ist, und dann fiel ihm wieder ein, dass er noch bis letzten Freitagabend die Absicht gehabt hatte, sie zu verlassen.

»An dem Abend neulich«, sagte er. »Du hättest mich nicht ewig weiterreden lassen dürfen, wegen Pemba. Du hättest mich doch unterbrechen können.«

»Ich war interessiert.«

»Das war nicht nett.«

»Ich habe mich in letzter Zeit auch nicht *nett* gefühlt.«

»Wie *fühlst* du dich denn?« Shep schämte sich. In der letzten Woche war er besorgt um sie gewesen, vielleicht übertrieben besorgt. Aber wann er sie in den Monaten zuvor zum letzten Mal nach ihrem Befinden gefragt hatte, wusste er nicht mehr.

Sie brauchte einen Moment. »Ich habe Angst. Aus irgendeinem Grund war es einfacher, als du es noch nicht wusstest.«

»Weil du's dir jetzt erlauben kannst, Angst zu haben.« Er drückte ihr sanft die Hand. »Ich werde für dich da sein.« Es war ein großes Versprechen, das er nicht würde halten können. Doch beim Scheitern würde er tapfer sein, und das war sein Versprechen an sich selbst.

DR. EDWARD KNOX reichte Shep die Hand, sein Händedruck war fest und großzügig. Der Onkologe roch streng nach Desinfektionsmittel, als gehörte er zu den wenigen Ärzten, die sich tatsächlich die Hände wuschen. Es war ein Geruch, den Shep mit Beklommenheit assoziierte. »Mr Knacker, ich freue mich sehr, dass Sie es endlich geschafft haben, mit uns hier zu sein.«

Aus dieser Formulierung hörte Shep Kritik heraus und eine empörend falsche Darstellung vonseiten seiner Frau. Unter anderen Umständen hätte er sie anschließend ins Gebet genommen. Ihn beschlich die Ahnung, dass er sie jetzt nie wieder wegen irgendetwas ins Gebet nehmen würde.

Die vertraute Art, mit der sie Platz nahm, deutete darauf hin, dass Glynis nicht zum ersten Mal in diesem Büro war. Diese beiden hatten eine gemeinsame Geschichte, und obwohl Shep nun »endlich« hier war, fühlte er sich ausgegrenzt. Er hatte den eigentümlichen Eindruck, dass Glynis dieses Büro als Zentrum ihrer Macht empfand.

Während der Doktor auf seinem Drehsessel Platz nahm, schätzte Shep den Onkologen auf Ende dreißig, wobei er mittlerweile immer schlechter sagen konnte, wie alt jemand war. Während er noch immer zwischen sechzig und fünfundsechzig unterscheiden konnte, waren alle Jüngeren in letzter Zeit in die undifferenzierte Kategorie »jünger als ich« getreten, was eigentümlich war, da er selbst schon in dem Alter gewesen war und wusste, wie der Lebensabschnitt sich anfühlte und wie man dabei im Spiegel aussah. Aus der Perspektive des höheren Alters stellte sich immer heraus, dass man währenddessen überhaupt nicht begriff, was es hieß, siebenunddreißig zu sein. Dummerweise angesichts der gegenwärtigen Umstände wirkten jüngere Menschen auf Shep jetzt immer unreif, und eine Sicherheit, wie sie Dr. Knox in pulsierenden Wellen ausströmte, wirkte hohl und aufgesetzt. Dennoch wollte Shep an diesen Mann glauben und konnte nur hoffen, dass er von Freunden »Edward« gerufen wurde und nicht »Ed«, was kapriziös und weniger zuverlässig klang. Fit und gepflegt, wie er war, wählte Knox wahrscheinlich in der Cafeteria zum Nachtisch Obst und stieg im Fitnessraum der Klinik regelmäßig aufs Laufband; er ließ seinen Worten Taten folgen. Shep selbst hatte immer eine Schwäche für Mediziner gehabt, die zwanzig überflüssige Pfunde mit sich herumschleppten und heimlich auf dem Dienstparkplatz rauchten. Die Heuchelei hatte etwas Beruhigendes. Von Ärzten hatte Shep immer weniger nach Sachkenntnis als nach Vergebung gesucht.

»Tut mir leid, dass wir so lange gebraucht haben, um zu einer positiven Diagnose zu gelangen«, begann Dr. Knox und wandte sich zu Shep. »Ein Mesotheliom ist notorisch schwierig zu identifizieren, und wir mussten erst alle möglichen anderen, geläufigeren Erklärungen ausschließen, die bei Ihrer Frau zu Fieber, Druckempfindlichkeit, dem aufgeblähten Unterbauch und den gastrischen Motilitätsstörungen geführt haben.« Shep wusste nicht, was mit *Motilitätsstörungen* gemeint war, aber er fragte nicht nach, weil der Doktor dann wissen würde, dass es ein weiteres Symptom seiner Frau war, das ihm egal gewesen oder nicht aufgefallen war.

»Wie Sie sicherlich schon von Ihrer Frau wissen, ist das Peritonealmesotheliom äußerst selten«, fuhr Dr. Knox fort. »Und ich will Ihnen nichts vormachen. Es handelt sich um eine sehr ernste Erkrankung. Da das Peritoneum eine zarte Membran darstellt, die in etwa wie Frischhaltefolie die Organe umhüllt, kann sich die Krankheit in den Falten einnisten, an die man auf operative Weise nur schwer oder gar nicht herankommt.« Shep bewunderte die Formulierung des Arztes, mit der er zumindest so tat, als wüsste Shep über das Peritoneum Bescheid; Knox wollte keinesfalls unterstellen, dass der Ehemann seiner Patientin den gravierenden medizinischen Problemen seiner eigenen Frau so wenig Beachtung schenkte, dass er sich nicht die Mühe gemacht hätte, ihre Diagnose in einem Lexikon nachzuschlagen. »Und ich muss Ihnen leider sagen, dass die Mesotheliom-Symptome sich normalerweise erst dann bemerkbar machen, wenn der Krebs schon relativ weit fortgeschritten ist. Nichtsdestotrotz stehen uns eine Reihe von Therapien zur Verfügung.

Neue Behandlungen, neue Ansätze, und ständig werden neue Medikamente entwickelt. Die Überlebensrate steigt ständig an.«

Das alles wusste Shep schon aus dem Internet, aber er hatte das Gefühl, dass es unverschämt wirken würde, wenn er den Onkologen bei seiner formellen Einführung unterbrach. Shep hatte bereits genug gelesen, um zu wissen, dass die meisten Mittelchen aus Knox' Wundertüte pures Gift waren. In Anbetracht der Tatsache, so wenig tun zu können, musste es für den Doktor beruhigend sein, sich auf diskursive Weise nützlich zu machen. Durch seine systematische und doch liebenswürdige Art – er lächelte ermutigend und blickte Shep in die Augen – hatte Edward Knox bei Shep sofort Sympathie geweckt.

Doch auch wenn Ärzte liebenswürdig *taten*, lag es oft nicht in ihren Händen, wie liebenswürdig sie tatsächlich sein konnten. So behutsam ein Arzt sie auch formulieren mochte, war manch eine Botschaft, die er überbringen musste, doch grausam, und wenn es sich nicht grausam vortrug, war sie gelogen und somit noch grausamer. Shep persönlich konnte nicht verstehen, warum jemand Arzt werden wollte. Klar, einen Arterienstent zu legen und ein verstopftes Badewannenrohr zu reinigen waren technisch gesehen ähnliche Vorgänge. Doch ein Arzt war wie ein Handwerker, der relativ oft bei den Leuten an der Tür klopfen und sagen musste, tut mir leid, aber ich kann Ihr Rohr nicht reinigen. Nur dazu war die Freundlichkeit gut: für diesen Moment des Bedauerns. Und dann ging er davon, vielleicht winkte er noch mal, und man stand da mit dem Schmutzwasser in seiner Badewanne. Warum sollte man so einen Job machen wollen?

»Und ich habe gute Nachrichten«, fuhr Knox fort. »Erstens, wie ich Ihnen letzte Woche schon versichert habe, Mrs. Knacker, waren auf der MRT keine Anomalien im Pleura – in den Lungen – zu erkennen. Wichtiger noch, ich habe jetzt das Ergebnis der Laboruntersuchung vorliegen. Das Mesotheliom kommt, wenn Sie so wollen, in zwei Geschmacksrichtungen vor – in zwei Arten von malignen Zellen. Die epitheloiden Zellen sind weniger aggressiv, die sarkomatoiden Zellen sind sehr viel aggressiver. In den entnommenen Proben wurden ausschließlich epitheloide Zellen entdeckt. Dadurch fällt die Prognose um Einiges optimistischer aus.«

Glynis nickte schulmädchenhaft, als hätte sie etwas richtig gemacht. Shep wollte schon fragen: Und welche Prognose wäre das? Er öffnete den Mund, und er war trocken. Er schloss ihn wieder und schluckte. Da er dankbar sein, seine Rolle spielen, mitmachen und zupacken wollte, wie es hier offenbar erwartet wurde, sagte er stattdessen: »Ja. Das klingt nach einer sehr guten Nachricht.«

Mit einem Mal musste er unwillkürlich darüber nachdenken, dass gerade mal vor einer Woche eine »gute Nachricht« sein Merrill-Lynch-Portfolio gewesen war, das sich um 23 400 Dollar gefüllt hatte, ohne dass er einen Finger gerührt hatte. Dass ihr Sohn im zweiten Highschool-Jahr endlich eine anständige Note in Algebra nach Hause gebracht hatte. Dass Randy Pogatchnik geschwänzt hatte und irgendwo Golf spielte, sodass die Arbeit bei Allrounder drei Tage lang zwar nicht wie in alten Zeiten Spaß machte, aber doch immerhin kollegial war. Dass Glynis ausnahmsweise in einer verspielten und trägen Laune war – an die er sich jetzt kaum noch erinnern konnte – und Lust hatte, eine alte Folge *Sopranos* mit ihm zu gucken. Jetzt sollte er innerhalb von Sekunden in eine Welt eintauchen, wo eine »gute Nachricht« so aussah, dass sich im Bauchraum seiner Frau lauter bösartige »epitheloide« Zellen tummelten anstatt der noch bösartigeren »sarkomatoiden«, und diese Information sollte ihn auch noch aufheitern.

»Zur Frage, wie es jetzt weitergeht«, sagte der Doktor. »Vielleicht wollen Sie noch eine Zweitmeinung hinzuziehen. Es ist immer denkbar, dass andere Spezialisten einen alternativen Weg vorschlagen, aber ich dachte, ich würde Sie schon mal mit dem Standardverlauf zur Behandlung des epitheloiden Mesothelioms vertraut machen. Sofern die Diagnose bestätigt wird, Mrs. Knacker, werden wir Sie so bald wie möglich einem Debulking-Eingriff unterziehen. Dabei soll so viel wie möglich von dem erreichbaren Krebs entfernt werden. Wir haben im Peritoneum drei Stellen mit befallenem Gewebe lokalisiert. Leider sind die Chirurgen, die ich konsultiert habe, übereingekommen, dass eine dieser Stellen unzugänglich ist. Sowohl um dieses unerreichbare kleine Stück zu schrumpfen als auch um bösartiges Zellwachstum weiter zu verhindern, wird sich höchstwahrscheinlich eine Chemotherapie anschließen, sobald Sie sich von dem Eingriff erholt haben. Zu diesem Zweck wird Ihnen ein Thoraxchirurg im Bauchraum zwei künstliche Ausgänge legen. Auf diese Weise können wir intraperitoneale Infusionen vornehmen und erhitztes Cisplatin einführen, das Ihre inneren Organe überspülen wird, anstatt die Chemotherapie durch die Blutbahn zu verabreichen. Bei dieser direkten Anwendung sollten unangenehme Nebenwirkungen deutlich geringer sein.«

»Heißt das, mir werden die Haare nicht ausfallen?«, fragte Glynis und berührte reflexhaft ihren Scheitel.

Dem Onkologen huschte ein Schatten übers Gesicht, eine Traurigkeit, ein Bedauern, dem Shep entnahm, dass eine so kleine Verletzung der Eitelkeit seiner Patientin das geringste Problem darstellen würde. »Jeder Patient reagiert auf die Behandlungen anders«, sagte er behutsam. »Man kann es nie wissen.«

»Außerdem wachsen sie ja wieder nach, oder?«, sagte Shep. Das war sein Part. Er sollte Optimismus verbreiten.

Ein zweiter Schatten zog über das Gesicht des Arztes, und zwar diesmal einer, den Shep nicht zu deuten wusste. »Ja, wenn die Behandlungen abgeschlossen sind, mit Sicherheit«, sagte Dr. Knox, der sich einen Ruck zu geben schien. »Manche Patienten stellen sogar fest, dass das Haar dicker nachwächst.«

Shep hatte plötzlich den Eindruck, dass dieser Besuch, ja das gesamte Programm von Röntgen über Kernspin bis hin zu all den Skalpellen und künstlichen Magenausgängen und abscheulichen Medikamenten, die da kommen würden, eine Posse, eine makabre Schmierenkomödie war. So hilfreich und beruhigend dieser Doktor sich gab, so deutlich hatte Shep das Gefühl, einfach nur bei Laune gehalten zu werden. Dann wiederum fühlte er sich vereinnahmt und zur Komplizenschaft mit dem Doktor genötigt, um gemeinsam seine Frau bei Laune zu halten. Glynis war die Angeschmierte bei dieser Komödie. Und es war eine schlechte Komödie, eine verabscheuungswürdige Komödie, für die sie mit jeder Faser ihres Daseins bezahlen würde. Er wollte keinen Anteil daran haben. Er würde Anteil daran haben müssen.

»Aber bevor wir den nächsten Schritt tun«, fuhr der Onkologe fort. »Da es sich um eine so seltene Krebsform handelt, habe ich selbst mit der Krankheit nur begrenzte Erfahrung. Hier am Phelps Memorial haben wir in den letzten zwanzig Jahren nur zwei vergleichbare Fälle gehabt. Aber an der Columbia-Presbyterian-Klinik gibt es einen Spezialisten für innere Medizin, der im Tandem mit einem hervorragenden Chirurgen arbeitet. Beide haben weitreichende klinische Erfahrung mit dem Mesotheliom, und sie haben einen hervorragenden Ruf.«

»Sie wollen uns wohl loswerden«, sagte Shep mit angespanntem Lächeln.

Dr. Knox lächelte zurück. »Das könnte man so sagen. Mesotheliom-Patienten kommen aus der ganzen Welt zu Philip Goldman. Sie haben Glück, bei Ihnen wohnt er praktisch um die Ecke. Ich kann Ihnen gleich sagen, er ist nicht billig. Es ist sehr wahrscheinlich, dass er nicht zum Vertragsnetzwerk Ihrer Krankenversicherung gehört. Sie müssten sich mit Ihrer Versicherung absprechen, wenn die vollen Kosten für einen Arzt außerhalb des Vertragsnetzwerks übernommen werden sollen, aber Sie haben ja einen triftigen Grund. Und selbst wenn Ihr Träger ablehnt, würde ich Ihnen unbedingt empfehlen, Dr. Goldman zu konsultieren. Ihre Versicherung würde immer noch den Großteil der Kosten übernehmen; ich kenne die Einzelheiten Ihrer Versicherung nicht, aber möglicherweise werden Sie einfach einen höheren Prozentsatz bei der Selbstbeteiligung zahlen müssen. Und wenn man bedenkt, was auf dem Spiel steht … Nun, ich vermute, dass Geld da keine Rolle spielt.«

»Natürlich nicht«, hörte Shep sich sagen. »Wir werden zahlen, was immer nötig ist, damit Glynis wieder gesund wird.« In Anbetracht des Taschengeldes, das seine Frau bei ihrem Chocolatier verdiente, war das *wir* eher eine Farce. Dass das *wieder gesund werden* ebenfalls die Kriterien einer Farce erfüllte, wollte Shep noch nicht in Betracht ziehen.

Während Knox ihnen die Kontaktdaten dieses ungemein kostspieligen Schamanen aufschrieb, dachte Shep dennoch über die Summe nach, die nun offiziell »keine Rolle spielte«. Natürlich hatte sie an sich keinen Wert. Geld war ein Mittel. Ein Mittel zu einem Zweck aber, von dem man nicht einfach so behaupten konnte, er »spiele keine Rolle«. Essen, ein Dach über dem Kopf, Kleidung. Sicherheit, sofern möglich, und damit auch die Aussicht auf Rettung. Leistungsfähigkeit, Macht, Einfluss. Leichtigkeit, Freiheit, freie Auswahl. Großzügigkeit, Nächstenliebe; wenn nicht gar Liebe überhaupt, für seine Kinder, seine Frau, seine Schwester und seinen Vater, fühlbare Liebe. Bildung; Weisheit vielleicht und deren Voraussetzung: akkurate Informationen. Wenn nicht sogar Glück, Luxus, der im Notfall auch für Glück gehalten werden konnte. Flugtickets – Erfahrung, Schönheit, Flucht. Die Anweisung ihres vermeintlichen Erlösers an der Columbia-Presbyterian; sie würden angesichts der virulenten Krebserkrankung seinen Anweisungen folgen und ihre gesamte Willenskraft mobilisieren; und nicht nur das: sie würden sich das Leben selbst erkaufen. Sie würden sich Glynis' Leben erkaufen, jeden Tag aufs Neue für teures Geld, und am Ende würde sich jeder einzelne Tag mit einem Preisschild versehen lassen.

»Haben Sie beide bis hierhin irgendwelche Fragen?«, fragte Dr. Knox.

»Die Nebenwirkungen …«, sagte Glynis. Natürlich hatten die Wirkungen nichts Nebensächliches. Es waren Wirkungen – groß, grausam und alles andere als untergeordnet.

»Jedes Medikament und jeder Patient ist anders. Man wird Sie auf alles vorbereiten, womit Sie rechnen müssen, das verspreche ich Ihnen. Lassen Sie uns erst die Operation hinter uns bringen. Nicht vorpreschen.«

In der anschließenden Stille sah Shep erst hinüber zu seiner Frau, dann zum Onkologen, und Panik stieg in ihm auf. Er wollte jetzt keinen Händedruck und dann im Auto sitzen und merken, wie das Fehlende, das Ungesagte, die feigen Ausflüchte wie giftige Auspuffabgase das Wageninnere füllen würden. Aber ebenso wenig konnte er verstehen, warum ausgerechnet er die Frage stellen musste. Glynis hatte das Problem vielleicht schon mal zur Sprache gebracht, dann aber von der Quintessenz nichts durchblicken lassen, was eigentlich unmöglich war.

Bei seinem Versuch, sich im Eiltempo über eine Krankheit zu informieren, von der er vor vergangenem Freitag noch nie etwas gehört hatte, hatte Shep am Wochenende stundenlang vor dem Computer gesessen. Man müsse den Feind kennen, hatte er sich gesagt. Auf einer medizinischen Website, lange nach der geduldigen, überfürsorglichen Erklärung eines jeden Tests und einer jeden Behandlung, mit der ein Mesotheliom-Patient zu rechnen hatte, war er auf einen Abschnitt mit der Überschrift »Überlebensrate« gestoßen. Nachdem er ewig draufgestarrt hatte, konnte er den ersten Absatz fast auswendig:

> Auf der folgenden Seite finden Sie detaillierte Informationen über die Überlebensrate bei verschiedenen Stadien des Mesotheliom, die wir hier auf vielfachen Leserwunsch zur Verfügung stellen. Nicht jeder Krebspatient möchte sich diesen Informationen aussetzen. Sollten Sie sich in dieser Hinsicht gegenwärtig nicht sicher sein, *überspringen Sie diese Seite*. Sie können zurückkehren.

Sein erster Eindruck war, dass die Autoren des Textes den Leser bevormunden wollten. Sein erster Impuls war, nach unten zu scrollen. Er hatte seinen Problemen bislang immer ins Auge gesehen. Aber in diesem Fall war es anders, wenn auch nur, weil er nicht persönlich betroffen war. In manchen Punkten würde ihn der Krankheitsverlauf vermeintlich betreffen, aber das musste er im Hinterkopf behalten. Während dieser Absatz auf dem Bildschirm flimmerte, war das, was in seinen Eingeweiden gedieh, zweifellos das schiere Entsetzen. Er griff nach der Maus. Er zog seine Hand von der Maus zurück. Er scrollte nicht nach unten. Er folgte dem Rat, die Seite zu überspringen, und kehrte drei Mal an dieselbe Stelle zurück. Er scrollte kein Mal nach unten. Er war noch nicht so weit. Hier in dieser Praxis aber, mit diesem Arzt, der all diese zwecklose Freundlichkeit in seine Stimme legte, war es Zeit, nach unten zu scrollen.

»Wie stehen ihre Chancen«, sagte Shep so bleiern, dass er nicht in der Lage war, die Stimme anzuheben, um den Satz als Frage zu kennzeichnen. »Wie lange.« Unklarheiten konnte man an diesem kritischen Punkt nicht gebrauchen. Er bildete den vollständigen Satz: »Wie lange hat meine Frau noch zu leben.«

Doch es war Glynis, die sprach. »Das kann man so nicht sagen. Jeder Patient ist anders, du hast doch gehört, was der Doktor gesagt hat. Jeder Patient reagiert anders, und wie er gerade sagte, kommen ständig neue Medikamente auf den Markt.«

Dr. Knox blickte hastig zwischen beiden hin und her; er schien das Paar genau zu taxieren. »Es ist wichtig, immer optimistisch zu bleiben. Ich bin schon oft zu einer spezifischen Prognose gedrängt worden, und selbst wenn ich nachgegeben habe, kann ich Ihnen gar nicht sagen, wie oft ich schon unrecht hatte. Wie oft habe ich vorhergesagt, dass ein Patient noch soundso viel Zeit haben würde, und dann stellte sich heraus, dass er Jahre nach dem Tag, an dem ich Blumen ans Grab schicken wollte, seinen besten Freund im Squash an die Wand spielt.«

»Und es hilft doch auch, sagten Sie«, sagte Glynis, »dass ich von vornherein bei sehr guter Gesundheit bin. Ich bin nicht übergewichtig, meine Cholesterinwerte sind gut, ich mache Sport, ich habe keine erschwerenden Leiden, und ich bin gerade mal fünfzig.«

»Absolut richtig«, pflichtete Dr. Knox ihr bei. »Sich auf ein bestimmtes verhängnisvolles Datum einzustellen ist, wie in den

Krieg zu ziehen und schon im Vorhinein festzulegen, an welchem Tag die Niederlage stattfinden soll. Mit der Medizin ist es wie mit dem Militär: Es ist die positive Einstellung, mit der man Resultate erzielt.«

Shep kannte dieses Gerede von Krankheit als bewaffnetem Konflikt: Der »Kampf« gegen den Krebs, bei dem die Patienten als »echte Kämpfernaturen« bezeichnet wurden, denen ein »Arsenal« an Behandlungsmöglichkeiten zur Verfügung stand, um bei einer »Invasion« von bösartigen Zellen »die Oberhand zu gewinnen«. Doch die Analogie fühlte sich falsch an. Seiner geringen Erfahrung nach glich das Gefühl im Zusammenhang mit der Erkrankung eher der allgemein gedrückten Stimmung bei schlechtem Wetter. Und so war es, als hätte der Doktor verkündet, dass sie gegen einen Schneesturm oder gegen Windböen »in den Krieg ziehen« würden.

»Na ja, ich wollte nicht pessimistisch klingen, und es gibt bestimmt alle möglichen Ausprägungen ...« Pflichtschuldig machte Shep seinen Rückzieher. Dennoch staunte er. Angesichts ihrer Erbitterung, ihrer Trotzhaltung, ihrer Düsternis – eigentlich war er doch derjenige von beiden, der zu dem von Knox propagierten Optimismus neigte –, hätte er Glynis eher zum Nach-unten-Scroll-Typus gezählt. Zweifellos gab es einiges, was er im Verlauf dieser Krankheit noch über sie herausfinden würde. Vielleicht lernte man einen Menschen erst dann wirklich kennen, wenn er dem Tod geweiht war.

Da er nicht »vorpreschen« durfte, ruderte Shep also zurück.

»Asbest«, sagte er. Es kam ihm eigenartig vor, dass sie schon so lange dieses Gespräch führten, ohne dass das Wort gefallen war. »Mesotheliom wird fast ausschließlich mit Asbest in Verbindung gebracht. Wie kann meine Frau mit Asbest in Berührung gekommen sein?«

»Ihre Frau und ich haben uns darüber schon unterhalten, und ich fürchte, wir haben das Rätsel nicht gelöst. Sie sagte, ihres Wissens habe sie nie mit dem Material gearbeitet. Und ich gehe nicht davon aus, dass Sie sich zu Hause eine neue Wärmedämmung haben einbauen lassen. Aber früher war es so weit verbreitet ... und es reicht schon, eine einzige Faser einzuatmen oder zu verschlucken ... Mesotheliom hat eine Latenzzeit von zwanzig bis fünfzig Jahren. Dadurch wird es unglaublich schwierig, ein bestimmtes Produkt als Ursache der Krankheit zu identifizieren. Aber spielt das denn überhaupt eine Rolle?«

»Für mich schon«, sagte Glynis hitzig. Bislang hatte sie sich so duldsam gegeben; in ihrer aufkeimenden Wut klang sie endlich wieder wie sie selbst. »Wenn Ihnen irgendein wildfremder Mensch auf der Straße ein Messer in den Bauch rammt, würden Sie dann nicht wissen wollen, wer es war?«

»Vielleicht ...«, sagte Dr. Knox. »Aber wichtiger wäre mir, schnell ins nächste Krankenhaus zu fahren und mich wieder zusammenflicken zu lassen. Wenn das Unglück durch die Faktoren ›falsche Zeit, falscher Ort‹ ausgelöst wurde, wäre die Frage nach dem Schuldigen – oder in diesem Falle nach dem, *was* schuld ist – eher müßig.«

»An meiner Frage ist überhaupt nichts *müßig*«, sagte Glynis. »Da ich erst wie ein Fisch aufgeschlitzt und ausgenommen und dann mit Medikamenten vollgepumpt werden soll, von denen mir kotzübel wird und ich eine Glatze kriege und den ganzen Tag schlafen muss – wenn ich Glück habe –, würde ich *schon ganz gerne* wissen, wer mir das angetan hat.«

Der Onkologe kaute an seinem Wangenfleisch. Ohnmächtige Wut war in dieser Praxis gewiss nichts Neues. »Vielleicht hätte ich schon früher fragen sollen. Was machen Sie beruflich, Mr Knacker?«

»Ich leite – ich arbeite in einer Firma für Handwerksservice. Das heißt, wir stellen die Handwerker zur Verfügung. Und das Material ...«

Der Arzt verengte die Augen. »Haben Sie solche Arbeiten auch selber ausgeführt oder führen sie noch immer selber aus?«

Handwerker klang billig – für seinen Vater hatte das Wort immer den Beiklang von Arbeiterklasse gehabt, und Jackson beispielsweise hatte alle möglichen protzigen Euphemismen erfunden, um es zu vermeiden – doch Shep war nicht bereit, sich seines Berufes zu schämen. Auch wenn Glynis auf Dinnerpartys eher seine Managerfunktion hevorhob, hatte körperliche Arbeit für ihn nichts Ehrenrühriges. Ehrenrührig war für ihn eher, jahrelang hinter einem Schreibtisch vor sich hin zu gammeln. »Sicher, natürlich.«

»Und haben Sie da mit Dämmmaterial oder Zementprodukten gearbeitet … Feuerschutzmitteln, Schallschutzmitteln, Dachmaterialien … Gullys, Regenrinnen … Vinylböden, Gips … Wassertanks?«

Shep wurde ein klein wenig stutzig, er ahnte, dass dies der Punkt war, an dem gewiefte Kriminelle vor der Polizei die Aussage verweigern. Die Unschuldigen hingegen glaubten, nichts zu verbergen zu haben, und schütteten idiotischerweise ihr Herz aus. »Mit allem, zum einen oder anderen Zeitpunkt. Wieso? Ich hab Glynis nie zur Arbeit mitgenommen. Wenn irgendeines dieser Materialien Asbest enthalten haben sollte, wäre dann nicht eher *ich* krank geworden?«

»Möglich wäre, dass Sie Fasern an der Kleidung nach Hause mitgebracht haben. Vor Kurzem bin ich tatsächlich auf eine Geschichte gestoßen, da verklagt eine Mesotheliompatientin in Großbritannien das Verteidigungsministerium. Ihr Vater war auf einer Marinewerft Ingenieur für Dämmtechnik gewesen, und sie ist überzeugt, dass sie als Kind mit Asbest in Berührung gekommen sein muss, als sie ihren Vater umarmte.«

Shep wurde selten rot, aber jetzt brannten ihm die Wangen. »Das scheint mir aber ziemlich an den Haaren herbeigezogen.«

»Mmm«, sagte Dr. Knox. »Eine einzige Faser, an der Hand, zum Mund geführt? Unglückselig, aber nicht an den Haaren herbeigezogen.«

Auf die Hitzewelle folgte eine Kältewelle, als sich Glynis mit vorwurfsvoller Miene zu ihm drehte. Erst ist er so gefangen von seiner »eigenen kleinen Welt«, dass seine Frau ihm nichts von ihrer tödlichen Krankheit erzählt, und jetzt hat sie sie auch noch von ihm.

Beim Aufschliessen des Wagens in der Parkgarage auf der Fort Washington Avenue brach Shep endlich das Schweigen. »Ich hab immer gedacht, Asbest wäre längst verboten.«

»Es ist *immer noch nicht* verboten«, sagte Glynis und warf sich wütend in den Beifahrersitz. »1989 hat die EPA das verdammte Zeug endlich verboten, aber 1991 hat die Industrie das Verbot vor Gericht wieder aufheben lassen. Man darf es jetzt nur nicht mehr zur Wärmedämmung benutzen oder wenn man was Neues baut, das ist alles.«

Shep merkte sofort, dass Glynis ihre Hausaufgaben gemacht hatte – unmöglich, dass der historische Hintergrund ihrem Allgemeinwissen entstammte –, wohingegen sie sich auffallend zurückgehalten hatte, sich ausführlich über ihre Krankheit zu informieren. Über die Nebenwirkungen der Medikamente, deren Namen und Nachteile auf diversen Websites akribisch aufgelistet waren, hatte sie nur eine vage Vorstellung; sie weigerte sich, *nach unten zu scrollen*. Ihre Suche am PC hatte sich offenbar nicht auf das gerichtet, was mit ihr los war oder was als Nächstes passieren würde, sondern auf die Frage nach dem Schuldigen. Diese Art fehlgeleiteter Energie war leider typisch für sie.

»Aber wie hätte ich das denn wissen sollen?« Er ließ den Motor nicht an, starrte aber durch die Windschutzscheibe, als wäre er schon losgefahren. »Die Materialien, mit denen ich gearbeitet habe, waren dieselben, mit denen alle gearbeitet haben. Professionelle Klempner, Dachdecker … ich hab nie am falschen Ende gespart oder Materialien benutzt, von denen ich wusste, dass sie bei anderen Handwerkern in Verruf waren.«

»Du hättest es ohne Weiteres wissen können und wissen müssen! Seit *1918* sind die Gefahren durch Asbest nachgewiesen. In den Dreißigerjahren sind immer mehr Beweise zusammengekommen, die Forschungsergebnisse sind lediglich von der Industrie verdunkelt worden. Schon 1964 wurde eine direkte Verbindung zwischen Asbest und Mesotheliom gezogen. Da hattest du Allrounder noch nicht mal gegründet! In den Siebzigern wusste jeder, dass Asbest lebensgefährlich ist. Ich bin mit diesen Geschichten aufgewachsen und du auch!«

»Glynis, versuch doch mal zurückzudenken«, sagte Shep ruhig, besonnen, leise. »In den ersten Jahren hab ich zwölf, manchmal vierzehn Stunden am Tag gearbeitet, um Allrounder aufzubauen. Ich hatte keine Zeit, die Zeitung von vorne bis hinten durchzulesen. Und noch viel weniger hatte ich Zeit, mich jedes Mal, wenn ich eine Dose aufgemacht hab, in die Auflistung der einzelnden Inhaltsstoffe zu vertiefen.«

»Es geht hier nicht darum, dass du jede kleinste Wendung der Friedensverhandlungen im Nahen Osten hättest mitverfolgen sollen. Es wäre aber deine Pflicht gewesen, dich auf dem Laufenden zu halten über die Gesundheits- und Sicherheitsrisiken im Zusammenhang mit deiner eigenen Arbeit. Und die nötigen Recherchen anzustellen und sichere Produkte zu wählen und keine *tödlichen*. Nicht nur deinetwegen – sondern, übrigens, deiner Frau und Kinder wegen. Und was ist mit deinen Angestellten?«

»Ich hab keine Angestellten mehr«, sagte er leise. »Glynis, was soll das? Ist das die Rache für Pemba?«

Sie fuhr unbeirrt fort. »Diese Firmen werden alle seit Jahrzehnten bis zum Gehtnichtmehr verklagt, und was machst du? Steckst den Kopf in den Sand und willst davon nichts wissen!«

Shep war nie ein Mann für ideologische Kämpfe gewesen. Es lag in seiner Natur, die Dinge immer von zwei Seiten zu betrachten; schlimmer noch, von möglichst vielen Seiten, sodass seine Bekannten oft fälschlicherweise glaubten, er habe überhaupt keine Meinung. Dabei hatte er nichts gegen Ideologen; Jackson hatte für ihn etwas durchaus Unterhaltsames. Er war durchaus froh, dass seine Frau wählen durfte und dass die Schwarzen nicht länger separate Trinkbrunnen benutzen mussten. Es war bestimmt auch eine sehr gute Sache, dass ein paar Draufgänger für die Dämonisierung von Asbest gesorgt hatten, weshalb seine eigenen Mitarbeiter nun keine potenziell tödlichen Wärmedämmungen mehr verlegen mussten und dafür von ihren Ehefrauen in die schreckliche Rolle des Kontaminators gesteckt wurden.

Doch er hatte zudem ein Unternehmen gegründet, und hatte damit eine gewisse Vorstellung von dem, was ein Unternehmen war: weder Ungeheuer noch Abstraktion. Ein Unternehmen war eine Ansammlung von Menschen – einschließlich des einen oder anderen schlampigen Angestellten oder gnadenlos geldgeilen Eiferers, der im Alleingang jahrzehntelang die kollektive Sorgfalt untergrub. Und doch war ein Unternehmen auch eine Einheit, die von jemandem geliebt wurde. Nicht, dass er schlechte Praktiken entschuldigen wollte, aber ein Firmenvergehen war sowohl eine vielschichtige als auch zutiefst persönliche Sache. Angesichts dieser komplizierten Lage konnte er nicht nachvollziehen, was man davon haben könnte, mit dem Finger auf »eine Firma« zu zeigen, noch viel weniger auf »die Industrie«. Siehe Glynis. Statt auf »die Industrie« zu schimpfen, verschaffte es ihr offenbar weitaus mehr Genugtuung, einen konkreten Schuldigen zwischen die Finger zu bekommen.

Er fragte sich, ob Edward Knox irgendeine Vorstellung davon hatte, wie quälend der Hinweis war, dass sich Glynis ihren Krebs bei einer Umarmung zugezogen haben könnte.

Aber wenn es ihr half, wenn sie danach hungerte, sich selbst eine Geschichte zu erzählen, konnte Shep ihr den Dienst erweisen und sich in die Rolle des Bösewichts fügen.

»Tut mir leid«, sagte er. »Ich hatte keine Ahnung, dass Asbest so tödlich sein kann. Oder dass es in all den Materialien enthalten ist, die dein Doktor aufgezählt hat. Aber du hast recht. Ich hätte die Zeitungsartikel lesen sollen. Vor der Arbeit mit irgendeinem Produkt hätte ich mir die Inhaltsstoffe ansehen müssen. Es war unverantwortlich.« Letzteres Adjektiv blieb ihm ein wenig im Halse stecken, da es zuvor nie auf ihn gepasst hatte, weder in seinen Augen noch in denen anderer. »Und jetzt musst du dafür büßen. Das ist nicht fair. Eigentlich hätte *ich* krank werden müssen. Ich wünschte, ich könnte dir die Last abnehmen.«

Er wusste nicht genau, ob er das wirklich wollte. Doch vermutlich würde es über kurz oder lang so sein, und das sollte genügen.

ALS SIE WIEDER zu Hause waren, verkündete Glynis, dass sie nicht sehr hungrig sei, aber Shep drängte darauf, dass sie etwas essen müsse, um bei Kräften zu bleiben. Obwohl er wusste, dass es ihr zeit ihres Lebens ein Gräuel war, wagte er sogar den Vorschlag, dass sie vor dem Eingriff versuchen sollte, ein wenig zuzunehmen. Nach der gewaltsamen Szene in der Fort-Washington-Parkgarage – niemand hatte die Hand gegen den anderen erhoben, dennoch war es Gewalt gewesen – waren sie still, gingen sich mit übertriebener Rücksicht aus dem Weg. Shep erklärte sich freiwillig bereit, das Abendessen zu kochen, was nicht zu seinen üblichen Pflichten gehörte. Er wollte damit nicht andeuten, dass er Buße tat; er wollte damit andeuten, dass die Zubereitung einer einzigen Mahlzeit nur der Beginn einer sehr langen Bußezeit war, die von noch mehr Gesten und Opfern und noch sehr viel mehr Mahlzeiten geprägt sein würde. Sie hatte keine Lust zu streiten und eigentlich auch keine Lust zu kochen und überließ ihm das Feld.

»Papa kocht?«, fragte Zach und schlurfte in die Küche. Ob nun alters- oder charakterbedingt, ihr fünfzehnjähriger Sohn war in einer Phase, in der er nach Unsichtbarkeit strebte. Er wandte sich zu seinem Vater, der Kartoffeln schälte. »Was hast du denn angestellt?«

Die treffsichere Intuition, die Kinder gelegentlich an den Tag legen, beeindruckte Shep jedes Mal aufs Neue und machte ihn nervös. »Womit soll ich anfangen?«

Sie hatten beschlossen, den Kindern von der Krankheit erst dann zu erzählen, wenn sie genauer wüssten, was sie erwartete, und die Diagnose außerdem durch eine Zweitmeinung bestätigt worden war. Oder zumindest war das der Vorwand; zweifellos wollten sie die scheußliche Szene auch einfach nur aufschieben. Zach aber ahnte, dass irgendwas im Busch war. Da er fast nie mehr zusammen mit seinen Eltern aß, glich sein Herumschleichen in der Küche einer Spionagemission, und sein Blick in den Kühlschrank hatte eher Alibifunktion.

Shep war dankbar für einen Dritten, der die angespannte Atmosphäre auflockerte und das Bild einer ganz normalen Familie etablieren half – ein hungriger Teenager auf Nahrungssuche und die beiden Eltern, die nach einem Brosamen aus der wohlbehüteten Speisekammer seines Privatlebens bettelten. Eine triviale Szene, die bald schon der Vergangenheit angehören würde. In den kommenden Monaten würde Zach lernen müssen, ein »guter Sohn« und somit ein künstlicher Sohn zu sein.

»Geht's auf die Piste?«, fragte Shep.

»Nö«, sagte Zach – den seine Freunde nur »Z« nannten. Seine Eltern hatten ihn auf den Namen Zachary Knacker getauft, bevor sie den Jungen kannten. Die Tonfolge hatte ihnen gefallen, das dampflokartige Klackerklacker, das sich für den Träger anhörte »wie eine Figur aus einem Kinderbuch«. Der Name war zu auffällig für einen Jungen, der alles tat, um sich bedeckt zu halten, und so kauerte er jetzt in Form eines kryptischen Einzelbuchstabens am Ende des Alphabets.

»Aber heute ist doch Freitag!«, sagte Shep, obwohl er es besser wusste. Zach ging nie weg. Er blieb in seinem Zimmer. Seine seltenen Exkursionen beschränkten sich auf die Zimmer anderer Jungen. Sie lebten alle online und verbrachten Stunden mit Computerspielen, einem Zeitvertreib, der Shep anfangs fast zur Verzweiflung trieb, bis er erkannte, worum es dabei eigentlich ging. Weder Blut noch Eingeweide noch Aggressivität machten den Reiz aus. Damals, als er noch Freizeit hatte – wann konnte das gewesen sein? –, hatte Shep gern Kreuzworträtsel gelöst. Er war nie sehr gut darin gewesen, aber das war nur von Vorteil gewesen; so hatte er länger was davon gehabt. Lachhaft untechnisch im Vergleich, war der Reiz der Kreuzworträtsel jedoch der Gleiche gewesen. Der Lohn all dieser Spiele war die Konzentration, Fokus als Selbstzweck; auf was, spielte keine Rolle. Dagegen konnte man nichts sagen, und so hielt er sich zurück.

»Ist 'n Abend wie jeder andere«, sagte Zach und schob eine Pizzatasche in den Toaster. Er war schlaksig und konnte sich das Fett erlauben. Shep schälte die letzte Kartoffel und nahm seinen Sohn in Augenschein. Das Gesicht des Jungen wuchs wild in alle Richtungen, die Stirn war zu breit, die Lippen zu voll, das Kinn zu klein; alles war unproportioniert wie das Auto eines Bastlers. Wie gern hätte Shep seinen Jungen getröstet, dass sich diese Aspekte in zwei bis drei Jahren zu der starken eckigen Gesichtssymmetrie seines Vaters zusammenfügen würden. Aber er wusste nicht, wie, ohne sich scheinbar selbst zu loben, und indem er Zach versprach, dass er bald gut aussehen werde, würde er ihm außerdem suggerieren, dass er jetzt hässlich sei.

»Hey, Mama.« Zach sah seine Mutter von der Seite an, die in einem spitzeren Winkel als sonst am Frühstückstisch saß. »Bist du müde? Ist doch erst sieben.«

Sie lächelte schwach. »Deine Mutter wird alt.«

Shep merkte, dass dem Jungen die glückliche Familiennummer mit einem Mal zu viel wurde. Zach wusste nichts davon, dass sein Vater noch vor einer Woche drauf und dran gewesen war, sich an die afrikanische Ostküste abzusetzen, und er wusste nicht, dass man bei seiner Mutter gerade eine seltene und tödliche Krebsart diagnostiziert hatte, und noch viel weniger wusste er, dass seine Mutter seinem Vater die Schuld an der Krankheit gab. Diese bewusst unausgesprochenen Dinge aber wirkten wie die hochfrequenten Schallwellen, mit denen Lebensmittelmärkte vor ihren Ladenfenstern die Obdachlosen zu vertreiben suchten. Was abgestumpfte Erwachsenenohren nicht mehr wahrnahmen, war für Pubertierende unerträglich. Noch bevor sie heiß war, holte Zach seine Pizzatasche aus dem Toaster und nahm sein Abendessen zwischen einem Stück Küchenrolle mit nach oben, wobei er sich nicht einmal die Mühe machte, »bis dann« zu sagen.

Brathähnchen mit Salzkartoffeln und Bohnen. Glynis lobte sein Essen, stocherte aber nur darin herum. »Ich fühl mich dick«, gestand sie.

»Du bist untergewichtig. Das sind nur Wassereinlagerungen. Du musst aufhören, so zu denken.«

»Plötzlich soll ich ein anderer Mensch werden?«

»Du kannst derselbe Mensch bleiben, bloß dass du mehr isst.«

»Dein Hühnchen«, sagte sie, »ist wahrscheinlich nicht das, was mir den Appetit verdirbt.« Das war sicherlich wahr. Angesichts dessen, was mit der Nahrungsaufnahme bezweckt wurde, hatte der Appetit bei der Mahlzeit auch mit dem Appetit auf die Zukunft zu tun.

Genau in diesem Moment erfüllte Shep das sinnlose und dennoch überwältigende Gefühl, dass er das alles nicht wollte. Es war fast, als wenn es weggehen würde, wenn er sich der Sache nur hartnäckig genug verweigerte, ähnlich wie er hin und wieder Zach zur Rede stellen und ihm die Computerspiele verbieten musste, bis seine Noten besser wurden. Er stand hinter ihrem Stuhl und strich ihr über die Schultern, er beugte sich über sie, um sich wie ein zutrauliches Pferd mit seinem Kopf an ihre Schläfe zu schmiegen.

»Keine Frau«, sagte sie, »die auch nur einen Funken Selbstachtung hat, würde von ihrem Mann verlangen, dass er hierbleibt.«

»Ach, ich glaube nicht, dass ich hätte gehen können, unter den Umständen. Selbst ohne das alles jetzt.« Noch ein kleines Opfer – sein Selbstbild. Aber vielleicht wäre er ja wirklich am Ende gar nicht nach Pemba gefahren. Wie der perlende Hochzeitsbrunnen im Nebenzimmer gemahnte, war er schließlich ein Charakter aus Wasser.

»Und wenn ich es erst ein oder zwei Wochen später erfahren hätte?« Es war klar, dass sie im Gespräch nur Anspielungen machen und niemals spezifizieren würden, *was* es war, weswegen keine Frau wollte, dass ihr Mann bei ihr blieb, *wohin* er unter den Umständen hätte fahren sollen oder *was* sie ein oder zwei Wochen später hätte erfahren können, denn Zach hätte jederzeit wieder nach unten kommen können. Gespräche mit Auslassungen gingen meist nach hinten los, wie die meisten Eltern wussten. Lauschende Kinder füllten die Leerstellen mit ihren schlimmsten Ängsten. Aber was soll's. Wobei sich Zach bei diesem Gespräch schon würde anstrengen müssen, um auf Schlimmeres zu schließen als die Fakten.

»Dann hättest du's mir erzählt«, sagte er, »und ich wäre zurückgekommen.«

»Du hast doch gerade gesagt, du wärst sowieso nicht gefahren.«

»Es war rein hypothetisch von dir gemeint. Von mir auch. Bitte, belassen wir's einfach dabei.«

Sein Vorschlag war lächerlich. Vor zehn Jahren hatte ihre Schwester Ruby ein Schreibset geschickt, und das Logo auf dem Sockel hatte verraten, dass es sich um ein Werbegeschenk von der Citibank handelte; danach war kein Geburtstag mehr vergangen, an dem Glynis die Kränkung nicht wieder aufwärmte. Kürzlich noch hatte Petra Carson, ihre beste Freundin von der Kunstschule, Glynis' Bitte um Kritik dummerweise für bare Münze genommen und behutsam geäußert, dass das Fischmesser mit dem Bakelit »vielleicht etwas klobig geraten« sei; die Arme hatte es wiedergutmachen wollen, indem sie seitdem Glynis' Bestecke über den grünen Klee lobte, aber es nützte alles nichts. Und wenn Glynis nicht in der Lage war, ihren Groll über die Zweitverwertung von Werbegeschenken und unliebsamen Bemerkungen bezüglich ihrer Schmiedearbeit aufzugeben, standen die Chancen, dass sie ihm seinen Fluchtversuch vergeben würde, eher schlecht.

Erschöpft beschloss Glynis, früh zu Bett zu gehen, und Shep versprach, bald nachzukommen. Als sie oben war, ging er hinaus auf die vordere Veranda. Der gegenüberliegende Golfplatz hatte im Dunkeln nichts mehr von seiner Gepflegtheit und hätte fast als Wildnis durchgehen können. Es war kalt und klar. Mantellos trotzte Shep der frostigen Luft, er folgte der Bahn eines Flugzeugs, das unter den Sternen vorbeizog, wartete, bis das ferne Dröhnen verebbte und die roten Lichter am Rumpf der Maschine aus dem Blick verschwanden. Dann ging er hinein, schloss für die Nacht ab und schlich auf leisen Sohlen in sein Arbeitszimmer. Unter Zachs Tür war noch Licht, also schloss er die Tür. Er nahm die e-Tickets aus der unteren Schreibtischschublade und faltete sie auseinander. Sie waren auf das heutige Datum ausgestellt. Eins nach dem anderen fütterte er mit ihnen den Reißwolf. Mit tiefem Grummeln wurden die Seiten gefressen; das Jenseits wurde zu Konfetti zermahlen und landete im Papierkorb. Den Reißwolf hatte er gekauft, um sich gegen geistigen Diebstahl zu schützen; dass die Maschine ihm nun seine eigene Identität stahl, war grotesk.

Schließlich setzte er sich an den Computer, drückte drei Mal auf die Tasten und klickte sich auf die Seite, die von der Suchmaschine aufgezeigt wurde. Als er zur Überschrift »Überlebensrate« kam, hielt er nicht mehr inne; der Sprung ins kalte Wasser war immer noch der beste Weg, schon damals als Junge beim Baden in den White Mountains. Er scrollte nach unten. Er las sich den ganzen Abschnitt einmal durch, dann las er ihn ein zweites Mal. Nachdem er den Computer ausgeschaltet hatte, weinte er möglichst leise, um seine Frau nicht zu wecken.

Kapitel 4

Beim ralligen Randy – nur einer der Spottnamen der Belegschaft – nahm Jackson zufrieden die jüngsten Entwicklungen zur Kenntnis. Sollten die Kollegen über Shep und seine armselige »Fluchtphantasie« so viel lästern, wie sie wollten. Über kurz oder lang würden sie dahinterkommen, warum sich der Exfirmenchef noch immer vor Pogatchnik in den Staub warf, und dann würden sie sich mies fühlen. Jackson freute sich schon jetzt darauf.

Zugegeben, in dieser Freundschaft hatte er lange Zeit immer nur die Rolle des Handlangers gespielt, aber seit dem vollendet idiotischen Verkauf von Allrounder, bei dem sich Shep vom Chef zum Mitkollegen heruntergestuft hatte, und jetzt mit der vollendeten Katastrophe mit Glynis und dem Scheitern von Pemba hatte sich die Dynamik auf subtile Weise umgekehrt. In letzter Zeit trat er als Sheps Beschützer auf. Die Rolle hatte ihren Preis. Er konnte ihn nicht mehr einfach um etwas bitten. Solange Shep der stoische Helfer gewesen war, hatte er sich auf ihn verlassen können. Jackson hatte nie dreist die Hand aufgehalten (wie alle anderen im Leben des armen Kerls). Aber mit Flicka, einem mal mehr und mal weniger ausgeprägten Hang zum Glücksspiel und einigen damit nicht ganz unzusammenhängenden Problemen mit seinem Dispokredit war immer er derjenige gewesen, der in Schwierigkeiten steckte und guten Rat brauchte. Jetzt musste er den Mund halten, und für Jackson war es unnatürlich, den Mund zu halten, überhaupt und egal worüber.

Es gab ein spezielles Thema, das er schon seit einiger Zeit versucht gewesen war anzuschneiden, und er war nun froh, einen besseren Grund zum Aufschub des Gesprächs zu haben als bloß seine übliche Feigheit. Es war kein Thema, über das man mit anderen Männern redete, auch wenn es eigentlich hätte so sein sollen, und mit Frauen erst recht nicht. Zudem sprach prinzipiell ja auch einiges für die Wiederherstellung der Intimsphäre in einem Land, in dem man an jeder Bushaltestellte von einer Fremden angesprochen und mit der Geschichte ihrer Abtreibung behelligt werden konnte. Der Termin stand fest, was hätte es also noch groß zu besprechen gegeben?

Als sie um dreizehn Uhr in ihre knauserige vierzigminütige Mittagspause aufbrachen, fragte Shep, ob sie nicht vielleicht lieber spazieren gehen wollten anstatt etwas zu essen; da es ihn nach der Arbeit sofort nach Hause zu Glynis zog, konnte er sich nicht mehr die Zeit nehmen, dreimal die Woche zum Eisenstemmen ins Fitnessstudio auf der 5th Avenue zu gehen. (Jackson war *ein wenig* erleichtert, dass er neuerdings um das gemeinsame Workout herumkam; neben Shep sah er immer ganz schön alt aus.) Auf sein Sandwich verzichten zu müssen verhagelte ihm zwar die Laune, aber es gab nur eine zuverlässige Antwort: kein Problem. Angesicht von Krebs, selbst von Krebs zweiten Grades, war man prinzipiell rechtlos.

»Weißt du, Glynis hätte ihr Geheimnis auf keinen Fall sehr viel länger für sich behalten können, selbst wenn sie es versucht hätte«, sagte Shep, als sie die 7th Avenue hinuntermarschierten; es war viel zu kalt für einen Spaziergang. »Die ersten Rechnungen sind schon gekommen.«

»Lass mich raten«, sagte Jackson. »Es ist nicht nur eine Rechnung, es sind Dutzende, stimmt's? Fünfzehn Seiten lang, von jedem noch so kleinen Radiologen und jedem noch so kleinen

Labor. Bei uns erledigt Carol den ganzen Papierkram, und ich bin ihr so dankbar, dass ich heulen könnte.«

»Was mich fertigmacht, ist, dass man nur schwer rausbekommt, was man eigentlich an wen zahlen muss. Bevor ich Leute dafür hatte, hab ich die Buchhaltung bei Allrounder immer selber gemacht, und eigentlich kenn ich mich damit aus. Aber ich hab *Stunden* gebraucht, um rauszufinden, was ich wohin schicken muss.«

»Verdammte Scheiße, man sollte meinen, sie würden's einem leichter machen, ihnen sein letztes Geld zu schenken«, sagte Jackson. »Aber ich glaub ja, die machen das mit Absicht. Dieser Papierkrieg, die ganzen Ziffern und Codenummern. Das ist 'ne Nebelwand. Dahinter stellen sie einem für ein einziges Pflaster unbemerkt dreihundert Dollar in Rechnung.«

Jackson warf einen verzweifelten Blick die breite Straße hinunter. Ihm fehlte der alte Park Slope – ein paar ramponierte Pizzaläden, Coffeeshops, wo der Kaffee noch nicht vier Dollar kostete, Heimwerkerläden mit Schrauben, die in Fässern herumstanden und nicht wie heute in winzigen Plastikverpackungen angeboten werden. Die Gentrifizierung hatte um sich gegriffen – wobei ihm schleierhaft war, wie ein Heer von armseligen Barnard-Absolventen, die einen mit ihren truppentransportergroßen Kinderwagen in den Rinnstein drängten, als »Aufwertung« eines Stadtteils verstanden werden konnte. Yogastudios, Bio-Smoothie-Bars und Haustiertherapeuten waren wie Pilze aus der Erde geschossen.

»Und, weißt du, was Carol meinte?«, sagte Shep. »Ich hab's zuerst gar nicht begriffen. Diese World Wellness Group. Sie deckt die, wie es so schön heißt, ›angemessenen und branchenüblichen Behandlungskosten‹«. Mit anderen Worten, es geht darum, wie die Kosten aussehen *sollten*, und nicht, wie sie wirklich aussehen.«

»Willkommen in der Realität, Kumpel.« Jackson fühlte sich von einer Welle mitleidiger Herablassung ergriffen.

»Ich hab ein bisschen im Internet recherchiert. Weißt du, welche Instanz diese ›angemessene und branchenübliche‹ Zahl generiert? Eine Abteilung innerhalb derselben Firma. Sie haben keinerlei rechtliche Verpflichtung, einem zu sagen, wie sie auf den Wert kommen. So gesehen könnten sie sich die Zahl auch einfach ausdenken.«

»Das funktioniert folgendermaßen«, erklärte Jackson geduldig. »Wir machen einen Ausflug, und es ist dein Auto, also erklär ich mich bereit, für den Sprit zu zahlen. Wir halten an einer Tankstelle, du tankst einmal voll, sagst mir, die Tankfüllung hat fünfzig Dollar gekostet, und hältst die Hand auf. Ich mach ein Gesicht, als würde ich dir einen Riesengefallen tun, und geb dir einen Zwanziger. Du sagst, was soll das? Ich sage, das ist genau das, was eine Tankfüllung *eigentlich* kosten sollte – denn so viel hat sie gekostet, als ich zwölf Jahre alt war. Im Prinzip leben diese Versicherungen in einer Phantasiewelt, und wir armen Säue sitzen in der wirklichen Welt fest.«

Shep schüttelte den Kopf. »Glynis und ich haben immer gespart. Wir haben versucht, für das Jenseits was zurückzulegen. Wir haben immer auf die Sonderangebote gewartet, zwei Flaschen Haarshampoo für den Preis von einer. Wir haben Vorteilspackungen Klopapier gekauft, einlagig. Wir haben die Putenburger gekauft, auch wenn wir lieber Steak gegessen hätten. Auf einmal heißt es, fünfhundert hier, fünftausend da ... und nie weiß man im Voraus, was die Behandlung kostet. Es ist, als würde man einkaufen gehen, einen Haufen Scheiß auf die Ladentheke legen, und nichts davon hat ein Preisschild. Wir kriegen nur zwanzig Prozent Zuzahlung, und das bei fünftausend Dollar Selbstbeteiligung. Eine einzige Laborrechnung – das ist verdammt viel Klopapier.«

»Zweilagig«, sagte Jackson.

»Ich frag mich, wieso haben wir jemals Putenburger gegessen? Und dann fällt mir wieder ein, dass es mich eigentlich nicht zu kümmern hat. Und letztlich kümmert's mich ja auch nicht. Alles, was zählt, ist Glynis.«

»Und genau darauf setzen sie, verstehst du. So lässt sich der ganze Schwindel in einem Wort zusammenfassen. Genau wie mit Flicka. Ist ja schließlich dein Kind, oder? Was willst du denn sagen, nein, ihre soundsovielte Lungenentzündung lassen wir nicht behandeln, weil wir einen DVD-Player haben wollen? Tja, Kumpel … ich sag's nur ungern, aber für dich ist das nur der Anfang.«

»Ich weiß«, sagte Shep leise, als sie an der 9th Street links abbogen und auf Prospect Park zugingen. »Selbst um den letzten Stapel Rechnungen zu begleichen … ich hatte immer dieses andere Konto, auf dem der Erlös für Allrounder gelandet ist, abzüglich Steuern. Es war das Geld für das Jenseits, und ich hab's nie angerührt. Aber auf unserem gemeinsamen Konto war nicht genug Geld, also musste ich doch an das Merrill Lynch Konto gehen. Der erste Scheck war für die Computertomografie.«

»Bestimmt bist du inzwischen schon bei Scheck Nr. 15. Ich würde mir an deiner Stelle schon mal ein neues Scheckheft bestellen.«

»Meine Unterschrift unter diesen ersten Scheck hat mich seltsam aufgewühlt. Auch wenn's ›nur‹ Geld ist, wie mein Vater sagen würde.«

»Klar, es ist ja ›nur‹ der Erlös der Firma, die du zwanzig Jahre lang aufgebaut hast. ›Nur‹ acht Jahre Demütigung durch Randy Pogatchnik.«

»Egal. Mir war einfach zu der Zeit nicht klar, wofür ich wirklich gespart hatte.«

»Denkst du jetzt noch dran? An Pemba?«

»Nein«, sagte Shep, um das Thema zu wechseln. »Aber ich denk mal, wir haben Glück. Wir leben in den Vereinigten Staaten. Wir haben die beste medizinische Versorgung auf der ganzen Welt.«

Jackson lachte schallend. »Das glaubst aber auch nur du. Ich würde sagen: Zwischen Glynis und ihren Ärzten hat sich ein ganzer Speckgürtel aus profitgeilen Versicherungsgesellschaften angelagert, ein Haufen übelster Abzocker, die sich an den Patienten gesundstoßen – so sieht's aus. Und nicht einer davon weiß, wie man einen Arm in eine Schiene legt. Wenn man diese Wichser abservieren würde, könnte man für das Geld das ganze Land versichern, ohne jede Woche fünfzig verschiedene Rechnungen in seinem Briefkasten zu finden.«

»Ausgerechnet *du* willst, dass der Staat das Gesundheitswesen übernimmt?«, fragte Shep mit schiefem Lächeln und schüttelte den Kopf. »Jackson, du bist der größte Regierungsgegner überhaupt. Du bist Anarchist.«

»Diese Firmen stecken dermaßen mit der Regierung unter einer Decke, dass sie genauso die Regierung *sein* könnten«, konterte Jackson, der sich über Sheps selbstgefällige Verträumtheit ärgerte; schon möglich, dass seine Argumentation manchmal nicht ganz stringent war, aber zumindest las er Zeitung und recherchierte im Internet. Er dachte nach, anders als *manche* Leute, die *nie* etwas hinterfragten. »Was meinst du, warum kein halbwegs glaubwürdiger Präsidentschaftskandidat jemals den Vorschlag wagen würde, diese Blutsauger abzuschaffen? Außerdem, selbst wenn es der Staat nicht besser machen würde, schlechter geht's auf keinen Fall. Das ganze Prinzip hinter einer Versicherung ist doch, dass gesunde Menschen und solche wie Flicka zu einer Gemeinschaft zusammengefasst werden sollen, um am Ende einen Ausgleich zu schaffen. Was könnte eine gerechtere ›Risikogemeinschaft‹ sein als das ganze verfluchte Land? Die Krankenversorgung ist das Einzige, wofür der verfluchte Staat gut sein *sollte*. Wenn man wenigstens zum Arzt gehen könnte, ohne gleich eine zweite Hypothek aufzunehmen. Man bezahlt seine Steuern, aber im Moment bekommt man nicht das Geringste dafür zurück. Ach so, sorry« – Jackson trat gegen die Asphaltkante –, »man kriegt Bürgersteige. Vergess ich immer.«

Eigentlich hatte er sich geschworen, den Mund zu halten, sich zur Abwechslung auf Sheps Probleme zu konzentrieren. Aber es hing nun mal alles miteinander zusammen. »Pass auf«, sagte er, während Shep auf den weiß gepuderten Park starrte, der im Winter wie eine ausradierte Zeichnung aussah. »Ich reg mich nicht einfach über irgendwas auf. Hier geht's um dich und Glynis, und du hörst mir nicht mal zu.«

»Entschuldige. Es ist nur ... wir haben jetzt unsere Zweitmeinung. Von zwei Cracks von der Columbia-Presbyterian. Die beiden arbeiten als Team, ein Internist und ein Chirurg. Und versteh mich nicht falsch: Sie waren toll. Irgendwie.«

»Irgendwie«, sagte Jackson und zwang sich zum Zuhören. Das gehörte nun mal nicht zu seinen Stärken.

»Ich wollte, dass sie irgendwas anderes sagen«, sagte Shep betrübt. »Dieses Mesotheliom, das ist unglaublich selten. Niemand bekommt diese Krankheit. Mir war gar nicht klar gewesen, wie sehr ich mich darauf verlassen hatte, dass sie sagen würden, das Ganze sei ein Riesenirrtum. Als sie die Diagnose bestätigten, hab ich gedacht, mir wird schlecht. Ehrlich, alles war verschwommen, und mir war schwarz vor Augen, als würde ich gleich umkippen. Wie ein Mädchen. Glynis war diejenige, die es aufgenommen hat wie ein Mann. Sie hatte schon resigniert.«

»Das ist wirklich hart, Kumpel.«

»*Vor allem* ist es für Glynis hart. Sie ist geschwächt und erschöpft, und sie hat Angst. Und sie ist fast den ganzen Tag allein, das heißt, wenn ich nach Hause komme, will ich und sollte ich nichts anderes tun, als ihr Gesellschaft zu leisten. Aber das kann ich nicht. Ich habe einfach keine Zeit. Wenn sich wenigstens jemand um den Papierkram kümmern würde. Allein wegen dieser Zweitmeinung musste ich mir die Dias aus der Pathologie kommen lassen. Die Berichte aus der Radiologie. Die Gewebeproben. Die Ergebnisse von jedem verfluchten Test aus jeder einzelnen Klinikabteilung – alles schriftlich. Ich war jeden Tag bis zwei Uhr morgens auf. Zwischendurch musste ich kochen. Einkaufen. Im Büro auftauchen und zumindest so tun, als würde ich meinen Job machen.«

»Ich wollte dich schon warnen. Ich hab zufällig mitbekommen, wie sich Pogatchnik beschwert hat, dass du dir so viel freinimmst. Du musst aufpassen mit deinen Fehlzeiten.«

»Ich hatte doch keine Wahl. Die beiden Cracks von der Columbia sind nicht im Vertragsnetzwerk, genau wie Dr. Knox vorausgesagt hatte. Also musste ich diese HMO-Leute anbetteln, dass sie Glynis' Kosten für das Dreamteam decken. Du weißt schon, sie lassen einen eine Dreiviertelstunde in der Warteschlange, und man darf mehrere hundert Mal *Greensleeves* hören. Ich krieg das Lied gar nicht mehr aus dem Kopf; es macht mich wahnsinnig. Bei uns im Großraumbüro kann ich nicht stundenlang am Telefon hängen, es sei denn, das Gespräch dreht sich darum, dass irgendeine Frau dank unseres *übertrieben professionellen* Service vor ihrem explodierten Boiler sitzt.«

Shep hatte sonst immer einen so kühlen Kopf; selten hatte Jackson den Mann so viel reden hören.

»Könnt ihr denn nicht einfach bei diesem Knox bleiben?«

»Wir wollen kein einlagiges Klopapier. Wenn diese Ärzte an der Columbia wissen, was sie tun, dann lass ich für sie auch was springen. Es geht hier um Glynis' Leben –«

»Jim!« Normalerweise hätte Shep die Anspielung auf Dr. McCoys scheinheiligen Standardspruch aus *Raumschiff Enterprise* lustig gefunden *(Es geht hier um menschliches Leben, Jim!)*, aber er verzog nicht mal die Mundwinkel.

»Ich kaufe keine Putenburger-Medizin.«

»Du hast Glück, dass du immerhin ein finanzielles Polster hast. Die meisten armen Schlucker in deiner Haut würden erst mal alles auf ihre Kreditkarte nehmen.«

»Unter Glück versteh ich was anderes. Aber ja, ich hab Glück.«

»Gerade vielleicht nicht –«

»Ich bin reich«, fuhr Shep dazwischen, und Jackson kannte diesen Pastorensohn gut genug, um zu wissen, dass es keine Prahlerei war.

»Eigentlich sollte ich überhaupt nicht über Geld reden. Vielleicht wollte ich mir das alles einfach nur mal von der Seele reden, denn im Gegensatz zu Glynis … hab ich keinen Grund, mich zu beklagen. Erinnere mich bei Gelegenheit daran.«

»Ich hör dich sowieso kaum klagen. Ich würde an deiner Stelle ein bisschen mehr üben. Es ist nicht gut, wenn ein Mann jeden Scheiß im Leben einfach schluckt.«

»Wir schlucken ihn beide, Jackson. Nur dass du hin und wieder dein Maul aufreißt.«

»Übrigens, mir ist ein Titel für mein neues Buch eingefallen«, sagte Jackson, um die Stimmung aufzuhellen. »Pass auf: *DIE SCHWANZLOSEN SCHAFE. Wie wir von Parasiten und Pennern wie unserem Vizepräsidenten gemolken werden.*«

Ein müdes Lächeln. »Nicht schlecht.«

»Mir gefiel das mit den Schafen und dem Melken. Verstehst du, das ist ein und dasselbe Bild.«

»Nur die Parasiten stimmen irgendwie nicht. Werden Schafe denn von Parasiten gemolken?«

»Ich denk noch mal drüber nach.«

»Diese schwanzlosen Schafe. Ist dir schon mal aufgefallen, dass alle deine Titel immer was mit Schwänzen zu tun haben?«

Jackson warf seinem Freund einen beklommenen Blick zu. »Schwanz ab, meinst du? Tja, scheint wohl ein zentraler Punkt meiner These zu sein.«

»Die Sache mit der Kastrationsangst finde ich inzwischen ... etwas abgedroschen. Mein Lieblingstitel von dir ist ganz puristisch.«

»Nämlich?«

»*Die Demokratie ist ein Witz.*«

»Stimmt. Der hat richtig Biss«, sagte Jackson mit Genugtuung.

»Meinst du, du wirst es jemals schreiben?«

»Vielleicht.« Jackson wollte sich nicht festlegen. »Aber der Clou ist und bleibt der Titel. Wenn man den erst mal hat, ist es völlig egal, was drin steht. Mit einem Titel wie *Die Iren – Retter der Menschheit* könnte man einen Stapel weiße Seiten verkaufen. Die Iren wären so geschmeichelt, dass sie fünfundzwanzig Eier zahlen und das Ding auf ihren Wohnzimmertisch legen würden.«

»Aber vielleicht ist das genau das Problem mit deinen Titeln. *WASCHLAPPEN UND WICHSER*«, erinnerte sich Shep. »*Wie wir armen Würstchen ausgewrungen werden, während die andere Hälfte der Bevölkerung an der Mutterbrust liegt.* Das ist ja wohl nicht gerade schmeichelhaft.«

»Es geht darum, dem Käufer das Gefühl zu geben, dass er nicht ganz so ein Vollidiot ist, weil er *weiß*, dass er ein Vollidiot ist, anders als alle anderen, die solche Vollidioten sind, dass sie's nicht mal ahnen.«

AUF DEM RÜCKWEG schlug Shep den Kragen hoch und hüllte sich in seinen Schal. »Wie auch immer. In knapp zwei Wochen soll Glynis operiert werden.«

Jackson grunzte. »Kenn ich. Flickas Skoliose-OP war der Horror. Ich wollte niemanden mit einem Messer auch nur in die Nähe ihres Rückgrats lassen.« Er würde aufpassen müssen, um im Gespräch über die medizinischen Albträume nicht noch ständig einen draufzusetzen.

»Eigentlich wollte ich mich bei dir entschuldigen«, sagte Shep.

»Wozu das denn?«

»Was du alles schon durchgemacht hast mit Flicka. Ich glaube, ich hab nie genug Mitgefühl gehabt. Ich hatte keine Ahnung, wie es euch gehen muss, bis ich bis zum Hals in der gleichen Scheiße saß. Ich hätte viel mehr Verständnis haben müssen.«

»Schwachsinn, Junge. Du warst mitfühlend genug. Und wie soll man für irgendwas ›Verständnis‹ haben, bevor man's versteht?« Dennoch, das Gespräch tat gut. Shep hatte wirklich keine Ahnung gehabt, und in Wahrheit hatte er noch immer keine Ahnung.

»Dass Leute operiert werden müssen, weiß ich doch auch. Ich hab nur nie darüber nachgedacht. Jetzt hört es sich an wie irgendwas aus dem Mittelalter. Als würde man seine Frau ins Schlachthaus bringen.«

»Es macht einen fix und fertig. Man denkt immer, das Schlimme daran sei, dass man sich überhaupt unters Messer legen muss, aber richtig schlimm wird's eigentlich erst danach. Es dauert einfach ewig. Flicka sagt, sie hätte dagelegen und ungefähr eine Stunde hin und her überlegt, ob es sich lohnt, ihre Mutter zu bitten, dass sie ihr eine Zeitschrift von der Kommode rüberreicht. Nicht aufzustehen und sie sich selbst zu holen; einfach nur darum zu *bitten*. Es ist, als wäre man draußen vor einer Kneipe halb zu Tode geprügelt worden.«

»Danke«, sagte Shep säuerlich. »Das baut mich auf.«

»Was denn, soll ich dir irgendwelche Märchengeschichten auftischen? Dass Glynis ein ›Stehaufmännchen‹ ist, die ›im Nu wieder auf den Beinen‹ und dann wieder ›putzmunter‹ sein wird?«

»Entschuldige. Nein, die Wahrheit ist mir lieber. Damit wir auf alles vorbereitet sind.«

»Spart euch die Mühe. Seid ihr nämlich sowieso nicht.«

Jackson warf dem selbstgefälligen Jogger mit seiner Evianflasche (den sie *gehend* überholten) einen verächtlichen Blick zu.

»Ich wollte dich fragen, ob du und Carol nicht vielleicht zum Essen kommen wollt«, sagte Shep. »Nächsten Samstag, wenn ihr einen Babysitter findet. Nur wir vier. Noch ein letztes Mal, bevor … Es wird unser Vorher-Foto. Ich weiß, es klingt unbegreiflich, aber ich fänd's gut, wenn wir uns vielleicht ein bisschen amüsieren könnten.«

»Ist ja wohl das Mindeste. Das lass ich mir auf keinen Fall entgehen«, sagte Jackson und rechnete sich aus, dass das Timing nicht gerade ideal war. »Aber das Thema Asbest sollten wir vielleicht aus dem Spiel lassen, oder? Ich hab das Gefühl, das ist ein wunder Punkt.«

»Wenn wir alle wunden Punkte aus dem Spiel lassen, haben wir bald gar kein Gesprächsthema mehr.«

»Gibt sie dir immer noch die Schuld?«

Shep schnaubte. »Was glaubst du denn?«

»Dass sie sich schön in ihrem Vorwurf eingerichtet hat.«

»Wunderbar kuschlig. Soweit ich weiß, verändert Krebs nicht den Charakter.«

»Das würdest du doch gar nicht wollen.«

»Ich fühl mich die ganze Zeit schrecklich. Ich würde mich sowieso schrecklich fühlen, also schwer zu sagen, wie viel von der Schrecklichkeit damit zusammenhängt, dass ich an der ganzen Misere auch noch schuld bin. Ich war schlampig. Ich war unüberlegt. Allmählich kann ich nachvollziehen, wie sich Schwule fühlen müssen, wenn sie ihren Partner mit AIDS angesteckt haben.«

»Viele dieser Schwuchteln wissen ganz genau, dass sie HIV-positiv sind, und vögeln trotzdem munter ohne Gummi weiter. Aber du hast doch nichts davon gewusst. Es ist nicht mal klar, ob die Fasern von dir stammen, hat dieser Arzt doch selber gesagt. Reine Selbstkastra…«, sagte Jackson unsicher. »Ich meine, Selbstkasteiung. Weil du ein schlechtes Gewissen hast wegen Pemba.«

»Glynis will unbedingt klagen. ›Die‹ sollen zahlen, sagt sie. Aber wir können uns schlecht eine bestimmte Firma vorknöpfen, wenn ich mich nicht mal erinnern kann, mit welchem Zeug ich gearbeitet habe. Wie soll ich mich an die Zementmarke erinnern, mit der ich 1982 Zement gegossen habe?«

»Stimmt, ich hab auch noch mal überlegt, aber ich kann mich nicht erinnern. Diese ganze Liste von Produkten, die du mir gegeben hast – eine Dachziegelmarke ist nicht unbedingt das, was man fünfundzwanzig Jahre später noch im Kopf hat.«

»Aber wenn sie kein Unternehmen zwischen die Finger bekommt, geht sie *mir* weiter an die Kehle. Ich würde ja einiges aushalten, wenn ein Sündenbock wirklich was bringen würde. Aber ich hab mich bis zum Abwinken entschuldigt, und jedes Mal, wenn ich fertig war, hatte sie immer noch Krebs.«

Sie waren eng befreundet und so weiter, aber dass Shep aus irgendeinem Grund emotional wurde, war nicht vorgesehen, also tat ihm Jackson den Gefallen und blickte einem Fahrradfahrer nach, der in verkehrter Richtung um den Park fuhr, bis sich der arme Kerl wieder im Griff hatte.

»Blöd«, sagte Shep schließlich. »Zwischen jetzt und Samstag muss ich allen Bescheid sagen.«

»Dass Glynis operiert wird.«

»Dass Glynis überhaupt krank ist. Bisher weiß es noch keiner, außer dir und Carol.«

»Glaubst du nicht, dass Glynis diese ehrenvolle Aufgabe selbst übernehmen sollte?«

»Lass mal. Es ist besser für alle Beteiligten, wenn ich das mache. Vor allem bei ihrer Familie in Arizona. Du kennst ja Glynis. Sie würde sich wahrscheinlich zurücklehnen und sich erst mal eine halbe Stunde erzählen lassen, dass die mexikanischen Nachbarn ihren Müll nicht trennen. Nachdem ihre Mutter sich um Kopf und Kragen geredet hätte, würde Glynis sie als Rassistin beschimpfen, und dann wäre Hetty eingeschnappt und würde zurückschießen. *Zack*, und zugeschnappt! ›Ist das so? Ach und übrigens, ich hab Krebs!‹ Wumms, Hörer aufgelegt.«

»Ich kann's mir genau vorstellen!«, sagte Jackson und lachte in sich hinein. »Gott, dafür liebe ich sie.«

»Und ich erst.«

Kurz vor dem Büro begann Jackson *Greensleeves* zu pfeifen.

»Du Arsch!«, rief Shep, aber immerhin hatte Jackson ihn zum Lachen gebracht. »Ich hatte es gerade aus dem Kopf!«

Kapitel 5

Shepherd Armstrong Knacker
Merrill Lynch Konto-Nr. 934–23F917
01.01.2005 – 31.01.2005
Gesamtnettowert des Portfolios: $ 697 352,41

NACH DER ARBEIT war Shep mit Beryl verabredet; er hatte versprochen, dass er sie abholen würde. Anfang der Woche hatte sie angerufen, weil sie nach Elmsford kommen und »ein bisschen bei ihm abhängen«, mit anderen Worten: sich zum Essen einladen wollte. Einerseits war das Timing schlecht – so schlecht, wie das Timing für unabsehbare Zeit schlecht sein würde, egal für was –, und andererseits war es gut. Da Zach mal wieder im Kabelgewirr irgendeines ungelüfteten Jungenzimmers übernachten würde, konnte Shep sich mit Beryl schon mal darin üben, die Nachricht persönlich zu überbringen. Sie hatten beschlossen, morgen den Kindern Bescheid zu sagen, und er wollte sich über die Formulierung noch Gedanken machen. Er war sich immer noch unsicher, ob er ihnen von der Prognose erzählen sollte, wo er nicht mal mit Glynis darüber gesprochen hatte.

Seine Schwester in Chelsea abzuholen bedeutete, dass er sich im Berufsverkehr von Brooklyn nach Manhatten quälen musste. Die U-Bahn zu nehmen wäre ihr nie in den Sinn gekommen. (Im umgekehrten Fall hätte Beryl natürlich niemals angeboten, ihn abzuholen. Doch er hatte sich damit abgefunden, dass er der Gebende und seine Schwester die Nehmende war, als hätten sie einfach nur verschiedene Aufgaben. Es war Jackson, der sich darüber aufgeregt hatte, dass sein Freund ständig anderen Leuten Gefallen tat, die er selbst nicht mal in Millionen Jahren verlangen würde. Wenn sich Beryl also bereit erklärte, ihren zeitintensiven Terminplan zurückzustellen, um bei ihrem langweiligen Bruder Elendstourismus zu betreiben, konnte das nur bedeuten, dass sie irgendetwas von ihm wollte. Mehr als nur ein Abendessen.

Das Mesotheliom ließ ihn die Frustration über seine Schwester vergessen, außerdem vertrieb die Sorge um Glynis jede Form von Trauer um Pemba, die ihn andernfalls hätte befallen können. Er hatte Jackson nicht angelogen. Er dachte wirklich nicht daran. Glynis' Krankheit bewirkte dieselbe Form von laserscharfer Fokussierung, die Zach bei seinen Computerspielen fand, und ersetzte ihm auf ideale Weise den Tunnelblick, dem er zuvor durch das Jenseits vergönnt gewesen war. Pemba ersatzlos zu streichen hätte ihn verloren, gebrochen, schwimmend und ausnahmsweise wirklich wütend zurückgelassen. Aber so, wie die Lage jetzt war, hatte er immer noch eine Hauptdirektive. Er würde alles tun, damit es Glynis gut ging und damit sie sich nicht überanstrengte. Er würde alles tun, um sie zu retten.

Da sich Beryl angekündigt hatte, war er am Vorabend bis drei Uhr nachts aufgewesen, um eine Lasagne zuzubereiten und Salat zu putzen. Er hatte nie viel gekocht und sich auch nie besonders dafür interessiert, doch seine Interessen spielten jetzt keine Rolle mehr. Er schlug Rezepte nach. Das passte zu einem Mann, der von Natur aus folgsam war; er kochte sie bis aufs i-Tüpfelchen nach.

Da es vorerst nichts zu überlegen gab, das der Hauptdirektive diente – er hatte bereits Dutzende von Internetseiten gelesen, um Glynis auf den Eingriff in zwei Wochen vorzubereiten –, erlaubte er sich im zäh fließenden Verkehr auf der Brooklyn Bridge, über Jackson und sein Buch nachzudenken. Nicht mal Jackson selbst glaubte, dass er es jemals schreiben würde. Er gehörte nun mal zu den Leuten, die im Gespräch bemerkenswerte Einsichten haben, sich vor der Tastatur aber verkrampfen.

Schon komisch, wie mitteilsam und artikuliert manche Leute waren, während man plaudernd mit ihnen durch die Gegend spazierte, aber allein konnten sie ums Verrecken keinen vernünftigen Satz zu Papier bringen. Die Vernunft wurde spastisch, das Vokabular schrumpfte auf »Kuh« und »Haus«, und sie waren nicht mal in der Lage, den Gang zum Briefkasten zusammenhängend zu schildern. So jemand war Jackson. Titel waren das Einzige, was er konnte. *DIE VOLLTROTTEL. Wie eine Bande Ganoven Amerika zu einem Land der Machtlosen, Mittellosen und Mundtoten gemacht hat, obwohl sich's hier früher mal verdammt gut leben ließ* – wie gesagt, Titel, die konnte er eben.

Was die halbgaren Theorien seines Freundes anging, war sich Shep nie ganz sicher gewesen, ob er sie persönlich auch nur im Geringsten für bare Münze nahm. (Es war schwierig, diese Ansichten mit einer politischen Partei in Zusammenhang zu bringen, da Jacksons Meinung nach auch das Nichtwählen eine politische Partei darstellte.) Ihr zufolge teilte Amerika sich auf in Leute, die sich an die Spielregeln *hielten*, und in solche, die die Spielregeln *bestimmten* (oder ganz ignorierten). Aus Einfachheitsgründen sprach Jackson von einer »Hälfte«, die die andere schröpfte, wobei er einräumte, dass das Verhältnis vermutlich extremer sei; der Bruchteil der Bevölkerung, der von den gewiefteren Leuten geschröpft wurde, mochte wohl ein Drittel, wenn nicht nur ein Viertel darstellen. Über die Jahre hatte Jackson die beiden Gattungen mit diversen selbst gebastelten Kurzbezeichnungen versehen, an deren Kinderreimalliterationen sich Shep immer wieder gern erinnerte: Pfeifen und Parasiten. Nutznießer und Nichtswisser. Trittbrettfahrer und Treteimer. Sklaventreiber und Schleicher. Blutsauger und Blitzmerker. Ganoven und Gehirnamputierte. Seit drei oder vier Jahren sprach er von Absahnern und armen Säuen; vielleicht würde es dabei bleiben.

Jacksons Meinung nach setzten sich die Absahner vor allem aus der Regierung zusammen sowie aus allen, die der Regierung zuarbeiteten: Bauunternehmer, »Berater«, Think-Tanker und Lobbyisten. Seine besondere Verachtung galt den Buchhaltern und Anwälten, von denen beide auf hinterhältige Weise so taten, als wären sie auf der richtigen Seite, während sie in Wirklichkeit nur eine dubiose Verlängerung des Regierungsarms bildeten, und mit ihren Wucherpreisen die Steuern in die Höhe trieben. Weitere Absahner: Sozialhilfeempfänger natürlich, wobei Jackson beteuerte, dass sie noch das geringste Problem und ebenso Opfer wie Täter waren. Marathonläufer, die wegen eines verstauchten Daumens Berufsunfähigkeitsrente kassierten. Banker, die nichts von Wert produzierten und deren Geld-zu-Geld-Machen alchemistische Dimensionen hatte. Am anderen Ende des Spektrums: jeder Schlaumeier, der sich weigerte, ein nennenswertes Einkommen zu verdienen – wozu die Mühe, wenn einem sowieso die Hälfte wieder abgeknöpft wird? (Jackson empörte sich gern über die antikommunistische Propaganda seiner Jugend. Wer das halbe Jahr lang Vollzeit für die Regierung arbeitete, *lebte* verdammt noch mal im Kommunismus.) Die Erbengeneration, zu der auch Pogatchnik zählte. Illegale Einwanderer, die sich, wenn sie nur halbwegs bei Verstand waren, ewig ohne Papiere durchmogeln würden; denn die amerikanische Staatsbürgerschaft zu erlangen bedeutete nichts anderes, als dass man eine arme Sau mit Bankkarte wurde, eine lächerliche Ambition.

Zu den armen Säuen hingegen zählte sich Jackson frohen Mutes selbst. Arme Säue legten weder Findigkeit noch neue Ideen an den Tag, jene offenbar wesenhaften Züge des Nationalcharakters. Da sie in der Pubertät nie vernünftig rebelliert hatten, waren die armen Säue in ihrer Entwicklung zurückgeblieben und noch als Erwachsene im übertragenen Sinne damit beschäftigt, den Tisch zu decken und den Müll rauszutragen. Sie hatten vielleicht gelernt, im Beisein ihrer Väter »fuck« zu sagen, aber das Wort im Zusammenhang mit dem Finanzamt auszusprechen brachten sie nicht fertig. Bei der Steuererklärung tropfte der Angstschweiß, und sie rechneten ihre abgegriffenen

Belege über 349 und 267 Dollar zusammen und standen kurz vor dem Nervenzusammenbruch, wenn die Kalkulation beim zweiten Durchgang nicht auf den Cent genau stimmte – obwohl die Empfänger ihrer fleißigen Buchhalterei mal locker 349 *Millionen* am obersten Rechnungshof vorbeischleusten oder 267 *Milliarden* in einen sinnlosen Krieg in irgendeiner Sandwüste versenkten. Diese armen Schlucker, die auf Zehenspitzen durch ihr Leben gingen und vor lauter Angst alles, für das sie je ge-arbeitet hatten, abtraten, waren schlicht und ergreifend Vollidioten.

Wobei das alles ja so nie gedacht gewesen war, wie Jackson beharrte. Heimlich, still und leise hatten die Absahner Schritt für Schritt ein System gekapert, das anfangs gar nicht so schlecht gewesen war. Was Thomas Jefferson und Konsorten eigentlich gewollt hatten, war ein Land, das einen in Ruhe ließ und einem die Freiheit zusicherte, zu machen, was man verdammt noch mal wollte, solange dabei niemand zu Schaden kam – kurz, ein Land »wo sich's leben lässt«, und nicht »dieser ganze Scheiß hier«.

Shep wollte nicht glauben, dass er vom Staat nichts zurückbekam. Straßen, wie er hervorhob. Brücken. Laternen und öffentliche Parks. Zugegeben, es war genau das, was Jackson unter dem Oberbegriff »Bürgersteige« zusammenfasste: Das Mindestmaß an Infrastruktur, das erforderlich war, um ein normales Leben zu führen, wurde größtenteils von den Gemeinden finanziert, deren Stück vom großen Kuchen so klein war, dass es auf einem Teller umfallen würde. Wenn jeder Bürger, wie Jackson immer wieder feststellte, dieselbe Summe in den Topf werfen würde, könnten sie ihre sämtlichen primitiven kommunalen Bedürfnisse mit dem »Kleingeld« decken – und genau das hatte George Washington im Sinn gehabt, statt »irgendeinem beschissenen König die Füße zu küssen«.

Shep musste zugeben, dass die für ihn persönlich fühlbaren Gegenleistungen für seine Steuergelder erstaunlich schwer zu benennen waren. Dennoch hatte er das Gefühl, dass die sein Leben bestimmenden Instanzen sich zu einer gewissen Ordnung fügten. Selbst eine grobe, ungerechte Ordnung war unbezahlbar, im Gegensatz zum Chaos eines Rudels wilder Tiere.

Und selbst wenn er Jacksons comicartige Kategorien akzeptierte, wäre er immer noch lieber eine arme Sau als ein Absahner. Jemand, auf den sich andere verlassen konnten, ein Mann im besten Sinne des Wortes. Auch wenn er implizit an einen Gesellschaftsvertrag glaubte – man erklärte sich bereit, für andere zu sorgen, um sich dann, wenn es so weit war, von ihnen umsorgen lassen zu können –, hielt er nicht deswegen an seinen Pflichten fest, um irgendwann etwas einfordern zu können. Wenn es nach ihm ginge, würde er bis ans Ende seiner Tage eine Quelle bleiben und kein Abfluss, und sei es, weil *es ein gutes Gefühl war*, zuverlässig, eigenständig und kompetent zu sein. Nur dank einer Regelung Sheps beim Verkauf von Allrounder – die schriftliche Zusicherung Randy Pogatchniks, dass Jackson als Personalmanager ein sechsstelliges Gehalt inklusive Preisgleitklausel beziehen würde –, verdiente sein Freund überhaupt genug Geld, um sich über die Steuern, die er zahlen musste, zu ärgern, und manchmal fragte sich Shep, ob er dem Mann damit einen Gefallen getan hatte. Was war es nur in Jacksons Leben, das ihm so sehr das Gefühl gab, den Kürzeren gezogen zu haben?

Wundersamerweise stand Beryl schon in der Eingangshalle und spähte durchs Fenster, sodass er jetzt nicht x-mal um die 6th und 7th Avenue würde im Kreis fahren müssen, bis sie sich nach unten bequemte. Unter den genoppten Schichten eines Capes, diversen Pullovern und Tüchern und schwer behangen mit den Stein-plus-Feder-Klunkern, die Glynis nicht ausstehen konnte, warf sie sich in den Beifahrersitz. Beryls Pseudoschlabberlook stammte bestimmt nicht aus einem Secondhandladen – vermutlich zahlte sie Wucherpreise, um so zerknittert auszusehen –, und er war typisch für eine Generation, die die Sechziger um ein Haar verpasst hatte. Obwohl ihr älterer Bruder die Ära genauso wenig miterlebt hatte, hatte Shep genug von ihrem Endstück mitbekommen, um der Hippiezeit nicht nachtrauern zu müssen. *Diese* Typen gehörten mittlerweile allesamt zu den Absahnern. Sie borgten oder klauten sich andauernd Geld, wollten immer alles umsonst haben und ließen eine Menge antikapitalistisches Gewäsch vom Stapel, das sie sich gar nicht leisten konnten ohne ihre fleißigen Eltern, auf deren Kosten sie lebten. Es tat ihm leid um die Jungs, die in Vietnam umgekommen waren. Der Rest war Schwachsinn.

Beryl küsste ihm die Wange und rief: »Shepardo!«, sein Neorenaissance-Kosename aus der Kindheit, in dem noch immer eine gewisse Zuneigung mitschwang. »Mein Gott, ich hoffe, es sieht mich niemand in diesem SUV. Du erinnerst dich, ich hab diesen Film gemacht über die Aktivistengruppe, die als politisches Statement gegen die globale Erwärmung solche Kisten hier zertrümmert.«

Wäre Beryl wirklich um den Kohlenmonoxidausstoß besorgt gewesen, hätte sie den Zug genommen.

»Ist doch bloß ein Mini«, sagte er. »Der verbraucht nichts im Vergleich zu anderen Wagen.«

Sie fragte oberflächlich nach seinem Befinden. Shep war froh, dass sie gar nicht bemerkte, wie ausweichend er reagierte.

»Und, woran arbeitest du gerade?«, fragte er. Es war am sichersten, auf das Thema Beryl zurückzukommen. Sie erkundigte sich nie, was bei Randy los war; sie ging davon aus, dass dort ohnehin nie etwas los sei.

»Einen Film über Paare, die sich entschließen, kinderlos zu bleiben. Mit besonderem Fokus auf Leute so um die Mitte vierzig, die genau an dem Punkt sind, dass sie keine Wahl mehr haben. Ob sie zufrieden sind mit ihrem Leben, ob sie glauben, irgendwas zu verpassen, und was sie davon abgehalten hat, eine Familie zu gründen.«

Wie immer gab Shep sich Mühe, Interesse zu zeigen, aber es fiel ihm schwerer als sonst. »Und, sind die meisten still resignativ, oder bereuen sie's so richtig?«

»Weder noch, jedenfalls die meisten. Sie sind vollkommen zufrieden!«

Während sie ins Detail ging, dachte Shep darüber nach, dass die Arbeit seiner Schwester von außen inkohärent wirken mochte. Der eine Dokumentarfilm, für den sie bekannt war, wenn sie denn bekannt war, war eine Lobeshymne auf Berlin, New Hampshire – *Bör*-lin ausgesprochen, eine provinzielle Verballhornung der europäischen Wurzeln, die von einer patriotischen Abspaltung von Deutschland während des Ersten Weltkriegs herrührte und die er immer als eigentümlich liebenswert empfunden hatte. Anhand von Interviews mit den schwindenden Einwohnern, von denen viele in den Papiermühlen gearbeitet hatten, die inzwischen fast alle geschlossen waren, hatte Beryls Film *Kampf dem Papier* das Archetypische einer untergehenden postindustriellen Kleinstadt in Neuengland eingefangen. Ihr Stil erinnerte an Michael Moore, nur ohne die Häme. Es war ein warmherziger Film, und er hatte ihm gefallen. Er hatte sich aufrichtig für sie gefreut, als sie mit ihrer einstündigen Eloge zum New York Film Festival eingeladen wurde. Außerdem hatte sie eine schrullige Dokumentation über Menschen ohne Geruchssinn gedreht und eine ernstere über Universitätsabsolventen, die sich durch ihre Studienfinanzierung verschuldet hatten.

Ihre Themen wirkten allerdings nur, als wären sie querbeet ausgewählt. Irgendwann ging einem auf, dass Beryls damaliger Freund in jener Gruppe aktiv war, die die Windschutzscheiben der SUVs zerschlug, und dass Beryl einen Groll gegen Autos aller Art hegte, weil sie sich selbst keins leisten konnte. Beryl war Mitte vierzig, und Beryl hatte keine Kinder. Genau wie Shep war Beryl in *Ber*lin, New Hampshire, aufgewachsen. Beryl war ohne Geruchssinn zur Welt gekommen – was für ein echtes Begreifen ihres Leib- und Magenthemas eher hinderlich war, da Berlin über seine Kindheit und Jugend hinweg gestunken hatte – und Beryl hatte ihren Ausbildungskredit noch immer nicht zurückgezahlt. Das Selbstreferenzielle an der Arbeit seiner Schwester erreichte seinen Kulminationspunkt, als sie letztes Jahr einen Independent-Dokumentarfilm über Independent-Dokumentarfilmer drehte, ein Projekt mit einem deutlich selbstmitleidigen Unterton, in dem fast alle ihre Freunde vorkamen.

Im Allgemeinen war die quirlige, beherzte, durch Inspiration motivierte Zielstrebigkeit ihrer Jugend zu einer verbitterten, betrübten, durch Gehässigkeit motivierten Entschlossenheit gereift. Sie würde es »den Leuten schon noch zeigen«, welchen Leuten auch immer. Wenn Beryl sich mal wieder mit ein paar Cents ein Filmprojekt aus den Rippen leierte, hatte es weniger mit Berufung als mit Gewohnheit zu tun. Inzwischen war Beryl zu alt, um als aufstrebende Filmemacherin zu gelten, hatte sich aber nicht genug etabliert, um etwas anderes zu sein. Doch, doch, die Geruchsdoku hatte sie auf PBS untergebracht, und sie hatte das ein oder andere Stipendium des ein oder anderen Künstlergremiums gewonnen. Doch der Coup mit dem New York Film Festival war Jahre her. Der technische Fortschritt bei den Kompaktkameras, in dessen Folge sie mit minimaler Förderung weiterhin Filme drehen konnte, hatte auch dazu geführt, dass sich alle möglichen anderen Aspiranten die gleiche Kamera kaufen konnten, und die Konkurrenz war größer denn je. Vielleicht dachte Shep da zu konventionell, aber ihr Leben von der Hand in den Mund sah allmählich weniger nach einer begabten Frau aus, die für ihre Arbeit Opfer brachte, als nach Scheitern. Beryl kam in die mittleren Jahre.

»Könntest du dir immer noch vorstellen, bei einer Doku mitzumachen über Leute, die vom Aussteigen träumen?«, fragte sie, als sie auf der West Side Highway im Stau standen. »Ich hab sogar schon überlegt, den Film *Der Glaube ans Jenseits* zu nennen, oder so was in der Art.«

Er bereute es, dass er sie an seinem Privatjargon hatte teilhaben lassen. »Eigentlich nicht.«

»Du würdest dich wundern. Die Fluchtphantasie ist ziemlich weit verbreitet.«

»Danke.«

»Ich will nur sagen, du bist damit nicht allein. Ihr seid eine Art Klub. Wobei ich mich bisher ein bisschen schwergetan habe, Leute zu finden, die tatsächlich ausgestiegen sind. Bei den zwei Fällen, die ich aufgetrieben habe, sind beide zurückgekommen. Ein Paar ist nach Südamerika gegangen, und die Frau wär' da fast gestorben; ein anderer Typ hat alles verkauft, was er hatte, und ist auf eine griechische Insel gezogen, wo ihm die Decke auf den Kopf gefallen ist, und er konnte auch kein Griechisch. Sie haben's beide nur ein Jahr ausgehalten.«

Shep wollte sich auf keinen Fall in eines ihrer Projekte verwickeln lassen. Nachdem Beryl ihr eigenes Leben zum größten Teil ausgeschlachtet hatte, drohte ihre Arbeit nun auf die Verwandtschaft überzuspringen. Gott sei Dank hatte er ihr die bevorstehende Abreise nach Pemba nicht auf die Nase gebunden.

»Aber natürlich sind alle, die du hier antriffst, wieder zurückgekommen«, bemerkte er, »Die Leute, die für immer weg sind, sind nicht mehr hier.« Für ihn selbst war das Jenseits nur noch eine Theorie, doch in diesem quälenden, zäh fließenden Verkehr wollte er das Jenseits zumindest für andere als Möglichkeit beibehalten.

»Und«, sagte sie. »Mal wieder ein paar Brunnen gebaut in letzter Zeit?«

Ein sichereres Thema. Im Gegensatz zu seiner eigenen Familie fand Beryl seine Zimmerspringbrunnen bezaubernd.

Beim Einbiegen in den Crescent Drive ging Shep auf, dass er seine Schwester auch auf der Fahrt schon hätte einweihen können und dass das vielleicht netter gewesen wäre. Doch er konnte inzwischen nachvollziehen, was Glynis gemeint hatte mit ihrem Satz: »Ich habe mich in letzter Zeit nicht sehr nett gefühlt.« Aus irgendeinem Grund hatte er Lust, Beryl die Sache so schwer wie möglich zu machen.

Seine Frau und seine Schwester begrüßten sich kühl in der

Küche. Da die theatralische, mitleidige Umarmung ausblieb, wusste Glynis, dass er im Auto noch nichts von ihrer Diagnose erzählt hatte; ihr Blick bestätigte ihm, dass es ihr recht war. Sie hatten ein Geheimnis, und es war ihre Sache, wann sie es anderen mitteilen würden. Im Verlauf des – vor allem für Beryl – nicht eben gemütlichen Abends begann er zu verstehen, warum seine Frau, die Tests und Termine zunächst für sich behalten hatte. In der vorenthaltenen Information lag eine gewisse Macht. Es war, als würde man mit einer geladenen Waffe durchs Haus laufen.

Glynis hatte umständlich eine Lage Alufolie über die Lasagne gespannt. Shep tadelte sie deswegen und sagte, das Essen sei doch seine Sache. Beryl war zu unaufmerksam, um sich darüber zu wundern, wo doch früher das Kochen immer in den Zuständigkeitsbereich ihrer Schwägerin gefallen war. Ebensowenig schien ihr aufzufallen, wie behutsam er seine Frau zu einem Sessel im Wohnzimmer führte und sie mit einem Drink versorgte. In zwei Wochen würde Glynis keinen Wein mehr trinken können, und er konnte nur hoffen, dass sie daran dachte, ihn jetzt entsprechend zu genießen. Beryl hatte nichts zu trinken mitgebracht. Das hatte sie noch nie getan.

Während sie warteten, bis die Hauptspeise aufgewärmt war, nahm Beryl einen großen Schluck Wein und begann sich durch die Oliven zu knabbern, wobei sie das eigens bereitgestellte Glasschälchen ignorierte und die Steine neben den Hochzeitsbrunnen auf den Glastisch legte. Sie wirkte nervös, was Shep im Gegenzug eine gewisse Behaglichkeit verlieh.

»Und, Glynis«, sagte sie. »Mal wieder was geschmiedet in letzter Zeit? Ich würd's mir total gerne anschauen.« Davon abgesehen, dass sie gerade allzu offensichtlich Small Talk betrieb, setzte Beryl darauf, dass ihre Schwägerin seit Monaten nicht in ihrem Atelier gewesen war. Glynis und Beryl konnten sich auf den Tod nicht ausstehen.

Normalerweise hätte sich alles in Glynis gesträubt, aber heute Abend ging ein selbstzufriedenes Schnurren von ihr aus. »Seit deiner letzten Nachfrage nicht mehr«, sagte sie. »Ich war etwas abgelenkt.«

»Der Haushalt und der ganze Scheiß?«

»Eine Art Haushalt«, sagte Glynis. »Und Scheiß. Ganz viel Scheiß.«

»Machst du immer noch diese Gussformen für das Schokoladengeschäft?«

»Ehrlich gesagt bin ich gerade in Rente gegangen. Aber wenn du eigentlich nur wissen willst, ob wir immer noch eine Schachtel Ausschussware im Haus haben, ja. Etwas unförmig, aber frisch. Nimm dir von den Trüffeln so viele mit, wie du möchtest.«

»So war das gar nicht gemeint ...« War es doch. »Aber wenn du meinst ... Klar. Wäre super.«

Zur Erinnerung stellte Shep die Schachtel von »Living in Sin« neben die Tür. Glynis hatte zugeben müssen, dass ihr die lächerliche Halbtagsstelle mehr fehlte, als sie gedacht hatte. Nachdem selbst sie eingesehen hatte, dass die Qualität der Formen für Himbeersahnepralinen in Kükengestalt nicht die Geschicke der Welt lenkten, hatte ihr die Arbeit zum ersten Mal seit Jahrzehnten eine angstfreie kreative Betätigung geboten. Traurig, aber hätte sie in ihrem Dachatelier auf die gleiche befreite und spielerische Art gearbeitet, hätte sie es als Kunstschmiedin wirklich zu etwas bringen können.

Er schenkte seiner Schwester nach. Den Hauptprogrammpunkt des Abends noch unter Verschluss zu halten mochte auf grausame Weise befriedigend sein, aber wenn sie länger warten würden, wäre der Zug allmählich abgefahren.

»Übrigens, letzte Woche hab ich mich in den Bus gesetzt und Papa besucht«, sagte Beryl, die sich selten nach New Hampshire aufmachte, es sei denn, sie wurde von ihrem Bruder im Auto mitgenommen. »Ich mach mir ein bisschen Sorgen um ihn. Ich glaub nicht, dass er noch sehr lange alleine zurechtkommt.«

»Ging doch eigentlich ganz gut bisher. Und sein Verstand ist – ich möchte fast sagen, leider – so scharf wie eh und je.«

»Er ist fast achtzig! Er schläft fast jede Nacht in diesem Sessel in seinem Fernsehzimmer, um keine Treppen steigen zu müssen. Er isst immer nur überbackenen Toast. Seine ehemaligen Gemeindemitglieder kaufen zwar manchmal für ihn ein, aber die meisten sind inzwischen selber ziemlich alt. Und ich glaube, er ist einsam.«

Da Shep regelmäßig und dreimal häufiger als seine Schwester nach Berlin fuhr, wusste er über den Sessel Bescheid, der eher eine Frage von Nachlässigkeit als von Invalidität darstellte. Papa schlief über seinen Krimis ein – dankenswerterweise nicht über der Bibel –, und er aß nun mal gern überbackenen Toast. Wobei sich Shep eigentlich hätte freuen sollen, dass sich seine Schwester so besorgt zeigte. »Was schlägst du vor?«

»Wir sollten vielleicht darüber nachdenken, ihn in eine dieser Pflegeeinrichtungen zu geben.« Seine Schwester hatte eine seltsame Art, mit Personalpronomen umzugehen.

»Du weißt, dass Medicare die Kosten nicht übernimmt.«

»Und warum nicht?«

»Es spielt doch keine Rolle, warum nicht«, sagte Glynis entnervt. Beryl hatte die Vorstellung, dass man nur feststellen musste, warum etwas anders sein sollte, und schon führte man eine Veränderung herbei.

»Streng genommen sind es keine medizinischen Einrichtungen«, sagte Shep geduldig. »Ich hab mich da erkundigt. So ein Laden kostet jährlich seine 75 000 bis 100 000 Dollar. Papa hat keine Ersparnisse, da er alles, was er hatte, verschenkt hat, und seine Rente kannst du vergessen.«

»Immer dasselbe mit dir, Shepardo! Ich spreche von der zunehmenden Gebrechlichkeit unseres Vaters, und du denkst wieder nur ans Geld.«

»Das liegt daran, dass man für das, was du vorschlägst, einen dicken Batzen davon braucht.«

»Einen dicken Batzen von *unserem* Geld, wenn man's genau nimmt«, sagte Glynis. Dass Shep seiner Schwester Zehntausende Dollar geliehen hatte, hatte seine Frau immer empört.

Glynis' minimale Einkünfte machten sie nur umso besitzergreifender, wenn es um seine ging. »Oder hattest du vor, etwas dazu beizusteuern? Schließlich ist er auch dein Vater.«

Beryl warf die Arme in die Luft und rief: »Woher nehmen, wenn nicht stehlen! Meinst du, ich hätte im Lotto gewonnen, und du hast an dem Tag nur keine Zeitung gelesen? Die Filmförderung für das Kinderlosigkeitsprojekt ist schon aufgebraucht, und ich muss den Film aus eigener Tasche zu Ende drehen – von dem bisschen, was ich habe. Ist ja nicht so, dass ich ein Arschloch wäre. Ich bin einfach nur total blank.«

Arm zu sein war gewiss anstrengend, doch einen Augenblick lang beneidete Shep seine Schwester um die entspannende Seite der Armut. Geldnot nahm seiner Schwester in vielen Dingen die Last der Verantwortung ab, von der Instandhaltung der Williamsburg Bridge bis hin zur Pflege seines Vaters. Doch selbst wenn Beryl das war, was Juristen als »unpfändbar« bezeichnen, befreite es sie nicht von anders gearteten Urteilen, und in diesem Moment schien es wichtig, sich dezidiert auf die Seite seiner Frau zu schlagen. »Es ist *deine* Idee, Papa in ein Seniorenheim zu geben, du erwartest aber, dass *wir* die Rechnung übernehmen.«

»Hast du Allrounder nicht für ungefähr *eine Million Dollar* verkauft? Großer Gott, Shep!«

In seinem nächsten Leben würde er die Klappe halten. »Meine Quellen sind nicht unerschöpflich. Ich hab da noch gewisse andere … Verpflichtungen. Und wenn Papa die nächsten fünf bis zehn Jahre einigermaßen bei Gesundheit bleibt, könnte dein Vorschlag dazu führen, dass irgendwann *wir* total blank sind.«

Beryls Augen funkelten vor Wut; unter anderen Verpflichtungen stellte sie sich offenbar den Kauf eines iPod für Zach vor. »Na ja … und wenn Papa hier einziehen würde? Ihr habt doch Amelias altes Kinderzimmer.«

»Nein«, sagte Shep rundheraus und ärgerte sich über sich selbst, denn ein Großteil dieses Gesprächs hätte sich vermeiden lassen können, wenn er schon im Auto mit den Neuigkeiten herausgerückt wäre. »Nicht jetzt.«

»Und was ist mit deiner Wohnung?«, fragte Glynis. »Für Manhattaner Verhältnisse ist sie der reinste Palast. Und wenn du finanziell schon nichts beisteuern kannst ...«

»Das ist wahr«, sagte Shep und spielte mit. »Und ich könnte dir mit den Nebenkosten aushelfen.«

Natürlich würde die frisch gefälschte kindliche Sorge seiner Schwester niemals so weit gehen, selbst Unbequemlichkeiten auf sich zu nehmen, und er glaubte, dass sie Beryl nun ausreichend in die Enge getrieben hatten. Jetzt spiegelte sich Zorn anstelle von Missmut in ihrem Blick.

»Sorry, aber ist nicht«, sagte Beryl knapp, siegesgewiss. »Das gehört zu den Dingen, die ich mit dir besprechen wollte.«

Es war *das* Ding, vermutete Shep, das sie mit ihm besprechen wollte. Sie zogen in die Küche, wo die Lasagne schon leicht angebrannt war.

VIELE JAHRE LANG hatte Beryl auf der West 19th Street in einem Haus ohne Fahrstuhl in einer immens großen Wohnung mit hohen Decken und sämtlichen Originaleinbauten gewohnt und lächerlich wenig dafür gezahlt. Bei ihren vielen unbeständigen Romanzen hatte ihr der Besitz dieser Dreizimmerwohnung eine unverhältnismäßige Machtposition zugesichert. Sie konnte ihren Partnern immer damit drohen, sie hinauszuwerfen aus einer Bleibe, deren Speisekammer größer war als jede Wohnung, die sie sich selbst hätten leisten können. Dass ihre Kerle sie für ihre Mietwohnung liebten, hätte Shep nun auch wieder nicht behaupten wollen, aber wenn sie sich in Beryl verliebten, verliebten sie sich zunächst einmal in ihre Wohnung.

Das Gebäude gehörte zur schwindenden Zahl von Häusern, die noch durch das nach dem Zweiten Weltkrieg eingeführte anachronistische System der Mietpreisbindung gedeckt waren. Die Besitzer dieser geschützten Häuser waren derart verzweifelt bemüht, ihre Mieter loszuwerden und die Wohnungen wieder auf den freien Markt zu werfen, dass in den Statuten ausdrücklich geregelt wurde, was geschah, wenn die Hausbesitzer in ihren eigenen Gebäuden Feuer legten.

»Jedes Mal, wenn ein Mieter gestorben ist«, erzählte Beryl und spießte ein Salatblatt auf ihre Gabel, »und ich meine, die Leiche ist noch warm – *wusch,* kommen auch schon die Arbeiter und fangen an zu renovieren. Und dass die ganzen grandiosen Gesimse und Kerzenleuchter entfernt werden, versteht sich natürlich von selbst! Die Wohnungen werden total ausgeweidet. Der Hausbesitzer hat die Eingangshalle komplett neu machen lassen, obwohl sie noch in einem super Zustand war, und den ganzen Keller hat er zu ekligen kleinen Studios umfunktioniert, also haben wir jetzt keinen Waschmaschinenraum mehr. Irgendwann hat er endlich die Wohnung meines Nachbarn auf meinem Stockwerk zwischen die Finger bekommen – AIDS –, und das war's. Fünfundsiebzig Prozent des Hauses ist jetzt offiziell ruiniert, das nennt sich dann ›Grundsanierung‹. Das war's dann mit der Mietpreisbindung. Ich hab keine Ahnung, was ich machen soll!«

»Du meinst, er kann dir jetzt abnehmen, was deine Wohnung tatsächlich wert ist?«, fragte Glynis.

»Ja!«, sagte Beryl zornig. »Bingo, meine Miete könnte von ein paar Hundert Dollar auf ein paar Tausend raufgehen! Tausende und Tausende!«

»Das wundert mich«, sagte Shep. »Normalerweise werden die Mieter bei uns doch geschützt wie eine bedrohte Tierart.«

»Wir *sind* ja auch eine bedrohte Tierart. Mir wäre nichts passiert, aber *genau* in dem Moment, als der Hausbesitzer diese 75-Prozent-Marke erreichte, hat er sich ein paar Schläger angeheuert und eine Hexenjagd nach illegalen Untermietern veranstaltet. Der Typ, der einfach nur pro forma in meinem Mietvertrag steht und vor ungefähr fünf Mietparteien da gewohnt hat, also irgendwann in der Steinzeit, ist nach New Jersey gezogen. Und ich hab dem auch noch ein Vermögen an Abstand gezahlt. Aber der Vollidiot hat sich umgemeldet, und sie haben's rausgekriegt.«

»Das heißt, du stehst nicht im Mietvertrag?«

»Moralisch gesehen steh ich natürlich drin! Ich wohne da seit siebzehn Jahren!«

Trotz seiner Ahnung, dass Beryls Ärger sehr bald ihn betreffen würde, verschaffte es Shep eine perfide Genugtuung, dass die Wohnhilfesituation seiner Schwester nun ein Ende hatte. »Auf dem freien Markt«, bemerkte er, »würde die Wohnung fünf- bis sechstausend Dollar im Monat kosten.«

Glynis sah nicht nur aus, als empfände sie eine *perfide Genugtuung*. Sie wirkte geradezu entzückt. Seit der Diagnose schien sie an anderer Leute Unglück ihre helle Freude zu haben; umso mehr, wenn Beryl die Leidtragende war. »Und wie ist der Plan? Jetzt erzähl mir nicht, *du* willst in Amelias Zimmer einziehen.«

»Ich will ihn *verklagen.*«

»Wen? Und für was?«, fragte Shep.

»Den Typen, der sich seit Jahren einen zurechtmauschelt, um diese 75-Prozent-Marke zu erreichen, wo praktisch keine einzige dieser Renovierungen wirklich nötig war.«

»Es ist sein Haus.«

»Es ist meine Wohnung!«

»Nur wenn du dir die Miete leisten kannst. Hör zu«, sagte Shep und trennte mit der Gabel den schwarz verbrannten Rand von einer Nudel, »du solltest hier vielleicht eher ›das Glas ist halb voll‹ denken. Überleg mal, wie viel Schwein du gehabt hast. Wie toll du's all die Jahre gehabt hast. Okay, das ist jetzt vorbei –« Ihm stockte die Stimme. *Wie toll du's all die Jahre gehabt hast. Okay, das ist jetzt vorbei.* Die Rede hätte er genauso gut sich selbst halten können.

»Niemand ist glücklich«, sagte Beryl, »wenn das Glück gerade zur Neige gegangen ist.«

»Das kann man wohl sagen«, sagte Glynis.

Shep gab allen noch einen Nachschlag. Eigens für die Mahlzeit hatte er Glynis' berühmtes Fischmesser aus Sterlingsilber hervorgeholt, wobei es ein wenig unhandlich war für eine Lasagne und zugegebenermaßen nicht ganz zu der zerbeulten Aluminiumkasserolle passte. Aber er wollte seiner Frau das Gefühl geben, etwas geleistet zu haben, er wollte die seltene Gelegenheit nutzen und mit ihr angeben. Als sie sich zu Beginn hingesetzt hatten, war seine Schwester verpflichtet gewesen, die schlanke silberne Linienführung, die ozeangrüne und aquamarinfarbene Einlegearbeit aus Bakelit, jene Arbeit also, deren Herstellung sie Glynis eigentlich gar nicht zutraute, zu loben. Beryls sichtlich unaufrichtige Komplimente hatten seiner Frau eine gewisse boshafte Freude bereitet.

Glynis lehnte den Nachschlag ab. Bitte, flüsterte er. Bitte. Er legte ihr trotzdem ein kleines Quadrat auf den Teller und murmelte: *Versteh doch. Es geht hier nicht mehr ums Essen*. Beryl war zu beschäftigt mit dem Verlust ihres stabilen Mietpreises, um Rückschlüsse auf den vorhergegangenen Dialog zu ziehen. Ohne die geringste Ahnung, wie er jetzt noch auf das eigentliche Thema des Abends zu sprechen kommen sollte, versuchte er, sich schrittweise anzunähern.

»Apropos Schwein gehabt«, sagte Shep scheinbar nebensächlich, »hast du eigentlich eine Krankenversicherung?«

»Ich würde mein Erstgeborenes dafür hergeben, nur hab ich leider keins.«

»Aber was wäre, wenn du einen Unfall hättest oder krank würdest?«

»Keine Ahnung.« Beryl war trotzig. »Die Notaufnahme muss einen doch behandeln, oder nicht?«

»Nur für die Notfallversorgung. Und dann schicken sie dir die Rechnung.«

»Die sie sich sonstwo hinschieben können.«

»Das könnte deine Kreditfähigkeit ruinieren«, sagte er und zuckte innerlich zusammen; genau solchen Begriffen wie *Kreditfähigkeit* hatte er in Pemba sehnlichst zu entfliehen gewünscht.

»Das ist *deine* Welt, großer Bruder. Hier draußen in meiner, da scheiß ich auf so was.« Offensichtlich war ihr Zorn über die bevorstehende Zwangsräumung auf ihren biederen Bruder, sein konventionelles Haus in Westchester, seinen Benzinfresser und seine verwöhnte Dilettantin von einer Frau übergegangen.

»Aber wenn dir irgendwas Schlimmes passieren würde ...«, sagte Shep. »Tja, wer tatsächlich am Ende für dich aufkommen würde, wäre doch wohl ich, oder? Wer sonst, wo Papa nur seine Rente hat. Genau aus dem Grund zahl ich ja auch Amelias Krankenschutz.«

»Wenn du mich krankenversichern willst, tu dir keinen Zwang an. Wie ich heraushöre, machst du dir eigentlich keine Sorgen um mich, sondern um dich.«

»Eine Versicherung in deinem Alter könnte auf einen Tausender im Monat hinauslaufen.«

»Sag ich ja«, sagte Beryl. »Manchmal verdiene ich netto nicht mehr als einen Tausender pro Monat. Da müsste ich mir dann mein Essen aus Mülltonnen zusammenklauben, aber dafür hätte ich die beste Krankenversicherung, die man kriegen kann!«

»Ohne Versicherung«, sagte Glynis, »stellen dir die Krankenhäuser das Doppelte in Rechnung.«

»*Sehr* sinnvoll«, schäumte Beryl. »Doppelte Kosten für die Leute, die sich's am wenigsten leisten können.«

»Ich hab das System nicht erfunden« sagte Shep leise. »Aber man wird älter, es passieren Sachen, und du solltest vielleicht doch allmählich mal darüber nachdenken.«

»Pass auf! Zum Glück bin ich nicht kurz davor, tot umzufallen, ich hab nämlich im Moment andere Probleme, verstehst du? Wenn du dir wirklich Sorgen um mich machst, dann, ja, kannst du mir helfen. Angenommen, ich wehre mich nicht gegen diese Geschichte – kann ich mir ja auch gar nicht leisten –, dann werde ich umziehen müssen. Ich hab mir gedacht, erst mal könnte ich ja mein Zeug nach Berlin schaffen; für Papa wär's okay. Vielleicht sogar eine Weile da wohnen, um Kosten zu sparen. Aber um in New York wieder an einen Mietvertrag zu kommen, bräuchte ich Hilfe mit der Kaution. Also drei Monatsmieten. Und du weißt ja, was in Manhattan los ist – ein Apartment von der Größe eines Dixi-Klos kostet dreitausend im Monat. Also pass auf, ich mach das nur ungern, aber ... wäre es für mich nicht sinnvoller, zu kaufen? Statt die ganze Miete in irgendeine Bruchbude zu stecken? Wenn du einfach nur, ich weiß nicht, vielleicht hunderttausend für die Anzahlung hättest, so in etwa? ... Denk's dir einfach als Investition.«

»Du willst, dass ich dir hunderttausend Dollar gebe. *So in etwa.*«

»Ich will einfach nie wieder, dass mich irgendein Wichser einfach aus meinen eigenen vier Wänden schmeißen kann. Das ist ein Notfall, Shepardo. Ich flehe dich an.«

Unter dem Tisch griff Shep nach Glynis' Hand. Schon einige Male waren zwischen ihnen aufgrund von Beryls Darlehen die Fetzen geflogen; mit einem Blick versicherte er ihr, dass er seiner Schwester nicht heimlich einen Scheck zuschieben würde.

»Beryl«, sagte er mit ruhiger Stimme. »Wir werden dir keine Wohnung kaufen.«

Beryl sah ihren Bruder an wie eine Maschine, die bislang immer zuverlässig ihren Dienst getan hatte und auf einmal nicht mehr ansprang. Sie drückte noch einmal den Knopf. »Vielleicht denkst du ja noch mal drüber nach.«

»Ich muss nicht darüber nachdenken. Wir können's nicht.«

»Aber *wieso* nicht?«

Und das war genau die Gesprächseröffnung, auf die Shep gewartet hatte. Erst mal holte er tief Luft, ein Atemzug, der lang genug war, um Beryls Zorn zu schüren. Sie schien zu registrieren, dass ein Nein in Gelddingen, anders als beim Sex, wirklich nein bedeutete, und die Empörung trieb sie zum Äußersten.

»Jetzt erzähl mir nicht«, sagte sie düster, »dass du meine Anzahlung irgendwo für dein *Jenseits* auf der hohen Kante hast. Du stopfst Millionen und Abermillionen in irgendeinen Sparstrumpf für ein Phantasie-Walhalla, während deine Schwester obdachlos wird. Wieso musstest du auch Jahr für Jahr unter dem Vorwand der ›Recherche‹ für teures Geld in Urlaub fahren! Jetzt mach mal die Augen auf! Wenn du dich jemals an einen Strand in der Dritten Welt hättest absetzen wollen, um den ganzen Tag Piña Colada zu schlürfen, wärst du doch längst weg, oder nicht? Du könntest mir jetzt in meinem Leben unglaublich helfen, aber nein! Wir alle müssen für deine Trugbilder zahlen, für diese überkandidelte Idee, dass du was Besseres bist und über allem drüberstehst, wo du doch in Wirklichkeit einfach nur genauso ein fest angestelltes Arbeitstier bist wie jeder andere in diesem Land. Ich versuche, was Interessantes aus meinem Leben zu machen und kritische und phantasievolle Filme zu drehen, die in der Erfahrungswelt der Leute was bewirken, und dass das wenig abwirft, ist nicht meine Schuld. Ich arbeite genauso hart wie du, und vielleicht härter, viel härter. Aber ich kann nichts vorweisen, und jetzt hab ich nicht mal mehr ein Dach überm Kopf – dank reicher Kapitalisten wie dir, die unbedingt immer reicher werden müssen. Unterdessen fährst du mit deinem dicken Auto durch die Gegend und wohnst in deinem dicken Vorstadthaus, und dein Bankkonto platzt aus allen Nähten – und für was? Du wirst nur *ein* Jenseits sehen, lieber Bruder, und da wird's dir noch verdammt heiß werden, wenn du zu Lebzeiten nicht ein bisschen mehr Nächstenliebe gegenüber deiner eigenen Familie walten lässt!«

Als Beryl seiner Einschätzung nach fertig war, drückte er sanft die Hand seiner Frau, bevor er alle Finger auf dem Tisch verschränkte und sich seiner Schwester zuwandte.

»Du hast recht«, sagte Shep ruhig. »Auch wenn ich es lange gehofft hatte, werden wir jetzt wohl kein faszinierendes und entspanntes Leben in einem erschwinglicheren Land führen. Das tut mir leid. Aber noch mehr tut mir leid, aus welchem Grund das so ist.«

»Und der *wäre*?«, fragte Beryl höhnisch.

»Soeben haben wir erfahren, dass Glynis Krebs hat. Sie hat eine seltene und virulente Krankheit namens Mesotheliom. Möglicherweise hat sie sie sogar von mir, weil ich mit asbesthaltigen Produkten gearbeitet habe. Ich werde meine Kräfte und meine Ersparnisse zusammenhalten müssen. Da ich nun die Wahl habe, entweder für Glynis' Gesundheit zu sorgen oder meiner Schwester auf dem aufgeblähtesten Immobilienmarkt des Landes eine Eigentumswohnung zu kaufen, werde ich mich doch eher dafür entscheiden, das Leben meiner Frau zu retten.«

Ein Lächeln wäre unangemessen gewesen, doch er musste sich beherrschen, damit sich einer seiner Mundwinkel nicht erkennbar hochzog. Am Nachmittag im Park hatte er Jackson erzählt, dass er die »ehrenvolle Aufgabe« übernehmen und seine Schwiegereltern über Glynis' Krankheit aufklären wolle, da Glynis ihre Verwandten sicherlich ködern und zu einer garstigen Bemerkung verleiten würde, um ihnen dann ihre katastrophale Nachricht ins Herz zu rammen. Vielleicht waren sie beide gar nicht so unterschiedlich, wie Shep oft befürchtet hatte.

»ICH WEISS, DAS klingt jetzt pervers«, sagte Glynis und lehnte sich auf ihrem Stuhl zurück, während er den Abwasch machte. »Aber ich habe mich heute Abend köstlich amüsiert. Mir war gar nicht klar, dass Krebs so viel Spaß machen kann.«

»Weißt du was, für sie war das immer schon klar. Dass *Jenseits* bloß ein ›Trugbild‹ ist.«

»Beryl ist die Kreative, und du bist der Langweiler. Die Leute hängen sehr an solchen Kategorien. Dass du auch mal was Mutiges oder Seltsames tun könntest, würde sie gar nicht wollen.«

Er drehte sich von der Spüle weg und sah sie an. »Würdest du's denn wollen?«

»Vielleicht«, sagte sie. »Aber nicht ohne mich.«

»Sei ehrlich«, sagte er. »Ohne – das hier. Hättest du allen Ernstes darüber nachgedacht, alles zurückzulassen und mitzukommen?«

»Wenn ich dir glauben darf, wärst du doch überhaupt nie gefahren.«

»Das ist ja jetzt irrelevant.« Er ging erneut dazu über, die schwarze Kruste von der Lasagneform zu schrubben.

»Es ist aber nicht irrelevant«, sagte sie, »ob du mich liebst.«

Er hielt inne. Er spülte sich die Hände ab und trocknete sie mit einem Handtuch. Er kniete sich neben ihren Stuhl und nahm ihr Gesicht in beide Hände. »Gnu. In den nächsten Monaten wirst du noch feststellen«, versprach er, »wie sehr ich dich liebe.« Er küsste sie und ließ seine Lippen auf ihren verweilen, bis er ihren Geist spüren konnte.

Er wandte sich wieder seiner Aufgabe zu. Es dauerte eine Weile, bis das Wasser im Spülbecken angekommen war. Als zum ersten Mal deutlich wurde, dass sie im erwachsenen Sinne des Wortes »vorübergehend« – also *für immer* – in ihr Elmsforder Mietshaus gezogen waren, hatte er sich damit getröstet, einen Zimmerspringbrunnen an der Küchenspüle zu installieren. Es war ein eigensinniges Gerät mit einem kulinarischen Grundthema: Das Wasser lief aus dem Wasserhahn durch einen Gummischlauch hoch in eine Pipette, deren Strahl einen runden Schneebesen aus Metall zum Rotieren brachte, woraufhin das Wasser über eine angeschlagene Delfter Teetasse, eine gebogene Suppenkelle, eine altmodische gläserne Zitronenpresse, ein Milchkännchen in Form einer Kuh und einen hölzernen Eislöffel, den er irgendwo auf einem Privatflohmarkt gekauft hatte und der bestimmt hundert Jahre alt war, herabstürzte und schließlich in einem Zinntrichter landete, der das Wasser zurück in die Spüle leitete. Angenehmerweise behielt das heiße Wasser seine Fließgeschwindigkeit und den Druck bei, auch wenn ihm auf seiner langen Reise ein paar Grad abhanden kamen. Der Mechanismus war skurril und verspielt und erinnerte an das Brettspiel »Maus reiß aus«, das er und Beryl als Kinder gespielt hatten. Seine Liebe zu der lustigen Bastelei hatte allerdings einen herben Rückschlag erfahren, als er und Glynis vor einigen Jahren aus Puerto Escondido zurückkamen. In der Abwesenheit ihrer Eltern hatten die Kinder den Schlauch abgenommen. Vermutlich pflegten sie den Quatsch über der Küchenspüle jedes Mal zu entfernen, sobald sie das Haus für sich hatten, um ihn rechtzeitig zur Rückkehr ihres Vaters wieder anzuschließen;

zum ersten Mal hatten sie es vergessen. Er ließ gegenüber den Kindern nicht durchblicken, wie sehr sie ihn damit gekränkt hatten. Natürlich wäre es ihm lieb gewesen, sie hätten das Produkt seiner spielerischen Seite mehr zu schätzen gewusst. Doch er konnte seine Kinder schließlich nicht zwingen, das zu würdigen, was ihr Vater an sich selbst würdigte.

»Sag mal, hast du das alles verstanden, diese Sache mit Berlin?«, fragte Glynis, nachdem er den Kampf mit der Kasserolle wiederaufgenommen hatte. »Während du ihr eine neue Wohnung gekauft hättest, wollte sie ihren ganzen Kram zu eurem Vater schaffen. In der Zwischenzeit hättest du ihn in ein Pflegeheim stecken sollen, damit sie ohne seine lästige Anwesenheit hätte wohnen können.«

»Der Verlust ihres Mieterschutzes – sie kann gerade nicht klar denken, sie ist in Panik.«

»Du bist zu gutmütig.«

»Dein Glück.«

»Mein Gott, diese Entrüstung! Als gehörte die Mietpreisbindung zu den *Menschenrechten*. Und was sollte dieses Gerede von wegen, wie hart sie arbeitet und dass sie nichts dafür kann, dass sie kein Geld damit verdient? Sie hat ihre Entscheidungen getroffen. Wie man sich bettet, so liegt man. Das müsste sie langsam mal einsehen.«

»Uns geht es besser als ihr«, sagte er und fügte hinzu: »Noch. Sie ist neidisch.«

»Aber sie verachtet dich.«

»Nur damit sie sich selbst besser fühlt. Lass sie doch.«

»Aber was denkt sie sich! Hunderttausend Dollar! Und das wäre erst der Anfang, die Tilgungsraten würde sie ja genauso wenig bezahlen. Ich habe dich schon vor Langem gewarnt, wenn du bei kleineren Summen immer wieder nachgibst, wird es kontinuierlich mehr.«

»Es hat mir nichts ausgemacht, ihr ab und zu unter die Arme zu greifen.« Er fragte sich, ob er unter anderen Umständen für den Vorschlag seiner Schwester nicht offener gewesen wäre.

»Und dann noch das mit den ›Millionen und Abermillionen‹. Wie kommt sie nur darauf?«

»Beryl ist wie viele Leute, die kein Geld haben. Sie denkt, es gibt Leute wie sie, und alle anderen haben's dicke. Sie hat keine Kinder, sie weiß nicht, was die Dinge kosten. Zachs Schulgeld. Die Autoversicherung in New York. Steuern …«

»Du kannst dir sicher sein, dass sie keine zahlt. Und Leute wie deine Schwester sind der Ansicht, dass Leute wie wir noch viel mehr zahlen sollten.«

»Wirklich, ich red schon genauso wie Jackson. Aber Beryl ist sich nicht im Geringsten bewusst, dass ihr Leben von vorne bis hinten subventioniert wird. Dass ihr Müll weggebracht wird, dass sie im Park spazieren gehen kann, dass eine Notaufnahme sie wirklich ohne Krankenversicherung behandeln wird, wenn sie eine blutende Wunde hat – das alles wird von anderen finanziert. Jede Wette, dass sie noch nie darüber nachgedacht hat.«

»Im Gegenteil«, stimmte Glynis zu. »Sie fühlt sich nicht als Nutznießer, sondern als Opfer. Sie hat Komplexe so groß wie ein Mammutbaum.«

Dass Glynis in diesem Punkt nicht anders war, behielt Shep für sich.

»Das Beste am heutigen Abend fand ich nicht mal deine Ansage«, fuhr sie fort. »Sondern die Krokodilstränen danach. Diese ganzen theatralischen Beschwörungen und die Verzweiflung. Total künstlich! Genau wie ihr Geschleime wegen des Fischmessers. Sie ist eine schreckliche Schauspielerin. Für sie ist das Schlimmste an meinem Krebs, dass sie jetzt nicht mehr nach Lust und Laune in deine Keksdose greifen kann.«

»Na ja, eigentlich wäre doch jetzt zu erwarten, dass in Anbetracht der schweren Krankheit die ganzen … Reibereien … zwischen dir und Beryl –«

»*Reibereien?*« Glynis lachte, und ihr Lachen klang wundervoll. »Sie verabscheut mich!«

»Okay, aber selbst das … sollte irgendwann weggehen. Sie

kann jetzt nicht mehr so negativ über dich denken, aber sie tut es, und ihr ist nicht wohl dabei.«

»Es hat aber auch etwas Köstliches. Ich kann's nicht ganz erklären, aber für mich war es ein Genuss, ihr bei ihrem so offensichtlich falschen Spiel zuzusehen. Ich habe das Gefühl, dieses Mesotheliom wird mir hier und da sogar ein bisschen Spaß machen.«

Während er liebevoll das Fischmesser abtrocknete, empfand er es als seltsam anrührend, dass Glynis sich aufraffte und von hinten ihre Arme um ihn schlang. Sie war so erschöpft, dass jede kleine Geste der Zuneigung sie außerordentlich viel Kraft kosten musste.

»Ach, und hast du gesehen?«, murmelte Glynis in sein Hemd und lachte noch einmal. »Die Pralinen hat sie trotzdem mitgenommen.«

Kapitel 6

DAS TIMING FÜR das Vorher-Foto-Essen bei Shep war noch schlechter, als Jackson vermutet hatte. In der Nacht war die Frischhaltefolie abgegangen, die sich Flicka abends über die Augen band, um die Vaseline zu versiegeln – er hätte niemals dieses No-Name-Pflaster kaufen sollen –, und am nächsten Morgen waren ihre Augen total entzündet gewesen. Als er für ein paar Stunden aus dem Haus war, hatte sie sich offenbar … nun, »aufgeregt« wäre untertrieben gewesen.

Eine Zeit lang hatte Carol ihn ständig gedrängt, Flicka möglichst nicht in »Stresssituationen« zu bringen, wo doch der bei Weitem größte Stressfaktor ihre Krankheit selbst war. Es störte sie nicht, dass ihr Vater wie üblich maulte, dass jedes vom Gesetzgeber vorgeschlagene, vermeintlich »grüne« Gesetz, etwa die Erhebung von *Steuern* auf Plastiktüten oder auf den Kohlenstoffdioxidausstoß von Flugzeugen, zufällig nur noch mehr Geld in die Staatskasse brachte. Was sie sehr wohl störte, war, morgens mit verquollenen Augen aufzuwachen und schon vor dem Frühstück eine Bindehautentzündung zu haben. Es störte sie, nicht sprechen zu können, obwohl sie jede Menge zu sagen hatte. Es störte sie, ständig sabbern und schwitzen zu müssen; selbst wenn man ihren Mitschülern eingebläut hatte, sich nicht über sie lustig zu machen, wäre ihr ein wenig ganz normales Schülergefrotzel lieber gewesen als die übertriebene Höflichkeit und die abgewandten Blicke. Sie hatte es satt, alle anderthalb Stunden eine Lösung aus Wasser, Zucker und Salz in ihre PEG-Sonde schütten zu müssen, die ihr nicht annähernd die schnaufende Befriedigung verschaffte, die sie bei ihrer Schwester nach einem großen durstigen Schluck Cola beobachtete. Sie hatte es satt, jeden Morgen und jeden Abend die dicke schwarze »Atemwegsweste« anzuziehen, als müsste sie ihren Schlaf in zwei Lagen Verpackung hüllen.

Flicka hätte dankbar sein können, dass die Weste ihren Eltern ersparte, sich rittlings auf sie zu setzen und ihr mit beiden Fäusten den Rücken zu bearbeiten. Sie hätte auch dankbar sein können, dass sie die Brustraumdrainage aufgegeben hatten, mit der sie als Kind tyrannisiert worden war: der Schlauch, der ihr auf unschöne Weise durch die Nase geschoben wurde, das widerliche Gurgeln und Schlürfen der Pumpe, die groteske Ansammlung von Schleim im Müllbehälter; Jackson hatte immer staunen müssen, wie viel von dem zähen und klebrigen Zeug ihre beiden kleinen Lungenflügel produzierten, und selbst wenn Carol mit gewohnt nüchterner Pflichtschuldigkeit den Auswurf entsorgte, konnte er nicht der Einzige gewesen sein, dem beim Anblick der klumpigen Masse übel wurde. Und auch wenn er selbst dankbar für die inzwischen weniger abstoßende Sekretmobilisierung war, stellte Dankbarkeit für Flicka ein Fremdwort dar. Sie litt unter so vielen Ärgernissen, dass sie ihren Ärger von der Drainage einfach auf etwas anderes übertragen hatte: ihre chronische Verstopfung wegen der vielen Medikamente, die entwürdigenden Einläufe.

Hinzu kam, dass der größte Auslöser einer dysautonomen Krise schlicht und ergreifend die blanke Angst vor der nächsten dysautonomen Krise war.

Die ersten Anzeichen waren wohl in seiner Abwesenheit aufgetreten, während Carol damit beschäftigt war, für das Essen bei den Knackers einen Schokoladenkuchen zu backen. Wie so etwas ablief, wusste er zur Genüge. Flicka hatte mit ihren sechzehn Jahren mehr medizinische Unwürdigkeiten erdulden müssen als die meisten Leute über ein ganzes Leben hinweg, und sie war von Natur aus stoisch. Sicher, sie nörgelte viel, aber wenn sie tatsächlich anfing zu jammern, schrillten bei Carol und ihm die Alarmglocken; »Persönlichkeitsveränderung« und »emotionale Labilität« waren die typischen Anzeichen einer Krise. Das Problem war, dass die meisten Kinder mit Riley-Day-Syndrom – eine ältere Bezeichnung für familiäre Dysautonomie, die eher an ein Popduo erinnerte, das erbauliche Songs im christlichen Radio sang – schon »jammerten«, wenn ihre Schwester den Familiencomputer in Beschlag genommen hatte. Flicka jedoch hatte da eindeutig eine existenzielle Ader. Ihre Persönlichkeit veränderte sich nie allzu sehr. Wenn Flicka doch einmal »labil« wurde, dann war das wesentlich schwerer zu ertragen. Sie begann dann zu »jammern«, dass sie ihr Leben und ihren Körper hasste; dass sie nichts habe, auf das sie sich freuen könne, abgesehen von noch mehr Klinikaufenthalten und der Aussicht, irgendwann im Rollstuhl zu sitzen, und auf die *Verschlimmerung* ihrer Symptome – auf mal hohen, mal niedrigen Blutdruck, auf chronische Verstopfung, miserablen Gleichgewichtssinn, Hornhautentzündungen, Krampfanfälle.

Schwitzend saß sie in der Küche und »jammerte«, dass sie lieber tot wäre – wobei ihre Sprüche mit den normalen Pubertätsdramen nichts zu tun hatten. Ihr war es ernst. Sie war kein Teenager, der »keinen Begriff vom Tod« hatte; dergleichen war Jackson ohnehin noch nie untergekommen. Wie die meisten Kinder konnte sich Flicka sehr wohl etwas unter dem Tod vorstellen, und an Tagen wie diesem schien ihr das Ende nur allzu reizvoll.

Und tatsächlich, noch draußen auf der Treppe vor der Haustür konnte er das nasale Kreischen seiner Tochter aus dem hintersten Winkel des Hauses hören. (»Nein, ich hab die Scheißweste nicht angehabt, ich hasse diese Scheißweste, ich kann's nicht mehr hören, wie toll das Leben ist, keine Ahnung, was ihr alle daran so toll findet!« Die kurzen Pausen wurden sicherlich mit Carols üblicherweise beschwichtigenden Worten gefüllt, dass sie so etwas nicht sagen dürfe, dass das Leben ein »kostbares Geschenk« sei, sentimentale Predigten, die die Wut ihrer Tochter eher noch schürten.)

Jackson war selbst noch wacklig auf den Beinen, und seine Sicht war noch leicht verschwommen; er hätte eigentlich nicht Auto fahren dürfen, und er hatte das Verbot des Arztes ignoriert. Das Beruhigungsmittel schien eine nachträglich aufputschende Wirkung zu haben, denn als er drüben auf der 4th Avenue den Wagen volltanken ließ, war ihm das Geplauder mit dem Tankwart selbst für seine Begriffe manisch vorgekommen.

»Warum lasst ihr mich nicht einfach abkratzen? Lohnt sich doch eh nicht!«, heulte Flicka aus der Küche.

Der Tumult, auf den er stieß, bestätigte ihn in seiner Überzeugung, dass er sich verdammt noch mal diese eine Sache wirklich verdient hatte. Oder? Nur diese eine Sache.

»Ich will deine Scheißrühreier nicht!«, keuchte Flicka gerade, als ihr Vater die Küche betrat. »Ich will nicht den ganzen Samstagnachmittag bei dieser Scheißlogopädin sitzen und bei dieser Beschäftigungstherapie und dieser Scheißkrankengymnastik. Ich werd sowieso sterben, also lasst mich lieber fernsehen! Ist doch egal!«

Carol hatte das Mädchen an den Haaren gepackt, um ihr wieder mal ihre künstlichen Tränen zu verabreichen. (Eines der ersten Anzeichen von FD, nämlich, dass das Baby nicht weinen konnte, hatte etwas Zynisches; jeder Säugling mit einer solchen Zukunft vor sich hätte jedes Recht dazu gehabt.) »Lass mich einfach in Ruhe! Lass mich doch einfach in Ruhe draufgehen!«, krächzte Flicka, und dann begann sie zu hyperventilieren.

Es war, zugegeben, nicht immer leicht, die FD-Symptome von den Nebenwirkungen der Medikamente zu unterscheiden; Übelkeit, Schwindel, Tinnitus, Aphthen, Rückenschmerzen, Kopfschmerzen, Müdigkeit, Flatulenz, Ausschläge und Kurzatmigkeit kamen auf beiden Gebieten vor. Doch woran sie bei dieser Episode waren, wurde klarer, als Flicka beim Keuchen zu würgen begann. Dieses schreckliche Würgen konnte man kaum mit ansehen, und irgendwie war es schlimmer als vor der Fundoplikation, wo sie das bisschen, was sie von dem ungewollten Rührei gegessen hatte, in einem dicken Strahl wieder ausgespuckt hätte. Sich richtig zu erbrechen hatte ihr damals zumindest eine gewisse Erleichterung verschafft. Das Würgen jetzt war unaufhörlich und sinnlos, als wollte sich ein winziger Alien mit stumpfen Klauen einen Weg aus ihrem Körper nach draußen bahnen.

»Sie hat eine Krise«, sagte Carol mit grimmiger Miene zu ihrem Mann. Die meisten Ehefrauen würden diese Worte mit melodramatischem Unterton aussprechen; für Carol war es ein kühles klinisches Urteil. »Gott sei Dank bist du wieder da. Halt sie fest.«

Jackson drückte sich seine zappelnde kleine Tochter gegen die Brust. Nachdem er mühsam von hinten mit Knopf und Reißverschluss hantiert hatte, zog Carol ihr die Jeans herunter, tauchte hastig ihren Mittelfinger in Vaseline und schob ihrer Tochter eine kleine, leuchtend orangefarbene Tablette so tief wie möglich in den Anus. Ohne Messung, für die die Zeit gefehlt hatte, war es schwierig einzuschätzen, ob Flickas Blutdruck gestiegen oder gesunken war, aber Carol hatte fachkundig auf niedrig getippt – die Haut des Mädchens war klamm, blass und kalt –, und so verabreichte sie ihr auf die gleiche unhöfliche Weise noch eine rosafarbene Proamatine-Tablette. Flickas ganzes Verdauungssystem hatte sich wahrscheinlich längst ausgeschaltet, und ihr Körper würde nicht mal durch die PEG-Sonde noch Medikamente absorbieren.

»Jetzt denk dran –«, sagte Carol.

»Ja, ja, schon klar«, fuhr Jackson dazwischen. »Wir müssen zusehen, dass sie die nächsten drei Stunden aufrecht sitzen bleibt.« Anerkennung gab es von Carols Seite aus nie. Er wusste ganz genau, wenn sich Flicka nach der Einnahme von Proamatine hinlegte, konnte ihr Blutdruck von knietief bis in den Himmel schießen.

Die ganze Zeit hatte sich Heather sehnsüchtig im Hintergrund gehalten und mit neidischem Blick zugesehen; Jackson fragte sich allmählich, ob sie nicht vielleicht noch dümmer war als angenommen.

Sicherheitshalber führte Carol noch eine zweite Tablette Diazepam ein, und nach wenigen Minuten erfolgte das konvulsivische Würgen in seinen Armen in immer größeren Abständen. Zum Glück hatte Carol Flicka schnell genug mit Valium vollgestopft, um die ganz große Krise – das menschliche Äquivalent zum Computerabsturz – abzuwenden, die auf direktem Wege in die New-York-Methodist-Klinik geführt hätte. Was die Rettungsaktion allerdings kostete, war der Kuchen, der jetzt die Küche mit dem beißenden, gar nicht unangenehmen Duft von verbrannter Schokolade erfüllte.

»Tut mir leid, dass der Kuchen nur gekauft ist«, sagte Carol an der Tür. »Aber mit dem Selbstgebackenen gab's ein kleines Malheur.«

Carol benutzte Flicka niemals als Vorwand, und Jackson bewunderte ihre Disziplin. Es würde auch keiner von beiden erwähnen, wie viel Geld sie der Babysitter kostete. Da Flicka noch immer labil war, hatten sie eigens Wendy Porter angerufen, die ausgebildete Krankenschwester und bezüglich FD auf dem Laufenden war. Sie hätten auch ganz abgesagt, wäre da nicht Flicka gewesen. »Ich *mag* Glynis«, hatte sie betont, während sie herumstanden und ein Auge darauf hatten, dass sie sich nicht hinlegte. »Sie behandelt mich nie wie einen Vollidioten. Sie fragt mich nach meiner Handysammlung und nicht immer nur nach meiner beschissenen Krankheit. Außerdem kann sie voll gut lästern, was ich immer noch tausendmal besser finde als diese Therapeutenschleimer mit ihrem überzuckerten Getue. Und jetzt ist sie krank. Noch kranker als ich, wenn das überhaupt geht. Sie freut sich doch auf den Abend, und wenn ihr jetzt plötzlich nicht auftaucht, zieht sie das bestimmt total runter. Also wenn ihr extra meinetwegen hier bleibt, dann schluck ich mit Absicht meine Milch falsch und krieg davon 'ne Lungenentzündung, das schwör ich euch.« Es war Erpressung, aber sie tat ihre Wirkung; leere Drohungen waren von Flicka nicht zu erwarten.

Jackson fuhrwerkte in der Küche mit einer Unmenge Alkohol herum – zwei Flaschen Wein und zwei weitere gute Flaschen Sekt –, die einem wenig feierlichen Anlass etwas Festliches geben sollten. Es markierte das Ende einer Ära, die letzte Zusammenkunft ihrer stets redseligen Vierergruppe, die nicht von Einschränkungen im Speiseplan, von Müdigkeit, Schmerzen und enttäuschenden Bluttests gezeichnet sein würde, wobei das Ende jeder Ära eigentlich der Anfang einer neuen war.

Shep hatte die gleiche Maßlosigkeit beim Essen walten lassen. Auf dem Tisch im Wintergarten drängten sich genug Vorspeisen für eine fünfundzwanzigköpfige Gästeschar: Humus, gegrillte Scampispieße, Spargel außerhalb der Spargelsaison und Jakobsmuscheln in Speck; die etwas aus dem Rahmen fallenden Dim-Sum waren eindeutig nur deshalb dabei, damit Glynis' silberne Essstäbchen zum Einsatz kamen. In den Fenstern standen Teelichter. Glynis kam in einem bodenlangen Samtgewand nach unten, passend zu Carols glitzerndem Cocktailkleid; mit dem Kerzenlicht und der Kleidung der Frauen hatte die Stimmung im Wintergarten etwas von einer Séance oder einer Satansmesse. Als Jackson die Gastgeberin innig in den Arm nahm, sanken seine Finger auf beunruhigende Weise in den Samt; es war eine Menge Stoff und sehr wenig Glynis. Ihre Schulterblätter waren spitz wie Hähnchenflügel. Das war kein Körperumfang, mit dem man sich einer größeren Operation unterzog, und ihm wurde klar, was es mit dem vielen Essen auf sich hatte.

»Du siehst phantastisch aus!«, rief Jackson. Sie bedankte sich mit mädchenhafter Scheu, doch er hatte gelogen. Es war die erste von vielen kommenden Lugen und somit eine weitere Erinnerung, dass der heutige Abend eher einen Anfang markierte als ein Finale. Glynis hatte sich stärker geschminkt als sonst; das Rouge und der volle rote Lippenstift waren wenig überzeugend. Schon jetzt war ihr Gesicht von der Angst vor dem Älterwerden gezeichnet. Dennoch, sie war eine hochgewachsene, hübsche Frau, und besser als jetzt würde sie wahrscheinlich für einige Zeit nicht aussehen. Dass sie vielleicht nie wieder so gut aussehen würde, war ein Gedanke, den Jackson nicht an sich heranlassen wollte.

Sie setzten sich in die Korbstühle, während Shep die Sektgläser holte. Früher, vor sechs Wochen noch, hätte sich Glynis im Gespräch eher zurückgehalten. Ihrer Erfahrung nach hatten knappe Kommentare mehr Gewicht als übertriebene Geschwätzigkeit. Sie gehörte zu den Leuten, die anderen dabei zusahen, wie sie sich in Details verhedderten, um dann mit einer einzigen Bemerkung alles vom Tisch zu fegen und den Wortwechsel zum Abschluss zu bringen. An diesem Abend war ihre Haltung majestätisch, als hielte sie Hof.

Er und Carol waren ängstlich darum besorgt, ihr nicht ins Wort zu fallen, wenn sie den Mund aufmachte. Sie ließen sie Schritt für Schritt die vorgesehene Prozedur am Montagmorgen ausbreiten, obwohl sie dank Shep ja bereits im Bilde waren. Glynis stand im Mittelpunkt, aber es war eine Art von Mittelpunkt, auf die jeder, der nur halbwegs bei Verstand war, gern verzichtet hätte.

»Zumindest hab ich die Gespräche mit Glynis' Familie hinter mich gebracht«, sagte Shep. »Ihre Mutter einzuweihen war ein Horrortrip.«

»Sie ist so eine Diva«, sagte Glynis. »Ich konnte sie am anderen Ende der Leitung noch hinten in der Küche heulen hören. Ich wusste, dass sie mein Drama sofort für sich vereinnahmen würde. Man könnte meinen, *sie* hätte Krebs. Es ist ihr sogar gelungen, mir ein schlechtes Gewissen zu machen, weil sie sich jetzt schlecht fühlt. Ist das nicht unfassbar?«

»Aber immerhin«, sagte Carol vorsichtig, »macht sie sich überhaupt Sorgen. Das ist doch schon mal was.«

»Sie macht sich vor allem um sich selbst Sorgen«, sagte Glynis. »Sie wird in ihrer Lesegruppe die Geschichte melken, bis nichts mehr kommt – ja ja, das schreckliche Unrecht, das einem widerfährt, wenn das eigene Kind noch vor den Eltern todkrank wird, und so weiter und so fort. Meine Schwestern dagegen machen alles richtig, schwören hoch und heilig, dass sie mich besuchen kommen, aber vor allem sind sie froh, dass es sie nicht erwischt hat. Wenn ich Glück habe, schickt Ruth mir ein paar Duftkerzen, die sie mal gratis von MasterCard bekommen hat.«

Selbst in den besten Zeiten hatte Glynis etwas Schroffes, und Jackson fragte sich, mit welcher Reaktion ihrer Familie sie überhaupt einverstanden gewesen wäre.

»Und wie haben es die Kinder aufgenommen?«, fragte Carol.

Glynis zuckte sichtlich zusammen.

»Schwierig«, erwiderte Shep behutsam an ihrer Stelle. »Amelia hat geweint. Zach nicht, wobei ich es ihm gewünscht hätte. Ich glaube, er hat sich's sehr zu Herzen genommen. Ich hätte nie gedacht, dass es möglich wäre, dass sich dieser Junge noch mehr in sich zurückzieht, sich noch mehr in sein Zimmer verkriecht. Ich fürchte, es geht aber doch. Er hat einfach – dicht gemacht. Er hat nicht eine einzige Frage gestellt.«

»Er wusste es schon«, sagte Glynis. »Zumindest, dass irgendwas in der Luft lag. Weil ich so viel geschlafen habe und so verheult aussah. Weil wir so viel miteinander geflüstert haben und immer aufgehört haben zu reden, wenn er reinkam.«

»Ich wette, er hat gedacht, ihr lasst euch scheiden«, sagte Carol.

»Nein, das glaube ich nicht«, sagte Glynis, nahm die Hand ihres Mannes und begegnete seinem Blick. »Shepherd ist sehr lieb gewesen. Sehr offensichtlich lieb.«

»Na ja, ich hoffe doch, dass ein bisschen Zuneigung nicht so selten vorkommt, dass bei Zach gleich die Alarmglocken klingeln!«, sagte Shep und wirkte dankbar und verlegen zugleich. »Die Sache mit dem Zimmer, die der Junge da betreibt ... Nanako, unsere neue Empfangsdame, hat erzählt, dass es in

Japan Jugendliche gibt, die ihr Zimmer überhaupt nicht mehr verlassen. Wie sagt man noch mal dazu, *haikumori*? Die Eltern lassen das Essen vor der Tür stehen, sammeln die dreckige Wäsche ein, leeren manchmal die Bettpfanne. Die Kinder reden nicht und kommen nie vor die Tür. Hauptsächlich hocken sie vor ihrem Computer. Das ist da ein Riesenphänomen. Solltest du mal was drüber lesen, Jackson, das ist echt was für dich. Eine ganze Subkultur von Jugendlichen, die sagen, ihr könnt uns mal, wir interessieren uns nicht für euren Scheiß. Und das sind auch keine dysfunktionalen Achtjährigen; viele dieser Verweigerer sind mindestens zwanzig. Nanako meinte, das sei eine Reaktion auf den extremen Konkurrenzdruck in Japan. Die Kinder spielen lieber gar nicht erst mit, als eventuell zu verlieren. Auch eine Art *Jenseits* – nur überdacht und ohne die Kosten für den Flug.«

Indem er das Gespräch auf Japan brachte, gab Shep den anderen zu verstehen, dass man jetzt getrost auch über andere Dinge reden konnte als die Krankheit. Selbst Glynis wirkte erleichtert.

»Diese *hiki-kimchi*, oder wie auch immer«, sagte Jackson. »Typischer Fall von frühreifem Absahnertum. Das muss man denen schon lassen, so früh darauf zu kommen, dass man sich nur weigern muss, sich um sich selbst zu kümmern, und schon taucht jemand auf und serviert einem sein Sushi auf dem Silbertablett.«

»Aber die führen ja nun nicht gerade ein beneidenswertes Dasein«, sagte Carol. »Niemand von uns würde sich so etwas für Zach wünschen.«

Die Standhaftigkeit seiner Frau konnte manchmal anstrengend sein. »Hör mal, Shep, ich hab ein bisschen drüber nachgedacht über das Problem, dass meine Titel für meine zukünftigen Leser nicht schmeichelhaft genug sind.« Jackson tauchte ein Dreieck Pita in seinen Humus, um wenigstens den Anschein von Appetit zu erwecken. »Also, wie findest du den hier: *Nur weil Sie ein Warmduscher sind und sich von gewieften Füchsen auswringen lassen, macht Sie das nicht gleich zum Charakterschwein.*«

Es war eine gute Überleitung.

»Apropos auswringen«, sagte Glynis. »Vor ein paar Tagen war Beryl zu Besuch. Sie wollte doch tatsächlich, dass wir für sie die komplette Anzahlung für eine Eigentumswohnung in Manhattan leisten.«

»Wieso nicht gleich noch 'ne Luxusjacht dazu?«, sagte Jackson. »Großer Gott, die Frau ist wirklich der Mega-Absahner. Ist euch schon mal aufgefallen, wie diese Künstlertypen ständig von uns durchgefüttert werden wollen? Als müssten wir ihnen dankbar sein, dass sie uns armen unkultivierten Neandertalern was *Sinnvolles* und *Schönes* bescheren. Er und Beryl waren sich ein Mal begegnet: Öl und Wasser. Sie hielt ihn für einen eiskalten konservativen Irren, er sie für eine hohle scheißliberale Nervensäge. Wann immer das Gespräch auf Sheps Schwester kam, kannte Jackson kein Pardon.

»Aber Schatz«, sagte Carol. »Ich dachte immer, die Absahner wären ›schlauer und mutiger‹. Ich dachte, du bewunderst sie. In dem Fall müsstest du doch zu Beryl aufblicken, oder?«

»Mir sind Leute lieber, die mit einem Mord davonkommen und wissen, dass sie mit einem Mord davongekommen sind. Beryl dagegen spielt sich als Opfer auf, als wäre ihr irgendein schreckliches Unrecht widerfahren. Als bräuchte die Welt *noch* einen Dokumentarfilm. Die soll mal ihren Fernseher anschalten. Wir können uns kaum retten vor Dokumentarfilmen, und ehrlich gesagt, die meisten langweilen mich zu Tode.«

Als Jackson seinem Gastgeber folgte, um ihm in der Küche zur Hand zu gehen, bemerkte Shep: »Sag mal, ist alles okay mit dir? Du gehst ja so komisch.«

»Ach, Quatsch, ich hab einfach nur beim Fitness ein bisschen zu viel Gas gegeben. Ich hab mir wohl irgendwas gezerrt.« Bei Carol hatte diese Ausrede funktioniert; sie hatte nicht weiter nachgefragt.

Es war ein üppiges Essen mit Braten und diversen Beilagen. Da Jackson sich wegen der Wechselwirkung sorgte, hielt er sich anfangs noch, so gut es ging, beim Wein zurück, aber jedes Mal, wenn er nach dem Glas griff, schien es schon wieder leer zu sein. Irgendwann gab er auf. Es war ein besonderer Abend, und sich auszuschließen wäre kleinlich gewesen. Alle waren jetzt ausgelassener, auch wenn eine gewisse nervöse Spannung zurückblieb: Alle lachten etwas zu bereitwillig, zu laut und zu lange. Aber immer noch besser so, als Trübsal zu blasen.

»Habt ihr den Michael-Jackson-Prozess verfolgt?«, warf Shep in die Runde.

Wieder einmal war der selbst ernannte »King of Pop« bezichtigt worden, auf seiner perversen Kinderranch mit kleinen Jungs gefummelt zu haben. »Klar, die Strafverfolgung macht 'ne Schlammschlacht aus der Sache«, sagte Jackson. »Der wird freigesprochen.«

»Die Einzelheiten habe ich nicht verfolgt«, sagte Carol. »Diese Visage lenkt mich immer derart ab – diese ganzen Gesichtsoperationen. Sein Gesicht ist für mich die eigentliche Geschichte. Er sieht aus, als wäre er unter einen Zug gekommen. Faszinierend.«

»Früher hat man seine Psychoprobleme mit sich selbst ausgemacht«, sagte Shep. »Heutzutage muss man sie der ganzen Welt auf die Nase binden.«

»Ganz meine Meinung«, sagte Glynis. »Heute geht jeder mit seinen Neurosen hausieren. Früher waren wir umgeben von relativ normal aussehenden Menschen, die nach Hause gefahren sind und missmutig in den Spiegel geguckt haben. Jetzt geht man durch die Straßen, und die Frauen haben Brüste wie Zeppeline. Hormongeschwängerte Männer laufen in Push-up-BHs durch die Gegend, und an ihren Nylonstrumpfhosen sieht man, dass sie sich 'ne künstliche Vagina haben machen lassen, total grotesk. Als müsste man in den Albträumen wildfremder Leute leben.«

»Bei Jackson – also, Michael Jackson«, sagte Carol. »Was mir wirklich an die Nieren geht, ist diese Scham. Dass man ihm irgendwie das Gefühl eingeimpft hat, seine schwarze Hautfarbe sei eine Schmach, der man sich entledigen müsse.«

»Im Moment«, sagte Glynis, »habe ich keinerlei Verständnis dafür, dass man sich freiwillig irgendeiner Operation unterzieht, egal, was für eine.«

»Der Typ hat halt Geld«, sagte Jackson. »Wenn er sich ein Gesicht wie Elizabeth Taylor kaufen will, dann soll er doch.«

Alle sahen ihn an, als wären ihm gerade drei Köpfe gewachsen. Er hielt die Hände hoch. »Ich will doch nur sagen, was ist denn dabei, wenn man versucht, irgendwas zu verwirklichen, wovon man träumt.«

»Weil es nicht geht«, sagte Shep.

»So hast du über das Jenseits aber nicht gedacht«, sagte Jackson. »Das wolltest du doch auch verwirklichen.«

»Wir reden hier über Selbstverstümmelung, nicht über einen Umzug in ein neues Haus«, sagte Carol. »Es ist doch wohl klar, dass zum Beispiel jede Operation und jede Hautbleichaktion, der sich ›Wacko-Jacko‹ unterzogen hat, den Mann nur noch mehr ins Unglück gestürzt hat. Jede enttäuschende Nasen-OP ist wieder ein Erinnerung daran, dass er nicht nur seine Hautfarbe hasst und sein Geschlecht, sondern überhaupt sich selbst.«

»Genau wie mit den sexuellen Phantasien«, sagte Glynis. »Ohne jetzt ins Detail gehen zu wollen –«

»Schade!«, sagte Jackson.

»Aber habt ihr jemals versucht, sie auszuleben? Es ist schwierig oder unangenehm und peinlich. Sobald man sie in die Realität überträgt, kriegt man keinen Kick mehr davon. Phantasien funktionieren besser, wenn sie im Kopf bleiben. Wenn man sie in die Welt hinauslässt, sind sie wie eine gruselige, deformierte Nachgeburt. Und Shepherd«, sagte Glynis und hielt inne, um mit ihrer Gabel ein paar grüne Bohnen aufzuspießen, »ich glaube nicht, dass es mit dem Jenseits anders war.«

Jackson befürchtete schon das Schlimmste, aber Shep war es gewohnt, Schläge in die Magengrube einzustecken, ohne auch nur mit der Wimper zu zucken. »Schon möglich« war alles, was sie ihm zu entlocken vermochte, bevor er sie fragte, ob ihr die Mandeln zu den Bohnen schmeckten. Zumindest gab sich Glynis Mühe und aß, und dieser Umstand machte den Mann so ekstatisch glücklich, dass ihn ihre Worte nicht im Geringsten kümmerten.

Erst als sie die Stühle auf den ächzenden Dielen zurückschoben, kam jemand auf Terry Schiavo zu sprechen, die hirntote Patientin aus Florida, deren schlaffes, aufgeschwemmtes Gesicht seit Wochen die Hauptmeldung in sämtlichen Nachrichtensendungen war. Ihr Ehemann wollte ihre Magensonde entfernen lassen, während ihre Eltern darauf beharrten, sie weiterhin künstlich am Leben zu erhalten.

»Diese Filmausschnitte hängen mir vielleicht zum Hals raus«, sagte Jackson. Er lockerte den Unterkiefer und ließ sich ein Rinnsal Spucke übers Kinn laufen, wobei er ein näselndes Blöken ausstieß.

»Hör auf«, sagte Carol. »Das ist respektlos.«

Zu spät ging ihm auf, dass die Imitation allzu sehr an Flicka erinnerte.

»Was mich ärgert, ist, dass die Diskussion nichts mehr mit Terry Schiavo selbst zu tun hat«, sagte Glynis. »Der Ehemann und die Schwiegereltern hassen sich, es geht nur noch darum, wer gewinnt, und das arme Mädchen geht völlig unter in dem ganzen Gerangel. Die könnten sich genauso gut um ein Stück Fleisch zanken.«

»Wenn man sich diese Videoclips von Terri ansieht«, sagte Carol, »scheint mir aber schon, dass da noch jemand zu Hause ist. Die Magensonde zu entfernen wäre Mord.«

»Großer Gott«, sagte Jackson. »Das sind doch nur Reflexe. Wie wenn du eine Seeanemone anpiekst. Nur dass eine Seeanemone noch mehr Hirn hat.«

»Was mich ja fasziniert«, sagte Shep, »an dieser ganzen Öffentlichkeit, schon seit Monaten. Ich hab noch keinen einzigen Fernsehfuzzi darüber spekulieren hören, was es *gekostet* hat, diese Frau fünfzehn Jahre lang künstlich beatmen zu lassen.«

»Stimmt«, sagte Jackson. »Und wenn man die Anwaltskosten dazuzählt, die Gerichtskosten, die Zeit, die im Parlament damit verschwendet wurde, den Fall zu diskutieren. Diese eine menschliche Topfpflanze in Florida muss Millionen verschluckt haben.«

»Na und?«, sagte Glynis und ließ den Blick entsetzt zwischen ihrem Mann und seinem besten Freund hin und her schweifen.

»*Es geht hier um menschliches Leben, Jim!*«, sagte Jackson, aber Glynis lächelte nicht.

»Ist das alles, worauf es euch beiden ankommt? Was ein Leben *kostet?*«

»Das ist nicht alles, worauf es ankommt«, sagte Shep. Jackson rechnete damit, dass sein Freund zurückrudern würde, doch erstaunlicherweise hielt er an seinem Standpunkt fest. »Aber es spielt eine Rolle. Es kostet ungefähr fünf Dollar pro Kopf, um einem Kind mit Durchfall in Afrika das Leben zu retten. Gut zwei Millionen Kinder auf dem Kontinent scheißen sich buchstäblich zu Tode. Wenn man das ganze Geld nähme, mit dem Terry Schiavo künstlich am Leben erhalten wird – oder was man so Leben nennt –, und es stattdessen nach Afrika tragen würde, dann könnte man dieses Jahr jedes Einzelne dieser Kinder retten.«

»Aber das Geld würde ja nicht nach Afrika getragen, oder?«, sagte Glynis mit wütendem Blick. »Wen würdest du denn noch draufgehen lassen, um Geld zu sparen?«

»Niemanden, Glynis.« Man musste Shep zugutehalten, dass er dem Blick seiner Frau standhielt. »Wie du schon sagtest, das Geld käme nie nach Afrika.«

Carol runzelte die Stirn. »Der Punkt ist doch, wir haben keine Ahnung, was Terry Schiavo womöglich für ein erfülltes Innenleben führt. Träume, Erinnerungen, wie sehr sie weiß, dass ihre Familie da ist, und spürt, dass sie umsorgt wird, selbst wenn sie nicht mit ihnen kommunizieren kann. Ihr Mann hat kein Recht auf so eine selbstherrliche Entscheidung, sie einfach abzuschalten, nur weil er keine Lust mehr hat, sie zu besuchen, und sich in jemand anderes verliebt hat.«

»Carol hat recht«, sagte Glynis. »Man weiß doch nie, wie sehr ein Mensch noch an seinem Leben hängt, auch wenn man der Meinung ist, man selbst würde das niemals aushalten. Vielleicht irrt man sich. Wenn die Alternative gleich null ist, wer weiß schon, was man nicht alles aushalten würde.«

Als er ihr half, den Tisch abzuräumen, staunte Jackson über die eigenartige Richtung, die das Gespräch am Ende genommen hatte. Normalerweise verteilten sich die vier mit ihren Ansichten über aktuelle Themen immer auf die gleiche Weise. Shep und Carol waren sentimental (*mitfühlend*, wie sie gesagt hätten). Glynis stellte sich üblicherweise auf Jacksons Seite. Sie beide dachten pragmatisch (*hartherzig*, hätten die anderen beiden gesagt). Wenn *Glynis* jetzt schon dafür war, eine Frau künstlich am Leben zu erhalten, die älteren Fotos zufolge gar nicht unansehnlich gewesen war und die – wenn sie wüsste, dass sie auf jeder Titelseite quer durch die Nation als verfettete, hirnlose, schwabbelige Schwachsinnige prangte – sich im Grabe umdrehen würde, wenn man ihr denn eines gönnte ... Shep musste sich wohl geirrt haben. Krebs veränderte doch den Charakter.

Als sie schliesslich in der Konditoreitorte herumstocherten, war die Stimmung ernüchtert. Alle schienen sich wieder an den Anlass des Abends zu erinnern; es war nach Mitternacht, und bis zu Glynis' Operation waren es nur noch anderthalb Tage. Sie brauchte jetzt vermutlich ihren Schlaf. Sie sah müde aus, und Jackson wollte gerade das Abschiedswort sprechen, da ging sie zum Angriff über.

»Jackson, hast du inzwischen noch mal überlegt, mit welchen Produkten du und Shep in den frühen Achtzigern gearbeitet habt?«

»Also, ich hab wirklich darüber nachgedacht, aber ...«

»Jackson und ich haben darüber gesprochen, und ich hab dir

auch gesagt, dass wir darüber gesprochen haben«, sagte Shep ungewöhnlich gereizt. »Wir sollten dieses Thema lieber lassen.«

»Also, mir macht das jetzt –«

»Aber mir«, sagte Shep.

»Wenn irgendeine Firma *euch* das angetan hätte«, fuhr Glynis ihre Gäste an, »würdet ihr das Thema einfach *lassen*?«

»Wenn du recht hast«, sagte Shep und sprach zweifellos deshalb so ausdruckslos und monoton, um nicht laut zu werden, »dann könnte jeder an diesem Tisch den Fasern ausgesetzt gewesen sein – ich würde mir wünschen, dass wir uns alle in erster Linie darauf konzentrieren, dass du wieder gesund wirst.«

»Wenn ich hinfalle und mir den Kopf aufschlage, ist das eine Sache«, sagte Glynis. »Oder wenn ich mein ganzes Leben lang geraucht hätte und dann Krebs bekäme. Aber das hier ist mir *angetan worden*. Und zwar von Leuten, die bewusst medizinische Beweise unterschlagen haben. Die tödliche Produkte auf den Markt gebracht haben, um damit Geld zu machen. Diese Leute sollen dafür zahlen.«

Shep blickte seine Gäste betrübt an. Die beide waren gute Freunde von ihm, seit Jahrzehnten, doch es gehörte nicht zu seinen Angewohnheiten, sich in ihrer Gegenwart mit seiner Frau zu streiten. »Ich weiß, es ist ungerecht«, sagte er leise. »Aber am Ende bist du es, die zahlt, Gnu, selbst wenn du den Prozess gewinnst.«

»Wer so sehr auf Geld aus ist, den kann man nur dadurch bestrafen, indem man es ihm wieder wegnimmt«, sagte Glynis. Dafür, dass sie krank und der Abend lang gewesen war, legte sie erstaunlich viel Elan an den Tag, und Jackson gewann einen Einblick in den Reiz ihrer fixen Idee: Sie gab ihr Kraft. »Es gibt eine ganze Gruppe von Anwälten, die auf Mesotheliom spezialisiert sind und im Internet Werbung machen. Sie konzentrieren sich ausschließlich auf Asbest, und sie arbeiten erfolgsabhängig. Es würde uns also keine zehn Cent kosten, falls es *das* ist, was dir Sorgen macht.«

Jackson sah Shep nur selten mit seiner Selbstbeherrschung

kämpfen. Aber er hatte die Kiefer zusammengepresst und hielt sein Besteck wie eine Heugabel. »Ich wiederhole: Die Geschäftsunterlagen aus dieser Zeit sind nicht mehr verfügbar. Ich habe mich bei Pogatchnik erkundigt. Ich habe ausgiebig recherchiert und mich über alle suspekten Materialien schlau gemacht, mit denen wir bei Allrounder gearbeitet haben könnten. Hin und wieder kommt mir ein Markenname irgendwie bekannt vor. Aber ›irgendwie bekannt vorkommen‹ wird keinem Kreuzverhör standhalten. Ich habe keine, Glynis, *keine* handfesten Beweise, dass ich jemals mit irgendeinem Produkt gearbeitet habe, dessen Hersteller wir vor Gericht bringen können.«

Jackson fragte sich, zum wievielten Mal Shep inzwischen diese Rede hielt. Da Glynis sie auch diesmal nicht zur Kenntnis zu nehmen schien, tippte er auf mehrmals. »Wenn man ein Produkt kauft, und vor allem, wenn man beruflich damit arbeitet, verlässt man sich darauf, dass der Hersteller ein Gewissen hat! So viel Vertrauen muss man haben, dass ein Stück Brot, das man kauft, kein Arsen enthält! Beim Silberschmieden muss ich doch davon ausgehen können, dass ich einen Klumpen Lötmetall erhitzen kann, ohne dass giftige Dämpfe entweichen, oder dass das Stück Silber, das ich in die Beize tauche, nicht explodiert! Ich –«

Und dann hielt sie inne. Ihr Gesicht nahm einen Ausdruck höchster Konzentration an. Sie neigte den Kopf, wandte den Blick ab und runzelte die Stirn.

»Wieso bin ich da eigentlich nicht gleich drauf gekommen«, sagte sie. »Auf der Kunstschule. Die Lötblöcke. Die Schmelztiegel. Die hitzebeständigen Handschuhe. Ich bin mir fast sicher, dass sie … asbesthaltig waren.«

»*Fast* sicher«, sagte Shep argwöhnisch. Dafür, dass seine Frau gerade im Begriff war, ihre Klage wegen fahrlässiger Tötung zurückzuziehen und ihn ungeschoren davonkommen zu lassen, wirkte er nicht gerade entzückt.

»Na ja, ziemlich sicher. Eigentlich sogar ganz sicher. Wenn ich zurückdenke, weiß ich sogar noch, wie einer meiner Lehrer nebenbei auf das Material zu sprechen kam. Aber als Studentin arbeitet man eben mit dem, was bestellt wird. Man hat eben – Vertrauen.«

»Die Schule kannst du nicht verklagen«, sagte Shep. »Du hast doch erzählt, dass die Saguaro-Kunstschule vor Jahren dichtgemacht hat.«

»Nein, aber fast alle unsere Produkte waren von derselben Firma. Ich habe sie noch genau vor Augen, das kreisförmige Logo auf der Unterseite der Lötblöcke. Die Schmelztiegel kamen in einem Pappkanister mit Metalldeckel, wie bei einer guten Whiskeyflasche, nur breiter und kürzer. Das Etikett war schwarz mit grün. Die Handschuhe: die waren cremefarben mit lila Blümchen und grünen Zweigen und pinkfarben paspeliert. Diese Produkte sind bestimmt nicht mehr auf dem Markt, oder man hat das Asbest rausgenommen, aber die Firma gibt es immer noch, weil ich da erst letztes Jahr noch was bestellt habe.« Selig blickte Glynis gen Himmel wie Maria bei der Verkündigung. »*Forge Craft.*«

»Das war ja seltsam«, sagte Jackson auf dem Heimweg. Carol, die sich nach einem feierlichen Glas Sekt an Mineralwasser gehalten hatte, saß am Steuer. Sie war es, die sich eigentlich mal ein bisschen hätte gehen lassen sollen, und er hatte ein schlechtes Gewissen, dass seine – nun, *ausufernde Art* – ihr nur selten dazu die Möglichkeit gab.

»Wieso das?« Sie war deshalb so kühl, weil er ihrer Meinung nach zu viel getrunken hatte. Jetzt musste sie auch noch auf ihn aufpassen, nicht nur auf Flicka.

»Wieso hat sie so lange gebraucht, um darauf zu kommen, dass sie auf der Kunstschule mit Asbest gearbeitet hat? Das geht doch schon seit Wochen. Shep ist durch die Hölle gegangen, weil er angeblich bei Allrounder geschlampt hat.«

»Man vergisst Sachen.« Obwohl auf der I-87 kaum ein Auto unterwegs war, hielt sich Carol an die Höchstgeschwindigkeit.

»Diese Asbestgeschichte hat sich anscheinend für viele Leute als Goldgrube erwiesen.«

»Ich glaube kaum, dass es Glynis auch nur im Geringsten um das Geld geht«, sagte Carol. »Ich bin froh, dass sie jetzt nicht mehr Shep die Schuld in die Schuhe schiebt. Der wird in den nächsten Monaten genug Stress haben, auch ohne dass er sich zu allem Überfluss noch vorwerfen muss, an ihrer Krankheit schuld zu sein. Die Sache mit dem Asbest ... gibt ihr einen Sinn. Sie erhebt die Krankheit zu mehr als nur persönlichem Pech; sie macht sie wichtiger als ein normales Unglück ohne jeden Zweck. Es verbindet sie mit der Welt: Geschichte, Politik, Justiz. Mir leuchtet es schon ein, warum sie sich in die Sache so verbeißt.«

Ähnlich wie Shep war Carol keine große Rednerin, aber wenn sie dann doch mal etwas sagte, war es wohlüberlegt. Er wusste auch, was sie meinte. Als sie sich alle vor der Haustür zum Abschied umarmt hatten, kam er sich vor wie an Deck eines Ozeandampfers, während das Schiffshorn geblasen wurde. Es war Zeit für die Nichtpassagiere, sich an Land zu begeben. Als sie aus der Auffahrt zurücksetzten und ihre beiden Freunde noch winkend auf der Veranda standen, sah es aus, als würde sich das Haus aus seiner Vertäuung lösen und in Richtung Horizont zurückziehen.

»Ist ein bisschen wie mit Flicka und der Sache mit dem Judentum«, sagte Jackson.

»Ja, genau.« Carol schien sich auf beunruhigende Weise zu freuen, dass sie sich mal richtig unterhielten. »Wie die Leute in unserer Selbsthilfegruppe ... weil nur die Kinder von aschkenasischen Juden von FD betroffen sind, weil das Gen über Generationen weitergegeben wird, haben sie das Gefühl, dass es immer weitergeht mit der Verfolgung des auserwählten Volkes und mit Gottes Prüfungen. Als hätte FD einen tieferen Sinn.« Carol erlaubte sich, ausnahmsweise ein wenig aufs Gas zu gehen. »Was natürlich Quatsch ist.«

Ein unbeteiligter Beobachter wäre nie darauf gekommen, aber

Carol war viel mehr Nihilistin als ihr Mann. Sie saß stundenlang dumpf vor dem Computer und machte Marketing für IBM, sie füllte den Luftbefeuchter in Flickas Zimmer, bevor sie eine neue Rolle Frischhaltefolie holte, um die Tochter ins Bett zu bringen, und sie war jahrelang um ein Uhr morgens aufgestanden, um die erste der beiden nächtlichen Dosen Compleat in Flickas Plastikbeutel zu füllen – und zwar ohne das geringste Sendungsbewusstsein. Sie machte einfach, was gemacht werden musste.

WÄHREND ER WENDY in bar bezahlte, sagte sich Jackson, dass sich die Krankenschwester doch gelohnt hatte, denn wundersamerweise waren beide Mädchen schon im Bett. Als er und Carol sich bettfertig machten, wartete er, bis sie sich die Zähne geputzt hatte. Erst dann huschte er selbst ins Bad, wobei er ihre verwunderte Miene sah, als er ihr die Tür vor der Nase zuzog. »Es ist nur zu deinem Besten«, erklärte er ihr durch die Tür. »Muss ganz übel furzen.«

Wie viele Male pro Tag würde er furzen müssen? Das Ganze erwies sich allmählich als unerwartet knifflig, und er fragte sich, ob er seine Strategie genügend durchdacht hatte. Er nutzte den privaten Moment, um einen Blick auf die Sache zu werfen, denn *die Sache* war inzwischen ein wenig schmerzhaft geworden. Anfangs war er erleichtert gewesen, dass sich die »leichten Beschwerden« in Grenzen hielten; vermutlich aber ließ erst jetzt die örtliche Betäubung nach.

Als er wieder auftauchte, war Carol im Bett, ihre nackten Brüste lagen über der Bettdecke. Für ihre schlanke Figur waren sie ungewöhnlich üppig, es war die Art von Titten, die sich Frauen kaufen wollten, aber nicht kaufen konnten. Die Lektion daraus – man musste glücklich werden mit dem, was man hatte – war keine, die er für sich selbst hätte gelten lassen.

»Was willst du denn mit den Boxershorts?«

»Ach, ich wollt's dir vorhin schon sagen.« Er hatte es den

ganzen Tag geprobt. »Dieser Termin, den ich heute hatte. Ich hab mir anscheinend irgendeine Hautkrankheit geholt, wahrscheinlich im Fitnessstudio. Irgendwelche Mikroben, hat der Hautarzt gemeint.« Den Begriff hatte er am Vorabend in einem Fernsehwerbespot aufgeschnappt. »Ich kann dich anstecken, wenn ich nicht vorsichtig bin.«

»Lass doch mal sehen!«

»Auf keinen Fall! Es sieht ein bisschen eklig aus. Am Ende hast du dann keine Lust mehr.«

Carol ließ sich in die Kissen gleiten. »Als wäre das schon mal vorgekommen.«

Herrgott, was für eine Verschwendung: ihre Brustwarzen wie Kirschen auf zwei Kugeln Eis. Er liebte sie mit offenem Haar und hatte den ganzen Abend schon die Spangen herausziehen wollen. Obwohl ihn die meisten Kerle für einen Glückspilz hielten bei so einer Frau, war Jacksons Begehren immer mit einem nagenden, quälenden Gefühl verbunden. Er fühlte sich ihr nie ganz gewachsen. Selbst nach all den Ehejahren war er immer noch nicht sicher, was sie eigentlich an ihm fand.

»Das ist die andere Sache«, sagte er. »Wir können nicht – für eine Weile. Es dauert relativ lange, bis das Problem wieder behoben ist, meinte der Arzt zumindest.«

»Aber lass mich doch trotzdem mal einen Blick drauf werfen.«

»Du hast doch schon den ganzen Tag Flicka versorgt«, sagte er und ließ sich neben sie ins Bett gleiten, nicht ohne einen diskreten Blick auf seinen Hosenschlitz zu werfen, der dank der Sicherheitsnadel tatsächlich noch geschlossen war. »Du musst jetzt nicht auch noch mich versorgen.«

Die Lüge wegen der Boxershorts machte ihm nicht den geringsten Spaß, aber wahrscheinlich hätte sie kein Verständnis gehabt – wenn er ihr erklärt hätte, dass ein großes Geschenk zunächst verpackt werden musste. Vor allem ein so großes Geschenk.

Kapitel 7

Shepherd Armstrong Knacker
Merrill Lynch Konto-Nr. 934–23F917
01.02.2005 – 28.02.2005
Gesamtnettowert des Portfolios: $ 664 183,22

Am Sonntag vor der Operation durfte Glynis keine feste Nahrung zu sich nehmen. Shep hatte aus Solidarität das Gefühl, ebenfalls nichts essen zu dürfen. Peinlicherweise bekam er aber Hunger. Der Kühlschrank war voll mit den Resten vom Abendessen mit Jackson und Carol. Zu fasten und deshalb so viel verkommen zu lassen schien ihm widersinnig. Also wartete er, bis Glynis auf der Toilette war, um dann heimlich den Zeigefinger in den Humus zu stecken.

Zach kam von der Nacht mit seinem Mit-*Hikikomori* zurück, säbelte sich ein dickes Stück kalten Rinderbraten ab und verschwand umstandslos in seinem Zimmer. Erschöpft und ein Unbehagen ausstrahlend, das sie nicht in Worte fassen wollte, saß Glynis im kleinen Zimmer vor dem Fernseher. Jedes Mal, wenn er nach ihr sah, erinnerte wieder ein Werbespot der Pharmaindustrie an die vielen anderen Leiden, die einen heimzusuchen drohten. Wenn man nicht sofort wegen der Krankheit draufging, so schien es, dann später wegen der Behandlung.

... nicht für alle Patienten gleichermaßen geeignet. Informieren Sie Ihren Arzt im Falle einer allergischen Reaktion,

bei der Schwellungen des Gesichts, des Mundbereichs oder der Kehle auftreten sowie bei Atembeschwerden, Ausschlag oder Gürtelrose. Zu den möglichen Nebeneffekten zählen Infektionen der oberen Atemwege, erkältungsähnliche Atembeschwerden, Hals- und Kopfschmerzen … können zu gravierenden Magenbeschwerden und inneren Blutungen führen. Einige Patienten klagen über Übelkeit und Erbrechen, Durchfall, blaue Flecken, Schlafstörungen. Einige Patienten klagen über Muskelkrämpfe, Appetitlosigkeit, Müdigkeit … Informieren Sie Ihren Arzt, wenn Sie unter Fieber oder unerklärlichen Schwächeanfällen oder Verwirrungen leiden … größere Gefahr von Lungenentzündung … kann die Gefahr von Osteoporose und Augenleiden erhöhen … kann die Gefahr von Herzinfarkt oder Schlaganfall erhöhen und zum Tode führen.

Begleitet von Gitarrengeklimper und munteren Flötenkadenzen, wie er sie aus der Kindheit von den alternativen Gottesdiensten seines Vaters kannte, wurden sämtliche Warnungen mit trällernder, grenzdebiler Liebenswürdigkeit vorgetragen – es war derselbe Tonfall, in dem man kleinen Kindern Gutenachtgeschichten über neckische Bären und allzu neugierige Kätzchen erzählt. Unterdessen folgte auf eine Werbung für Pillen gegen hohen Blutdruck eine Werbung für Kartoffelchips mit Salz- und Essiggeschmack, auf eine Werbung für Pillen gegen erhöhten Cholesterinspiegel eine Werbung für Pizza im XL-Format, auf eine Werbung für Medikamente gegen Sodbrennen eine Werbung für die Schweinerippchen einer Restaurantkette. Da er nie auf den Gedanken gekommen wäre, eine Verschwörung hinter dieser Anordnung zu vermuten, nahm er lediglich eine eigentümliche Ausgewogenheit wahr.

Immer wieder versuchte er sich zu trösten. Immer wieder kämpfte er gegen den Impuls an, seiner Frau zu versichern, dass sie mit Bravour durch die Operation kommen werde. Doch von dieser Pseudohellseherei abgesehen, konnte er kaum mehr tun, als Glynis ein weiteres Glas Apfelsaft zu bringen. Das wortreiche Essen vom Vorabend hatte jetzt etwas Unwirkliches. Shep und seine Frau hatten den Tag über kaum ein Wort gewechselt. Lediglich seine warme Hand in ihrem Nacken schien etwas in ihr auszulösen. Dies war eine Zeit des Körpers. Kommunizieren hieß, mit dem Körper zu kommunizeren.

Er wollte ihr nicht sagen, was er dachte. Seine Gedanken waren selbstsüchtig. Es gab zu viel Zeit. Zu viel leeren Raum und erdrückende Stille. Er musste sich unwillkürlich fragen, ob er eine Aussicht hatte, egal wie klein, irgendetwas, auf das er sich freuen konnte.

Er hasste seine Arbeit. Er hasste den Umstand, dass er seine Arbeit hasste; die Firma, die er selbst in die Welt gesetzt hatte, sie zu verabscheuen erschien ihm wie elterlicher Verrat. Er fürchtete das Älterwerden seines Sohnes fast so sehr wie Zach selbst – wobei das alles war, was der Junge in letzter Zeit zu tun schien, er wurde einfach nur älter, nicht klüger oder vernünftiger, nicht entschlossener oder selbstsicherer. Er hatte entsetzliche Angst davor, Forge Craft auf Schadensersatz zu verklagen, wo der Schaden ja schon angerichtet war; die Zivilklage würde nur noch mehr Formulare, Prozeduren und Verzögerungen mit sich bringen, vor denen er sich durch Glynis' medizinische Situation schon jetzt kaum noch retten konnte. Und auf die bevorstehende Ankunft von Glynis' Familie aus Arizona freute er sich noch weniger. Er würde sich um sie kümmern, während Glynis genas. Er würde für sie kochen, sie ins Krankenhaus fahren, sie beschäftigen. Die kontrollierte Neutralität, die er jahrelang gegenüber seinen Schwiegereltern gepflegt hatte, würde nicht länger aufrechtzuerhalten sein.

Er versuchte konventionell zu denken und so etwas wie der Hochzeit seiner Tochter freudig entgegenzusehen. Aber Amelia war in der Phase, in der sie zweifellos den falschen Jungen heiraten und ihm dann schnell wieder entwachsen würde. Seinen Toast auf ihrem Hochzeitsempfang stellte er sich gezwungen vor, während er eigentlich bereits ihrer bevorstehenden Scheidung entgegentrauern würde. Er stellte sich die anderen Gäste vor, die sich zynisch an der Bar bedienten und dabei spekulierten, wie lange diese Ehe wohl halten werde. Nachdem er auf Gruppenfotos posiert hatte, sah er sich schon, wie er die Bilder verschämt in irgendeine untere Schublade schob. Die üppigen Blumen welkten vor seinem inneren Auge im Zeitraffertempo. Sie gingen auf den Brautvater nieder wie die göttliche Vision, dass in wenigen Jahren diese beiden rotwangigen und einander treu ergebenen jungen Leute nicht mal mehr in E-Mail-Kontakt stehen würden.

Dennoch, Amelia wäre der Typ, der eine Hochzeit mit allen Schikanen erwartete. Eine moderne Frau, die im Verlauf ihres Leben ohne Weiteres zwei bis drei Mal ungehemmt »bis dass der Tod uns scheidet« aussprach. Sie war ein echtes Mädchen. Kleidung. Sie übertrat jedes Modegesetz ähnlich zielstrebig, wie ihre Mutter sich darüber erhaben fühlte. Ihre aufgekratzte, hektische Feierwut war ziemlich anstrengend. Es machte ihm Sorgen, dass ihre Absicht, in den Zwanzigern so richtig auf den Putz zu hauen, schon jetzt auf einen entsprechenden Pessimismus angesichts ihres Lebens danach deutete. Ebenso, dass sie ihren eigenen Vater als Inbegriff jener bierernsten Erwachsenenwelt sah, von der sie sich unbedingt fernhalten wollte.

Natürlich war er froh, dass sie ihr Studium beendet hatte. Dennoch fragte er sich, ob der Lehrinhalt ihres 200 000 Dollar teuren BA im Fach »Medienwissenschaften« nicht auch mit einem Gratisprobeabo des *Atlantic Monthly* und einem Pay-TV-Paket des Kulturkanals für einen Fünfziger im Monat zu haben gewesen wäre. Der zweifelhafte Abschluss seiner Tochter allein hatte sein Erspartes aus der Zeit vor dem Verkauf von Allrounder schon erheblich dezimiert. Shep würde nicht unbedingt erwarten, dass sein Vater ihm die komplette Ausbildung finanzierte, aber heutzutage war genau das gang und gäbe; ein Kind hatte das Recht auf eine Universitätsausbildung. Also hätte er sich über die Kosten eigentlich nicht ärgern dürfen, und er ärgerte sich nicht. Doch nach Jahrzehnten der einlagigen Klopapier- und Putenburger-Knauserei nun für seine Sparsamkeit auch noch bestraft zu werden war gelinde gesagt – beunruhigend.

Natürlich sprach er nicht laut aus, dass er Amelias Kleidungsstil – die knappen bauchfreien Tops, das glitzernde Dekolleté – weniger gewagt als vulgär fand. Sie versuchte um jeden Preis als Frau aufzutreten, mit dem Ergebnis, dass sie wie ein Kind wirkte. Folglich sah er die Vision ihrer Hochzeit, wie sie sich mit ihrer klassisch eleganten Mutter in die Haare geriet, die –

Die nicht mehr da sein würde.

Was Glynis anbetraf, hatte er nichts, worauf er sich freuen konnte. Nichts. Man konnte Shep Knacker kaum als penetrant sonniges Gemüt bezeichnen, aber trotz allem war er ein Optimist. Welchem Ereignis ein Optimist allerdings ohne die geringste glaubhafte freudige Aussicht optimistisch entgegensehen sollte, war ihm unklar.

Am Spätnachmittag rief Amelia an. Er war überrascht. So demonstrativ erschüttert, wie sie die Nachricht zu Herzen genommen hatte, hätte sie eigentlich vor dem Eingriff noch mal vorbeikommen müssen. Ihr Vorwand – dass sie für die nächste Ausgabe des Kunstjournals, dessen Mitherausgeberin sie war und das weder Geld einspielte noch eine nennenswerte Auflagenzahl erreichte, das ganze Wochenende durcharbeiten müsse – klang willkürlich. Das aufmunternde Gespräch mit ihrer Mutter war kurz.

Shep nahm sich einen zweiten Scampispieß, den er verstohlen auf dem Weg nach oben aß. Er stand vor der Tür seines Sohnes. Es schien inzwischen zu einer radikalen Geste geworden zu sein, einfach über diese Schwelle zu treten. Sein erstes Klopfen war sanft, fast unhörbar ehrerbietig. Er unternahm einen zweiten Versuch, diesmal lauter. Nachdem er offiziell die Tür geöffnet hatte, stand Zach da und blockierte den Eingang, als wollte ihm sein Vater etwas verkaufen.

»Was dagegen, wenn ich reinkomme?«

Er hatte etwas dagegen. Aber vordergründig war Zach wohlerzogen. Er wich zurück und nahm wieder vor dem Computer Platz. Federnd setzte sich Shep auf die Bettkante, er kam sich ein wenig idiotisch vor mit seinem Bambusstäbchen in der Hand, und ihm war unbehaglich zumute. Weder waren es die Poster der Bands, von denen er noch nie etwas gehört hatte, noch war es die Unordnung. Es war der schlichte Umstand, nicht willkommen zu sein. Kinder schienen sich nie klarzumachen, dass »ihr« Zimmer ein großzügiges Zugeständnis vonseiten der Eltern war, die für das ganze Haus aufkamen. Es war Sheps gesetzliches, moralisches und finanzielles Recht, dieses Zimmer zu betreten, wann immer er wollte. Dann wiederum war da das vage Bewusstsein, dass Kinder kein eigenes Territorium hatten, was vielleicht den Umstand erklärte, warum sie ihre Illusion vom eigenen Territorium so erbittert verteidigten.

»Ich wollte mal hören, ob du irgendwelche Fragen hast«, sagte Shep. »Wie's jetzt weitergeht.«

»Wieso weitergeht?« Zach machte nicht den Anschein, als hätte er die geringste Ahnung, worauf sein Vater hinauswollte.

Erst Amelia und dann das. »Mit deiner *Mutter*«, sagte Shep, als müsste er den Jungen daran erinnern, dass er überhaupt eine Mutter hatte.

»Sie wird operiert. Und dann kommt sie nach Hause und muss Medikamente nehmen und verliert ihre Haare und der ganze Scheiß.« Der Wortlaut des Jungen war krude, aber monoton.

»So in etwa sieht's aus.«

»Was soll ich denn dann noch für Fragen haben«, sagte Zach, mehr Feststellung als Frage: »Läuft doch eh ständig was drüber im Fernsehen.«

»Aber nicht – über alles«, sagte sein Vater matt. Im Unterhaltungsprogramm diente Krebs meist dazu, dass eine Figur, die ihren Zweck erfüllt hatte, höflich wieder vom Bildschirm verschwinden konnte. Krebs verlieh einer Serie, die Gefahr lief, trivial zu wirken, ein wenig Gehalt. Krebs gab der Handlung einen Dreh, von dem sich die anderen Hauptdarsteller in ein bis zwei Episoden – spätestens innerhalb der Staffel – garantiert wieder erholt hatten.

»Und, was wird weggelassen?«

Die Qualen, wollte er sagen. Zeit, wollte er sagen. Geld, wollte er nicht einmal aussprechen, aber auch das. »Das werden wir wohl auf die harte Tour lernen müssen.«

Der Junge war nicht neugierig. Eigentlich hätte er Fragen stellen müssen. Dabei war es nicht so, als hätte Zach keinen Sinn für das Geheimnisvolle, als sei die Welt für ihn bis in den letzten Winkel erforscht und bekannt. Im Gegenteil, das Zubehör seines Lebens strotzte vor Geheimnissen. Der Computer zum Beispiel. Als Shep fünfzehn war, hatte er seine Hausaufgaben auf einer elektrischen Schreibmaschine getippt. Wie genau es funktionierte, dass sich nach dem Anschlagen einer Taste der Arm eines Buchstabens bewegte, hatte er vielleicht nicht vollständig verstanden. Aber immerhin konnte er sehen, wie der Arm hochging, er konnte das spiegelverkehrte dreidimensionale *a* auf dem Metall sehen. Er konnte den elementaren Vorgang nachvollziehen, mit dem ein in Tinte getauchtes Schreibband angeschlagen und ein schwarzer Abdruck mit einem *a* auf einem Blatt Papier hinterlassen wurde. Doch wenn Zach ein *a* tippte, war es Magie. Sein iPod war Magie. Sein Digitalfernsehen war Magie. Das Internet war Magie. Selbst das Auto seines Vaters, diejenige Maschine, durch die man als Junge zum ersten Mal Herrschaft über die Welt erlangte, unterlag inzwischen der Kontrolle eines Computers. Wenn man einer Fehlfunktion auf die Spur kommen wollte, bedeutete das nicht, dass man ölverschmiert am Motor herumschrauben musste. Nein, das Auto wurde beim Händler erneut an einen Computer angeschlossen. Wenn mit dem technischen Mobiliar in Zachs Leben etwas schiefging – und heutzutage hatten Maschinen ja nicht die Gewohnheit, zu spucken, ein komisches Zischen oder leises Quietschen zu entwickeln; entweder sie funktionierten, oder sie gaben den Geist auf –, käme es ihm nie in den Sinn, sie selbst zu reparieren. Dafür gab es Hexenmeister, wobei der Begriff der Reparatur ja selbst obskur geworden war;

viel eher würde man losgehen und sich eine neue Maschine kaufen, die wiederum auf magische Weise funktionierte und dann auf magische Weise wieder nicht. Im Kollektiv gewann der Mensch immer mehr Autorität über die Mechanismen des Universums. Die Einzelerfahrung der meisten Menschen jedoch war die einer wachsenden Macht- und Verständnislosigkeit.

In diesem Moment hatte Shep eine erste Ahnung, warum Zach möglicherweise in ausschließlich temporalem Sinne älter zu werden schien. Nichts, was man dem Jungen in der Schule beigebracht hatte, hatte ihn auch nur mit der geringsten Kompetenz über die Mächte ausgestattet, die sein Leben beherrschten. Algebra im zweiten Highschooljahr informierte ihn nicht einmal ansatzweise darüber, was zu tun war, wenn der Breitbandservice ausfiel, außer bei Verizon anzurufen, den Hexenmeistern; sie gab nicht einmal darüber Aufschluss, was »Breitbandservice« überhaupt war, außer der gnadenreiche Zugang zur Magie. Dieses passive, unbeherrschbare Verhältnis zur materiellen Welt würde seinen Sohn permanent in ohnmächtiger, kindlicher Abhängigkeit halten. Also war es völlig einleuchtend, dass Zach über die Behandlung seiner Mutter nichts wissen wollte. Der Hokuspokus der modernen Medizin kam ihm bestimmt ebenso übernatürlich vor wie alles andere.

Übernatürlich? Shep hätte seinem Sohn gern die glatte Membran zwischen den Schichten einer Zwiebel vor Augen geführt. Das, hätte er gesagt, ist das *Mesotheliom* der Zwiebel. Es wird mühsam sein, aber sie werden nicht zimperlich sein: Sie werden sie aufschneiden wie eine Zwiebel. Und dann, Stück für Stück, alle Fetzen entfernen, die irgendwie seltsam aussehen – die zu fest oder zu schleimig sind oder nicht die richtige Farbe haben. Das Zusammennähen ist nicht viel anders, als wenn wir an Thanksgiving einen Truthahn stopfen. Das hier ist die alte Welt, hätte er am liebsten gesagt. Die Welt der Schreibmaschinen und des halb verfaulten Gemüses, und was mir und deiner Mutter so viel Angst macht, ist nicht, dass es unvorstellbar ist, sondern eben, *dass* wir es verstehen.

»Ich fände es ganz schön, wenn du deiner Mutter heute Gesellschaft leisten würdest«, sagte Shep. Es war genau so ein Beinahebefehl, wie er sie von seinem eigenen Vater kannte.

»Ich weiß aber nicht, wie«, sagte Zach.

Fast hätte Shep erwidert: *Denkst du, ich?*, und es war ihm unerklärlich, warum sie offenbar allesamt selbst die rudimentären sozialen Fähigkeiten verloren hatten.

Vermutlich hatte es schon Todkranke gegeben, noch bevor die Spezies Mensch den aufrechten Gang gelernt hatte. Es hätte einen Verhaltenskodex geben müssen, vielleicht sogar einen besonders strengen.

»Sie sitzt ja doch nur vorm Fernseher«, fügte Zach hinzu.

»Dann setz dich dazu.«

»Wir gucken nie dasselbe Zeug.«

»Setz dich dazu und guck das, was sie guckt, und tu zumindest so, als würde es dir Spaß machen.«

Missmutig fuhr sein Sohn den Computer herunter. »Sie weiß doch eh, dass du mich geschickt hast.«

Ja, sie würde es wissen. Und er konnte seinen biegbaren Sohn zwingen, an der Seite seiner Mutter Wache zu halten, aber er konnte ihn nicht zwingen, es auch zu wollen. Im Großen und Ganzen hatte Zach von beiden Eltern das Schlimmste geerbt: den Gehorsam seines Vaters und die Verbitterung seiner Mutter. Eine fatale Kombination. Rebellische Verbitterung brachte einen zumindest weiter – sie führte zur Trotzhaltung, bisweilen dazu, die herrschende Ordnung auf extravagante Weise zu verwerfen. Die gehorsame Variante dagegen brachte nur Missmut und Trägheit hervor.

Shep legte seinem Sohn die Hand auf den Arm. »Die nächsten paar Monate werden für uns alle schwer sein. Deine Mutter wird dich nicht zur Schule fahren können; du wirst mit dem Fahrrad fahren müssen. Du wirst mir beim Saubermachen ein bisschen zur Hand gehen oder auch mal ein Gästebett beziehen müssen. Du musst einfach nur daran denken, egal, wie schwer es für uns ist, für deine Mutter ist es noch viel, viel schwerer.«

Die Rede hätte er sich schenken können. Er spielte den liebenden Vater, anstatt wirklich einer zu sein. Zach war manchmal aufsässig gewesen, wenn es etwa um Dinge ging, die er haben wollte, weil »alle anderen sie auch hatten« – für Shep teurer Schnickschnack, der lediglich die Lücke zwischen dem letzten und dem nächsten Must-have füllte. Zach fand das ständige Sparen seines Vaters für ein »Jenseits« verwirrend, wenn nicht gar verrückt, und er hatte so beharrlich auf einen iPod gedrängt, dass Shep aus Langeweile nachgegeben hatte. Doch in allen anderen Dingen bat der Junge zu selten um etwas. Ein Aspekt der Krankheit seiner Mutter, den er vermutlich von Anfang an registriert hatte, war also, dass die Wichtigkeit dessen, was immer er wollte oder brauchte, soeben von gering auf null herabgestuft worden war.

Nachts im Bett hatte sich Glynis eingerollt und von ihm abgewandt, genau wie damals während der Schwangerschaft. Shep kuschelte sich von hinten an sie heran und merkte, dass er ihren Unterleib nicht mehr berühren wollte. Gleichzeitig spürte er, dass er diesem Instinkt widerstehen musste. Er fühlte sich ihr fremd. Es lag nicht an Pemba; es lag nicht an Forge Craft. Es lag daran, dass das, was mit ihr passieren sollte, nicht ihm passieren würde. Er rückte noch näher an sie heran, da bestimmt auch sie spürte, wie distanziert sie beide waren. Doch als er ihr behutsam die Hand auf den Bauch legte, schob sie sie ebenso behutsam wieder weg.

Er hatte das Gefühl, die ganze Nacht wach gelegen zu haben, aber da er sich am nächsten Morgen an seinen Traum erinnern konnte, musste er doch geschlafen haben. Er musste das Dach einer Veranda neu decken, und die Besitzer wollten erst die ursprüngliche Bedeckung entfernen lassen. Es war ein hübsches Dach, offenbar von »guter Bausubstanz«. Darunter lagen mehrere Schichten früherer Bedeckungen, und beim Abziehen der Schichten traten unterschiedliche Muster zutage wie auf den

Tapeten, die er als Junge an einer aufgerissenen Stelle neben seinem Kinderbett von der Wand geschält hatte. Als er die letzte dünne Schicht hochzog und das helle Holz dieses stabilen Hauses erwartete, war der Raum unter der letzten Dachpappe schwarz und verfault. Das Holz war von Schimmel befallen. Käfer und Raupen huschten zurück ins Dunkel. Das Gerippe war feucht und zerfiel unter seiner Berührung. Obwohl es von außen solide gewirkt hatte, war das Dach seit Jahren leck. Während er dastand und nach seinen Bauleuten rief, gaben die Balken nach. Alles brach unter ihm zusammen.

Da Glynis keinen Kaffee trinken durfte, verzichtete auch er darauf, und so waren sie viel zu früh abreisefertig. Er fragte sich, ob er den Kaffee an anderen Tagen eigentlich um des Getränks willen gekocht hatte oder nur, um am Morgen etwas zu tun zu haben.

Es war noch so früh, dass in Richtung Nord-Manhattan wenig Verkehr herrschte. Die Sonne war noch nicht aufgegangen. Autofahrten im morgendlichen Dunkel brachte Shep mit Aufregung in Verbindung, einem Flug nach Indien, für den man drei Stunden vorher einchecken musste. Auch jetzt war er aufgeregt, aber es war eine Aufregung, die ihn an Feueralarm, Schneesturm und den elften September erinnerte.

»Das hört sich jetzt wahrscheinlich verrückt an«, begann Glynis; er war dankbar, dass sie redete. »Aber wovor ich am meisten Angst habe, sind die Spritzen.«

Glynis hatte schon ihr Leben lang eine Aversion gegen Spritzen. Wie so viele Aversionen war auch diese dadurch schlimmer geworden, dass sie sich nicht mit ihr auseinandergesetzt hatte. Wenn sie einen Film sahen, in dem sich ein Heroinsüchtiger einen Schuss setzte, wandte sie den Kopf ab, und er musste ihr sagen, wann sie wieder hinschauen konnte. Wenn es in den Nachrichten um neue Medikamente oder Schutzimpfungen ging, verließ sie den Raum. Sie schämte sich zwar dafür, konnte sich aber nie dazu durchringen, Blut zu spenden. Die Fernreisen in Länder, für die sie Choleraimpfungen oder Typhusnachimpfungen brauchten, waren immer ein Drama gewesen. Erst nach Jahren hatte er die Größe ihrer Geste erkannt und wie entschlossen sie tatsächlich war, sich auf seinen Traum einzulassen, indem sie sich seinetwegen einer Injektionsnadel aussetzte.

»Das hab ich mir gedacht«, sagte er. »Das Kontrastmittel für die Tomografien … Wie hast du das hinbekommen?«

»Nur unter größten Mühen. Vor meinem MRI bin ich fast in Ohnmacht gefallen.«

»Aber es gab doch bestimmt auch Blutabnahmen …«

»Stimmt.« Ihr schauderte. »Und es kommen garantiert noch mehr. Bei der Chemo … sitzt man stundenlang da und hat eine Spritze im Arm. Ich darf gar nicht dran denken.«

»Aber du bist doch sonst so stoisch! Weißt du noch, damals, als du dir im Atelier in den Mittelfinger geschnitten hast?«

»Als könnte ich das vergessen. Das war damals, als ich diesen Fräser benutzt habe, der ja schon aussieht wie eine Minikreissäge. Er hatte sich im Silber verfangen und ist mir ausgerutscht. Ich hatte Glück, dass ich mir nicht den halben Finger abgeschnitten habe. Die Fingerspitze ist heute noch taub.«

»Ja, aber du bist völlig ungerührt die Treppe runtergekommen und hast mit leiser Stimme verkündet: *Shepherd, allem Anschein nach muss ich ins Krankenhaus, möglicherweise muss ich genäht werden, und ich denke, es wäre keine gute Idee, einhändig zu fahren.* So oder so ähnlich jedenfalls. Es klang, als wolltest du mich mal eben zum Supermarkt schicken, weil wir keine Nelken mehr im Haus haben. Deswegen habe ich erst gar nicht gemerkt, dass der Lappen, den du dir um die linke Hand gewickelt hattest, komplett blutverschmiert war. Wirklich beinhart!«

Sie lachte leise in sich hinein. »Ich wette, wenn du genauer hingeschaut hättest, wäre dir aufgefallen, dass ich leichenblass war. Diesen Fräser habe ich nie wieder angefasst. Er liegt in meinem Werkzeugkoffer, und in den Rillen sind immer noch die eingetrockneten Blutflecken.«

»Aber diese Spritzenparanoia. Die wird doch wahrscheinlich nachlassen. Wenn man so was ständig über sich ergehen lassen muss.«

»Bisher jedenfalls nicht. Aber es ist so irrational, Shepherd. Ich werde gleich ausgenommen wie ein Fisch, und alles, an was ich denken kann, ist ein kleiner Stich.«

»Vielleicht«, sagte er vorsichtig, »konzentrierst du dich ja auf die irrationale Angst, um nicht an die rationalen Ängste denken zu müssen.«

Sie legte ihm die Hand auf den Oberschenkel, und die Berührung war ihm so willkommen, dass ihm kalte Schauer über den Rücken liefen. »Du hast zwar nie studiert, mein Schatz. Aber manchmal bist du sehr klug.«

Shep setzte den Wagen in die Spur Richtung Saw Mill River Parkway und staunte, dass sie sich gestern nichts zu sagen gehabt hatten und jetzt offenbar so viel zu sagen hatten und in zu knapper Zeit. Er sah schon, wie diese leere, verschwendete Muße, gefolgt von verzweifeltem, zu spätem Aktionismus, schnell zu einem Muster für ihre Zukunft werden könnte.

»Ich glaube, ich hab dir das noch nie erzählt«, sagte er. »Ich kann mich nicht mehr erinnern, was ich da gesehen habe ... vielleicht eine dieser gerichtsmedizinischen Sendungen wie CSI. Ein Team von Pathologen war bei einer Autopsie. Der Gerichtsmediziner sagte, man könne der Leiche ansehen, dass die Frau in ihrem Leben viele Situps gemacht hat. Keine Ahnung, ob die Szene realistisch war, aber seitdem kriege ich sie nicht mehr aus dem Kopf. Die Vorstellung, dass man nach dem Tod feststellen kann, ob jemand ins Fitnessstudio gegangen ist. Beim Fitness habe ich manchmal die Vision, dass ich einen Unfall habe und die Ärzte im Leichenschauhaus meine Bauchmuskulatur bewundern. Ich will für meine vielen Bauchpressen gewürdigt werden, selbst als Leiche.«

Glynis lachte. »Das ist ja lustig. Die meisten Leute machen sich Sorgen, ob ihre Unterwäsche sauber ist.«

»Das ist wohl normal – als Chirurg muss man ja wahrscheinlich alle möglichen Leute operieren, die katastrophal aussehen. Alte Leute, an denen alles runterhängt, dicke Leute, Patienten, die total unsportlich sind. Ich wüsste gern, ob es sie stört, ob sie sich ekeln, oder ob es ihnen egal ist. Aber dein Körper ist so schlank. Perfekt proportioniert und durchtrainiert.«

»In letzter Zeit habe ich ein paar Step-Aerobic-Stunden ausfallen lassen müssen«, sagte sie trocken.

»Nein, lebenslange Selbstachtung – das geht nicht weg. Ich will nur sagen, ich bin etwas eifersüchtig, dass dich jemand so berührt. Dich so ansieht, Teile deines Körpers sieht, die ich niemals sehen werde. Aber ich bin auch stolz. Wenn es ihnen irgendetwas bedeutet, werden diese Ärzte jedenfalls eine schöne Frau operieren, und sie werden sich privilegiert fühlen.«

Während er geradeaus auf die Straße sah, spürte er, wie sie neben ihm lächelte. Sie nahm seine Hand. »Ich glaube nicht, dass Ärzte den menschlichen Körper so sehen wie wir. Und ich weiß auch nicht, ob Organe wirklich ›schön‹ sind. Aber trotzdem lieb von dir.«

Er parkte den Wagen, begleitete sie zum Empfang und war gerührt und erleichtert, dass Glynis ihn offenbar so lange wie möglich dabeihaben wollte. Sie war keine Frau, die bereitwillig ihre Bedürfnisse eingestand. Er füllte die Formulare aus, wobei er mit Freude feststellte, dass er endlich ihre Sozialversicherungsnummer auswendig konnte. Sie unterschrieb die Einverständniserklärung. Sie warteten zusammen. Ihr Schweigen war nicht mehr leer und ohnmächtig. Es war eine dichte Stille, tief und samtig, die Luft zwischen ihnen wie warmes Wasser.

Er stand mit ihr auf, stellte sich den Schwestern vor, legte ihre Sachen zusammen, während sie sich umzog. Dann half er ihr, den Kittel zuzubinden. Dann warteten sie wieder. Er war froh über das Warten; er hätte ewig so weiterwarten können. Endlich traf Dr. Hartness ein. Er war ein drahtiger Mann, der etwas von einem Buchhalter hatte; selbst sein Haar war trocken. Shep saß auf ihrer Bettkante, während der Chirurg in einem leiernden, unbeteiligten Ton, in dem man auch die komplizierte Montageanleitung für ein Mitnahmemöbel vorlas, die Prozedur noch einmal erklärte. Da er inzwischen vertraut war mit der Denkweise à la »Teil A kommt in Schlitz B«, fühlte sich Shep nicht angegriffen, schließlich war es nicht böse gemeint. Trotz der abwertenden Dinge, die man sich über Ärzte erzählte, wirkte dieser hier sympathisch und anständig.

»Bitte«, sagte Glynis, nachdem sich Dr. Hartness verabschiedet hatte. »Wartest du noch, bis ich das Beruhigungsmittel bekommen habe?«

»Natürlich«, sagte er und drehte ihren Kopf weg. »Guck nicht hin. Denk gar nicht drüber nach. Sieh mich an. Sieh mir einfach ganz, ganz tief in die Augen.«

Shep ließ eine Hand auf ihrer Wange ruhen und hielt ihrem Blick stand, wobei er sich alle Mühe geben musste, nicht selbst zu der Anästhesistin hinzuschauen, während sie die Spritze vorbereitete. Und dann sagte er seiner Frau, dass er sie liebe. Die Wirkung der Spritze setzte fast augenblicklich ein, und es sollten die letzten Worte sein, die sie mitbekam.

Er hatte dem gewöhnlichen Satz so viel Gefühl eingehaucht, wie das bei drei Wörtern überhaupt möglich war. Und doch wünschte er, dass die Verwendung dieser Formel qua Konvention eingeschränkt wäre. Eheleute warfen sie sich allzu oft hastig und gedankenlos zum Abschied zu, oder sie wurde leichthin ausgesprochen, um ein alltägliches Telefonat abzuwickeln. Ihm wäre ein Gesetz lieb gewesen, das ein so radikales Bekenntnis auf, sagen wir, drei Mal im Leben beschränkte. Rationierung würde die Aussage vor Entwertung schützen und dafür sorgen, dass sie heilig blieb. Denn hätte er den Satz »Ich liebe dich« wie drei Wünsche zugeteilt bekommen, hätte er einen davon heute morgen ausgesprochen.

Nachdem er auf der Schwesternstation seine Handynummer hinterlassen hatte, trat Shep aus der Lobby auf den Broadway und blinzelte in das gleißend weiße Wintersonnenlicht. Er hatte keinen Gedanken daran verschwendet, wie er den Rest des Tages verbringen würde, abgesehen von der vagen Ambition, sich irgendwo eine Kaffee zu holen. Glynis würde nicht sofort in den OP kommen; nachdem das Beruhigungsmittel wirkte, musste sie unter Vollnarkose gesetzt werden, und dann würde man mindestens vier Stunden operieren. Anschließend würde sie mindestens einen Tag vom Morphium k.o. sein. Wieder sehnte er sich nach einem Verhaltenskodex. Worin lag der Nutzen einer Zivilisation, die nach strenger Etikette im Dezember Grußkarten versandte und die Gabel links neben den Teller legte, aber wenn die eigene Ehefrau unters Messer kam, war jeder auf sich gestellt.

Schon nach einem einzigen *café con leche* in Washington Heights ging ihm auf, dass es doch ein vorgeschriebenes Verhalten gab. Es war herrlich spezifisch und so eisern, dass man es in die Verfassung hätte meißeln können: Was tat derjenige, der in Amerika einen Job mit Krankenversicherung hatte, wenn die Ehefrau desjenigen schwer krank war? Wenn er häufig von dieser Anstellung ferngeblieben war und wahrscheinlich noch viele weitere Tage fehlen würde? Wenn er ein Arschloch zum Chef hatte? Und wenn sich dann die Ehefrau unters Messer legen musste, und auch sonst zu jeder Gelegenheit?

Er ging zur Arbeit.

Jackson wirkte überrascht, ihn zu sehen, aber nur für einen kurzen Moment; auch Jackson kannte sich in der ungeschriebenen Verfassung gut aus. Innerhalb weniger Minuten nach Sheps Eintreffen kam Mark, der Webdesigner, der Pemba besonders sarkastisch aufgenommen hatte, zu ihm an den Schreibtisch und drückte ihm die Schulter: »Ich denk heut an euch beide, Mann.« Andere Mitarbeiter lächelten aufmunternd, vor allem diejenigen, die schon bei Allrounder dabei gewesen waren – die wenigen, die noch übrig blieben. Selbst Pogatchnik legte eine ungewohnte Sensibilität an den Tag, indem er sich immerhin rar machte. Also hatte Jackson die Belegschaft eingeweiht. Shep hätte es als Affront werten können – sein Kumpel war zu weit gegangen, Jackson hätte wissen müssen, dass sein Freund seine Privatangelegenheiten auf gar keinen Fall nach außen tragen wollte –, er stellte aber stattdessen fest, dass er dankbar war. Er fühlte sich nackt, ungeschützt, sein Inneres war an der Luft, als ob er keine Haut hätte. Aber Jackson hatte es gut gemeint, den Leuten Bescheid zu sagen. Und genauso würde Shep die Aktion auch auffassen.

Am Telefon mit den verärgerten Kunden hätte Shep wütend sein können, hätte sich über die Banalität jeder Klage ärgern können. Doch im Gegenteil, jede schlecht geklebte Linoleumfliese schien eine Rolle zu spielen, alles schien eine Rolle zu spielen. Er war an diesem Morgen dankbar für den kleinsten Akt der Rücksichtnahme vonseiten eines wildfremden Menschen: wie eine Schwester seiner Frau einen Eiswürfel an die aufgesprungene Lippe gehalten hatte. Rücksicht auf wildfremde Menschen schien der passende Ausgleich zu sein. Er ließ die Klagenden reden, zeigte sich betrübt, dass die Kollegen nicht die erwartete Leistung gebracht hatten, und versprach, sich des Problems umgehend anzunehmen. Als eine Frau aus Jackson Heights gegen Randys mexikanische Mitarbeiter wetterte und unterstellte, dass es sich um illegale Arbeiter handelte – womit sie, ehrlich gesagt, wahrscheinlich nicht unrecht hatte –, griff er sie nicht wegen ihrer Engstirnigkeit an, sondern erklärte ihr geduldig, dass die hispanischen Handwerker fleißig und kompetent seien, allein ihr Englisch sei mitunter ein wenig dürftig. Sie verstünden nicht immer, was genau zu tun sei. Er werde dafür sorgen, dass ein Muttersprachler vorbeigeschickt würde, um den Rahmen zu reparieren, bis die Verandatür mit einem anmutigen Klick schließen werde.

Einsam, wie er war, war er froh über die Gesellschaft der Kunden, den Kontakt, die menschlichen Stimmen. Kundenbetreuung als Videospiel: Fokus auf alles, nur nicht auf die Columbia-Presbyterian. Er war sich bewusst, dass er großen Einfluss auf einige Minuten im Leben dieser Kunden hatte – Leben, die sich aus Momenten zusammensetzten und nur aus Momenten. Im

Alleingang war er in der Lage, vielleicht fünf Minuten ihres Tages zu retten. Und das war doch schon etwas.

Er arbeitete die Mittagspause durch und rief um zwei Uhr nachmittags im Krankenhaus an. Sie war noch immer im OP. Er rief um drei an. Sie war noch immer im OP. Genauso um vier. Er sagte sich, es sei gut, dass die Ärzte so gründlich waren. Dennoch war es eine sehr lange Zeit, um mit geöffnetem Körper dazuliegen, mit demjenigen Teil seines Körpers, über den man nie nachdachte, über den man nicht nachdenken wollte, den man in seiner Glückseligkeit für selbstverständlich hielt. Inzwischen gelang es nicht mal mehr den Kunden, ihn mit ihren Beschwerden abzulenken, und mehr als einmal musste er einen Hauseigentümer bitten, das Problem, die Anschrift, das Datum der Reparatur zu wiederholen.

Da Glynis fast doppelt so lange operiert wurde wie vorgesehen, konnte Shep einen vollen Arbeitstag einlegen – was bei der dünnen Rettungslinie zu seiner Versicherung wichtig war, auch wenn es nicht wichtig hätte sein dürfen. Als er endlich Dr. Hartness am Telefon hatte, war es fast sechs. Jackson hielt sich in der Nähe von Sheps Schreibtisch auf und hörte offensichtlich mit.

»Na ja, das ist ja schon mal was ... verstehe. Und was ist das genau? ... Und das bedeutet? ... Nein, mir wär's lieber, wenn Sie ehrlich sind ... Hätte es denn irgendeinen Sinn, heute Abend noch ...? Nein, das mach ich schon selbst. Besser, wenn ich es ihr sage ... Dr. Hartness? Sie haben sehr hart gearbeitet und sehr lang. Sie sind bestimmt erschöpft. Danke, dass Sie sich solche Mühe gegeben haben, meiner Frau das Leben zu retten.«

Als Shep den Hörer auflegte, sah er an Jacksons entsetztem Gesicht, dass sein letzter Satz leicht fehlinterpretiert werden konnte. »Ihre Vitalparameter sind gut, sie schläft jetzt«, beruhigte Shep seinen Freund. »Aber ...« Er musste daran denken, wie Glynis mit der Hand in diesem bluttriefenden Lappen die Treppe runtergekommen war, und an ihren ruhigen Ton. Auch jetzt war Sachlichkeit gefragt.

»Es war schlimmer, als sie erwartet haben. Sie haben eine sogenannte ›biphasische Stelle‹ gefunden. Epitheloide Zellen, aber vermischt mit sarkomatoiden. Wie marmorierte Eiscreme, hat er gesagt. Bei der Biopsie war das übersehen worden. Die sarkomatoiden Zellen sind verdammt übel, und anscheinend bringt einen die reine Chemo da nicht weiter. Sie haben alles erwischt, was sie erwischen konnten, was aber nicht heißt, dass sie alles erwischt haben und dann haben sie sie wieder zugenäht.«

»Das ist aber – schlimm«, murmelte Jackson.

»Ja, das ist schlimm.«

Shep sollte an jenem Abend noch jede Menge Übung darin bekommen, diese Zusammenfassung zu wiederholen. Er fuhr nach Hause und sprach zuerst mit seinem Sohn. Zach hatte nur eine Frage. »Kommt drauf an, wie sie auf die Chemo reagiert«, sagte sein Vater ausweichend. Davon wollte Zach nichts hören. Er wollte eine Zahl hören. Wenn der Junge es also genau wissen wollte, bitte schön. Er nahm die Information auf wie ein Tümpel einen Stein: es machte leise *Blubb*, und Shep sah, wie seine Worte aus dem Blick verschwanden, zu sinken begannen und dumpf auf dem Grund aufschlugen. Der Junge wirkte nicht schockiert. Sein Vater fragte sich, in was für einer furchtbaren Welt Zach sich aufhielt, wo selbst Informationen wie diese normal oder gar vorauszusehen waren.

Zumindest würden die beiden von nun an in ein und demselben Universum leben. Es war ein Universum, das aus den Fugen geraten war. Eine Aufgabe, die Kinder erfüllen und die Shep bislang nicht zu würdigen gewusst hatte: Wenn der Ehefrau etwas Schreckliches widerfährt, widerfährt auch ihnen etwas Schreckliches. Man teilt das Schreckliche, das für den unbeteiligten Beobachter lediglich nach Pech aussieht. Dieses Ledigliche, das er manchmal bei anderen wahrnahm, war unerträglich geworden, weswegen er bis heute im Büro jedes Gespräch über Glynis' Krankheit vermieden hatte.

Unerhörterweise aßen sie zusammen. Zach bot seinem Vater an, zusammen fernzusehen, was noch viel unerhörter war. Shep entschuldigte sich, aber er müsse ein paar Telefonate führen. Beim gemeinsamen Geschirrspülen freute er sich, dass trotz seiner gutmütigen Erlaubnis sein Sohn den Springbrunnen über der Spüle nicht abschalten wollte.

Er zog sich in sein Arbeitszimmer zurück. Er stellte auf dem Computer eine Liste der zu benachrichtigenden Personen zusammen. Die Liste würde er noch brauchen, für andere Wendepunkte, andere Mitteilungen, und er wollte sich nicht eingestehen, gestand sich dann aber doch ein, für welche Mitteilung die Liste am Ende gut wäre. Er schrieb aus dem Adressbuch seiner Frau Handynummern und Festnetznummern ab. Er trennte die Kontakte in »Familie«, »enge Freunde« und »weniger enge Freunde«, und während er diesen und jenen in letztere Kategorie einordnete, dachte er, wie gekränkt einige dieser Leute durch die Zuordnung wären. Er war geneigt, unter »enge Freunde« nur diejenigen Weggefährten zu verbuchen, die am Samstag daran gedacht hatten, anzurufen und alles Gute zu wünschen.

Er ging bei der Auswahl systematisch vor. Zum schwersten Anruf zwang er sich zuerst: Amelia. Er war zögerlich, wenig prägnant, und immer wieder fiel sie ihm ins Wort: »Aber es ist doch alles okay mit ihr, oder? Sie hat's doch gut überstanden, oder?« Er telefonierte länger, als er eigentlich vorgehabt hatte, er wollte sichergehen, dass sie wirklich verstanden hatte, bis ihm schließlich aufging, dass sie von Anfang an allzu gut verstanden hatte und nur darauf wartete, etwas anderes zu hören. Seine Tochter zum Auflegen zu bewegen war eine ähnliche Tortur wie das Zubettbringen früher, als sie noch ein Kind gewesen war und sich um seine Wade klammerte und er ihre kleinen Finger regelrecht von seinem Hosenbein hatte losreißen müssen.

Aber bald schon ging ihm die Bekanntgabe der Einzelheiten leichter von den Lippen: »… ›biphasisch‹, das heißt, weniger aggressive epitheloide Zellen sind vermischt mit den eher …« Seine Stimme war ruhig. Wenn der gemessene Tonfall als Mangel an echtem Gefühl fehlinterpretiert wurde, war es ihm egal. Drängte man ihn nach einer Prognose, verlegte er sich auf den Ausdruck »ein weniger optimistisches Resultat«, in dem immerhin noch das Wort *optimistisch* vorkam. Alle hatten Internet; wenn sie es denn wirklich wissen wollten, konnten sie denn nachsehen. Das gehörte jetzt zu seinen Aufgaben: Informationen verteilen, Besuche orchestrieren, Glynis vor Besuchen schützen. Ab jetzt würde er nebenberuflich als Eventmanager und Firmenleiter in Personalunion fungieren. Er stellte fest, dass er denjenigen instinktiv misstraute, die sich in Mitleid ergingen und anboten, dass sie »irgendwie« helfen könnten. Seiner Erfahrung nach waren Leute, die ihre Gefühle am besten zu artikulieren wussten, am wenigsten dazu geneigt, sie auch in einer anderen Form als in Worten auszudrücken. Beryl zum Beispiel war besonders eloquent und setzte zu übertriebenen und unglaubwürdigen Reminiszenzen an über die großartigen Zeiten mit den beiden. Sie besang den Charakter derjenigen Frau, die ihr so unsympathisch war. Vor lauter Verlegenheit hatte er ihr schließlich das Wort abgeschnitten und erklärt, dass er noch einige Telefonate zu führen habe. Sein Vater sagte nur, er wolle »für die ganze Familie beten«. Während Shep oft wenig Geduld hatte mit abgedroschenen christlichen Phrasen, bewunderte er diesmal die Religion, die ein Idiom für gute Wünsche lieferte und dabei sowohl aufrichtig klang als auch kurz und bündig war.

Die Grenzen des Verbalen lernte er immer mehr zu schätzen. Je schlechter es Glynis ging, desto mehr kam es nicht auf betroffenes Gerede an, sondern darauf, eine Hand auf der Schulter zu spüren, ein aufgeschütteltes Kissen, darauf , dass man die Fernbedienung vom Tisch oder eine Tasse Kamillentee gereicht bekam. Insofern rührten ihn Schweigen, Seufzer, fühlbare Unbeholfenheit am Telefon weitaus stärker an. Ebenso Leute wie Nancy, eine begeisterte Nutzerin des Amway-Versandhandels, mit der Glynis fast nichts gemein hatte, sollte man zumindest glauben. Zu der deprimierenden Entdeckung bei der OP hatte Nancy ehrlich nichts zu sagen, und sie versuchte es gar nicht erst. Zudem bot Nancy auch nicht ganz unbestimmt »Hilfe« an, die er ohnehin nie in Anspruch genommen hätte. Sie erkundigte sich, wann Glynis Besuchszeit habe, wann sie wieder feste Nahrung zu sich nehmen könne und ob Glynis selbst gebackene Buttermilchplätzchen möge. Am Wochenende brachte sie einen Broccoli-Käse-Auflauf, den er und Zach am Abend zusammen verputzt hatten. Schon jetzt hatte Shep das Gefühl, dass die Leute, die man für »enge Freunde« gehalten hatte, nicht notwendigerweise dieselben Leute waren, auf die man sich verlassen konnte.

Zu seiner eigenen Überraschung schlief Shep wie ein Stein. Er schämte sich deswegen, aber er war froh, allein im Bett zu schlafen. Die Einfachheit dessen, die anspruchslose Weite des leeren Bettzeugs. Ihm war gar nicht klar gewesen, wie anstrengend der andere Körper neben ihm gewesen war, der von innen jeden Tag etwas mehr verfaulte. Die Energie, die es ihn kostete, sie nicht beschützen zu können. Wer hätte gedacht, dass etwas, das man nicht tun konnte und deshalb auch nicht tat, überhaupt Energie kosten konnte, aber genau so war es.

Am übernächsten Morgen hatte Sheps Beklommenheit vor der ersten Begegnung mit seiner Frau durchaus etwas von seiner Furcht vor ihrer Rückkehr am Pemba-Abend, dieser spezielle Horror, jemandem etwas sagen zu müssen, das er nicht hören wollte. Verrückter noch war seine Nervosität, dass man sie bei dem Herumgeschnipsel verändert, ihr etwas entfernt oder etwas in sie eingeführt haben könnte, sodass er sie nicht wiedererkennen würde.

Andererseits aber war die Beklommenheit nicht völlig aus der Luft gegriffen. Er wusste nicht, was Charakter war oder wie stark die Strapazen sein mussten, bis ein Charakter in sich zusammenfiel und zu etwas Neuem wurde, das keinerlei Ähnlichkeit hatte mit derjenigen Person, die »Familie«, »enge Freunde« und selbst die »weniger engen Freunde« gekannt zu haben glaubten. Es war sogar möglich, dass der »Charakter« und seine oberflächlichere Cousine »Persönlichkeit« nur Nettigkeiten waren, eine dekorative Gefälligkeit der Gesunden, eine willkürliche Belustigung wie Bowling, die sich kranke Menschen nicht leisten konnten. Angesichts seiner eigenen robusten Konstitution war er gezwungen, sich auf lächerliche Kleinigkeiten wie Schnupfen oder Grippe rückzubeziehen. Er dachte an die bleiche Gesichtsfarbe, den lästigen blechernen Klang von Vogelgezwitscher und Musik, die beunruhigende Sinnlosigkeit jedes Unterfangens, wenn er sich krank fühlte, als ob er selbst immer noch derselbe und seine Umwelt dagegen aber krank geworden wäre. Seine Lebensgeister erschlafften, sein Appetit erschlaffte. Indem er einen minimalen toxischen Virus hinzufügte wie einen Schuss Zitrone in eine Tasse Milch, wurde aus einem vitalen, gut gelaunten Mann ein bitterer und teilnahmsloser Quälgeist. So viel zur Haltbarkeit von »Charakter«. Diesen Effekt mal tausend genommen, und dann war es kein Wunder, dass er vor dem, was ihn auf der Intensivstation der Columbia-Presbyterian erwartete, Angst bekam.

Shep war bestimmt nicht der Einzige, der Krankenhäuser hasste und selbst beim Besuch eines geliebten Menschen gegen seinen Fluchtinstinkt ankämpfen musste. Ihn störten nicht nur die Gerüche, er versuchte nicht lediglich aus einem biologischen Impuls heraus, die Krankheit zu meiden. In identischen flatternden und am Rücken aufklaffenden Kitteln wurden die Patienten auf der ganzen Etage allem beraubt, was sie von außen unterscheidbar – erfolgreich, interessant oder nützlich – machte. Indem sie Flüssigkeiten, Medikamente und Nährstoffe aufnahmen, produzierten sie im Gegenzug nichts als Ausscheidungen und waren allen gleichermaßen eine Last. Warf man in den Krankenzimmern einen Blick auf die schlafenden Klumpen, die auf die flimmernden Fernseher gerichteten, ausdruckslosen Gesichter, gewann man den Eindruck, dass diese Leute allesamt nicht gleich wichtig, sondern gleich unwichtig waren.

Nichtsdestotrotz rührte es ihn an, dass sie alle zur Behandlung zugelassen wurden, der Wachmann vom Waschsalon ebenso wie der Dirigent der Philharmonie. Er hatte Vertrauen, dass man dem Waschsalonmann, egal, wie dumpf oder griesgrämig er war, nicht weniger Sorgfalt und Zuwendung angedeihen ließ als dem Maestro. Es mussten an die fünfzehn Jahre her sein, da hatte Shep in Sheepshead Bay einen Baum gestutzt; die Kettensäge war ihm ausgerutscht und hatte ihn am unteren Nacken erwischt, ähnlich wie der Fräser, den sich Glynis in den Finger gejagt hatte, nur in größerem Ausmaß und in unmittelbarer Nähe der Halsschlagader. Es hatte wahnsinnig geblutet. Er hatte noch immer die Narbe. Woran er sich vor allem erinnerte, war seine Verblüffung. Wildfremde Menschen waren herbeigeeilt, um ihm saubere Handtücher gegen die Wunde zu pressen, andere wildfremde Menschen hatten behutsam seinen blutenden Körper auf eine Bahre gelegt. Er hatte eine pragmatische Seite, und so gesehen hätte es ihm absolut eingeleuchtet, wenn man beim Einchecken in eine Klinik nicht nur gefragt wurde, welche Medikamente man nahm und ob man gegen Penicillin allergisch sei, sondern auch nach der Höhe seines IQ und ob man in der Lage sei, ein zehnstöckiges Haus mit Eigentumswohnungen zu bauen; wie viele Sprachen man spreche und wann man das letzte Mal etwas Gutes getan habe: ob man zu etwas zu gebrauchen sei. Stattdessen wurden wunderlicherweise alle Register gezogen, damit man aufhörte zu bluten, selbst wenn man niemandem auf Erden auch nur den geringsten Nutzen brachte.

Mit diversen Schläuchen, die unter der Bettdecke hervorschauten, nahm Glynis so wenig Platz unter dem Bettzeug ein wie ein Kind. Sie sah aus wie ein Sack, wie etwas, das jemand weggeworfen hatte. Dr. Hartness zufolge hatte man in der vorigen Nacht allmählich ihre Morphiuminfusion reduziert und ihr den Schlauch aus der Nase entfernt. Der Chirurg hatte ihn vorgewarnt, dass sie beim Aufwachen groggy und desorientiert sein würde. Sie war aschfahl im Gesicht und schien zu dösen. Er betrachtete seine Frau, und zum ersten Mal blieb seine Verwunderung darüber aus, dass sie schon fünfzig war.

Shep zog einen Stuhl an ihr Bett, wobei er vorsichtig war, um nicht mit den Stuhlbeinen über den Fußboden zu quietschen. Er setzte sich auf die Stuhlkante. Nur eine Fahrstuhlfahrt vom belebten Broadway entfernt, war dies eine fremde Welt der Stasis, in der minimale Freuden in der Erwartung fast immer attraktiver waren als in der Wirklichkeit – ein Schluck Ananassaft, der Dienstagspudding mit Erdbeersoße, ein Besucher mit Blumen, deren penetrant süßer Duft einem empfindlichen Magen am Ende gar nicht guttun würde. Eine Welt, in der Vergessen das Nirwana war, wo einem die Hoffnung auf Schmerzfreiheit niemals vergönnt war, allenfalls auf ein Nachlassen des Schmerzes. Shep wollte so sehr nicht hier sein, dass es war, als wäre er tatsächlich nicht hier. Er sehnte sich danach, diese Schläuche mit einem mächtigen Schwert zu durchtrennen, ähnlich wie er in einem Verlies die Ketten seiner Geliebten durchschlagen würde, um sie mit ihrem schleppenden Gewand auf seine Arme zu heben und zurück in die helle, tosende, frenetische Welt der Taxis, Hotdogs, Junkies und dominikanischen Pfandleiher zu tragen, wo er die nackten rosa Füße seiner Dame auf den kalten Asphalt aufsetzen und sie wieder ein Mensch werden würde.

Als er ihre schlauchfreie Hand nahm und in seiner wärmte, ließ sie den Kopf von der abgewandten Seite des Kopfkissens herumrollen und sah ihn an. Ihre Augenlider bewegten sich. Schwerfällig befeuchtete sie die Lippen und schluckte. »*Shepheeerd.*«

Ihre Kehle war aufgeraut von der Intubation, und sie sprach seinen Namen mit einem Krächzen aus, mit einem tiefen erotischen Schnurren, das ihn immer schon angerührt hatte, selbst wenn sie mit ihm schimpfte. Jetzt erst schlug sie die Augen richtig auf, und er erkannte seine Frau.

Es war Glynis, auch wenn sie nicht richtig da war. Sie war auf einer langen Reise gewesen und war noch nicht vollständig zurückgekehrt.

»Wie fühlst du dich?«

»Schwer … und gleichzeitig leicht.« Sie klang etwas betrunken, es fiel ihr offenbar schwer, die Lippen zu bewegen. Er hätte ihr so gern ein Glas Wasser gegeben, aber er durfte nicht. Nichts durch den Mund, bis der Darm wieder funktionierte. »Wunder mich«, glaubte er sie sagen zu hören, wobei sie den Blick über die Zimmerdecke gleiten ließ. »Alles so unglaublich.«

Tja, offenbar sah das Zimmer für sie anders aus als für ihn. »Versuch mal, nicht so viel zu reden.«

»Die Träume – sind so echt. So lang und kompliziert. Irgendwas mit einer silbernen Krone. Die wurde mir geklaut, und du hast mir geholfen, mich zu rächen –«

»Schh. Kannst du mir später erzählen.« Später würde sie sich nicht erinnern. »Weißt du, wo du bist? Erinnerst du dich, was passiert ist und warum du hier bist?«

Glynis holte tief Luft, und beim Ausatmen klappte irgendetwas zusammen. Sie sank in ihre Matratze. »Schon ewig nicht mehr.« Jetzt war ihre Stimme nur noch ein Krächzen, kein Schnurren mehr. »Es war so schön, als würde die Zeit rückwärts laufen. Aber sie kam mir entgegen. Wer hätte gedacht, dass man vergessen kann, dass man Krebs hat. Aber es geht, und sofort ist alles ganz weich. Und dann kommt die Erinnerung wieder, und das ist das Schreckliche daran. Als müsste man alles noch mal von vorne durchmachen.«

»Und schon wieder allein«, sagte er. »Du hättest dir niemals allein deine Diagnose stellen lassen dürfen, Gnu. Ich hätte dabei sein müssen.«

»Egal. Man ist sowieso allein.«

»Nein, das bist du nicht.« Doch, sie war es.

»Operation. Keine Sorge, ich versteh schon, so neben der Spur bin ich nicht. Das war der eine Trost, als ich mich wieder erinnern konnte.« Noch eine schwere Schluckbewegung. »Weil ich mich auch erinnern konnte, dass sie's rausgekratzt haben.«

Nicht alles, längst nicht alles wäre wohl keine therapeutisch sinnvolle Antwort gewesen. Dennoch war sie zurechnungsfähiger, als er gedacht hätte, nur leicht benebelt, und er hatte dem Doktor versprochen, dass er es ihr sagen würde. Der Arzt wollte am späten Vormittag vorbeikommen und selbst mit ihr sprechen. Wenn Shep ihr die Nachricht beibringen wollte – schonend war das gebräuchliche Adverb, wobei es an dieser Nachricht nichts Schonendes gab –, würde er es jetzt bei diesem Besuch tun müssen.

»Gnu, die Operation ist sehr gut verlaufen. Dein Zustand ist wieder stabil, und du kommst gerade wieder zu Kräften. Es gab keine Komplikationen. Oder, vielmehr, eine Komplikation gibt es. Das heißt, sie haben da was … gefunden.« Es war derselbe Text, den er immer wieder am Telefon geübt hatte. *Ein weniger optimistisches Ergebnis*. Derselbe Satz.

»Keine Ausgänge«, war alles, was sie sagte, als er geendet hatte. »Gott sei Dank. Nichts, was ich Flicka ins Gesicht gesagt hätte, aber vor diesem Plastikausgießer habe ich mich immer gegruselt. Als wäre man halb Mensch und halb … Kaffeesahnebehälter.«

Er zwinkerte. Es war, als hätte sie ihn nicht gehört. »Hast du alles verstanden, was ich dir gerade gesagt habe?«

»Ja, ja.« Sie klang verärgert. »Andere Zellen, keine Ausgänge, Chemo. Chemo wollten wir ja sowieso machen.«

Die Botschaft war überhaupt nicht angekommen. Vielleicht lag es am Morphium.

Shep hatte sich den Vormittag freigenommen und blieb noch, um auf den Arzt zu warten. Hartness verspätete sich, und Shep gab sich alle Mühe, nicht wütend zu werden auf den Mann, der sich im Namen seiner Frau so ins Zeug gelegt hatte. Dennoch, zwei Stunden mehr würden ihn einen Teil seiner Nachmittagsschicht kosten. Er konnte es sich nicht leisten, so viele ganze Tage zu fehlen. Das Gespräch aufrechtzuerhalten war schwierig, und nachdem Glynis eingenickt war, wurde ihm ein schrecklicher Kaffee gebracht, den er gar nicht haben wollte. Schließlich schlenderte der Arzt herein, und Shep konnte von außen noch einmal dasselbe Drama verfolgen, dieselbe Erwähnung der *biphasischen* Zellen, dieselbe fehlende Kenntnisnahme vonseiten Glynis' – keine Enttäuschung, keine Fragen, keine Tränen.

Dr. Hartness ging rasch zum Appell über. »Aber glauben Sie ja nicht, dass wir jetzt das Handtuch werfen. Wir werden Sie sofort auf Alimta setzen. Das ist ein sehr wirksames Medikament. Wir werden alle Register ziehen. Wir haben die Absicht, gegen diese Sache aggressiv vorzugehen.« Aggressiv war ein Wort, das die Zunft gern auf den Krebs selbst bezog, und die Wahl desselben Adjektivs in Bezug auf die Gegenmaßnahme beschwor wieder einmal einen Kampf herauf – einen Kampf gegen das Wetter. Gegen einen Schneesturm, eine Sturmbö.

Kapitel 8

Jackson warf sich die Tylenols ein wie TicTacs, und allmählich fragte er sich, warum er von den Antibiotika überhaupt nichts merkte. Aber es war nicht die richtige Zeit, sich auf seine vergleichsweise kleinen medizinischen Probleme zu konzentrieren, und er war dankbar, dass er alles im richtigen Verhältnis sehen konnte. Glynis war jetzt schon die zweite Woche im Krankenhaus; sie war von der Intensivstation in ein Einbettzimmer verlegt worden, und sie empfing jetzt auch Besuch.

Wegen des Mitbringsels hatte er sich das Hirn zermartert. Shep sagte, ihr Darm habe seine Funktion wiederaufgenommen, und sie würde wieder kleine Mengen fester Nahrung zu sich nehmen. Dennoch, was sollte man jemandem mitbringen, der gerade dabei war, sich von einem großen Eingriff zu erholen, Vanillepudding? Zum Schutz vor Infektionen waren Blumen verboten. Als Carol am Vormittag hingefahren war, hatte sie Glynis eine warme Reißverschlussjacke aus Fleece mitgebracht, die sie im Bett anziehen konnte, in einem satten Rot, das ihr gut zu Gesicht stand – ein beneidenswert inspiriertes Geschenk. Endlich kam er auf den Gedanken, ihr einen Liter frischen Maracujasaft zu besorgen. Zumindest klang das nach etwas, das die Lebensgeister weckte, und zum ersten Mal war er froh, dass Park

Slope so schnöselig, vornehm und lächerlich geworden war; gleich im ersten Feinkostladen auf der 7th Avenue war das Zeug zu haben gewesen. Niemand konnte sagen, wie viele Besuche noch bevorstanden, bis dieser Albtraum vorbei war, und schon jetzt fielen ihm keine Geschenke mehr ein. Dabei würde die Sache vermutlich in der Zukunft nur immer noch schwieriger werden, sie würde die Lebensmittel, Bücher, Kleidungsstücke und Musik immer weniger gebrauchen können, je mehr sie sie auch tatsächlich verdiente.

Glynis' Zimmer war leicht zu finden; ein Damenkränzchen hatte sich vor ihrer Tür aufgebaut. Schlechtes Timing. Er ließ sich Zeit, um sich zu sammeln und den Sitz seiner Jeans zu justieren, indem er die Hände in die Hosentaschen schob. Es waren Jeans aus der Zeit, als er fünf Kilo mehr gewogen hatte, die geräumigsten, die er besaß. Er hatte sich angewöhnt, im Gehen unauffällig die Taschen von innen nach vorn zu schieben, damit der Stoff nichts berührte.

Er erkannte die alte Dame wieder, die mit den beiden jüngeren Frauen plauderte. Sie musste inzwischen weit über siebzig sein, und sie steckte in einer großblumigen Aufmachung mit zahlreichen Accessoires, die allesamt lauthals verkündeten: *Ich bin zwar schon älter, habe aber keineswegs meine Selbstachtung verloren.* Es war Hetty, die Mutter. Er war ihr schon mal begegnet, an einem Abend bei den Knackers, an dem Hetty beim Essen mit erschöpfendem Elan vor sich hin geschnattert hatte. Was ihn am meisten beeindruckt hatte, war ihre Geschäftigkeit. Ihre diversen Aktivitäten in Tuscon umfassten eine Kampagne für ein Führerscheinverbot für illegale Einwanderer und auch neutralere Belange wie die Aufarbeitung von Antikmöbeln oder Yoga für Senioren. Sie erinnerte ihn an jene verblüffende Spezies von Mitschülern, die jeden Tag ihre Freizeit mit »außerschulischen Aktivitäten« vollgepackt hatten; es war, als ginge Hetty zur Schulbandprobe oder als habe sie sich zur Vizepräsidentin des Debattierklubs aufstellen lassen. Schwer zu sagen, ob dieser wilde Aktionismus das war, was er zu sein vorgab – ein

Entschluss, jeden Tag bis zur Neige auszuschöpfen –, oder genau das Gegenteil, nämlich eine Flucht. Auf jeden Fall war sie die Art von Dame, die noch auf dem Sterbebett Hindi lernen würde, ohne dass ihr dabei in den Sinn käme, dass sie es nicht mehr bis nach Delhi schaffen würde, um den Satz »Wie komme ich bitte zum Bahnhof?« auszuprobieren.

Es mochte lange her sein, doch der Abend war ihm noch gut in Erinnerung, weil Glynis so wütend geworden war. Hetty hatte zu Jackson eine relativ harmlose Bemerkung gemacht, die Glynis so aufgefasst hatte, dass ihre Mutter ihren Kurs im Körbeflechten mit Glynis' Schmiedearbeit gleichsetzen wollte. Glynis hatte mit frostiger Stimme verkündet, sie habe zufällig an einer Kunstschule studiert. Anschließend hatte sie die beiden Museen genannt, die ihre Stücke in ihre ständige Sammlung aufgenommen hatten, und sämtliche Galerien aufgezählt, in denen ihre Arbeiten gezeigt worden waren, dazu noch in *New York* – mit anderen Worten, nicht irgendwo in der Pampa im amerikanischen Südwesten. Er erinnerte sich an das Unbehagen, das ihn damals beschlichen hatte. Glynis war alt genug, um über unbedachte Bemerkungen ihrer Mutter geflissentlich hinwegzuhören. Beim Aufzählen all dieser Galerien hatte sie sich in ein kleines Mädchen zurückverwandelt.

Er sah zwar ein, dass der zwanghafte Übereifer auf Dauer anstrengend sein konnte, dennoch war Hetty Pike für den unbeteiligten Beobachter ein ziemlich normaler Mensch. Jackson staunte immer, welch große Gefühle die handelsüblichen Defizite und kleingeistigen Schrullen der alltäglichsten Charaktere auslösen konnten, wenn es sich bei diesen x-beliebigen Personen zufällig um die eigenen Eltern handelte. Zugegeben, Glynis und ihre Mutter hätten unterschiedlicher nicht sein können. Glynis war Perfektionistin, reserviert, hyperkritisch und ganz und gar düster; Hetty war fröhlich, gefühlsbetont und nicht im Geringsten bekümmert, wenn die Vase, die sie in ihrem Töpferkurs zusammengestoppelt hatte, am Ende unförmig war und nicht dicht hielt. Sie sahen sich überhaupt nicht ähnlich; Hetty war klein, hatte ein rundes, strahlendes Gesicht und flauschiges, dauergewelltes graues Haar, wogegen Glynis' markante und längliche Gesichtszüge an die Fotos ihres mageren, schlaksigen Vaters erinnerten. (Glynis hatte ihn verehrt. Wenn man so will, hätte sie ihrer Mutter vorhalten können, dass er und nicht Hetty vor gut zwanzig Jahren beim Klettern von einer Steilküste gestürzt war.)

Doch anstatt das Missverhältnis zu ignorieren, ließ sich Glynis von der Ungleichheit zwischen ihr und ihrer Mutter in den Wahnsinn treiben. Selbst in ihren mittleren Jahren wollte sie der guten Frau noch immer etwas beweisen, und Jackson hatte gegen den Impuls ankämpfen müssen, sie beim Abendessen damals zur Seite zu nehmen und ihr »vergiss es« ins Ohr zu flüstern. Hetty war eine ganz normale, minderbemittelte Frau, die wahrscheinlich eine so gute Mutter gewesen war, wie sie es eben hatte sein können – also genauso beschissen wie jede andere. Und wenn schon. Es war zu spät, um etwas daran zu ändern. Was immer es war, wonach Glynis dürstete – banale Abstraktionen wie *Wertschätzung, Anerkennung* und *Akzeptanz* konnten den Mangel wohl kaum angemessen umschreiben –, dergleichen zu spenden lag letztlich und grundsätzlich nicht in der Macht der Eltern. Man konnte nicht dasitzen und warten, bis jemand einem etwas schenkte; man ging los und nahm es sich selbst. *Das* war Selbstermächtigung, *das* verlieh einem Selbstachtung.

»Jackson Burdina!« Hetty winkte und stellte ihre dekorative Dose auf dem Fußboden ab, um besser mit beiden Händen Jacksons eine Hand umschließen zu können. Ein gutes Namensgedächtnis war wohl zu erwarten bei einer pensionierten Grundschullehrerin, das heißt, sein Name prangte auf einer Liste zusammen mit Tausenden von Sechsjährigen. »Ich *freue* mich so, Sie zu sehen, auch wenn der Anlass natürlich *furchtbar* ist. Sie haben doch auch Kinder, Sie können das bestimmt nachvollziehen ...« Tränen traten ihr in die Augen. »Etwas Schlimmeres kann einer Mutter nicht passieren.«

»Ja, ist 'ne ganz üble Sache«, pflichtete er ihr bei und wünschte, sie würde seine Hand loslassen.

Stattdessen zog sie ihn hinüber zu den beiden Frauen, die etwas abseits standen. Genau so wurde wohl ein Erstklässler mit seinen neuen Mitschülern bekannt gemacht. »Meine beiden anderen Töchter kennen Sie noch gar nicht, nicht wahr? Ruby? Deb? Das hier ist Jackson. Er und seine Frau bedeuten eurer Schwester sehr viel.«

Er reichte den beiden die Hand und staunte, dass Ruby, die mittlere Schwester, Glynis so unglaublich ähnlich sehen und dabei so unglaublich weniger hübsch sein konnte. Glynis war schlank; Ruby war mager. Glynis war stattlich; Ruby war schlaksig. Derselbe Satz annähernd identischer Gesichtszüge war in Rubys Gesicht auf subtile Weise neu angeordnet, zum Nachteil der Jüngeren, und während man die Älteste nicht gerade als üppig bezeichnet hätte, hatte Glynis doch immerhin einen Busen. Glynis kleidete sich mit schlichter Eleganz; Rubys ausgewaschene schwarze Jeans und das schlabbrige graue Sweatshirt waren schlichtweg schäbig. Den größten Unterschied aber bildete wohl das Verhalten. Glynis hatte eine verschlagene Unnahbarkeit, die ihr etwas Geheimnisvolles, fast Majestätisches gab. Auch Ruby hielt auf Distanz, wirkte dabei aber angespannt und knauserig; allzu häufig warf sie einen Blick auf ihre Armbanduhr und lief hin und her, als könnte sich die Krankheit ihrer Schwester ruhig ein bisschen beeilen, weil sie nämlich ein paar dringende Termine hatte. Und siehe da, kaum hatten sie die Begrüßungsfloskeln ausgetauscht, klingelte auch schon ihr Handy. Mit gerunzelter Stirn warf sie einen Blick auf ihr Display und sprach das Credo der zeitgenössischen Arbeitsbiene: »Tut mir leid, aber da muss ich jetzt rangehen.«

In der Klinik waren Handys verboten, angeblich, weil das Signal die empfindlichen Geräte störte. (Totaler Quatsch, wie Jackson bei seinen Internetrecherchen wegen Flicka herausfand. Sie wollten einfach nur den Wucherpreis für die Haustelefone kassieren. Aber er hatte nie den Mut aufgebracht, um einer Krankenhausleitung die Ergebisse seiner Recherche vor die Nase zu knallen. Dieses unmännliche, duckmäuserische Verhalten musste er dringend ändern.) Also ging Ruby hinunter, um von der Straße aus zurückzurufen, und ließ ihn mit Deb allein, einer pummeligen Frau, die nutzlos guten Willen verströmte. Mit ihrem knallengen orangefarbenen Rollkragenpullover und dem matronenhaften langen Wickelrock tat sie sich keinen Gefallen. »Seit ich es weiß, bete ich für Glynis«, sagte sie. »Unsere ganze Kirche in Tuscon betet für sie. Sie wissen ja, es gibt Studien dazu. Es funktioniert wirklich.«

»Hören Sie, Jackson, wir haben schon besprochen, wie wir's am besten machen«, sagte Hetty und legte ihm die Hand auf den Arm. »Glynis wird sehr müde sein, und sie soll sich auf keinen Fall überanstrengen. Ich denke, wir sollten hintereinander reingehen und nicht allzu lange bei ihr drinbleiben. Shep ist gerade bei ihr, und wenn Sie noch etwas Zeit haben, Jackson, haben wir gedacht, dass Deb als Nächstes reingeht, dann Ruby, und dann kann ich ihr ihre Lieblingskekse bringen.« Es war, als würde sie ihre Schulklasse vor einem Trinkbrunnen in Reih und Glied aufstellen.

Shep schlüpfte aus der Tür und begegnete Jacksons Blick mit einem vertraulichen Augenverdreher. Es gibt wenig Befremdlicheres als anderer Leute Familien, und seinen alten Freund Jackson hier zu sehen erfüllte Shep in diesem Moment mit einem Gefühl der Sicherheit und Dankbarkeit, ähnlich wie wenn man um die Ecke biegt und sein eigenes Haus erblickt. »Ihr seid dran«, sagte Shep zu Deb und Hetty, und damit zog er Jackson hinter sich den Flur entlang.

»Junge, das war nicht leicht«, murmelte er. »Glynis dazu zu überreden, ihre Familie zu empfangen, die sich extra aus Arizona hat einfliegen lassen. Fast hätte ich sie unverrichteter Dinge nach Elmsford zurückchauffieren müssen. Sie fühlt sich elend und sieht nicht ein, warum sie sich jetzt anstrengen muss, damit sich andere besser fühlen. Diese Besucherei … Dass *du* da bist, wird sie freuen, da bin ich mir sicher. Aber die Familie ist für Glynis eine Zumutung. Sie ist total genervt.«

»Aber wie würde sie sich denn fühlen, wenn niemand käme, um sie zu besuchen?«

Shep lächelte. »Total genervt.«

»Wenn sie sich nicht unmöglich benehmen würde«, sagte Jackson, »dann müsstest du dir Sorgen machen.«

»Stimmt. Aber ich mach mir trotzdem Sorgen.«

Sie schlenderten in Richtung Krankenzimmer zurück, wo die Tür halb offen stand, und die Versuchung zu lauschen war unwiderstehlich. Ruby war zwar wieder da, doch auch sie und ihre Mutter unterhielten sich nur halbherzig. Niemand wollte die Show verpassen.

»Ich fass es nicht, dass ich hier nach einer schweren Operation im Krankenhaus liege und du die Situation ausnutzt, um mich zu missionieren.« Glynis' Stimme war etwas undeutlich selbst von der geringeren Dosis Morphium, doch Jackson war erleichtert, dass ihre gewohnte Schroffheit herauszuhören war. »Mir geht es wirklich schlecht genug.«

»Und wenn ich doch recht habe?«, fragte Deb inständig. »Glyn, es ist doch alles ganz logisch. Wenn du recht hast und uns nicht mehr erwartet als ein großes schwarzes Nichts, dann spielt es doch keine Rolle, an was man glaubt. Aber wenn ich recht habe – wenn Jesus recht hat –, musst du ihn als deinen Erlöser annehmen, um in den Himmel zu kommen. Es ist doch sinnvoll, sich rückzuversichern, meinst du nicht auch? Es ist so ähnlich wie Mathematik, verstehst du? Auf deine Weise bekommst du am Ende definitiv nichts, auf meine Weise hat man die Chance auf ewiges Leben. Wenn die Lotterie schon nichts kostet, warum dann nicht ein Gratislos ziehen? Deine Lehrer haben doch immer alle gesagt, du wärst so intelligent.«

»Darauf werd ich mich nicht einlassen«, krächzte Glynis. »Und ich schätze es überhaupt nicht, dass du extra nach New York gekommen bist, um mich abzuschreiben. Ich will nicht in den Himmel. Ich will nach Hause.«

»Es ist nie zu früh, um dich auf ein Wiedersehen mit Gott vorzubereiten und Jesus in dein Herz zu lassen.«

»Heutzutage gibt's so eine Heilige in jeder Familie«, flüsterte Shep. »Meist ist es die Kleinste.«

»*Klein* ist hier wohl kaum das richtige Wort«, murmelte Jackson.

»Nein, ich meine, es sprach nie besonders viel für sie. Kein Beruf, Hausfrau, fünf Kinder. Diese Christennummer gibt ihr Oberwasser.«

»Ist doch einfach nur geschummelt«, sagte Jackson.

»Wenn's aber doch funktioniert. Wenn du zwei erfolgreiche Schwestern hast, die du nach deren Spielregeln nicht besiegen kannst, dann änderst du eben die Spielregeln. Und plötzlich, bingo, hat sie die spirituelle Überlegenheit und kann endlich auf all den Leuten rumhacken, die den größten Teil ihres Lebens auf ihr rumgehackt haben.«

»Fliegt ihr wie die Geier durch die Lande und stürzt euch auf alle, die zu schwach sind, um sich zu wehren?«, fragte Glynis gerade. »Du bist genau wie diese Anwälte, die jedem Krankenwagen hinterherhetzen und den großen Reibach wittern. Großer Gott, Nancy hat doch auch nicht gleich versucht, mir was von Amway anzudrehen.«

»Du sollst den Namen des Herrn nicht missbrauchen«, sagte Deb. »Viele Leute, die angeblich nicht an Gott glauben, rufen ständig *Herrgott noch mal* und *Großer Gott,* genau wie du. Unser Pastor hat mal eine ganze Predigt darüber gehalten. Er hat gesagt, es wäre ein unbewusster Hilferuf nach Gottes Liebe und Erlösung. Irgendetwas in dir weiß, dass seine gnadenreiche Hand ganz nahe ist.«

»Deb, ich will verdammt sein, wenn an diesen letzten drei Monaten auch nur irgendetwas ›gnadenreich‹ war.«

»Da, siehst du, schon wieder: ›Ich will verdammt sein.‹ Du *wirst* verdammt sein, wenn du Gott nicht in dein Herz lässt. Wer weiß, vielleicht ist diese Krankheit ja Gottes Weg, um dich zu seinem Licht zu führen.«

»Also werde ich jetzt für mein Heidentum bestraft, ja? Du willst mir doch nicht erzählen, dass deine gehirnamputierten Wiedergeborenenfreunde niemals Krebs bekommen.«

» … zumindest bist du schön schlank geworden«, sagte Deb wehmütig.

»Genau, die Mesotheliom-Diät. Das Buch ist noch nicht raus, aber du kannst ja schon mal anfangen, an ein bisschen altem Dämmstoff zu knabbern.«

»Shep meinte, dass es irgendetwas mit Asbest zu tun hat?«

»Auf der Saguaro-Kunstschule bin ich wahrscheinlich damit in Berührung gekommen. Ich wünsche augenblicklich jedem Aktionär der Künstlerbedarfsfirma ein peritoneales Mesotheliom an den Hals. Verklagen ist das Mindeste.«

»Du solltest keine so bösen Gedanken haben.«

»Ich habe nichts anderes als böse Gedanken.«

»Ich hätte eher gedacht«, sagte Deb vorsichtig, »eine tödliche Krankheit … dass diese Situation automatisch Güte und Freundlichkeit und Dankbarkeit in einem hervorkehren würde.« Deb klang trotzig.

»Was *diese Situation* bei mir automatisch hervorkehrt, sind Verbitterung und Wut. Wenn man Krebs hat, kann man endlich machen, was man will.«

»Aber du kannst doch jetzt endlich einmal sehen, wie sehr du von deinen Freunden und der Familie geliebt wirst. Shep sagt, es sei total mühsam, deine Besucher zu organisieren, weil dich so viele Leute sehen wollen. Du solltest diese Zeit als Segen empfinden.«

»Sie ist aber ein Fluch. Und zwar dank solcher mieser Moralpredigten von Leuten wie dir, die keine Ahnung haben, was sie da sagen.«

Aus unerfindlichen Gründen fing Deb nun zu schnaufen an.

»Ich will aber trotzdem, dass du weißt, dass ich dich immer dafür bewundert habe, dass du …« *Schnauf-schnauf.* »Du warst eine liebende Ehefrau, du hast zwei … zwei … zwei wunderbare Kinder aufgezogen. Denk immer daran, dass …« *Schnauf-schnauf-schnauf,* »… dass ich stolz war, dich als Schwester gehabt zu haben!«

»Pass mit deiner verdammten Zeitform auf«, warf Glynis ihrer Schwester hinterher wie einen wütend vom Nachttisch gegriffenen Schuh, während sich Deb mit einem Inhalationsgerät in der Hand aus der Tür flüchtete.

»Das ist ja wie beim Hahnenkampf«, sagte Ruby, als Hetty ihre schluchzende Jüngste an sich drückte und ihr den Rücken tätschelte. »Der Bantamchampion aus Zimmer 833 macht alle zu Hackfleisch. Wünsch mir Glück.«

»Mach's kurz«, sagte Shep.

»Worauf du dich verlassen kannst«, sagte Ruby. »Ich werde fliehen, solange ich meine Schwanzfedern noch vollzählig beisammen habe.«

Vielleicht aus Rücksicht auf die Tatsache, dass es auf dem Flur so langweilig war, ließ Ruby die Tür sperrangelweit offen. Da Shep von Begrüßungsküsschen abgeraten hatte, drückte Ruby ihrer Schwester nur den linken Fuß, ehe sie einen Stuhl heranzog und ihre langen, dürren Beine auf das Seitenteil des Bettes aufstützte. »Musstest du Deb so in den Boden rammen? Das ist doch kein Gegner für dich.«

»Für stärkere Gegner fehlt mir die Kraft. Außerdem ist es empörend, das hier als Anlass zu nehmen, um mich mal wieder bekehren zu wollen.«

»Sie wollte dich nur trösten. Die Jesusnummer ist doch alles, was sie hat.«

»Die ist total gebrainwashed. Ich komm mir vor, als hätte ich Besuch von einem Killerzombie gehabt.«

Ruby warf einen Blick in Richtung der Familie und sagte leise: »Sie kann uns hören.«

»Ist mir doch egal.«

»Aber sie glaubt ja wirklich dran. Dass wir das nicht tun, heißt doch nicht, dass sie es nicht ehrlich meint.«

»Ich hasse Ehrlichkeit.«

»Toll. Dann will ich mal versuchen, so oberflächlich und falsch wie möglich zu sein.«

»Das wäre super.«

»Und – *wie geht's dir?*«, fragte Ruby. Diese aufdringliche, emphatische Ansprache, dieses Sich-in-die-Wörter-Lehnen war bei Krankenhausbesuchen gewiss gang und gäbe und ging vermutlich jedes Mal nach hinten los.

Glynis seufzte. »Was soll ich sagen? Mir tut alles weh. Ich kann nachts nicht schlafen. Fünf Minuten hier im Dunkeln gehen so schnell vorbei wie das Paläozoikum. Tagsüber bin ich entsprechend groggy. Ich muss ständig mit Leuten wie dir Konversation betreiben, wo es überhaupt nichts zu reden gibt. Denn was ist schon passiert? Der Fernseher ist winzig und empfängt nur analoges Fernsehen mit Schnee. Nachmittags fällt die Sonne auf den Bildschirm, und man kann nichts erkennen. Und bei den ganzen Schmerzmitteln kann ich mich ohnehin nicht mal auf die Reklame für die neuen Lidschattenfarben der Frühlingskollektion konzentrieren. Ich grusel mich vor dem Infusionsschlauch in meiner Hand. Ich habe ständig Angst, dass das Pflaster abgeht und die Nadel aus der Ader gerissen wird. Ich habe inzwischen gelernt, nicht hinzugucken.«

Jackson wusste, was sie damit meinte, wobei er selbst zwischen Nichthingucken und obsessivem Begutachten schwankte.

»Vom Essen wird mir schlecht«, fuhr Glynis nach einem Schluck Wasser fort. »Wenn ich etwas bei mir behalten kann, bekomme ich Verstopfung, und dann bekomme ich einen Schlauch in den Hintern geschoben. Wenn Shepherd nicht da ist, um mit mir zur Toilette zu gehen, hören die Schwestern mein Klingeln oft nicht. Also brech ich mir einen mit der Bettpfanne ab. Ich pinkel mir das Bettzeug und die Beine voll. Wolltest du das wirklich alles wissen?«

»Klar.«

»Du lügst. Bald werden mich die Leute fragen: ›Und, wie *geht's* dir?‹, und ich werde sagen: ›Gut.‹ Und alle sind glücklich.«

»Und wann kommst du hier raus?«

Bestimmt hatte sie die Frage schon einige Male beantwortet. »In einer knappen Woche«, stieß sie undeutlich und gelangweilt hervor.

»Mama und Deb bleiben noch. Aber ich muss wahrscheinlich noch vor deiner Entlassung wieder zurückfliegen.«

»Du bist doch gerade erst angekommen, und das Erste, was ich von dir höre, ist, dass du schon wieder abreisen musst.« Das war dick aufgetragen, wenn man bedachte, dass Glynis ihre Familie überhaupt nicht hatte sehen wollen, aber vielleicht war es ein gutes Zeichen, dass sie ihre Krankheit auf diese Weise instrumentalisierte. Es bedeutete, dass sie immer noch sie selbst war.

»Das war nicht das Erste, was du von mir gehört hast. Aber das 4th-Avenue-Straßenfest fängt diese Woche an, und wir haben da einen Stand. Es muss jemand in der Galerie sein, um auf den Laden aufzupassen.«

»Klar, noch mehr Geldscheffeln ist natürlich wichtiger als eine Schwester, die Krebs hat.«

»Glynis. Das Leben geht weiter.«

»Für manche schon.«

»Ja, Glyn, für manche schon«, sagte Ruby. »Und dafür kann ich nichts.«

»Ich dachte, deine Galerie läuft wie geschmiert. Du hast Geld wie Heu.«

»Es geht«, sagte Ruby bescheiden.

»Was natürlich für einige Kunstschmiede hier eine echte Gelegenheit wäre, eine Schwester, die es in der Branche geschafft hat. Pech für mich.«

Draußen im Flur stöhnte Shep. »Nicht das schon wieder.«

Ruby fasste sich an die Schläfe. »Du hattest nicht genug Arbeiten für eine Einzelausstellung.«

»Genau, weil ich so faul bin. Weil ich die ganze Zeit in meinem schönen Haus sitze und Bonbons lutsche.«

»Weil du dich mit allem so quälst, Glynis. Ich hab nie verstanden, warum.«

»Würdest du ohnehin nicht.«

»Das Leben ist zu kurz für deine ständigen Selbstzweifel. Vielleicht lernst du das jetzt. Die anderen Künstler, die ich ausstelle, machen einfach ihre Sachen. Und dann machen sie wieder neue Sachen. Da ist nicht jedes Stück eine so unendlich schwere Geburt.«

»Ja. Jedes Stück ist nun mal eine *schwere Geburt*. Und darf ich dich erinnern, wie du mir aufs Brot geschmiert hast, wie mondän und weltgewandt Tuscon geworden sei und wie dein Laden nicht irgendein unbedeutender Laden, sondern eine *wegweisende Institution* in einer *Kunstmetropole* sei. Und wie ich dir angeboten habe, ein oder zwei Arbeiten von mir beizusteuern, und du trotzdem *abgelehnt* hast?«

»Über all das haben wir doch schon geredet! Da hatten wir längst den Namen zu ›Navajo & Co.‹ geändert und uns auf die Kunst der Navajo und Pueblo spezialisiert und nebenbei andere Stücke ausgestellt, hauptsächlich von Künstlern aus dem Südwesten mit entsprechenden Einflüssen. Deine Arbeiten hätten total rausgestochen, sie hätten nicht gepasst. Sie sind viel zu ... streng, zu ... zeitgenössisch.«

»Gott, wie ich diese Ethnoscheiße hasse«, grummelte Glynis.

Ruby stellte ihre Füße auf den Boden und klatschte sich auf die Schenkel. »Warum müssen wir das alles wieder durchkauen? Ist dieser Kleinkrieg jetzt nicht trivial? Ist das jetzt nicht total idiotisch?«

»Worüber willst du dich denn sonst unterhalten? Über den Irak? Über Terri Schiavo?«

»Vielleicht darüber, dass wir uns immer noch lieb haben, oder so.«

»Gut. Wir haben uns immer noch lieb«, sagte Glynis. »Abgehakt. Weiter.«

Es folgte ein beklommenes Schweigen; offenbar wussten beide nicht weiter.

»Jedenfalls kann mir der Irak jetzt den Buckel runterrutschen«, murmelte Glynis. »Genau wie Terri Schiavo. Sollen sie doch alle draufgehen. Globale Erwärmung, atomare Aufrüstung, Wasserknappheit, meinetwegen gern. Erdbeben, Fluten und Vogelgrippe, sehr gern. Wenn der weltweite Ölvorrat bis 2007 aufgebraucht ist, breche ich in Jubelgeschrei aus. Wenn der ganze Laden nach einem Asteroideneinschlag in Flammen aufgeht – nichts wäre mir lieber.«

»Mein Gott, Glyn. Krank zu sein scheint wohl nicht in jedem das Beste hervorzukehren.«

»Vielleicht ja doch«, sagte Glynis und setzte sich mühsam in den Kissen auf. »Aber vielleicht ist für mich das Beste in mir nicht gleich für dich das Beste in mir. Vielleicht ist Gehässigkeit, Rachsucht und Missgunst für mich ja das Beste. Ja, ganz genau so sieht's aus: Ich wünschte mir, dass alle anderen so krank wären wie ich.«

»Ich soll aufpassen, dass du dich nicht überanstrengst«, sagte Ruby, wobei sie diejenige war, die sich anhörte, als wäre sie fix und fertig. »Vielleicht bis morgen?«

»Toll. Dann reden wir noch mal eine halbe Stunde darüber, wie lieb wir uns alle haben.«

»Wie du willst, Glynis.«

»Nein, nein, ich versteh schon. Es geht nicht darum, was ich will. Offensichtlich gibt es hier irgendein Drehbuch, an das ich mich halten soll.«

Als Ruby aus dem Zimmer trat, schlug Shep vor, zu viert in das dominikanische Café auf der anderen Straßenseite zu gehen, während Hetty, wie ihr Schwiegersohn betonte, *nur mal eben bei Glynis reinschaute*. Mit nur einem Teil von Glynis' Clan zu plaudern hatte seinen Reiz; wenn ganze Familien zusammenkommen, kann keiner hinter dem Rücken des anderen lästern, und man hat sich nichts zu sagen.

Sie nahmen in einer Sitzecke Platz. Jackson war etwas flau, und er spürte ein heißes Pulsieren, über das er lieber nicht nachdenken wollte. Es war nicht der richtige Moment, um seine eigenen Probleme zu wälzen; im Prinzip hatte er ja nicht mal ein Problem. Es war die Lösung eines Problems, und die Heilung dauerte einfach nur ein bisschen länger. Dieses seltsam Verklumpte, die Wölbung ... Es war nur eine Schwellung, eine ganz normale Schwellung, und die würde abklingen. Er kämpfte gegen den Drang, die Herrentoilette aufzusuchen und erneut einen Blick daraufzuwerfen, wobei er nirgends eine entdecken konnte; öffentliche Toiletten in dieser zweifelhaften Gegend zogen bloß die Obdachlosen an. Also setzte er sich mit gespreizten Beinen hin, um Luft dranzulassen. Mit einem Knie stieß er dabei gegen Sheps Bein, und als Jackson das Bein nicht wieder wegzog, warf ihm sein Freund einen fragenden Blick zu.

»Also ehrlich, so viel böses Blut, weil ich ihre Sachen nicht in meiner Galerie ausstelle«, sagte Ruby gerade zu Shep. »Warum kann sie nicht endlich Ruhe geben?«

»Früher oder später kriegt ihr beide euch doch immer über Navajo & Co. in die Haare«, sagte Shep.

»Irgendwann demnächst gibt es vielleicht kein ›später‹ mehr. Das ist es ja gerade. Es wird Zeit, die Sache zu begraben. Könnte sie unter den Umständen nicht auch Deb gegenüber ein bisschen nachsichtig sein? Wenigstens etwas sagen wie: *Ich habe eben meine eigene Form der Spiritualität, und die unterscheidet sich vielleicht viel weniger von deiner, als du denkst*. Du weißt schon, ihr ein bisschen entgegenkommen.«

»Und, ist Glynis dir jemals ›entgegengekommen‹, Deb?«, fragte Shep.

»Sie hatte immer nur Verachtung übrig für meinen Glauben«, sagte Deb.

Shep lehnte sich zurück und schob die Speisekarte über die beschichtete Oberfläche. »Ihr wollt jetzt, dass alles anders ist. Dass alle wunden Punkte verheilen. Ich kämpfe gegen denselben Impuls an. Wir wollen alle dafür sorgen, dass unsere Beziehung zu Glynis in einen, wie mein Vater sagen würde, Zustand der

Gnade eintritt. Damit wir ruhig schlafen können, wenn's zum Äußersten kommt. Aber vielleicht muss man es andersrum sehen, und Glynis will gar nicht, dass alles anders ist.«

»Warum sollte Glynis nicht wollen, dass unsere Beziehung zu ihr in einen, wie du sagst, ›Zustand der Gnade‹ kommt?«, fragte Ruby. »Es ist doch auch in ihrem Interesse.«

»Auf einer Ebene – einer viel tieferen, als ihr euch alle vorstellen könnt – ist sich Glynis darüber im Klaren, dass sie vielleicht bald überhaupt keine Interessen mehr haben wird. Also ist ihr einziges momentanes Interesse das Hier und Jetzt.«

»Versteh ich nicht«, sagte Ruby.

»Habt ihr drei euch denn nicht schon immer gezankt?«

»Ja! Doch jetzt sollten wir einen Schlussstrich ziehen, es dabei bewenden lassen!«

»Glynis versucht doch nur, sich an dem festzuhalten, was sie hat. Und die Beziehung ist nun mal so – wie sie ist.«

Jackson lachte schallend. »*Das* aus *deinem* Mund!« Unerschöpflichen Unterhaltungswert bot Randy Pogatchniks Liebe zur Tautologie (»Es ist, was es ist, Mann!« oder »Die Leute sind nun mal so, wie sie sind«), wobei er der Illusion aufsaß, jeweils tatsächlich etwas Tiefgründiges von sich zu geben.

»Stimmt, ich muss wohl müde sein«, sagte Shep.

»Aber ich weiß schon, was du meinst«, sagte Jackson. »Sie hält sich an Inhalten fest. Auch ein beschissener Inhalt ist immerhin noch ein Inhalt. Würde sie zu einer kitschigen Grußkarte verkommen, wäre es nicht mehr Glynis, wie sich Glynis selbst wahrnimmt. Das wär fast, als würde sie früher als geplant sterben.«

»Ich wünschte mir trotzdem, sie würde auch an uns denken«, sagte Deb. »Nach allem, was du über diese Zellen erzählt hast, Shep.« Wieder traten ihr die Tränen in die Augen. »Diese ... *sarmakoiden* Zellen, oder wie sie heißen. Wer weiß ... jedes Mal, wenn wir sie besuchen, könnte es das letzte Mal sein ... dann wäre da aber eine Menge Galle und Missmut, an die wir uns erinnern müssten!«

»Tja«, sagte Shep lächelnd. »Das heißt doch nur, dass ihr euch an eure Schwester erinnern müsstet, wie sie wirklich war.«

»Und, meinst du, dass ihr die Kekse schmecken?«, fragte Ruby, als ihr Kaffee kam.

Shep blickte über den Rand seiner Tasse und zog die Augenbraue hoch. »Wird schwierig.«

»Ich hatte schon etwas Bedenken wegen der Paranüsse und Schokolade ... Ganz schön mächtig, wenn die Verdauung nicht richtig funktioniert.«

»Das könnte man so sagen«, sagte Shep.

»Mama nimmt keine Rücksicht auf das, was Glynis wirklich will, oder?«

»Ganz genau.« Sheps Augen leuchteten. »Ich denke, genau das ist der Punkt.«

»Mama war schon immer so«, sagte Deb. »Sie sagt, man soll immer das schenken, was man selbst gern hätte.«

»Daher also die Trockenblumengestecke und karierten Schürzen«, sagte Shep. »Die haben Glynis auch nie allzu sehr gefallen. Und die Topflappensets zum Selbermachen waren eine Katastrophe.«

»Mama wollte Glynis gar keine Kekse schenken; sie wollte sie nur backen«, sagte Ruby. »Und der ganze Stress tut mir wirklich leid.« Sie wandte sich zu Jackson und erklärte: »Nachdem sie sich dieses Projekt in den Kopf gesetzt hatte, mussten wir in den Supermarkt schicken, und dann noch ein zweites Mal, weil sie die Paranüsse vergessen hatte. Beim A&P gab's keine Paranüsse, also mussten wir extra in den Bioladen nach Scarsdale fahren. Sie musste wegen jeder Schüssel und jedes Löffels nachfragen, und wie der Ofen funktioniert, und dann hat sie den Springbrunnen über der Spüle demoliert. Sie kann nicht mit einem Handmixer umgehen, und überall klebte Teig – auf den Küchengeräten, auf dem Boden, an den Wänden. Und das alles, weil sie sich *nützlich machen* will.«

»Mama will nützlich *erscheinen*«, sagte Deb. »Sie will Anerkennung. Schon gemerkt, dass sie nur abwäscht, wenn Shep in der Küche ist? Wenn er im Büro ist, dürfen wir spülen.«

»Wenn sie eurer Schwester wirklich eine Freude machen wollte«, sagte Shep, »würde sie ihr aus der Steinesammlung eures Vaters ein paar Exemplare mitbringen. Auf die ist Glynis schon seit Langem scharf. Sie hatte immer gehofft, irgendwann mal was daraus schmieden zu können.«

»Wie soll denn das jetzt gehen?«, fragte Ruby leise.

Shep schob seinen Milchkaffee von sich. »Erst kommt die Chemo ... wir wissen es nicht. Vielleicht schlägt sie ja an. Warum würde die Therapie sonst überhaupt gemacht werden?«

Das leuchtete ein.

DIE GRUPPE STAPFTE zurück in Richtung Klinik. Vor der Ampel fragte Deb, ob sie zu Hause in Elmsford an Sheps Computer dürfe. Sie war Mitglied in einer landesweiten Bibelgruppe, die eine Online-Totenwache für Terri Schiavo abhielt – die sich ohne Beatmungsmaschine soeben noch am Leben hielt. »Die haben einfach den Stecker rausgezogen, wie bei einem Toaster!«, sagte Deb verzweifelt.

»Dieser Plan, den du immer hattest«, sagte Ruby, die neben Shep herging, »ins Ausland zu ziehen ... den musst du dann wohl jetzt auf Eis legen.«

»Na ja, deine Familie fand die Idee ja von Anfang an hirnrissig«, sagte Shep.

»Vermutlich haben wir sie nie so richtig verstanden«, sagte Ruby vorsichtig.

»Ich hab nicht gesagt, ihr habt sie nicht verstanden. Ich hab gesagt, ihr fandet sie *hirnrissig.*«

»Exzentrisch vielleicht. Obwohl, diese Vorstellung, dass es irgendein Land gibt oder die perfekte Ehe oder endlich eine Schwangerschaft, irgendwas, das eine Antwort liefert ... ich sehe schon den Reiz, aber ich bin mir nicht sicher, ob es überhaupt eine Antwort gibt. Letzten Monat habe ich Tschechows

Drei Schwestern gesehen. Diese Frauen in der tiefsten Provinz, die sich grämen: Oh, wenn sie doch nur in Moskau wären. Und das Publikum weiß ganz genau, dass sich in Moskau für sie überhaupt nichts ändern würde. Also sind sie irgendwie auch froh, nicht zu fahren. Vielleicht ist es bei dir genauso. Du darfst die Illusion behalten, dass es irgendwo eine Lösung gibt, eine Zuflucht.«

»Im Grunde ist ja die Klinik so ein Land, in dem alles anders ist«, bemerkte Shep liebenswürdig, während sie durch die Schwingtüren traten. »Wisst ihr, dass man in manchen Wirtschaftsnationen einen ganzen Monat von dem leben kann, was man im Westen für eine Schachtel Büroklammern zahlt? Im Krankenhaus ist es umgekehrt: Man muss einen Monat arbeiten, um sich hier eine Schachtel Büroklammern leisten zu können.«

Shep war Jackson im Café zuvorgekommen und hatte die Runde bezahlt, und auch wenn die Summe gering war, stand die Geste symbolisch dafür, dass alle Rechnungen zu Shepherd Armstrong Knacker führten wie einst alle Wege nach Rom. Jackson wusste sicher, dass Shep seiner Schwiegermutter die Reise finanziert hatte, da Hetty als Lehrerin eine ziemlich magere Rente bezog und eine Frau ihres Alters es mit einer Tochter, die sie möglicherweise überleben würde, ohnehin schon »schwer genug« hatte. Auch Deb hatte er den Flug bezahlt. Als wiedergeborene Christin unterrichtete sie ihre vielen Kinder zu Hause, und ihr Mann arbeitete Vollzeit bei Raytheon Missile Systems – war das etwa christlich? –, weshalb sie also jemanden bezahlen musste, der auf die Kinder aufpasste, während sie an der Ostküste war; das Flugticket war »das Mindeste«, was er habe tun können. Seit die ganze Bande im Haus war, konnte man darauf wetten, dass er für Lebensmittel, Benzin und den Alkohol aufkommen musste, den die Leute bei solchen Anlässen ja wie Limo in sich hineinzuschütten pflegten. Sobald Glynis nach Hause kam, hatte er vor, die Verwandtschaft ins Hotel zu verfrachten (nachdem er die Krankenbesuche der Familie belauscht hatte, wusste Jackson inzwischen auch, warum). Da er mit Glynis alle Hände voll zu tun hatte, war Shep nicht in der Lage gewesen, Beryl zu helfen, ihren Kram aus der spottbilligen Wohnung in der West 19th Street zu schleppen, also hatte er ihr stattdessen die nötigen paar Tausender gegeben – inzwischen tat nicht einmal mehr Beryl so, als handelte es sich bei dem Geld ihres Bruders um ein Darlehen –, um das Zeug mit einer professionellen Umzugsfirma nach Berlin zu schaffen. Noch immer unterstützte er Amelia, sonst hätte sie sich den Job bei ihrer Zehn-Leser-Zeitschrift nicht leisten können, und Zachs Schulgeld war genauso hoch, als hätten sie ihn auf ein Privatcollege geschickt. Sheps Vater hatte keine Ahnung, wie hoch seine winterlichen Heizungskosten waren, denn er hatte seit Jahren keinen Cent mehr selbst bezahlt. Und *nichts* von alldem ließ sich von der Steuer absetzen.

Wenn also dem armen Kerl obendrein auch noch vierzig Prozent von jeder dreihundert Dollar teuren Aspirintablette in Rechnung gestellt wurde bei diesem gottesherrlichen Gesundheitssystem, musste jenes einst unangetastete Merrill Lynch Konto, dachte Jackson, wohl schon um einiges schlanker geworden sein.

Als sie zurück in den achten Stock kamen, stand Hetty im Flur. Noch immer hatte sie die Keksdose in der Hand. Sie sah verheult aus und wirkte verwirrt.

Mit der freien Hand packte Hetty ihren Schwiegersohn am Arm. »Sheppy, du lieber Mensch, Gott sei Dank seid ihr wieder da. Ehrlich, ich weiß ja, dass es ihr nicht gut geht und sie nicht sie selbst ist. Aber diese Schoko-Paranuss-Kekse haben mich Stunden gekostet. Immer wieder die Bleche rein und raus aus dem Ofen, ständig aufpassen, dass nichts anbrennt, und dann zum Abkühlen auf den Rost, und wieder neu einfetten ... damit meine Tochter was Selbstgebackenes bekommt, eine kleine Erinnerung auf dem Nachttisch, dass ihre Mutter sie liebt und sich um sie sorgt. Ich kann ja verstehen, dass sie vielleicht gerade in dem Moment keinen essen wollte. Aber warum wird sie so wütend auf mich? Was habe ich denn nur falsch gemacht? Es fällt mir so schwer, Kraft für sie aufzubringen, wo sie so furchtbar dünn ist und so furchtbar blass, ich möchte sie einfach nur in den Arm nehmen und weinen …«

Shep legte ihr den Arm um die Schulter und drückte sie an sich. »Glaub mir. Glynis hat mehr Freude daran gehabt, ein Problem mit deinen Keksen zu haben, als sie beim Essen jemals gehabt hätte.«

»*Autsch*«, sagte Jackson.

»Hör zu«, sagte Shep. »Ich werd mit den Leutchen hier was essen gehen.« (Und sie wieder einladen, dachte Jackson reflexhaft.) »Willst du Glynis hallo sagen? Und mach nicht so –«

»Keine Sorge.«

In Jacksons Kopf lärmten die Ermahnungen: *Bitte sie nicht, alle Einzelheiten der Operation zu wiederholen, wenn du ohnehin schon alles weißt. Sag nichts von den biphasischen Zellen, die sie entdeckt haben, es sei denn, sie kommt von allein auf das Thema. Starre sie nach Möglichkeit nicht an, weil sie aussieht wie der Tod, aber schau auch nicht an ihr vorbei, weil sie aussieht wie der Tod.* Die Sturzflut der Verbote wirkte lähmend. Als er ins Zimmer trat, fiel ihm wieder ein, dass sogar ihre Schwestern merkwürdigerweise einen kleinen Abstand zu ihr gehalten hatten; nichts Drastisches, aber beide hatten sich einen Tick zu weit weggesetzt. Auch wenn Krebs bekanntlich nicht ansteckend war, ging der Mensch aus einer tief verwurzelten biologischen Angst heraus jeder Krankheit aus dem Weg. Jackson nahm die Angst bei sich wahr und wehrte sich dagegen, er ließ den Stuhl beiseite und setzte sich neben ihre Knie auf die Bettkante. Er erwartete nichts von ihr. Da seine eigenen Schmerztabletten in etwa so wirksam anschlugen wie eine Handvoll Pfefferminzpastillen, wusste er besser als die anderen Besucher, wie sehr die Schmerzen einen von allem anderen ablenken konnten.

»Na?« Dass sie gleich die Augen schloss und vielleicht zu müde für das alles war, beunruhigte, wobei es auch ein Kompliment sein konnte; sie fühlte sich in seiner Gegenwart wohl genug, um sich gehen lassen zu können. Raschelnd holte er den Maracujasaft aus seinem Rucksack und stellte den Karton auf ihren Nachttisch. Er entschied sich dagegen, sie darauf aufmerksam zu machen; er wollte nicht wie Hetty wirken. Es ging doch darum, ihr etwas zu schenken, woran sie Freude hätte, und nicht darum, den Dank dafür zu kassieren.

Drei bis vier Minuten lang verharrten sie so. Jackson war von Natur so manisch, dass es ihm vermutlich guttat, ihr schweigend Gesellschaft zu leisten. Er nahm sich die Zeit, den selbst gebastelten Zimmerspringbrunnen auf ihrem Nachttisch zu betrachten; vom Flur aus hatte er gedankenlos und irrtümlich das unaufhörliche Tröpfeln für das Geräusch einer Life-Support-Maschine gehalten.

Der Brunnen war krude, aber drollig. Das Becken bestand aus einer Bettpfanne. Eine Pumpe beförderte das Wasser durch einen braunen Gummischlauch in eine aufrecht stehende Spritzkanüle (darum also hatte ihn Shep um eine alte Spritze aus Flickas PEG-Zubehör gebeten), aus der wiederum eine kleine Fontäne hervorsprudelte. Um die Bettpfanne herum hatte er mit Pappe ausgestopfte Latexhandschuhe geklebt; die Pappe war gebogen, und die Hände umrahmten schützend den Rand des Brunnens, wodurch er irgendwie Sicherheit, Zärtlichkeit und Zuflucht suggerierte.

Glynis öffnete die Augen einen Spalt. »Ich trau mich gar nicht, ihm zu sagen, dass ich davon ständig das Gefühl habe, ich muss pinkeln.«

»Es ist so … typisch Shep.«

Sie lächelte und schloss wieder die Augen. »Typischer geht's nicht.«

Wenn man nicht wusste, wie man jemandem eine Freude

machen konnte, war es manchmal das Beste, einfach nachzufragen. »Was möchtest du gern, Glynis? Ich sitz auch einfach nur so mit dir da. Du musst nicht reden. Oder wenn du genug hast und ich lieber abhauen soll, lass ich dich auch in Ruhe.«

»Nein, bleib ruhig ein bisschen.« Sie ließ den Kopf zur Seite fallen und sagte verträumt: »Schimpf mir doch was vor.«

»Schimpfen?«

»Ja, schimpfen. Du weißt schon, wie immer. Egal worüber. Irgendetwas, das dich aufregt. Das wäre Musik in meinen Ohren. Wie ein Lieblingslied.«

Ausnahmsweise war Jackson gerade nicht sonderlich zornig, und er war ähnlich aufgeregt, wie wenn er und Carol ins Bett gingen und sie Lust hatte und er nicht, was selten genug vorgekommen war. Prüfungsangst, sozusagen. »Na ja«, sagte er zögerlich. »Ich hab mir einen neuen Titel ausgedacht.«

»Schieß los.«

»*KLATSCHNASS: Wie wir Fußabtreter in die Mangel genommen werden und warum wir's wahrscheinlich nicht besser verdient haben.* Ich hatte gerade für Carol eine Ladung Wäsche aufgesetzt, also lag das Thema nahe.«

»Mhm. Nicht schlecht für den Anfang. Weiter.«

»Und ... gestern hab ich ein Ticket fürs Falschparken bekommen.«

Glynis schnalzte mit der Zunge. »Das kannst du aber besser.«

»Es war aber nicht einfach nur, weil ich zu spät zum Auto gekommen bin. Ich wollte bei Key Food um die Ecke von Allrounder für Heather eine Packung Häagen-Dasz holen. Flicka darf ja kein Eis essen – keine Flüssigkeiten, und Eis schmilzt ja bekanntlich –, also schmatzt ihr Heather natürlich liebend gern was vor. Trotzdem erlauben wir ihr das, damit Heather weiß, dass wir uns auch ihretwegen Umstände machen.«

Jackson stand vom Bett auf. Dass er gestikulierend im Raum auf und ab ging, war eigentlich vergebene Liebesmühe, denn Glynis hatte die Augen geschlossen, es handelte sich aber um ein Gesamtpaket: Kapriolen gehörten zur Show.

»Halt ich also vor einer Parkuhr und werf ein 25-Cent-Stück ein, reicht für 'ne halbe Stunde. Bei Key Foods steht keiner in der Expressschlange, und ich garantiere dir, dass ich fünf Minuten später wieder draußen war. Nur um festzustellen, dass einer unserer Staatsdiener schon dasteht und sich gerade mein Kennzeichen aufschreibt. Ich sage, hallo, ich bin hier, ich fahr ja schon weg, aber bringt natürlich nichts, weil dieser Scheiß mit dem Strafticket nichts damit zu tun hat, dass alle Autofahrer gleichberechtigt Zugang zu den kommunalen Ressourcen haben sollen. Es ist einfach nur eine lukratative… – also, 'ne Geldschneidemasche für den Staat, 'ne Art Raubüberfall. Also sag ich, passen Sie auf, vor exakt einer Viertelstunde hab ich hier ein 25-Cent-Stück reingeworfen. Da zeigt doch dieser selbstherrliche, pflichtversessene Fatzke auf das kleine Fenster von der Parkuhr, und er hat recht, da ist das rote Fähnchen. Ich bin so fassungslos, dass ich nochmal ein 25-Cent-Stück reinwerfe, um es zu testen, und siehe da, ich dreh an dem Griff, und das Fenster ist immer noch rot. Die verdammte Parkuhr ist kaputt. Aber jetzt kommt's: Es sei noch meine eigene Schuld! Rechtlich gesehen ist es meine Schuld, dass ich an einer kaputten Parkuhr geparkt habe, obwohl ich inzwischen Geld für eine ganze Stunde reingeworfen und nicht mal zehn Minuten davon gebraucht habe. Der Wichser ist dann irgendwann fertig, meine Daten einzugeben, und reißt schwungvoll und mit künstlichem Lächeln das Ticket von seinem Computer, und dann kapier ich's endlich. Der wusste ganz genau, dass die Parkuhr kaputt war! Wahrscheinlich ist sie schon seit Wochen kaputt. Der Typ hängt an dem Automaten rum und lauert auf irgendeine arme Sau wie mich, die's eilig hat und nicht darauf achtet, ob das Ding funktioniert. Häagen-Dasz ist teuer, aber 65 Dollar für einen halben Liter sind echt happig. Und wo ist jetzt die Logik?« Jackson warf Glynis einen Blick zu, um sicherzugehen, dass sie noch immer diese gelassene Miene hatte; sie schien nachgerade zu schnurren. »Ich zahle Steuern, damit diese Parkuhren instandgehalten werden, da von uns ja erwartet wird – und das ist die ultimative

Würdelosigkeit –, dass wir das Werkzeug unserer Unterdrückung selbst finanzieren. Aber wenn sie den Arsch nicht hochkriegen, wenn sie das Geld, das ich einbüße, nicht verwenden, um die Parkuhren in Betrieb zu halten, dann ist das meine Schuld, und ich muss draufzahlen. Der Staat dreht alles zu seinem Nutzen, und glaub nur nicht, dass da Gerechtigkeit oder auch nur gesunder Menschenverstand mit im Spiel wäre.«

Er hatte die Sache ganz gut zusammengefasst, fand er, aber nach einem kurzen Moment zuckten Glynis' Lider, und sie schlug die Augen auf und zog ein Gesicht. »Du Faulenzer. Das ist doch erst der Anfang. Los. Gib Gas. Gib alles.«

»Geht klar«, sagte Jackson mit verständnislosem Achselzucken, und er vermutete, dass es nicht an ihm war, einer *Todkranken* zu sagen, was sie hören wollte. »Du weißt, dass ich mit Shep immer dieses Spiel spiele – Shep, der große Aufrechte, der Wir-müssen-alle-unsere-Rolle-spielen-Typ, der Obermitmacher –, er versucht dann immer, genau zu benennen, was wir persönlich von unseren Steuergeldern haben. Dieses Pseudomodell Geld-gegen-Dienstleistungen ist wohl nur dazu da, dass die Steuern nicht wie reiner Diebstahl rüberkommen, nach dem Motto: ›Warum lecken sich Hunde die Eier? Weil sie's können.‹ Ich bin der Überzeugung, sie knöpfen uns unser Geld ab, weil sie's können. Sie ziehen uns jedes Jahr noch mehr aus der Tasche, weil sie's können. Wenn man mal drüber nachdenkt, die absolute Macht des Staates ist haarsträubend. Mit der Enteignung können sie einem das Haus wegnehmen. Sie können jedes beliebige Gesetz verabschieden, nichts hält sie davon ab, den Steuersatz morgen auf 99,9 Prozent anzuheben. Ist dir eigentlich klar, dass das Finanzamt wie die Hand Gottes zugreifen und dir einfach dein Bankkonto leerfegen kann? Und zwar nicht nur, ohne dich zu fragen, sondern ohne dich zu *informieren*. Letztes Jahr ist ein Kollege von Allrounder an einen Geldautomaten gegangen, und auf dem Bildschirm stand ›Konto unzureichend gedeckt‹. Dann hat er den Kontostand abgerufen, und statt ein paar Tausendern stand da 'ne Null. Er konnte sich nicht mal mehr ein

Bier kaufen. Erst nach Tagen ist er dahintergekommen, dass es das Finanzamt war. Wie sich herausstellte, hatte seine Exfrau Steuerschulden. Vor 'ner halben Ewigkeit hatten sie ein einziges Jahr lang eine gemeinsame Steuererklärung abgegeben, und obwohl die beiden seit Jahren geschieden waren, sind sie direkt zu ihm gegangen, als sie das Geld nicht auftreiben konnte. Und sie haben's ihm weggenommen, einfach alles weggenommen. Ist das noch zu fassen? Wo er den Arschlöchern nicht mal zehn Cents schuldete! Ich sag dir, der einzige Grund, warum sie uns nicht auch noch den letzten Cent aus der Tasche ziehen, ist, dass diese Wichser davon abhängig sind, dass wir als Sklaven immer weiter und weiter produzieren. Jedenfalls hat Shep vor langer Zeit mal alle vermeintlichen Vorteile aufgezählt, und was ihm mit als Erstes einfiel, war die Polizei. Die beschützt uns vor allen Drecksäcken, die sorgt dafür, dass uns nichts passiert. Aber klar doch. Der Verkehrspolizist neulich hat mir aufgelauert, um auf seine Strafticketquote zu kommen. Und hat mein Strafzettel jetzt dafür gesorgt, dass irgendjemandem *nichts passiert*?«

Jackson spähte hinüber zum Kopfkissen, und siehe da, sein Liedchen hatte sie sanft in den Schlaf gewiegt. Er zog ihr die Bettdecke bis unters Kinn. Die rote Fleecejacke stand ihr gut, aber er beneidete Carol nicht mehr um ihr Talent für Geschenke. Er wusste, was Glynis wollte und was er ihr bei vielen weiteren Besuchen würde schenken können: *Wut*.

Kapitel 9

NACH EINEM WEITEREN Besuch bei Glynis, die inzwischen nach Elmsford entlassen, aber immer noch bettlägerig war, betrat Jackson in Hochstimmung sein Haus. Manch einen mochte nichts so sehr gruseln wie die Begegnung mit einem schwer kranken Menschen, aber er für seinen Teil fand allmählich Spaß daran. Da er jetzt wusste, was Glynis als anständiges Genesungsgeschenk ansah – vollendet destillierte Wut, die er sich wie Rohöl vorstellte: dickflüssig, zäh und wie Teer, eine Substanz, die an den Fingern klebte und Flecken auf Kleidern und Abdrücke auf Türknäufen hinterließ –, sparte er sich seine Empörung vom Tage auf. Nach Feierabend hatte er sich bei seiner Ankunft in Elmsford ein Crescendo der Bitterkeit zurechtgelegt, das wie das Programm eines Komikers aufgebaut war, nur dass nichts daran lustig war. Ob Glynis eigentlich klar sei, dass bei Gameshows der *Gewinner* eines Autos einen Prozentsatz des Verkaufspreises *in bar* an den Staat abtreten müsse? Ob sie wisse, dass viele Amerikaner inzwischen sogar Steuern auf ihre Steuervergünstigungen zahlen müssten und dieser Vorgang dann *Alternativsteuer* genannt werde?

Glynis, die inzwischen eine Spur zu Kräften gekommen war, hatte hin und wieder spontan aus dem Abseits ihrem eigenen

Ekel Ausdruck verliehen. Er verließ das Schlafzimmer in einem seltsamen Glückszustand, vielleicht mit einem ähnlichen Kick wie beim Genuss von Khat, jenen bitteren Blättern, die, wie Shep mal erklärt hatte, von Unterbeschäftigten und Müßiggängern in Ostafrika gekaut wurden. Khat war ein mildes Amphetamin, und Shep hatte es einmal probiert. Er sagte, man werde davon nervös, zappelig, grundlos gereizt und scharf auf etwas, das wahrscheinlich niemals passieren würde.

Als er in der Küchentür stehen blieb, stellte Jackson fest, dass es Flicka nur normal schlecht ging – was wie immer bedeutete, dass sie weder richtig gehen noch reden noch atmen noch weinen konnte, also alles wie gehabt –, daher betrat er ausnahmsweise nicht die Szene einer Katastrophe, sondern nur das in Zeitlupe sich entfaltende Desaster dessen, was sie als ihr alltägliches Leben zu akzeptieren gelernt hatten. Flickas finsterer Blick war Begrüßung genug. Andere aus der FD-Gruppe stellten ihre Kinder als leuchtende Engel dar, die ihr Leiden auf sich nahmen und den ganzen Haushalt mit Dankbarkeit erfüllten, weil sie noch einen weiteren glorreichen Tag auf Erden erleben durften – Jackson hatte immer den Verdacht gehabt, dass diese Eltern logen. Aber selbst wenn dieser muntere Jasagertyp wirklich existierte, war Jackson froh, stattdessen ein griesgrämiges und von frühester Jugend an misanthropisches Kind bekommen zu haben.

Flicka saß schief und vornübergebeugt am Küchentisch über ihren Hausaufgaben und ließ verachtungsvoll ein Rinnsal Speichel auf ihre Unterlagen tropfen. Sie hätte es wegwischen können, bevor es auf ihre Gleichungen traf, ließ die Ziffern jedoch absichtlich unter der Spucke verschwimmen. »Ich frag mich, wieso ich diese Formeln lernen muss, wenn ich sowieso nicht lange genug leben werde, um den Scheiß anzuwenden«, grummelte sie.

»Falls es dich tröstet«, sagte Jackson, »werden deine Mitschüler, die alle neunzig Jahre alt werden, diese Formeln genausowenig brauchen wie du.«

»Ich finde, wenn ich womöglich jeden Moment tot umfalle, sollte ich eigentlich machen dürfen, was ich will. Mein Leben ist gerade mal so lang wie das eines Hundes, und ich muss Hausaufgaben machen.«

»Wenn wir dich leben ließen wie einen Hund – ohne Schulbildung –, würdest du nicht mal wissen, was du machen wollen würdest.«

»Ich würde lieber *Friends* gucken.«

»Du bist ein kluges Kind. *Friends* würde dich bald langweilen.«

»Ist doch alles Betrug«, sagte Flicka beharrlich. »Es geht doch gar nicht um mich, sondern um dich und Mama. Ich soll so tun, als wäre ich ein ganz normales Kind. Damit ihr so tun könnt, als hättet ihr eine ganz normale Familie. Als würde ich irgendwann meinen Abschluss machen und studieren und heiraten und Kinder kriegen. Als würde ich die Schreihälse überhaupt haben wollen; will ich nämlich gar nicht. Alles Lüge, und mir hängt's zum Hals raus. Und ich warne dich. Irgendwann spiel ich nicht mehr mit.«

Das Dumme war, dass Jackson ihr recht geben musste. Vielleicht wäre es einfacher gewesen, wenn sie Flickas »Unschuld« – sprich: Unwissenheit – bewahrt hätten, aber heutzutage mit dem Internet konnte man vor den Kindern ja nichts mehr geheimhalten. 1996 hatten er und Carol sich bei ihrem ersten Internetprovider angemeldet, ein Entschluss mit fatalen Folgen. Flicka hatte den Bogen schnell rausgehabt, und eine ihrer ersten Eingaben in eine der frühen Suchmaschinen – Northern Light oder AltaVista – war der Name ihrer Krankheit gewesen. Sie war nach unten gestürmt (das heißt, wie ein Gummiball zwischen Wand und Treppengeländer hin und her gefedert) und hatte sich aus Rache und Empörung erst mal im großen Stil erbrochen. Nicht so sehr die Prognose hatte ihre Tochter so gekränkt als der Umstand, dass ihre Eltern sie ihr verschwiegen hatten. Sie war damals acht Jahre alt gewesen.

Jackson verzichtete an diesem Abend auf das übliche Theater.

Eigentlich hätte er damit kommen müssen, dass *ständig neue Therapien gegen die Symptome entwickelt* würden und dass sie *keine Ahnung* hätten, wie lange Flicka leben werde. Er hätte ihr ins Gedächtnis rufen müssen, dass früher die meisten Kinder mit FD in ihrem Alter längst tot gewesen wären – als sie geboren wurde, hatte sie eine Lebenserwartung von etwa fünf Jahren gehabt –, aber heute würden manche *bis zu dreißig Jahre alt*. Immer wieder war in den Gruppensitzungen mit dieser letzten Zahl allen Ernstes geworben worden, wobei Flicka ganz genau wusste, dass man diese Firmenlüge nur genauer untersuchen musste, um festzustellen, dass fast alle *vor* ihrem dreißigsten Lebensjahr gestorben waren. Flicka wollte keine Cheerleader als Eltern, und er wollte auch kein Cheerleader sein.

»Sieh es doch einfach so«, sagte er leichthin. »Wenn deine Tage schon gezählt sind, solltest du wenigstens mitzählen können.«

»Ha ha. Übrigens, Mama hat dir Chorizo und Kichererbsenbrei übrig gelassen. Steht auf dem Herd.«

»Schmeckt's denn?«, fragte er zerstreut und stocherte mit einer Gabel in der Pfanne.

Sie schnaubte. »Woher soll ich das wissen?«

Jackson löffelte sich ein wenig von dem roten Eintopf in ein Schälchen und schob es in die Mikrowelle. »Wie auch immer, Flicka, wir müssen dich zur Schule schicken. So ist das Gesetz.«

»Ich kann's gar nicht glauben, dass ausgerechnet mein Vater mit *Gesetzen* kommt. Ich sag nur ›Willkürherrschaft‹. Wir könnten doch Heimunterricht machen.«

»Deine Mutter muss arbeiten, um deine Krankenversicherung zu bezahlen. Sie hätte gar nicht die Zeit dazu.«

»Sie würde ja so gut wie nichts machen müssen. Ich könnte rumhängen und lesen – an den Tagen, wo ich ausnahmsweise mal was sehen kann und nicht die ganze Zeit Tabletten zerstoße, schlucken übe, diese öde Krankengymnastik mache oder mir künstliche Tränen in die Augen reindingse.«

»*Reindingse?* Und du glaubst, du müsstest nicht zur Schule.«

»Muss ich auch nicht. Es ist total sinnlos, mich zu einem *vollwertigen Mitglied der Gesellschaft* zu erziehen, wenn ich's kaum bis ins Erwachsenenalter schaffe. Ich muss nicht lernen, welche Ereignisse zum amerikanischen Bürgerkrieg geführt haben, und das weißt du auch. Was passiert denn mit diesen ganzen Fakten? Sie werden eingeäschert. Sie lösen sich wortwörtlich in Luft auf.«

Dass er Flicka die korrekte Verwendung von »wortwörtlich« beigebracht hatte, gab Jackson das Gefühl, wirklich etwas geleistet zu haben. Schon eigenartig, wie es ihm gelungen war, ihren unbestimmbaren letalen Status von sich abzuwenden und als Abstraktion, als Stoff für entspanntes Vater-Tochter-Geplänkel zu betrachten – als ebenso theoretisch wie seinen eigenen Tod. Insofern war ihm die eigene Sterblichkeit zum Trost geworden. Sie saßen im selben Boot. »Findest du's denn nicht schön, mit anderen Jugendlichen Freundschaft zu schließen?«

»Eigentlich nicht. Ich bin mehr so ihr Maskottchen. Wenn sie nett zu mir sind, haben sie ein gutes Gewissen. Sie können vor ihren Eltern angeben und auf *tolerant* machen, weil sie ein Mädchen mit nach Hause bringen, das läuft, als wenn es gleich von 'ner Mauer kippt. Dann sabber ich ihnen das Sofa voll, und die Eltern überlegen sich die Sache noch mal. Sie haben getan, was sie konnten. Und ich werd nie wieder eingeladen.«

Die Mikrowelle klingelte, und er setzte sich mit seinem Essen auf den Platz gegenüber. Er hatte es zu lange erhitzt, und die Chorizo war an den Rändern hart geworden. »Deine Lehrer und Mitschüler scheinen alle große Ehrfurcht vor dir zu haben.«

»Die Leute halten mich doch nur deswegen für so schlau, weil sie davon ausgehen, dass ich ein Idiot bin, wenn ich das erste Mal den Mund aufmache. Ich hör mich ja auch an wie ein Idiot. Wenn meine Stimme nicht so quäkig wäre und ich einen Busen hätte – auch wenn ich auf so was scheißen kann, Papa. Jetzt renn *bitte* nicht los und kauf mir einen Push-up oder irgendwas, weil ich nie einen Freund haben werde, selbst wenn mir irgendein Perverser gefallen würde. Ist aber nicht so. Alle finden es total erstaunlich, dass ich überhaupt einen vernünftigen Satz auf die Reihe kriege. Ich profitiere total von Stephen Hawking. Ich kann dir gar nicht sagen, Papa, wie oft ich schon gehört habe, dass ich mich genauso anhöre wie er. Als wäre das ein Kompliment! Der redet doch wie'n Vollpfosten.«

»Es gibt Schlimmeres«, sagte Jackson, pustete auf seine Gabel und entschuldigte sich insgeheim, selbst schon diese Parallele gezogen zu haben.

»Ich krieg bessere Noten, als ich's verdiene. Meine Aufsätze sind zum Kotzen. Ich kann nicht tippen. Aber kein Lehrer traut sich, mich durchfallen zu lassen. Die haben alle Angst, dass sie verhaftet werden. Könnte ja nach *Diskriminierung* aussehen.«

Da ihre Aufsätze dazu tendierten, den überschwänglichen Anarchismus ihres Vaters nachzuahmen, wenn auch in kryptischer und oft beunruhigend parodistischer Form, war Jackson gekränkt. »Deine Aufsätze sind vielleicht kurz, aber sie sind origineller als die meisten Aufsätze deiner Mitschüler, das kann ich dir garantieren.«

»Schon möglich«, gab sie zu. »Nicht dass diese Grenzdebilen den Unterschied merken würden. Ich könnte den Text von 'ner Cornflakesschachtel abschreiben, und sie würden immer noch Oh und Ah rufen. Der ganze Lehrkörper an der Henry Howe hat Angst vor mir. Sie sind alle gewarnt worden, dass ich mich bloß nicht ›zu sehr aufregen‹ darf. Genau wie Mama, verstehst du. So seelenruhig und entspannt zu tun, wenn sie mir am liebsten eine runterhauen würde. Wer mich jemals bei 'nem Anfall erlebt hat, hat *richtig* Schiss. Wie in dieser Episode von *Twilight Zone*, wo der gruselige kleine Junge jeden, der ihm dumm kommt, in einen Kastenteufel verwandelt oder ins Maisfeld schickt. Niemand macht mich fertig, weil ich irgendwas nicht gelesen habe. Wenn ich die Hausaufgaben nicht mache, sagt kein Schwein was.« Flicka knüllte ihr Arbeitspapier zu einer losen Kugel zusammen und warf ihn in Richtung Mülleimer.

Sie traf daneben.

»So viel zu deiner Basketballkarriere«, sagte Jackson und hob das zerknüllte Papier vom Boden auf. Er spielte mit dem Gedanken, es auseinanderzufalten und zurück auf den Tisch zu legen, aber was würde das bringen? Er warf es in den Müll. Weil sie nun mal in allem recht hatte; sie war jetzt schon genial im Ausrechnen der Variablen, die für ihr Leben eine Rolle spielten. Andererseits, wenn er sie ohne ihre Mathehausaufgaben davonkommen und ihrem eigenen Vater ins Gesicht fluchen ließ, hieße das, dass sie so ziemlich mit allem anderen durchkäme. Er liebte sie, aber sie war einfach unausstehlich. Er liebte sie genau aus dem Grund, weil sie unausstehlich war, und das spornte sie dazu an, nur noch unausstehlicher zu sein.

Nichtsdestotrotz glaubte Jackson an Bildung, eben weil er während seiner eigenen Schulzeit nicht daran geglaubt hatte. Auf der Highschool hatte er seine Lehrer verachtet und war der Überzeugung gewesen, mehr zu wissen als sie, und erst Jahre später ging ihm auf, dass sie vielleicht doch in der Lage gewesen wären, ihm das eine oder andere beizubringen, als er noch jung und lernfähig war. Als Erwachsener hatte er versucht, sein irriges Gefühl der Überlegenheit wettzumachen, indem er sich jede Information einverleibte, die er zwischen die Finger bekam, doch es quälte ihn, dass er keinerlei Gerüst hatte; er war nicht in der Lage, diese Wundertüte in ordentliche kleine Fächer zu unterteilen, er konnte die vereinzelten Fakten nur planlos in einen mentalen Pappkarton werfen. Manches von dem, was er aus dem Internet gezogen hatte, war dubios, denn das Netz war wie die Bibel; wer lange genug darin herumwühlte, konnte zu jeder Meinung eine eiserne Gesinnungsgemeinschaft finden. Aufs College zu verzichten schien ausgebufft, damals, als Allrounder mit Aufträgen überschüttet wurde; *Shep* hatte ja schließlich auch keinen Abschluss gebraucht. Was man auf dem College lernte, war wahrscheinlich sowieso hauptsächlich Mist. Doch das war nur eine Ahnung, und wenn er tatsächlich studiert hätte, *wüsste* er, dass es hauptsächlich Mist war.

»Papa, heute in Chemie hatte ich einen Schwächeanfall, und ich durfte früher nach Hause!« Heather war in die Küche gestapft und steuerte direkt auf den Gefrierschrank zu, um sich ein Eis am Stiel zu holen. In den letzten paar Wochen hatte sie noch mal gut fünf Pfund zugelegt. Wie man's machte, war es verkehrt. Durften sie alles, wurden sie fett. Setzte man sie auf Diät, entwickelten sie ein gestörtes Verhältnis zum Essen, aßen heimlich und wurden fett. Vielleicht konnten er und Carol schon von Glück reden, dass Heather zumindest nicht versuchte, ihre Schwester auch noch in puncto Magerkeit auszustechen, ein Wettbewerb, den sie wahrscheinlich nicht überlebt hätte.

»Aber jetzt ist wieder alles okay?«, fragte Jackson.

»Eigentlich nicht.« Heather schaute leidend. »Mir ist immer noch ein bisschen schwummrig.«

»Wenn du dich nicht gut fühlst, solltest du vielleicht lieber kein Eis essen.«

»Vielleicht hab ich Unterzuckerung. Kimberley muss die ganze Zeit süße Sachen essen, weil sie sonst in Ohnmacht fällt. Papa?« Heather krabbelte auf seinen Schoß. Als ihr Po mit voller Wucht auf ein gewisses Körperteil traf, durchzuckte ihn ein solcher Schmerz, dass ihm die Tränen in die Augen traten. Er versuchte, sie unauffällig zur Seite zu schieben. »Ich kann mich im Unterricht nicht konzentrieren, und ich muss die ganze Zeit zappeln. Vielleicht brauch ich ja eine höhere Dosis Cortomalaphrin.«

Herrgott, schon seit Monaten war sie versessen darauf, sich eine Lernschwäche attestieren zu lassen. Die Wahrheit sah so aus, dass Heather einfach nicht so gescheit war wie ihre ältere Schwester, und vielleicht stellte ja ein ganz normaler Durchschnitts-IQ auch schon eine Art Lernschwäche dar. Komisch, wenn man einfach nur dumm war, dann war man auf obskure Weise selbst schuld daran, aber sobald man »ADS« hatte, wurden die intellektuellen Defizite plötzlich zu einem einwandfrei medizinischen Problem. Es ergab eigentlich wenig Sinn, dass Kinder mit Lernschwäche bei standardisierten Tests so viel Zeit bekamen, wie sie wollten, während die hoffnungslos dummen Kinder beim Läuten abgeben mussten, wo doch beide Lager gleichermaßen Opfer ihrer Gene waren. Eigentlich hätten doch die dummen Kinder verdammt noch mal mehr Zeit bekommen müssen, denn ein Medikament, das einen klüger machte, war bisher noch nicht erfunden worden.

»Vielleicht«, sagte Jackson. »Aber meinst du nicht, dass du einfach nur besser aufpassen musst?«

»Kapier ich nicht.«

»Aufpassen ist nichts, was einem passiert. Man zwingt sich dazu. So wie du dich zwingen kannst, nicht zu zappeln.«

»Wie denn?«

Jackson wackelte mit dem Knie, auf das er sie geschoben hatte, und während sie durchgeschüttelt wurde, machte Heather ah-hah-ah-hah-ah und rief lachend: »Hör auf!«

»Ich zappele! Und wenn's nach dir geht, kann ich nicht damit aufhören!« Vorsätzlich schüttelte er sie so lange durch, bis es ihr zu viel wurde, und erst dann pflanzte er seinen Fuß auf den Boden. »Siehst du. Mit dem Aufpassen ist es genauso. Die Lehrerin redet gerade über eine Geschichte, die ihr im Unterricht gelesen habt, und du hast angefangen, darüber nachzudenken, auf was für eine Sorte Eis du Lust hättest. Dann beschließt du, erst später über das Eis nachzudenken und erst mal über die Geschichte.«

»Glaub ich aber nicht, dass das so geht. Ich glaube, ich brauch mehr Cortamalaphrin.« Heather wand sich auf dem Schoß ihres Vaters und drehte den Kopf hin und her. »Iiih, hier stinkt's!«, erklärte sie und rutschte von seinem Knie.

Ausnahmsweise war es ein Glück, dass Flicka keinen Geruchssinn hatte.

»Passt mal auf, ihr beiden«, sagte Jackson und angelte ein paar zusammengefaltete Ausdrucke aus seiner Jackentasche. »Wie wär's mit einem Spiel.«

»Wir können kein Spiel spielen«, sagte Heather. »Wir haben keinen Computer in der Küche.«

»Für dieses Spiel braucht man keinen Computer. Es ist ein Denkspiel. Ein Freund von mir hat mir eine Schulprüfung aus dem Jahr 1895 gemailt. Wisst ihr, wann das war?«

Ratlos verzog Heather das Gesicht. »In der guten alten Zeit?«

Selbst hinter den dicken Gläsern war zu erkennen, wie Flicka die Augen verdrehte. »Man sollte meinen, dass eine Fünftklässlerin in der Lage sein sollte, ohne Taschenrechner 2005 minus 1895 zu rechnen.«

»Gut, Flicka, wenn du jetzt so hart ins Gericht gehst mit deiner Schwester, dann wollen wir doch mal sehen, wie gut du bei einem Test abschneidest, der für ganze zwei Stufen tiefer konzipiert ist.«

»Drei Stufen«, widersprach Flicka verächtlich. »Wenn ich nicht ständig ins Krankenhaus müsste, wär ich schon in der Elften.«

»Dann eben *drei* Stufen. Jetzt passt auf, im Jahr 1895 musste jeder Schüler diese Prüfung bestehen, um in Salina, Kansas, in die neunte Klasse zu kommen. Was irgendwo in der Pampa liegt. Am Arsch der Welt. Und wir leben in New York, dem Zentrum des Universums, und wir sollten doch eigentlich viel intelligenter und kultivierter sein als diese Hinterwäldler im mittleren Westen, stimmt's?«

»Stimmt!«, sagte Heather.

»Und wir leben im Zeitalter der Technik und so weiter, also müssten wir doch eigentlich viel mehr wissen als die Leute damals vor über hundert Jahren, stimmt's?«

»Stimmt!«, sagte Heather. Flicka besaß keinerlei Teamgeist und weigerte sich mitzuspielen. Außerdem roch sie den Braten und blickte misstrauisch auf das Blatt Papier in der Hand ihres Vaters.

»Fangen wir mal mit der ersten Frage an, total einfach: ›Nenne neun Regeln für die Verwendung von Großbuchstaben.‹«

»Meinen Namen, meinen Namen!«, rief Heather.

»Sehr gut. Eine Regel. Wie lauten die anderen acht?« Flicka haderte sichtlich mit sich. Da die meisten Leute tatsächlich bei der ersten Begegnung mit ihr annahmen, sie sei »lernbehindert«, ließ sie kaum eine Gelegenheit aus, das Gegenteil unter Beweis zu stellen.

Sie zuckte mit den Schultern. »Länder. Städte. Bundesstaaten.«

»Gut. Aber ich wette, unsere Freunde in Salina, Kansas, würden dafür plädieren, dass Ortsnamen nur als eine Regel zählen.«

»Herr und Frau und so was«, sagte Flicka. »Satzanfänge.«

»Super«, sagte Jackson und kam sich ausnahmsweise wie ein echter Vater vor. »Das wären schon vier Regeln. Jetzt brauchen wir nur noch fünf.«

»Wenn man in einer E-Mail richtig wütend ist!«, sagte Heather.

»Stimmt, aber 1895 gab's noch kein E-Mail, also würde ich sagen, das zählt nicht.«

»Titel von Büchern und Filmen«, sagte Flicka. »Organisationen, wie PETA.«

»Hervorragend. Noch drei Regeln.«

Schweigen. »Mir ist langweilig.«

»Dir ist nicht langweilig, Flicka, du bist einfach nur mit deinem Latein am Ende.«

Zugegeben, ihre Augen mussten bei Gelegenheit nachbenetzt werden, aber dass es gerade jetzt sein musste, sah nach Berechnung aus.

»Gut, dann nehmen wir eine andere Frage«, sagte Jackson. »Nenne die Wortarten, und definiere solche, die keiner Modifikation unterliegen.«

»Was ist denn schon wieder 'ne *Modifikation,* verdammte Scheiße?«

»Zügle deine Zunge«, sagte er, der vollendete Papa. »Und fragt nicht mich, ich stelle nur die Fragen. Könnt ihr denn wenigstens die Wortarten benennen?«

»Lange und kurze Wörter?«, sagte Heather.

Flicka verengte die Augen. »Ist das so was wie *Hauptwörter* und *Tuwörter?*«

»Substantive und Verben. Du willst mir doch nicht erzählen, dass ihr in der zehnten Klasse immer noch *Haupt-* und *Tuwörter* dazu sagt.«

»Doch, will ich. Und ich kann nichts dafür«, sagte Flicka.

»Nein, das stimmt. Aber ich zahle Steuern bis zum Abwinken, damit ihr Mädchen was lernt, und derart bescheuerte Ausdrücke will ich nicht hören.«

»Ich hab dir doch vorhin schon gesagt, ich sollte diesen ganzen Scheiß nicht lernen müssen. Die Leute verschwenden nur ihre Zeit, und meine auch.«

»Das Schulsystem zielt nicht auf Schüler ab, die wahrscheinlich noch vor ihrem einundzwanzigsten Lebensjahr tot sind«, sagte er schroff. Das hätte er nicht sagen dürfen, aber Flicka stellte sich auf so grausame Weise ihrer tödlichen Krankheit, dass er manchmal den Fehler beging, im Gegenzug genauso grausam zu sein. Wichtiger noch, die Schmerzen in seinem Schritt waren inzwischen fast ununterbrochen zu spüren, wodurch sein Geduldsfaden dünner und sein Urteilsvermögen geschwächt war. Er versuchte das Heft wieder in die Hand zu bekommen.

»Dann wollen wir mal zum Matheteil übergehen«, schlug er vor. »Ein Karren ist zwei Fuß tief, zehn Fuß lang und drei Fuß breit. Wie viele Scheffel Weizen kann er fassen?«

Flicka verschränkte die Arme. »Du weißt doch, dass ich scheiße bin in Mathe.«

»Wie wär's dann mit Erdkunde? ›Nenne alle Republiken Europas und die jeweils dazugehörige Hauptstadt.‹«

»Okay, Papa, ich hab's verstanden. Wir sind alle Vollidioten, und in der ›guten alten Zeit‹ waren alle Genies. Aber du weißt die Antworten doch genauso wenig.«

Er lachte und wollte gerade zugeben, dass er tatsächlich nicht in der Lage wäre, mehr als zwei bis drei Fragen der fünfstündigen Prüfung zu beantworten, als Carol eiligen Schrittes die Küche betrat. »Warum willst du deinen Kindern unbedingt das Gefühl vermitteln, sie seien dumm?«

»Das will ich nicht! Ich will ihnen das Gefühl geben, sie seien ungebildet, und das sind zwei Paar Schuhe.«

»Ich möchte wetten, dass sie den Unterschied nicht verstehen.« Carol riss ihm das Blatt aus den Händen. »Was ist das?

›Der Bezirk Nummer dreiunddreißig hat ein Wertgutachten von 35 000 Dollar. Wie hoch ist die Gebühr, um sieben Monate lang bei 50 Dollar pro Monat plus 104 Dollar Nebenkosten eine Schule zu führen?‹ In der achten Klasse? Da will dich jemand auf den Arm nehmen, Jackson. Heather, Zeit zum Zähneputzen.«

»Das ist kein Witz. Das war eine echte Prüfung.«

»Ach ja, und woher weißt du das?«, sagte Carol. »Glaubst du immer alles, was in deiner AOL-Inbox landet und deinem Unmut Vorschub leistet?«

»Wir zahlen gutes Geld, damit unsere Kinder was lernen. Stattdessen werden sie so verhätschelt, dass Heather nicht mal mehr vernünftige Zensuren bekommt. Was lesen wir auf ihrem Zeugnis? ›Gleichbleibende Leistungen‹, ›meist zufriedenstellend‹ oder ›macht das und das mit Unterstützung des Lehrers‹. Es gibt kein ›mangelhaft‹, ›weigert sich‹ oder ›macht's zwar, kommt aber nur Mist dabei raus‹. Und du hast diesen Newsletter doch gesehen: Lehrer dürfen jetzt keinen *Rotstift* mehr benutzen. Rot sei zu ›konfliktträchtig‹ und ›drohend‹, also werden ihre Tests jetzt in ›beruhigendem‹ Grün korrigiert. Um die Lernatmosphäre ›angenehmer‹ zu gestalten, haben sie jetzt das Klingelzeichen zwischen den Stunden abgeschafft. Wenn das so weitergeht, wird Heather groß und bekommt einen Job, und wenn ihr Chef dann zum ersten Mal zu ihr sagt: ›Sie sind zu spät‹, oder wenn er ein minimales Problem damit hat, sie für eine Arbeit zu bezahlen, die sie nicht gemacht hat, weil sie *keine Lust dazu hatte,* dann springt sie von der nächsten Brücke.«

»Nur weil deine eigene Schulzeit grausam war und die Schüler gegeneinander ausgespielt wurden«, sagte Carol, »heißt das noch lange nicht, dass deine Töchter die gleichen Methoden öffentlicher Demütigung ertragen müssen.«

Carols hektische Bewegungen waren der einzige Indikator, dass sie wütend war. Sie knallte die Teller zwar nicht gerade in den Geschirrspüler, aber er merkte an der kontrollierten Entschlossenheit, mit der sie sie in ihre Fächer stellte, dass sie sie am liebsten gegen die Wand gepfeffert hätte.

»Übrigens, deine Chorizo-Kichererbsen waren hervorragend.«

»Versuch jetzt bloß nicht, mir Honig um den Bart zu schmieren. Flicka, bist du fertig mit deinen Mathehausaufgaben?«

Dass bei ihrer Mutter die »Ich muss keine Hausaufgaben machen, weil ich ja sowieso bald sterben muss«-Nummer nicht zog, war ihrer älteren Tochter klar. »Hab ich … schon fertig«, sagte sie vage. Zum Glück für Flicka hatte ihre Mutter gerade andere Dinge im Kopf.

»Wie geht's Glynis?«, fragte Carol schroff, als wäre ihr die Antwort egal.

»Minimal besser. Etwas nervös, weil sie eigentlich noch im Krankenhaus hätte bleiben sollen, aber die Krankenversicherung nicht mehr zahlen wollte. Du musst es doch eigentlich wissen, du hast sie doch gestern noch besucht.«

»Sie hat immer noch Schmerzen. Ich glaube ja wirklich, dass sie sie zu früh nach Hause geschickt haben. Vermutlich hast du sie mit deinen reaktionären rechtslastigen politischen Ansichten behelligt.«

»Meine Ansichten sind nicht rechtslastig. Und es würde mich wundern, wenn sich Glynis durch mich ›behelligt‹ fühlen würde. Sie ist wahnsinnig wütend, und sie hat gern jemand um sich herum, der genauso wütend ist.«

»Jackson, du weißt ganz genau, dass das unangemessen ist.«

Jackson hasste das Wort *unangemessen,* das in der heutigen Zeit von verkniffenen Obertussen inflationär benutzt wurde, um andere dazu zu bringen, sich schmutzig zu fühlen und sich zu schämen. Man wollte am liebsten gleich nachgucken, ob man auch ja keine Bremsspuren in der Unterhose hatte. Das Wort hatte etwas absichtlich Verschwommenes, als wäre das, was man falsch machte, zu ekelhaft, um beim Namen genannt zu werden. Und es verlieh dem Normativen eine moralische Qualität. Der ständige Rückgriff auf das *Unangemessene* legte eine dünne fortschrittliche Lasur auf das, was eigentlich nichts anderes als altbackener Konformismus war.

Mit verächtlicher und demonstrativer Effizienz wischte Carol mit dem Schwamm über die Arbeitsflächen, als wollte sie sagen, er hätte wenigstens die Küche aufräumen können, statt die Zeit der Kinder mit einer offensichtlich fingierten Prüfung für Achtklässler zu verschwenden. Ihr Unmut war aufgesetzt, denn sie schäumte offenkundig vor Wut und war eigentlich dankbar, dass sie etwas zu tun hatte. Ohne Wäschewaschen, Rechnungen bezahlen, ein schwitzendes, näselndes Kind, das beständig rehydriert oder in Frischhaltefolie gewickelt werden musste, wäre Carol durchgedreht. Sosehr sie die häuslichen Pflichten als Zumutung empfinden mochte, so abhängig war sie doch von ihrem unablässigen, fieberhaften Aktionismus, denn die lebenswichtige Fähigkeit, auch mal gar nichts zu tun, war ihr längst abhanden gekommen. Carols Geschäftigkeit ähnelte dem vollen Terminkalender von Glynis' Mutter, nur dass Hetty zumindest auf der Jagd nach Selbstverwirklichung war; Carol rackerte sich immer nur für andere ab. Dieser zwanghafte Altruismus sah nach Selbstverleugnung aus, war aber noch viel unheimlicher. Sie hatte nicht mehr die geringste Ahnung, was sie für sich selbst wollen könnte; was brachte sie also schon für ein Opfer? Dass sie über die Jahre auf heimtückische Weise ihre persönliche Freude durch Tugendhaftigkeit ersetzt hatte, machte ihn traurig.

Klappernd verteilte Carol die üblichen Pillen. Nachdem Heather mit Nachdruck ins Bett geschickt worden war, saß Flicka noch am Tisch und nahm sich absichtlich Zeit mit dem Zerstampfen ihrer Medikamente. Das Mädchen war unverbesserlich neugierig und spürte, dass irgendetwas in der Luft lag. Ihre Mutter hätte Flicka liebend gern enttäuscht, konnte sich aber irgendwann nicht mehr zurückhalten. Während sie sich mit einem kleinen Besen auf die Suche nach verirrten Kichererbsen machte, murmelte Carol hartherzig in Jacksons Richtung: »Dann freust du dich ja jetzt bestimmt.«

»Zufällig hab ich mal keine schlechte Laune«, sagte er. Er hatte die Füße auf dem Stuhl neben sich aufgestützt und war beim zweiten Bier, und er rückte sich diskret zurecht, indem er eine Hand in die Hosentasche schob. »Aber ich hab den Eindruck, du meinst was Spezielles.«

»Du hast die Nachrichten gesehen?«

»Ach das.« Er war erleichtert. Natürlich würde Carol nicht auf andere Dinge anspielen, solange Flicka dabei war. Dennoch hatte jedes Thema, das bei ihnen auf den Tisch kam, eine verborgene Qualität, und er war selbst über eine derart ermüdende Zerstreuung dankbar, ebenso wie Carol dankbar war, den Boden fegen zu können. »Warum sollte ich mich darüber ›freuen‹, dass Terri Schiavo gestorben ist?«

Nachdem sämtliche rechtlichen Möglichkeiten von den Schwiegereltern ausgeschöpft worden waren, hatte man ihr auf Anraten des Ehemannes zwei Wochen zuvor die Magensonde entfernt. Die arme Frau aus Florida hatte weitaus länger durchgehalten, als ihre Ärzte gedacht hatten.

»Tja, diese ganzen unnötigen *Ausgaben*«, sagte Carol. »Du und Shep müsstet euch doch freuen wie die Schneekönige. Jetzt können wir ihren Tropf und einen Satz frischer Bettwäsche nach Afrika schicken.«

»Irgendwie bin ich schon erleichtert, dass sie von ihrem Leiden erlöst wurde«, sagte Jackson vorsichtig.

»Aber wenn's nach dir geht, hat sie doch ohnehin nichts mehr mitbekommen. Deiner Ansicht nach hat sie nicht mal mehr existiert. Wieso hätte sie also leiden sollen?«

»Schatz, ich hab keine Ahnung, warum dir an dieser Geschichte so viel liegt. Du kanntest sie nicht; sie war nicht deine beste Freundin. Es gab nur ein paar Fotos, die uns einen Eindruck davon vermittelt haben, wie sie vielleicht gewesen sein könnte, als sie noch ein Mensch war.«

»Sie war immer noch ein Mensch: Genau darum geht es doch! Und sie wurde ermordet! Man hätte ihr genauso gut eine Kugel in den Kopf jagen können.«

»Aber *ich* hab sie nicht umgebracht. Wieso bist du wütend auf *mich*?«

»Du hast sie sehr wohl umgebracht. Deine Einstellung hat sie umgebracht. Oh, guck mal, die Frau ist nicht mehr hübsch und unterhaltsam, also Stecker raus! Wen würdest du denn noch gern entsorgen, wenn wir schon dabei sind? Wer ist denn sonst noch zu teuer oder zu unpraktisch? Alte Leute? Oder Menschen mit Downsyndrom? Würdest du die auch in die Gaskammer schicken, nur weil sie deine Achtklässlerprüfung nicht bestehen? Du stehst da auf sehr dünnem Boden!«

»Wir leben nun mal auf dünnem Boden«, sagte Jackson, »ob's dir passt oder nicht. Ja, wir bringen andere Leute um. Wir geben Serienmördern tödliche Injektionen, und wir mähen die Taliban in Afghanistan nieder –«

»Nicht, wenn ich ein Wörtchen mitzureden hätte«, sagte Carol. Sie biss sich auf die Zunge und warf einen bestürzten Blick auf Flicka. Es war zu spät, sie aus dem Raum zu scheuchen.

»*Ich* bin jedenfalls froh, dass sie tot ist«, sagte Flicka.

»Flicka, so etwas darfst du nicht sagen. Niemals. Egal, über wen. Das ist hässlich.«

»Was ist denn daran so hässlich? Terri Schiavo war hirntot und hat keinem was genützt. Sie war total dick und schwabbelte die ganze Zeit nur im Bett rum.«

»Jetzt sollen also die Dicken dran glauben, ja?«

»Ich wette, wenn die Tante gewusst hätte, dass sie sich in so 'ne Tonne verwandeln würde, hätte sie selbst den Stecker gezogen. Die hatte nämlich total Bulimie und so Zeug.«

»Es steht uns nicht zu, ein Urteil darüber zu fällen, was ›gutes‹ und ›schlechtes‹ Leben ist«, sagte Carol, »oder was jemandem lieber wäre, wenn er nicht mehr für sich selbst sprechen kann. Ein Menschenleben ist heilig, Süße. Egal, in welcher Form. Vergiss das nicht.«

»Ich seh überhaupt nicht ein, was so verdammt *heilig* daran sein soll«, sagte Flicka stur. »Sich den Stress zu machen, weil Terri Schiavo den Löffel abgibt, ist doch genauso, als würde man auf einen Käfer treten und dann heulen.«

Flicka wollte ihre Mutter provozieren, sie aus der Fassung

bringen; sie und Shep hätten beide gern gesehen, wie ihre Mutter die Beherrschung verlor.

»Und du?«, fragte Carol mit kalter Stimme. »Stell dir vor, dich würde jemand als Käfer bezeichnen.«

Auch wenn sie wusste, dass es verboten war, setzte Flicka ihre Brille ab und rieb sich das Auge. »Genau so komm ich mir ja wirklich manchmal vor. Ich seh einfach nicht ein, warum das Leben immer so toll sein soll. Ich find's zum Kotzen. Ich kann's nicht ausstehen. Geschenkt! Terri Schiavo hat's gut.«

Wenn Flicka nicht FD gehabt hätte, hätte Carol ihr eine gelangt. Aber Flicka hatte FD.

»Am Leben zu sein ist ziemlich wunderbar im Vergleich zu allem anderen«, sagte Jackson.

»Woher willst du das wissen?«, fragte Flicka. »Für mich hört sich ›alles andere‹ großartig an.«

»Süße, du bist müde«, sagte Carol. »Wir bringen dich ins Bett.«

»Stimmt, ich bin müde«, sagte sie undeutlich. »Ich bin müde und hab's satt, diesen ganzen Mist. Juckende Augen unter Frischhaltefolie wie das Essen von gestern im Kühlschrank. In der Schule nie mal über den Flur gehen zu können, ohne diese bescheuerte Krankenschwester an der Backe –«

»Hör mal, wir haben lange und hart mit dem Bildungsausschuss verhan –«

»Ich *weiß*, wir hatten ›großes Glück‹, dass sie die Kosten übernommen haben, aber wie soll ich denn so Leute kennenlernen? Laura ist immer da. Ständig rückt sie mir auf die Pelle. Die hat voll Schiss, dass ich stolpere und an irgendwas ersticke und dass sie dann verklagt wird. Ständig heißt es »Süße« und »mein Täubchen«, ich hasse das. *Und* ich hab keinen Bock mehr, mit diesem Puls-Oximeter am Finger zu schlafen. Mit diesem bescheuerten Gepiepse. Und mit dem Signal das ganze Haus aufzuwecken. Meistens hab ich eh nichts, und der Apparat ist einfach nur im Arsch.«

»Pass auf«, sagte Jackson. »Wir haben dir doch schon tausendmal gesagt –«

»Ich weiß, dass ihr mir ›gern meinen Beutel füllt‹. Aber ich *will* nicht, dass ihr das macht! Ich will, dass wenigstens *irgendjemand* durchschlafen kann. Ihr seid jahrelang mitten in der Nacht nach oben getorkelt, weil das Kind wieder 'ne Dose Compleat braucht. Ich bin wie 'ne alte Schrottkarre, die ständig Öl verliert. Ich hab's einfach satt. Ist doch alles scheiße.«

»Klar ist es das!«, rief Jackson munter, packte Flicka unter den Armen und riss sie in die Luft; sie war so klein und leicht, dass man schnell vergessen konnte, dass sie sechzehn Jahre alt war. »Aber es ist alles, was wir haben. Du und Heather, ihr seid alles, was wir haben. Also sei lieb und halte durch, ja?«

Manchmal vergaß Flicka selbst, dass sie sechzehn Jahre alt war, und sie schmiegte sich an die Schulter ihres Vaters und ließ sich nach oben tragen.

»Ich halte das nicht aus, wenn sie so redet«, sagte Carol beim Zubettgehen. »Ich weiß ja, sie meint es nicht so, und es liegt wahrscheinlich am Klonopin und Depakote. Bei beiden steht unter den Nebeneffekten auch ›Selbstmordgedanken‹. Sie weiß also eigentlich gar nicht, was sie da sagt, aber es macht mir trotzdem Angst.«

»Vielleicht weiß sie es genauer, als du denkst.«

»Dann ist sie grausam. Als wäre das nötig, uns die ganze Zeit an ihre Verzweiflung zu erinnern. Sie benutzt ihre Krankheit, um uns zu provozieren.«

»Was denn sonst? Man nimmt halt das, was man zur Hand hat.« Als Carol ihren BH öffnete, spürte Jackson eine Regung, gefolgt von einem stechenden Schmerz.

»Was riecht denn da so?«

Jackson schnupperte. »Ich riech nichts.«

»Das stört mich schon den ganzen Abend. In der Küche, da zog es die ganze Zeit durch. Ich hab schon gedacht, vielleicht ist irgendwas in der Speisekammer schlecht geworden, aber jetzt ist es auch hier oben.«

»Ach so«, sagte er verlegen. »Ich hab gerade ein bisschen Probleme mit dem Darm. Liegt vielleicht an den Kichererbsen.«

»Ich weiß, wie ein Furz riecht, Jackson. Es riecht nicht nach Methan; es riecht verfault. Nach verdorbenem Fleisch.«

Er zuckte mit den Achseln. »Du hast immer schon die feinere Nase gehabt. Ich riech's einfach nicht.«

»Meinst du vielleicht, unterm Haus liegt ein totes Tier? Eine Ratte kann's wohl nicht sein. Eher eine Katze oder ein Waschbär. Wenn das nicht aufhört, wirst du dich wohl mal auf die Suche machen müssen.«

»Ein Handwerker im Haus muss sich ja irgendwie auszahlen. Solche vergnüglichen Aufträge kriegen wir bei Allrounder jeden Tag rein.« Nachdem er sein Hemd auf den Stuhl geworfen hatte, schlenderte Jackson in seiner Hose ins Bad.

»Jetzt machst du das schon wieder«, sagte Carol.

Jackson sprach laut, um das Plätschern zu übertönen; der abgewürgte Urinstrahl schoss ungleichmäßig in die Schüssel, und es brannte. »Was mach ich schon wieder?«

»Du machst schon wieder beim Pinkeln die Tür zu. Das geht jetzt seit Wochen so. Seit wann bist du so schüchtern? Ich hab dich doch schon tausendmal pinkeln sehen.«

Letzte Woche hatte Carol ins Badezimmer kommen wollen, und er hatte die Tür abgeschlossen gehabt. Das kam nicht gut an – sie dachte, er habe den Verstand verloren –, und er hatte sich eine lächerliche Ausrede ausgedacht, dass er es gewohnt sei, im Büro abzuschließen und einfach in Gedanken gewesen sei; dankbarerweise hatte sie ihn weder darauf hingewiesen, dass Urinale üblicherweise keine Türen haben, noch hatte sie ihn gefragt, weshalb er sich im Büro darauf verlegt habe, zum Pinkeln in die einzige Kabine der Männertoilette zu gehen. Nach diesem Zwischenfall noch einmal die Badezimmertür abzuschließen hätte deutlich mehr Verdacht erregt, als es die zusätzlichen Sicherheitsmaßnahmen wert waren. Heute konnte sie also unangekündigt ihren Kopf durch die Tür stecken. »Ach, komm«, sagte sie. »Du weißt doch, ich mag das ein bisschen.«

Er unterbrach die Übung, und noch bevor er die letzten Tropfen abdrücken konnte, stopfte er sich zurück in die Hose und tröpfelte hinter dem Hosenschlitz weiter. »Zu spät! Der Kick muss warten.«

Es war nicht der einzige Kick, der in letzter Zeit hatte warten müssen. »Ich wüsste, wie du's wiedergutmachen könntest.« Carol umarmte ihn von hinten, die warmen nackten Brüste an seinem Rücken. Großer Gott, er hätte die Sache längst enthüllen wollen, und der »ansteckende Ausschlag« hatte sein Mindesthaltbarkeitsdatum allmählich überschritten; bald würde Carol misstrauisch werden.

Trotzdem plante er, sich noch ein bis zwei Abende durchzumogeln, ähnlich wie sich bei einer vermeintlich leeren Zahnpastatube erstaunlich viel herausquetschen ließ. »Würde ich ja gerne, Schatz«, sagte er, während er mit der Sicherheitsnadel an seinen Boxershorts kämpfte. »Aber du weißt doch, was der Arzt wegen dieser Hautgeschichte gesagt hat. Glaub mir, diesen Mist willst du nicht auch haben.«

Carol erstarrte und ließ die Arme sinken. Als er sie auf dem Weg ins Schlafzimmer streifte, zogen sich seine Gedärme zusammen. Irgendwann musste man sich eingestehen, dass die Tube Colgate leer war.

»Hautausschläge sind normalerweise nicht ansteckend.«

»Dieser schon. Genau wie Fußpilz.« Er versuchte, ein wenig beleidigt zu klingen.

»Ich habe den Namen deiner Krankheit gegoogelt. Kein Eintrag.«

»Wie gesagt«, sagte er und nahm die Armbanduhr ab, wobei er seiner Frau den Rücken zukehrte, »sie ist sehr selten.«

»Es ist so gut wie unmöglich, irgendein medizinisches Problem nicht irgendwo im Internet zu finden, selbst wenn es nur fünf Leute haben.«

»Vielleicht hast du's falsch geschrieben.«

»*Genitalcortamachriase*, richtig? (Zugegeben, der Name seiner apokryphen Skrofulose erinnerte sehr stark an Heathers

Cortomalaphrin, aber er war unter Zeitdruck entstanden. »So viele plausible Schreibweisen gibt es nicht. Ich habe alle ausprobiert.«

»Klingt ja ganz so, als würde IBM dich fürs Surfen bezahlen!«

Ihr war nicht nach scherzen zumute. »Das erklärt noch immer nicht, warum ich's mir nicht mal ansehen darf. So schlimm kann dieser Ausschlag doch gar nicht sein. Und wenn er so schlimm ist, dann muss ich ihn wirklich sehen. Dieser Teil deines Körpers gehört teilweise auch mir.«

»Ein Mann hat nun mal seinen Stolz.« Jackson schlüpfte aus seiner Hose, wobei er darauf achtete, die Boxershorts nicht mit auszuziehen. Sie hatten mehr als genug Waschgänge hinter sich, und der Gummizug war ausgeleiert. »Die Salbe scheint zu wirken, aber sie braucht länger, als ich gedacht hätte.«

»Welche Salbe?«

»Na, die Salbe! Großer Gott, wieso werde ich hier ins Verhör genommen, wenn ich die ganze Zeit nur an dein Wohl denke?« Da er Angriff für die beste Verteidigung hielt – ihrer Verwirrung also am besten mit Zorn zu begegnen war –, warf Jackson demonstrativ die Arme in die Luft. »Denkst du, ich schlafe gern in Unterwäsche neben deinem nackten Körper? Denkst du, ich will auf Sex verzichten? Deine Gesundheit liegt mir am Herzen, mehr nicht, und übrigens ist das auch für mich ein Opfer –«

Das Herumgefuchtel hatte seinen Preis. Während er mit erhobenen Armen dastand, griff Carol zu und zog ihm die Boxershorts bis unter die Kniekehlen. Sie taumelte zurück, und dann stieß sie einen Schrei aus.

Sie war nicht zartbesaitet; Carol mit ihrem kühlen Temperament war grundsätzlich sehr viel eher dafür geschaffen, in einem unausgebauten Keller mit einer Taschenlampe nach einem verwesenden Waschbären zu suchen als ihr Mann. Tatsache war, dass er sie wahrscheinlich noch nie hatte schreien hören. Es machte ihm Angst. Ihre entsetzte Miene brachte ihn immerhin dazu, seinen Penis selbst zum ersten Mal mit der nötigen Objektivität in Augenschein zu nehmen.

Er hatte die falsche Farbe. Er war rot, aber nicht das pralle Kirschrot, das er bisweilen in seiner athletischen Pubertät angenommen hatte. Er hatte den lilafarbenen Grundton von roher Leber.

Die Nähte über seinen Eiern wuchsen langsam wieder zusammen. Das Fleisch quoll darunter hervor. Glitzernder gelber Eiter sickerte zwischen den Fäden hindurch. Befreit aus den Boxershorts stieg der Geruch noch penetranter herauf. Auch wenn einem die Absonderungen des eigenen Körpers meist weniger schlimm vorkommen, wurde bei diesem Gestank selbst Jackson blümerant. Das Tier aus dem Keller war nach oben gekrochen.

Aber das Schlimmste war die Form. Es sah nicht aus wie ein Schwanz.

Der Phalluskult seiner Altersgenossen hatte ihn eigentlich nie überzeugt. Als er etwa acht Jahre alt war, hatte ihn ein kleines Mädchen beim Pinkeln im Gebüsch überrascht und mit ähnlich reflexhaftem Entsetzen aufgeschrien wie Carol gerade. Vermutlich hatte das Mädchen noch nie zuvor einen Penis gesehen, und sie zeigte sich wenig beeindruckt. »Iiih, eklig, was ist *das* denn?«, hatte sie gerufen und war davongelaufen. Und dann war da dieses andere Erlebnis beim Sportunterricht in der Schule gewesen. Er war gerade erst in die Pubertät gekommen; er kam aus der Dusche, er fror. Dennoch hatte ihn der Spott eines viel größeren Mitschülers tief getroffen: *Möhrchen mit zwei Bohnen!* Danach hatten ihn die Jungen immer nur den »Vegetarier« genannt, ein Begriff, dessen unschuldiger Klang sie vor Strafe geschützt hatte. Seit Jackson denken konnte, hatte er sein Glied auf subtile Weise als Fremdkörper empfunden, als das andere, das in der Lage war, Verrat an ihm zu begehen. Vielleicht hatte er deswegen damit herumexperimentieren können, weil er das Anhängsel nie wirklich als Teil seines Körpers begriffen hatte.

Das Experiment war jedenfalls missglückt. Womöglich hatte er nie ganz nachvollziehen können, was Frauen an einem *Penis* attraktiv fanden – mit seiner schrumpeligen, viel zu dünnen Haut, dem schwabbeligen, schlackernden und haarigen Hodensack und dem kleinen Hütchen am Ende. Im Ruhezustand wirkte er verängstigt und deprimiert; aufrecht wirkte er dreist und doch unsicher, spielte sich auf und versuchte das Augenmerk auf sich zu ziehen. Carols Begeisterung für das Teil war ihm nie ganz geheuer gewesen; aufgrund der ihr eigenen Freundlichkeit war auf ihr Urteil kein Verlass. Doch selbst Carols Nächstenliebe hatte ihre Grenzen – im Moment gab sie sich keinerlei Mühe, ihren Ekel zu verbergen, ähnlich wie seine eigene Unzufriedenheit mit dem normal proportionierten Phallus ihre Grenzen hatte. Mit anderen Worten: Die unkorrigierte Fassung war immer noch um Längen besser gewesen als das.

Der klumpige Schlauch zwischen seinen Beinen erinnerte jetzt an die Tiere, die auf Kindergeburtstagen von bezahlten Animateuren hastig aus Luftballons zusammengeschraubt werden. Während der Schaft üblicherweise am unteren Ende immer dicker wurde, befand sich bei ihm jetzt hier die schmalste Stelle, denn das auspolsternde Kollagen war nach unten gesackt und hing wulstartig über der Eichel. Sein Schwanz hatte Rettungsringe. Auch der Gewebefüller hatte sich asymmetrisch verteilt; die Wulst war auf der rechten Seite dicker als auf der linken. Überragt von dem, was jetzt eher wie ein dritter Hoden herabhing, wirkte die Eichel kleiner und trauriger, eher wie ein Lutschbonbon. Und der Schaft saß zu weit unten. Das Durchtrennen der Bänder, die sonst ungenutzt in seinem Becken verstaut gewesen waren, hätte eigentlich zu vollen drei Zentimetern Länge führen sollen; jetzt schien ihm der Schwanz direkt aus den Eiern zu wachsen. Das seltsame Gebaumel störte das ästhetische Empfinden wie eine schmuddelige Kinderzeichnung an der Wand einer Männertoilette. Eine derart entzündete, aufgedunsene und eiternde Extremität war genau das, was ein Kriegsarzt im Feldlazarett auf der Stelle abgesägt hätte.

»Was hast du bloß getan?«, sagte Carol, als sie wieder zu Atem gekommen war.

»Mama?«, piepste jemand hinter der Schlafzimmertür. »Was ist denn?«

»Heather, Liebling, geh zurück ins Bett. Mami hat nur was gesehen und sich erschrocken. Eine Maus.«

»Ich hab aber Angst vor Mäusen. Die kommt in mein Bett und beißt mich!«

»Nein, Schatz, diese Maus wird niemanden beißen, nicht dich und definitiv nicht deine Mutter. Es war nicht mal eine Maus, haben wir gerade festgestellt. Sondern ein Strumpf. Ein zusammengerollter, stinkiger Strumpf, der nichts anrichten kann, überhaupt gar nichts. Ich wollte dich nicht erschrecken, tut mir leid. Jetzt leg dich wieder schlafen.«

Die Boxershorts in seinen Kniekehlen hatten seine Schmach nur verschlimmert, also hatte Jackson Heathers Klopfen an der Tür genutzt, um sie ganz abzustreifen. Mit hängenden Schultern saß er auf der Bettkante, die Hände vor dem Schritt verschränkt.

»Ich will die Kinder nicht noch mal wecken«, sagte Carol in angestrengtem Flüsterton. »Aber lass dir gesagt sein, egal, wie leise ich heute Abend spreche, eigentlich schreie ich die ganze Zeit.«

Als sie sich ihren Morgenmantel schnappte und ihn mit einem Doppelknoten zuschnürte, erkannte Jackson, dass er die Boxershorts wieder hätte hochziehen müssen, als er noch die Chance dazu gehabt hatte. Jetzt saß er da, klar im Nachteil. Er war dazu verdammt, diese Diskussion splitterfasernackt zu führen. Sich wieder anzuziehen hätte bedeutet, die Beweise zu unterschlagen – ähnlich wie ein Ladendieb, der beim Klauen erwischt wurde und den Schokoriegel zurück in die Tasche schob. Er konnte sich nicht erinnern, wann er sich zum letzten Mal so sehr wie ein kleiner Junge gefühlt hatte.

»Gehe ich recht in der Annahme, dass du dir das selbst angetan hast? Dass du das hast machen lassen? Dass du nicht bei der Arbeit mit dem Penis in eine Mangel geraten bist und einfach nur vergessen hast zu erwähnen, dass du einen Unfall hattest?«

Die Wortwahl war kalt: *Gehe ich recht in der Annahme.* Niemals hätte sie früher den Begriff *Penis* verwendet. Sie war nicht prüde, und ihr gefiel das Wort Schwanz mit seiner einsilbigen Wucht. Aber genau das war es, was er da gerade zwischen den Beinen hatte, einen Penis – mit seinem jämmerlichen Tonfall, seinem weichen, tief liegenden *n,* dem zusammengezuckten, eingezogenen Zischlaut. »Ich dachte –«

»Du hast dich einer dieser bescheuerten Operationen unterzogen, stimmt's?«

»Wir kriegen immer diese ganze Spam, und ...«

»Penisvergrößerungen sind der Grund, warum der liebe Gott die Delete-Taste erfunden hat. Du willst mir doch nicht erzählen, du hast dir im Internet irgendeinen Kurpfuscher gesucht?«

»Nein! Ich hab mich überweisen lassen. Trotzdem hab ich gedacht, die schalten doch nicht so viele Anzeigen, wenn sie nicht ... Anscheinend machen das total viele Leute.«

»Total viele Leute werden heroinsüchtig. Total viele Leute nehmen sich das Leben. Total viele Leute fahren zu schnell und knallen gegen einen Betonpfeiler. Das heißt doch nicht, dass du das auch machen musst.«

»Carol, wenn wir jetzt schon dabei sind, es bringt wirklich nichts, wenn du mich jetzt wie einen kleinen Jungen behandelst. Offenbar ist bei dem Eingriff irgendwas schiefgelaufen.«

»Das ist ja wohl die Untertreibung des Jahrhunderts. Wie konntest du bloß so etwas tun, ohne erst mit mir darüber zu reden?«

»Ich wollte dich überraschen«, sagte er betrübt.

»Na, herzlichen Glückwunsch. Die Überraschung ist dir gelungen. Ich bin fassungslos. Du, der große Desperado. Du, der mit beiden Beinen auf dem Boden steht, der immer seine Meinung sagt, der sich nicht an der Nase herumführen lässt von der *Regierung,* anders als wir restlichen Idioten. Wie konntest du nur so ... *einfallslos* sein?«

»Ich hab mich dieser Operation nicht unterzogen, um originell zu sein. Nur weil ich eine feste politische Meinung habe, heißt das nicht, dass ich mich nicht auch als Mann messen können will – im wörtlichen Sinne.«

»Hat das, was du mit dir da unten machst, nicht auch etwas mit mir zu tun?«

»Doch, klar, sicher. Aber du hättest Nein gesagt. Bei dir hätte es keine Diskussion gegeben, du hättest einfach nur dein Veto eingelegt. Und wenn du sagst, dass mein Schwanz auch dir gehört, ist das irgendwie lieb, aber er gehört nun mal nicht dir. Ich leihe ihn dir nur, und ich tu's mit größtem Vergnügen. Aber es ist und bleibt mein Schwanz.«

»Jetzt ja! Und zwar zu einhundert Prozent. Viel Spaß damit.«

»Ich dachte, es würde dir gefallen, wenn du das Ergebnis gesehen hättest. Und du weißt ja selbst, früher haben wir's ständig gemacht … bis Flicka kam.«

»Wenn ich die Ein-Uhr-Fütterung übernehmen muss und du die Vier-Uhr-Fütterung, und das jede Nacht? Es ist höchstens eine Frage der Erschöpfung gewesen, nicht der Lustlosigkeit.«

»Ja, aber als Flicka dieses Jahr anfing, sich selbst zu füttern, haben wir's auch nicht mehr gemacht … Wir haben die Frequenz nicht erhöht, oder? Ist doch so.«

»Sex ist eine Gewohnheit wie alles andere auch. Eine Gewohnheit, die man ablegen kann. Und so viel hat sich nicht verändert; wenn's nicht die Fütterungen sind, dann ist es was anderes, und wir sind immer noch erschöpft. Aber darum geht's doch gar nicht. Wenn du mehr Sex hättest haben wollen, hättest du's nur sagen müssen.«

»Ich hab's als kleine Starthilfe gesehen. Ich dachte, dass es dich anmachen würde. Dass er sich besser anfühlen würde. Für dich.«

»Du hast das also für mich gemacht? Das glaub ich dir keine Sekunde.«

»Okay, klar dachte ich, ich würde mich ebenfalls besser fühlen. Er kam mir halt immer –, na ja, ein bisschen klein vor, das ist alles. So im Vergleich. Ich glaube, Frauen verstehen so was nicht. So wie ich nicht verstehe, dass du dich dick fühlst, wenn du deine Tage hast, wo ich überhaupt keinen Unterschied sehe.«

Sie zwang ihn, ihrem Blick zu begegnen. »Klein im Vergleich zu *wem?*«

Er blickte zornig. »Zu anderen halt!«

»Ach ja.« Sie starrte ihn an, bis er die Augen abwandte und sich dabei etwas einzugestehen schien. »Sag mir bitte«, bedrängte sie ihn, »habe ich mich jemals beschwert?«

»Nein, aber das hättest du sowieso nie getan. Du bist einfach viel zu nett.«

»Ich habe es nie getan, weil ich nie ein Problem damit hatte. Dafür haben wir jetzt eins.«

»Das krieg ich schon wieder hin«, sagte er beharrlich, wobei die Behauptung einen unglaubwürdigen Beiklang hatte, der ihm bekannt vorkam; wie so viele der Mitarbeiter bei Allrounder kam er in seinem eigenen Zuhause als allerletztes dazu, einen Zugschalter zu reparieren oder ein Handtuchregal wieder festzuschrauben.

»Dir ist klar, dass das eine Schönheitsoperation ist und dass unsere Versicherung so etwas nicht übernimmt. Wo wir mit Eigenanteil und Zusatzzahlungen schon genug zu zahlen haben und uns allein Flickas Compleat einen Tausender im Monat kostet.«

»Ich werd das Geld schon irgendwie auftreiben«, sagte er mürrisch. »Ich kann bei Allrounder immer unter der Hand ein paar Jobs abgreifen.«

»Aber damit betrügst du Shep.«

»Nein, damit würde ich Pogatchnik betrügen. Ich hab zu Sheps Zeiten nie einen Job unterschlagen. Pogatchnik um seine Kohle zu prellen wäre mir dagegen eine Freude.«

»Wie viel hat das Ganze denn gekostet?«

Er zuckte mit den Achseln. »Ein paar Tausend.«

»*Wie viel?*«

Carol konnte jederzeit online die aktuellen Kosten nachprüfen, und wenn er log, würde sie genau das tun. Und wenn sie erst mal anfing herumzuschnüffeln, käme sie auch dahinter, dass man Länge und Umfang eigentlich nicht gleichzeitig machen lassen sollte; da er entschlossen gewesen war, sich schnell und heimlich den Eingriffen zu unterziehen, hatte er darauf bestanden, das Ganze in einem Aufwasch zu erledigen. Vielleicht hätte er stutzig werden sollen, als der Arzt gegen einen Aufpreis nachgab. »Mmm … sieben oder acht.«

»*Achttausend Dollar!* Mein Gott, woher hattest du das Geld?«

Normale Männer, echte Männer, hatten den Geldhahn ihrer Familie unter Kontrolle – im Burdina-Haushalt aber herrschte Carol über jedes Zehn-Cent-Stück. »Beim Hunderennen«, sagte er kleinlaut.

»Du hast mir *versprochen,* dass du aufhören würdest zu spielen!«

»Sieh mal, die Chancen, dass sich dieses elende Gen über den *distalen Arm des neunten Chromosoms* unserer beider Familien durch alle Generationen hindurch bis zu Flicka fortgepflanzt hat, müssen zehntausend zu eins gestanden haben! Da werd ich ja wohl aus meinem Naturtalent beim Glücksspiel ein bisschen Profit schlagen dürfen.«

»Ich fass es nicht, dass ich dieses Desaster irgendeinem armseligen Windhund zu verdanken habe, der zufällig einen guten Tag hatte. Wenn ich die Zeit zurückdrehen könnte, würde ich dem blöden Köter ein Brett über den Schädel schlagen.«

»Ich hab seitdem nicht mehr gewettet. Ehrenwort.«

Natürlich war diese Version der Ereignisse vollkommener Humbug, doch diese Geschichte war ein Geständnis zu seinen Ungunsten, weswegen sie ihm glaubte. In Wahrheit hatte er sich endlich ein eigenes Konto zugelegt – war das so empörend, dass ein vierundvierzigjähriger Mann sein eigenes Bankkonto hatte? –, auf dem Jackson die Trinkgelder und Erträge der durchaus nicht hypothetischen Jobs deponierte, die er seit Jahren bei Pogatchnik absahnte. Er hatte nebenbei nicht genug Kapital angehäuft, um mehr als das monatliche Minimum der Kreditkarten zu bezahlen, von denen Carol ebenfalls nichts wusste, ebensowenig wie von der Visakarte, zu deren Lasten 8700 Dollar zur Zerstörung seines Lebens gegangen waren. Carol machte sich immerzu Sorgen und wollte unbedingt die Hypothek abbezahlen, die sie aufgenommen hatten, um für Flickas Skolioseoperation aufzukommen und für alles, was dazukam. Er hatte keine Freude an der finanziellen Heimlichtuerei, betrachtete sie aber als edelmütiges Opfer zum Schutz des bisschen Seelenfriedens, das seiner Frau geblieben war.

Mit geschlossenen Augen rieb sich Carol übers Gesicht und atmete in ihre Hände. Während sie sich sammelte, fragte er sich, ob er jetzt davon ausgehen konnte, dass sie aufgehört hatte zu schreien.

»Tut das weh?«, fragte sie schließlich. »Es sieht aus, als würde es wehtun.«

»Ja, es tut weh.«

»Sehr?«

»Sehr.«

»Lass mich mal einen Blick drauf werfen.« Sie berührte seinen Oberschenkel, und aus ihrer sanfteren Miene schloss er, dass keine Gefahr drohte. Er zog die Hände zurück und öffnete die Knie. Sie hockte sich vor seinen Schwanz und griff vorsichtig nach dem Schaft, ähnlich wie man im Tierheim mit einem verängstigten Hund Kontakt aufnimmt, der von seinem früheren Herrn halb zu Tode geprügelt worden war. Als sie ihn erst zur einen, dann zur anderen Seite bewegte, zuckte er zusammen. »Welcher Pfuscher war das?«

»Den Namen hab ich von meinem Cousin Larry, als wir im letzten Sommer mal ein Bier trinken waren. Larry meinte, der Arzt wäre ein ›echter Künstler auf dem Gebiet‹, und seine Freundin hätte sich nicht mehr eingekriegt bei dem Ergebnis. Den von Larry hat er viel größer gemacht – oder ›noch größer‹, wie er sagte. Mann, Larry hat das einfach so erzählt, nicht so verdruckst und verschämt. ›Das ist man sich schuldig‹, hat er gesagt. Der war so gut auf diesen Typen zu sprechen, dass er sogar noch mal hin wollte, um sich die nächstgrößere Größe machen zu lassen.«

Sie verdrehte die Augen. »Als könnte man sich einen Penis bestellen wie ein Paar Schuhe. Hast du dir das Ergebnis von Larrys Operation denn angesehen?«

»Natürlich nicht! Du fragst doch keinen Kerl, ob er mal eben seinen Schwanz rausholt, wenn man zusammen in einer Bar sitzt. So 'ne Bar war das nicht.«

Behutsam berührte Carol mit der Handfläche die Nähte. »Fühlt sich heiß an. Funktioniert er denn noch?«

»Irgendwie schon. Ich hab noch nicht sehr viel damit experimentiert. Tut zu sehr weh.«

»Er ist so geschwollen, dass man schwer sagen kann, wie er aussehen wird, wenn die Schwellung zurückgeht. Aber er ist total entzündet. Am Ende holst du dir noch eine Blutvergiftung. Hast du Antibiotika genommen?«

»Eine Packung. Aber damit bin ich durch. Ich hab Bacitracin draufgetan.«

Sie berührte seine Wange, und er roch die Infektion an ihren Fingern. »Wir müssen dich ins Krankenhaus bringen.«

Jackson sah weg. »Ist mir zu peinlich.«

»Immer noch besser als eine Blutvergiftung. Und wenn du wartest, bis es noch schlimmer wird, fällt er dir am Ende noch ab. Ehrlich, wenn die Kinder nicht wären, würde ich jetzt sofort mit dir in die New-York-Methodist fahren. Morgen nimmst du dir frei, und sobald die beiden in der Schule sind, fahren wir in die Notaufnahme. Ich komme mit. Auch wenn du's eigentlich nicht verdient hast.«

»Carol, es ist mir total wichtig, dass niemand was davon erfährt, okay? Bitte erzähl es nicht weiter. Wenn sich das bei Allrounder rumspricht, kann ich einpacken.«

»Weiß Shep davon?«

»Nein! Shep darf das auf keinen Fall wissen.«

»Es ist mir ein Rätsel, was Männer unter einem ›besten Freund‹ verstehen. Was hat man davon?«

»Versprich's mir einfach.«

»Ich werde wohl kaum an die große Glocke hängen, was für einen Vollidioten ich geheiratet habe. Außerdem bist du doch derjenige, der nie die Klappe halten kann. Du hast schließlich gegen Sheps Willen der ganzen Belegschaft von Glynis erzählt.«

»Es war nur zu seinem Besten. Die haben ihn ständig wegen Pemba aufgezogen, und Pogatchnik hat dann wirklich eine Weile auf Mitleid gemacht, und Shep hatte das Arschloch vom Hals.« Ihre Vorwürfe kümmerten ihn nicht; er war froh über jedes andere Thema als seinen *Penis*. Nachdem sie sich die Zähne geputzt hatten, zog Carol ihren Morgenmantel aus und schlüpfte nackt unter die Bettdecke.

»Jetzt, wo du's weißt«, sagte er und dachte dabei, dass es gar nicht so leicht war, etwas Gutes in der Sache zu sehen, »muss ich wenigstens nicht mehr in meinen Boxershorts schlafen.«

Carol wandte sich von ihm ab und schaltete das Licht aus. »Eigentlich wär's mir lieber, Schatz, du würdest sie wieder anziehen.«

Kapitel 10

Shepherd Armstrong Knacker
Merrill Lynch Konto-Nr. 934-23F917
01.04.2005 - 30.04.2005
Gesamtnettowert des Portfolios: $ 571 264,91

Er wusste, dass es ein Fehler war. Doch sein ganzes Leben lang hatte er ein Auge auf die Zukunft gehabt – naiverweise unter der Annahme, dass es immer eine geben würde. Wenn er überhaupt vor seinem inneren Auge einen Schlussstrich gezogen hatte, dann war er weiß gewesen und hier und da mit Mangroven bewachsen, mit handgeschnitzten Kanus getupft, von farbenfrohen *kangas* erleuchtet. Wenn Shep Knacker im Begriff war, irgendwo einen Schlussstrich zu ziehen, dann in den Sand der Küste Pembas.

Er saß oben in seinem Arbeitszimmer und stellte Schecks aus. Obgleich das Zimmer wirklich nur ein Arbeitszimmer war und sonst nichts, hatte ihm sein Steuerberater davon abgeraten, das Zimmer von der Steuer abzusetzen. So etwas falle sofort auf, sagte Dave, und die Gefahr einer Prüfung durch das Finanzamt werde ungleich größer. Jeden April – und der letzte Monat war keine Ausnahme – schimpfte Jackson, dass die Frage »Haben Sie Ihr Arbeitszimmer steuerlich geltend gemacht?« ganz oben auf Seite 1 der Steuererklärung stand, sozusagen direkt hinter der Frage nach Namen und Anschrift. »Wird man etwa gleich auf Seite 1 gefragt, ob man sein Druckerpapier steuerlich geltend gemacht hat?«, schimpfte er. Dieses eine Kästchen ist reine

Schikane, um einen davon abzubringen, die einzige Sache einzutragen, die man rechtmäßig absetzen könnte und die diesen Gangstern vielleicht mehr wegnehmen könnte als einen heißen Marmeladendonut.« Wenn das eine Einschüchterungstaktik war, funktionierte sie jedenfalls bestens.

Und wenn man bedachte, welche Summen in den letzten Monaten aus diesem Zimmer geflossen waren, fielen ein paar Tausender mehr oder weniger für die Steuer ohnehin kaum ins Gewicht: Die Restaurantbesuche mit der Verwandtschaft aus Arizona an den Abenden, an denen er nicht in der Lage gewesen war, sich eine weitere kohlenhydratfreie Mahlzeit aus den Fingern zu saugen; astronomische Heizkosten, weil Glynis ständig fror und er trotz des ungewöhnlich frostigen Frühjahrs das Haus auf 26 Grad heizen musste, manchmal höher, wenn sie Schüttelfrost bekam; Laborrechnungen für die Bluttests, wobei ihr von den Spritzen immer noch flau wurde; und natürlich, was alle anderen Summen lächerlich gering aussehen ließ, die Operationen, die ein mächtiges Loch in das Merrill Lynch Konto rissen, gleichsam die finanzielle Entsprechung der Gewalt, die dem Unterleib seiner Frau angetan wurde; und nicht zuletzt die Chemotherapie, die sich pro Stück auf 40000 Dollar belief. Shep, der einst beim Kauf einer Tube Senf jeden Cent umgedreht hatte, wurde dieser Tage in Gelddingen nachlässig, ja fast gleichgültig. Er phantasierte davon, am nächsten Tag auf die Straße zu gehen und dem erstbesten wildfremden Menschen ein Bündel Geld in die Hand zu drücken. Nimm's, nimm alles. *Erspar mir die Qual, mich schrittweise davon trennen zu müssen.* Eigentlich war es Folter, Tod durch tausend Messerstiche, und lieber wäre ihm ein Dolchstoß in den Bauch gewesen – oder ein weltweiter Wirtschaftskollaps, der seine Dollarscheine zu kleinen Papierrechtecken reduzierte, mit denen man sich den Arsch abwischen konnte.

Er hatte die Tür nur angelehnt, um nach Glynis hören zu können, und tatsächlich pirschte sie schon wieder durchs Haus. Es war nach ein Uhr morgens, doch die Schlaflosigkeit, von der sie schon im Krankenhaus geplagt worden war, gehörte unweigerlich zu den Nebeneffekten von Alimta (oder wie Glynis sagte, zu den *Spezialeffekten*). Was extrem ungerecht war, wenn man bedachte, dass Müdigkeit einen weiteren *Spezialeffekt* des Medikaments darstellte. Gleich würde Shep sich zu ihr gesellen, gleich. Erst musste er sich zusammenreißen und die furchtbare Erkenntnis im Zaum halten, dass er, obwohl es kaum begonnen hatte, schon jetzt nur darauf wartete, dass das alles endlich ausgestanden sein würde.

Auf einem Regalbrett über seinem Schreibtisch stand eine Reihe von Notizheften, die er sich eigens von einem Schreibwarenhändler aus London kommen ließ – ein seltener Luxus. Die Heftrücken waren ordentlich in Filzstift beschriftet: Goa, Laos, Puerto Escondido, Marokko … Jedes Heft war voll mit handgeschriebenen Notizen: Preise für Grundnahrungsmittel – Brot, Butter, Milch. Durchschnittspreise für Häuser mit zwei bis drei Schlafzimmern. Gesetze für den Immobilienkauf als Ausländer und in restriktiveren Ländern die Empfänglichkeit der Beamten für Bestechung. Zuverlässigkeit der Telefondienste, Stromversorgung und Post. Bei den Auskundschaftungen der letzten zehn Jahre auch Informationen zur Internetversorgung. Zielorte und Wohngegenden. Kriminalitätsraten. Wetter. Besonders akribisch in den älteren Notizbüchern: detaillierte Checklisten über die Verfügbarkeit von Kunstschmiedematerialien – Silber, Lötzinn, Polierrot, Lötpaste –, und wie weit sie hätten reisen müssen, um die Acetylenflasche für den Schweißbrenner aufzufüllen, den Glynis verwendete. Da ihre Produktivität zu Hause immer mehr abgenommen hatte, waren letztere Notizen immer weniger gründlich geworden; sie dienten allein dem immer weniger glaubwürdigen Mythos, dass seine Frau im Ausland, wo die Materialien erst eingeführt und von korrupten Zollbeamten losgeeist werden mussten, ihr Handwerk ernster nehmen würde als hier, wo sie kaum je in ihrem Dachatelier gewesen war, obwohl sie alles Nötige im Jewelry District in Midtown Manhatten direkt vor der Nase hatte.

Es war seine Handschrift: die ordentliche runde Schrift eines fleißigen Schülers, bei der sich die Schweife der Gs und Ys immer wieder pflichtschuldig auf die Schreiblinie zurückzogen und die As und Os gewissenhaft geschlossen wurden. Seine Schreibschrift hatte noch immer ihre schülerhafte Gefallsucht, die nervöse Entschlossenheit, alles korrekt von der Tafel abzuschreiben. Zusätzlich zu den logistischen Notizen waren die Seiten mit Fotos zugekleistert: Bungalows in Kapstadt, die einst zu bescheidenen Preisen zu haben gewesen waren, Glynis, posierend vor einem Haufen leuchtender Früchte auf einem Freiluftmarkt in Vietnam. Karten von Pensionen, Speisekarten von Restaurants. Die Anschriften neu gewonnener Freunde, meist aus den englischsprachigen Kreisen der britischen und amerikanischen Exilanten, deren Gegenwart, wie sie sich von Anfang an geeinigt hatten, unabdingbar wäre. Er und Glynis waren, so das Prinzip, abenteuerlustig, aber realistisch; ohne die Gesellschaft Gleichgesinnter ginge es nicht. Doch egal, wie freundschaftlich das Verhältnis zu den neuen Bekannten gewesen war, sie hatten nach ihrer Abreise kaum mehr Kontakt zu den Ortsansässigen gehabt. Hatte Glynis erst mal das Land zu den Akten gelegt und so die Übung zur reinen Reminiszenz verdammt, hatte er das Heft nie wieder aufgeklappt. Die Hefte links im Regal waren schon ganz verstaubt.

Da sie niemals hingefahren waren, war das mit »Insel Pemba« beschriftete Notizheft so gut wie leer. Daneben lehnte ein Ordner mit Ausdrucken. Da er keine eigenen Notizen und Schnappschüsse hatte, bestand der Pemba-Ordner auf seiner Festplatte aus Links auf Reiseseiten und anderer Leute Urlaubsfotos. Mit wenig Geduld für abstrakte Recherchen hatte Shep lediglich genug Hintergrundwissen gesammelt, um einen Vortrag auf Grundschulniveau halten zu können. Pemba lag fünfzig Meilen nördlich von Sansibar. Da die Insel von den Portugiesen kolonialisiert worden war, wurde von den Einheimischen noch immer alljährlich ein Stierkampf abgehalten. Auf den Plantagen wurden nicht nur Nelken, sondern auch Reis, Palmen, Kokosnüsse und Mangos angebaut. Zur einheimischen Fauna zählten fliegende Füchse, Sumpfmangusten, Kokoskrebse und der rote Colobus-Affe. Natürlich war die Küche auf Meeresfrüchte ausgerichtet: Oktopus, Königsmakrelen, Garnelen.

Königsmakrele hatte er noch nie gegessen, und er hätte sie gern mal probiert.

Die Einwohnerzahl betrug 300 000, wobei die Zählung veraltet war. Es gab nur eine Handvoll Exilanten, die meisten davon Hoteliers. Doch je länger das Jenseits in seinem Kopf Gestalt angenommen hatte, desto weniger war Shep der Meinung, dass er »Gleichgesinnte« brauchte; vielleicht würde ein schrulliger Nachbar weiter oben am Strand schon reichen, damit seine Zunge nicht gänzlich am Gaumen festwuchs. Die Insel ließ nur eingeschränkten Tourismus zu, und dass sie so schwer zu erreichen war, kam ihm entgegen. Wenn die Insel schwer zu erreichen war, war auch er dort schwer zu erreichen, und genauso schwer würde es sein, wieder wegzukommen.

Er hatte die Namen der Orte transkribiert, um sie alle aussprechen zu können: *Kigomasha, Kinyasini, Kisiwani. Chiwali* und *Chapaka. Piki, Tumbi, Wingi, Nyali, Mtambili* und *Msuka.* Oder *Bagamoyo*, ein Dorf, das übersetzt »bewahre ein kühles Herz« bedeutete. Er liebte die Vorstellung, an einem Ort zu wohnen, den sein Rechtschreibprogramm nicht erkannte – und mit einer roten Zickzacklinie unterschlängelte. Er liebte die Aussicht, auf einem Flughafen namens *Chaka Chaka* zu landen. Als er seinen Mut zusammennahm, um Glynis sein Vorhaben zu verkünden, hatte er ein paar Sätze auswendig gelernt, und schon da waren ihm die lebhaften Jubellaute des Suaheli ans Herz gewachsen. Früher hatten ihn Fremdsprachen immer eingeschüchtert. Von allen Aufgaben, die ihm das Jenseits bescheren würde, hätte ihm am meisten widerstrebt, Bulgarisch lernen zu müssen oder, schlimmer noch, eine dieser subtilen tonalen Sprachen wie Thai. Aber Suaheli war eine Spielzeugsprache voller Wiederholungen von der Art, wie sie kleine Kinder erfinden: *polepole, hivi hivi, asante kushukuru.* Die

Sprache machte ihm keine Angst. Sie kam ihm vor wie ein Spiel.

Ähnlich verstohlen, wie man sich Pornos aus dem Internet runterlädt, schob Shep sein Scheckbuch zur Seite und zog die Zimmertür heran. Er schaltete seinen Computer ein und suchte nach den Links. Auf dem Bildschirm tauchte blaues, klares Wasser auf. Der Sand war nicht nur hell und fein, sondern wunderbar menschenleer. Er war nicht naiv, was Strände anbelangte. Er verherrlichte sie nicht, mit ihrem grellen, unerbittlichen Weiß. Er wusste genau, wie heiß sie werden konnten, wie monoton; er wusste, wie die Haut spannte, wenn Salzwasser darauf getrocknet war; wie sich der Sand in die Kopfhaut grub, wie er sich in die Bindungen von Taschenbüchern fraß und einem ins Haus folgte. Er wusste, dass es Fliegen gab. Aber nur weil man in der Nähe eines Strandes lebte, musste man sich ja nicht von früh bis spät auf eine Decke in den Sand knallen. Bei Sonnenuntergang würde die Hitze nachlassen, die Farben würden intensiver leuchten. Und egal, wie sehr man sich an die Aussicht gewöhnte, an die Vögel, die Kokoskrebse, die bei Ebbe über den Sand huschten, keine dieser Aussichten könnte jemals so ermüdend werden wie die Einkaufszentren von Elmsford, New York.

»Shepherd?«

Glynis hing im Türrahmen und drückte sich ein Taschentuch vors Gesicht. Über ihren Arm lief Blut. In seiner Hektik brauchte Shep einen Takt zu lange, um den Strand zu minimieren. Obwohl sie den Kopf zurückgeneigt hatte, waren ihre gelb unterlaufenen Augen geöffnet. Tatsächlich wäre er weniger peinlich berührt gewesen, wenn sie nackte Brüste oder eine Möse auf seinem Bildschirm gesehen hätte.

»Schon wieder Nasenbluten«, sagte er überflüssigerweise, um abzulenken von dem, was sie gesehen haben könnte. Mit einer Hand unter ihrem Ellenbogen schob er sie rasch zum Bad am Ende des Flurs. Sie hatte auf den beigefarbenen Teppich geblutet. Es war kein vorwurfsvoller Blick, mit dem er die Blutspur bemerkte; nur war jetzt er für den Haushalt verantwortlich, und er würde die Flecken wegschrubben müssen, bevor sie in die Fasern eindrangen. »Lass den Kopf im Nacken.«

Er schnappte sich einen Waschlappen, befeuchtete ihn und fuhr ihr damit über den Arm. Beim Entfernen der Schlieren traten die stecknadelgroßen Stiche auf ihrer Haut zutage, die sich nicht würden abwaschen lassen. Als hätte sie sich auf dem Bildschirmstrand gesonnt, war ihre Haut auch jetzt im Mai dunkel, fast gebräunt, nur grauer, gelber, trüber. Die Farbe ließ ihn an jene künstlichen Bräunungscremes denken, von denen sich niemand täuschen ließ. Und betrübt stellte er fest, dass sie trotz Dexamethason wieder einen schuppigen roten Ausschlag hatte. Die Haut war entzündet; sie hatte wieder gekratzt.

»Ich musste natürlich gerade diese Strickjacke anhaben.«

Er half ihr aus der bodenlangen Jacke aus cremefarbenem Kaschmir, einem Kleidungsstück, das sie über alles liebte. Die luxuriöse Strickjacke hatte die Wärme und Behaglichkeit eines Morgenmantels, nur dass sie darin nicht so deprimierend unangezogen wirkte, und jetzt war sie voller Blut. Sie musste also mit dem Morgenmantel vorliebnehmen, den er ihr holte, wobei er ihr versprach, auch noch das kleinste Tröpfchen Blut aus der Strickjacke auszuwaschen. Alles, was ihr Wohlwollen auslöste, was auch nur im Geringsten ihre Zuneigung für das Hab und Gut dieser Erde erhöhte, würde vor dem Teppich Vorrang haben.

Er brachte ihr eine Schachtel Papiertaschentücher und bettete sie auf dem mit Kissen gepolsterten Zweiersofa, das er in die Küche gerückt hatte, damit sie dort in eine Decke gehüllt sitzen konnte, während er die gemeinsamen Mahlzeiten zubereitete. Oder das, was von ihren Mahlzeiten noch übrig geblieben war. Mit diversen Häppchen hatte er mehr Glück als mit imponierenden Gerichten. Weil sie oft nicht die Kraft hatte, aufzustehen und sich an den großen Tisch zu setzen, hatte er einen kleinen Wohnzimmertisch reingeholt, an dem auch er sein Abendessen zu sich nahm, damit sie sich nicht ausgegrenzt fühlte. Shep legte ihr eine Fleecedecke um die Schultern. Zumindest das Nasenbluten schien aufzuhören.

»Tut mir leid wegen der Sauerei«, sagte sie, während er mit der Strickjacke zur Spüle ging. »Ich hätte besser aufpassen sollen, aber durch diese pneumatische Antipathie« – sie meinte natürlich periphere Neuropathie – »bin ich so ungeschickt geworden. Ich kann das Papiertaschentuch kaum noch spüren, und dann denke ich immer, ich hab's in der Hand, dabei hab ich's gar nicht in der Hand und lass es fallen. Total unheimlich. Fast als hätte ich gar keine Hände. Als wären sie mir amputiert worden.«

Beim Auswaschen und Ausdrücken und erneuten Auswaschen versuchte Shep sowohl energisch als auch gelassen und routiniert zu wirken, als wäre das, was er zu tun hatte, völlig unproblematisch. Natürlich war es unproblematisch, doch es war eine Kunst für sich, auch tatsächlich diesen Eindruck zu erwecken.

»Ich kann nur hoffen, dass es stimmt und die Symptome wieder weggehen, wenn wir mit dieser Runde fertig sind«, sagte sie. »Wenn ich meine Hände nicht spüre, werde ich wohl kaum mit der Metallsäge loslegen können.«

»So wie ich's verstanden habe, ist der einzige *Spezialeffekt*, um den sie sich sorgen, der permanente Verlust des Gehörs.«

»Entschuldigung, was hast du gesagt?«

Er sprach lauter. »So wie ich es verstanden habe –«

»Shepherd. Das war ein Witz.«

Natürlich, ein Witz. Wie konnte ihm das entgangen sein. Es erforderte seine volle Konzentration, sich immer wieder ins Gedächtnis zu rufen, dass Glynis immer noch Glynis war – eine echte Pogatchnik-Tautologie – und dass er sie nicht zu sehr mit Samthandschuhen anfassen oder wie ein Kind behandeln durfte. Doch das, was er als Nächstes sagte, war in der Tat elternhaft und löste ein altbekanntes Unbehagen aus, eine ähnlich perfide Komplizenschaft wie ganz am Anfang bei Dr. Knox.

»Du musst dich darauf konzentrieren, dass das alles wieder vorbeigeht«, sagte er. »Mir ist klar, dass das für dich die längsten neun Monate deines Lebens sind. Aber die Ausschläge, das Wundsein und die Neuropathie, das alles hört wieder auf, sobald du die Medikamente aus deinem Körper gespült hast. Versuch den Blick auf die Zielgerade zu richten.«

»Ich kann nur sagen, wenn ich *Den Lift nach Manhattan* ›unglaublich gut‹ vertrage, dann möchte ich nicht wissen, was schlechte Verträglichkeit heißt.«

Der Lift nach Manhattan bezog sich natürlich auf Alimta und Cisplatin. Die lustigen Spitznamen hatten für seine Frau nicht nur einen hohen Unterhaltungswert, sie bedeuteten auch eine Vereinnahmung, ein fragiles Machtgefühl. Sie würde sich nicht tyrannisieren lassen von der Pharmaindustrie mit ihren munteren Unsinnsnamen, deren unterschwelliger Positivismus angesichts des tatsächlichen menschlichen Leidens Glynis' gnadenlosen Spott erntete: Emend *(Amen)*, Ativan *(Atem sparen)*, Maxidex *(Mach's auf ex)*. Dabei hatte Glynis selbst eine gewisse Neigung, die schweren, verboten vielsilbigen Generika zu kapern und in harmlose, ja liebenswürdige Abweichungen zu verwandeln: Lorazepam versüßte sie zu *Marzipan*, Domperidone schäumte sie zu *Dom Pérignon* auf, und Lanzoprazol verdrehte sie zum *langsamen Walzer*. Die Mehrzahl dieser Medikamente sollte den *Spezialeffekten* der Chemotherapie entgegenwirken; auch diese Medikamente hatten *Spezialeffekte*, denen wiederum andere Medikamente mit womöglich wieder anderen *Spezialeffekten* entgegenwirkten, sodass die Anzahl der Pillen und Zaubermittel, die sie schlucken musste, potenziell unendlich war. Daher konnte keiner ihrer heiteren Kosenamen über den Umstand hinwegtäuschen, dass, wie Glynis zu sagen pflegte, ihr Körper »eine Giftmülldeponie« geworden war.

»Zumindest scheint die Übelkeit in deinem Fall nicht länger als ein paar Tage anzudauern«, bemerkte Shep. »Viele Leute kotzen sich über Wochen die Seele aus dem Leib.«

»Mann, da hab ich aber Glück gehabt.«

Shep hielt die Strickjacke gegen das Licht. Noch immer waren blasse lilafarbene Schatten zu sehen. Morgen in der Mittagspause würde er sie in die Reinigung bringen. In drei Stunden musste er »aufstehen«, vorausgesetzt, er schaffte es noch ins

Bett, was zweifelhaft war. »Hast du heute mit deiner Mutter gesprochen, oder musste sie wieder mit deiner Mailbox vorliebnehmen?«

»Nein, ich habe nicht mit ihr gesprochen. Warum sollte ich? Was gibt's schon zu sagen? Ja, ich habe meine Folsäure und mein Pterodactyl genommen.« (Selbst Shep musste kurz nachdenken, bis ihm einfiel, dass das Medikament in Wirklichkeit Pyridoxin hieß.) »Ich habe in letzter Zeit nichts erlebt. Ich sehe den ganzen Tag nur fern. Wir können uns nicht mal übers Wetter unterhalten. Wenn man nicht mehr aus dem Haus geht, gibt's auch kein Wetter. Am Ende unterhalten wir uns eine halbe Stunde darüber, was ich gegessen habe.«

»Das heißt, nicht genug.«

»Jetzt fang nicht wieder damit an.«

»Ich hab nie damit aufgehört.« Shep suchte einen Kleiderbügel und hängte die Strickjacke behutsam auf, um zu verhindern, dass beim Trocknen die Ellenbogen ausbeulten. Während er im oberen Stockwerk war, spülte er den Waschlappen aus und nahm die Blutstropfen auf dem Teppich in Angriff. Es gelang ihm lediglich, die einzelnen Tupfer in große rosafarbene Flecken zu verwandeln. Es war ein Schaden, dem er früher mit exzessivem Schrubben und scharfen Reinigungsprodukten beizukommen versucht hätte. Er hätte Angst um ihre Kaution gehabt, dass der Vermieter ihnen den Teppich in Rechnung stellen würde. Jetzt dachte er, scheißegal, ich tu nachher ein bisschen Salz drauf. Der Teppich seines Vermieters kümmerte ihn nicht. Ihre Kaution kümmerte ihn nicht. Also kümmerten ihn auch die Flecken im Flur nicht, und er warf den nassen Waschlappen ins Waschbecken. In Anbetracht der Sterblichkeit seiner Frau empfand er der eigenen Zukunft gegenüber eine befreiende Teilnahmslosigkeit. Die Anzahl der Dinge, die allmählich keine Rolle mehr spielten, ging gegen unendlich.

Zurück in der Küche, nahm er den Faden wieder auf. »Ich weiß, diese Telefonate sind mühsam. Aber deine Mutter will doch nur wissen, wie du dich fühlst.«

»Ich habe Krebs! Ich fühle mich zum Kotzen! Wie soll ich mich sonst fühlen!« Glynis' Atem ging wieder rasselnd. Die Anämie machte ihr Atemprobleme.

»Sie will nur eine gute Mutter sein«, sagte Shep.

»Sie will nur so *tun*, als wäre sie eine gute Mutter. Es ist alles nur Show, damit sie ihren anderen alten Schabracken erzählen kann, wie ach so fürsorglich sie doch ist. Sie will deren Mitleid einheimsen. Mitleid mit *ihr*, nicht mit *mir*. Sie ruft jeden Tag an, damit es *ihr* besser geht.«

Und was ist daran so verkehrt, hätte Shep fast gesagt, aber er biss sich auf die Zunge. Glynis wollte nicht, dass es anderen besser ging. »Jackson benimmt sich in letzter Zeit etwas seltsam«, sagte er und bettete ihre Füße auf ein paar Kissen. Das Hochlegen der Füße konnte die Schwellung zwar nicht verhindern, aber wenigstens in Schach halten.

»Wie denn?«

»Schwer zu sagen. Distanziert.« Er massierte ihr den Fußspann. Die geschwollenen Zehen standen einzeln ab wie winzige zusammengeschnürte Luftballons. »An manchen Tagen macht er sich in der Mittagspause rar, wo wir die eine ›Stunde‹ doch immer zusammen verbracht haben. Irgendwas scheint ihn zu beschäftigen. Wenn wir dann doch mal durch den Prospect Park laufen, sagt er kaum etwas.«

»Das ist ja mal was ganz Neues.«

»Vielleicht weiß er nicht, wie er mir gegenüber mit deiner Krankheit umgehen soll.« Ihre Fesseln waren immer so schlank gewesen! Er wollte ja, dass sie wieder zunahm, aber doch nicht an den Füßen. »Als du noch im Krankenhaus warst, schien er die Sache eigentlich im Griff zu haben, aber meistens, wie du sagst, mit diesen serienmäßigen Schimpftiraden ...«

»Das war ein Segen. Da musste ich mich wenigstens nicht unterhalten – Shepherd, ich will nicht undankbar sein, aber ich spüre überhaupt nichts.«

»Er hat sich mit dem, was los ist, überhaupt nicht auseinandergesetzt«, sagte Shep und gab dem Fuß einen abschließenden

Klaps, um die Kränkung zu überspielen. Gekränkt zu sein war sinnlos. »Gefühlsmäßig.«

»Jackson ist der abgekapselste Mensch, den ich kenne. Ich weiß nicht, wie Carol das aushält. Er ist der Typ, der in Gruppen extrem unterhaltsam ist. Aber unter vier Augen, bei mir zumindest, kriegt er nicht mal einen Satz wie ›Reich mir bitte das Salz‹ über die Lippen. Aber zwischen euch beiden muss das doch anders sein.«

Shep spürte die Erschöpfung in ihren Bemerkungen. Glynis war sehr gut darin, Charaktere zu analysieren. Sie war keine künstlerische Eremitin und hatte ein großes Netzwerk an Freunden. Ein beliebter ehelicher Zeitvertreib war immer die genüssliche, manchmal grausam präzise Analyse ihres Bekanntenkreises gewesen. Aber heutzutage musste Glynis schon so viel Energie aufwenden, um überhaupt einen Gedanken zu äußern, dass für die Meinung selbst kaum noch Platz blieb. Im Verlauf eines jeden x-beliebigen Tages gab es jede Menge Gedanken, die zu artikulieren sie einfach nicht die Kraft aufbrachte – den beschwerlichen Prozess zu durchlaufen, Wörter auszusuchen und sie in die richtige Reihenfolge zu bringen; ihren Mund zu öffnen, Luft durch ihre Kehle zu drücken, die Stimmbänder in Schwingungen zu versetzen. Shep hatte Mitleid, fühlte sich aber auch betrogen. Erschreckend bald würden die Überlegungen seiner Frau nicht mehr endlos zur Verfügung stehen und stattdessen eine endliche und eher dürftige Zitatensammlung darstellen, wie sie in den humorigen kleinen Bändchen zu finden waren, die zur Weihnachtszeit in den Buchhandlungen an der Kasse verkauft wurden.

»Es war tatsächlich mal anders zwischen Jackson und mir«, sagte Shep. »Aber in letzter Zeit haben sogar die Schimpftiraden –«

»Er ist so wütend, aber ich weiß nicht genau, auf was.«

»Ich weiß nicht, ob man das ›Wut‹ nennen soll, wenn man sich dabei so amüsiert.« Er schenkte ihr ungebeten ein Glas Sodawasser ein und drückte eine Scheibe Limette darin aus. Er konnte keinen Leerlauf ertragen, keine Sekunde, in der er nichts für sie tat. »Aber in letzter Zeit schwingt irgendwas in seiner Stimme mit. Er hat keinen Spaß.«

»Das ist eine Art Sperre, eine« – die Wörter waren schwer zu finden und schwer über die Lippen zu bringen – »Ausstrahlung. Ein Kraftfeld, um sich andere vom Leib zu halten.«

»Ich muss immer wieder daran denken, als ich ihn neulich in der New-York-Methodist-Klinik besucht habe, als er diese ›Infektion‹ hatte und am Tropf hing und Antibiotika bekam. Er hat nie genau gesagt, um was für eine ›Infektion‹ es eigentlich ging. Fand ich schon seltsam. Normalerweise ist doch immer *irgendetwas* entzündet, oder?«

»Ich weiß nicht; ich war auch drei Mal hintereinander wegen einer ›Infektion‹ im Krankenhaus.«

»Aber das liegt daran, dass du für jede umherirrende Bazille empfänglich bist. Und erzählt man normalerweise seinen Besuchern nicht detailliert von seiner Behandlung? Hat er auch nicht gemacht. Wir haben nicht darüber gesprochen, was er *überhaupt* hatte. Und letzte Woche hat er einen Tag im Büro gefehlt und nie erklärt, warum.«

»Ach, das wollte ich dir noch erzählen. Petra war heute hier«, sagte Glynis missmutig. Sie war fertig mit dem Thema Jackson.

»Ach ja? Und wie war's?«

Shep räumte die Geschirrspülmaschine aus und machte sich auf das Schlimmste gefasst. Petra Carson war Glynis' Kommilitonin von der Saguaro-Kunstschule, die älteste Freundin seiner Frau, und sie lebte jetzt auf der Upper West Side. Das Verhältnis zwischen den beiden Kunstschmiedinnen war im besten Falle angespannt. Ebenso wie seine Schwägerin Ruby, deren schieren Arbeitseifer er immer bewundert hatte, wenn auch nie direkt Glynis gegenüber, arbeitete Petra hart und mit enormem Ausstoß. Vermutlich war eher Fleiß als Begabung für ihren Aufstieg verantwortlich: ihre vielen Ausstellungen in wechselnden Kunsthandwerksschauen, ihre hilfreiche New Yoker Galerie. Dass sich jenes ausschlaggebende Attribut in der erhabenen

Welt der Kreativität vielleicht gar nicht allzu sehr von der einen lebenswichtigen Ingredienz unterschied, die sein eigenes prosaisches kleines Unternehmen zum Erfolg geführt hatte – stumpfe Ausdauer –, war eine Erkenntnis, die er nicht auszusprechen gewagt hätte.

Glynis pflegte Petras Arbeit als angepasst und nullachtfünfzehn zu bezeichnen. Anders als Glynis lehnte sich Petra nicht gegen die Grenzen des Handwerksbegriffs auf, sie wollte gar nicht unbedingt zur Welt der Kunst dazugehören. Sie stellte Schmuck her, tragbaren Schmuck, nicht mehr und nicht weniger. Und Shep fand das auch noch gut. Funktionalität sagte ihm zu. Er war Handwerker. Er hatte immer zu schätzen gewusst, dass seine Frau Dinge herstellte, die nicht nur attraktiv, sondern auch nützlich waren. Eigentlich hätten die Gegenstände dadurch doch wertvoller und nicht weniger wertvoll werden müssen. Insofern hatte er kein Verständnis für die verrückte Unterscheidung zwischen *Kunst* und *Handwerk*. Stellte man einen wasserdichten Tonkrug her, war er praktisch wertlos. Schlug man ein Loch in den Boden des Krugs, galt er auf einmal als Kunst, und man konnte Wucherpreise dafür verlangen. Wie pervers war das denn?

Eigentlich hätte eine lebensbedrohliche Krankheit die anhaltende Spannung hinsichtlich der Frage, welche von beiden Frauen die bessere Kunstschmiedin war, endlich aufheben müssen. (Für Glynis lag die Antwort auf der Hand.) Während kein Zweifel darüber bestand, wer von den beiden erfolgreicher war, lief seit Jahrzehnten eine stillschweigende Fehde, ob Petra denn auch zu Recht so viel Anerkennung genoss. Angesichts ihrer Krankheit hätte Glynis sicherlich einen Waffenstillstand ausrufen oder gar in einem Anflug von Großzügigkeit ihrer Kollegin endlich ein wenig Beifall zollen können. (Jetzt aber mal halblang, sagte Shep zu sich.) Doch was Glynis betraf, war die Rivaliät so erbittert wie eh und je. Sie wollte ihre älteste Freundin und Nemesis auf keinen Fall zu einem von vielen nichtssagenden Gutmenschen an ihrem Krankenbett degradieren.

»Kannst du nicht mal aufhören mit diesem Gewusel?«

Mit einem Pfannenheber in der Hand blieb Shep verdattert im Raum stehen. »Aber ich –«

»Ich verbringe den ganzen Tag mit Nichtstun. Es würde mich beruhigen, wenn jemand da wäre, der auch einfach mal nichts tut.«

Er zuckte mit den Achseln, warf den Pfannenheber in eine Schublade und zog einen Stuhl an ihr Zweiersofa heran. Es war eigenartig schwierig, ihrer Bitte nachzukommen. In diesen letzten Monaten war er nur am Rotieren gewesen, bei all den Aufgaben neben der Arbeit und den meistenteils gescheiterten Versuchen, sich um Zach zu kümmern, dessen Rückzug es ihm allzu leicht machte, ihn zu ignorieren. Wenn er einfach dasaß, wurde Shep unruhig, klaustrophobisch. Beschäftigung von früh bis spät war auch eine Art Therapie. Offensive Hilfsbereitschaft täuschte darüber hinweg, dass er in Wahrheit hilflos war.

»Stell dir vor, Petra hat nur geklagt.« Mühsam setzte sich Glynis in den Kissen auf und begann heftig zu husten. Ihre Freundin hatte sie offenbar gekränkt, wobei es kaum einen Besucher gab, der das nicht tat. Zorn war das Medikament ihrer Wahl. »Ach Gottchen«, krächzte Glynis, »diese Woche muss sie nach L.A. fliegen, zu ihrer Vernissage. Fliegen ist ja so schrecklich heutzutage; früher hat sie sich immer aufs Fliegen gefreut, und jetzt ist es für sie der Horror – die Sicherheitskontrollen und die Schlangen. Und die Vernissagen sind ja immer so öde, all die Schleimer mit ihren Komplimenten, und dann kauft keiner was, also nichts als leeres Gerede. Und das war erst der Anfang. Egal, was sie erzählt hat, alles, was sie machen muss, das endlose Polieren, der Versand und die Versicherung, und dann noch mit den Galeristen essen gehen – es war alles schrecklich, schrecklich, was für eine Last, was für eine Ausbeutung, wo ich nicht mal imstande bin, über die Straße zu gehen! Was denkt sich diese Frau! Am Ende hätte ich ihr wirklich eine reinhauen können.«

»Aber ... meinst du denn nicht, dass es den Leuten schwerfällt, dir von den schönen Dingen in ihrem Leben zu erzählen, wo es dir gerade so schlecht geht?«

»Sie hat keine Ahnung, wie viel Glück sie hat. Alle um mich herum scheinen sich immer nur selbst zu bemitleiden, und zwar wegen nichts und wieder nichts!«

Es war inzwischen so gut wie unmöglich, Glynis dazu zu bewegen, sich in andere hineinzuversetzen. Der Gerechtigkeit halber musste man sagen, dass Mitgefühl Kraft erforderte. Wut aber auch. »Es ist ihr peinlich, Gnu«, sagte er leise und beharrlich. »Sie wird instinktiv alles, was sie machen muss, als unangenehm darstellen, damit du das Gefühl hast, dass du's nicht gern machen würdest, da du es ja nicht machen kannst. Nicht aus Selbstmitleid, sondern weil sie Mitleid mit *dir* hat.«

»Ach, ich scheiß auf dich und dein ewiges Verständnis. *Ich* bin diejenige, die Verständnis braucht!«

Glynis kamen die Tränen. Er beugte sich über ihre Decke und wischte ihr mit dem Zeigefinger über die Wange. Wo er schon dabei war, nahm er ein Taschentuch, um das letzte bisschen getrocknetes Blut unter ihrer Nase wegzutupfen. »Deine Freunde haben dich lieb und wissen nicht immer, wie sie's dir zeigen sollen.«

»Ich hab's satt.« Sie schob sein Taschentuch weg und setzte sich mühsam wieder auf. »Diese Besucherparade. Cousinen, Tanten, die Nachbarn, die wir kaum kennen. Freunde von vor fünfzehn Jahren, die alle plötzlich aus ihren Löchern gekrochen kommen – als hätte es nicht einen guten Grund gegeben, warum wir in dieser ganzen Zeit nichts mehr zusammen unternommen haben: *Wir mögen uns einfach nicht so sehr*. Aber nein, alle wollen ihr Publikum. Sie haben sich von langer Hand vorbereitet, ihre kleine Präsentation. Alles, was sie *unbedingt noch gesagt haben wollen*. Wirklich, sie falten ihre Hände wie in der Kirche oder bei einer Buchkritik. Ich habe inzwischen schon so oft gehört, wie *liiieb* mich die Leute haben, dass es mir zu den Ohren rauskommt! Wenn du die Wahrheit wissen willst, im Moment wäre es mir fast lieber, es würde jemand durch die Tür kommen und sagen: ›Glynis, weißt du was? Ehrlich gesagt, deine Gesellschaft hat mir nie was bedeutet. Ehrlich gesagt, wir haben uns nie verstanden. Ich konnte mit dir noch nie was anfangen.‹ Oder meinetwegen sogar: ›Ich kann dich auf den Tod nicht ausstehen.‹ Das wäre mal erfrischend. Alles, nur nicht diese Sprüche, von denen mir kotzübel wird. Glynis, du bist so talentiert. Glynis, du hast so schöne Sachen gemacht. Glynis, du hast zwei wunderbare Kinder aufgezogen. Ich weiß nicht, wovon sie reden. Ja, für mich sind es vielleicht wunderbare Kinder, aber für andere sind Zach und Amelia doch nicht wunderbar, sondern einfach nur meine Kinder. Und diese ständigen Erinnerungen. Glynis, weißt du noch, als wir in Aspen im Skiurlaub waren und du dich verirrt hast. Glynis, weißt du noch, als wir klein waren und du dich als Goldgräber aus dem Wilden Westen verkleidet hast? Was soll ich denn dazu sagen? Was wollen diese Leute von mir? Klar kann ich mich erinnern, klar war das lustig oder gruselig oder doof. Ha ha ha? Und *ich hab dich sooo lieb*. Meistens habe ich die Leute, die hier auftauchen, alles andere als lieb. Meistens habe ich nichts und niemanden lieb, nicht mal dich!«

Shep wusste, dass er nicht gekränkt sein durfte, und strich ihr über das immer dünner werdende Haar. Glynis hatte eine Aversion gegen Gefühlsduselei; sie fühlte sich davon stets an Hetty erinnert. Aber da war noch etwas anderes, das sie in dieser Nacht umtrieb, etwas, das er nicht ganz nachvollziehen konnte. Was immer es war, sie musste es loswerden. Wie in den ersten Tagen nach der Chemo, als er ihr den Kopf gehalten hatte, bis auch der letzte Rest in die Toilettenschüssel getropft war.

»Diese ganze – Sentimentalität!«, fuhr sie gestikulierend fort. »Genau wie meine Mutter. Sie wollen sich einfach nur selbst besser fühlen. Sie *gehen alle auf Nummer sicher.* Sie *gehen auf Nummer sicher,* dass sie später kein schlechtes Gewissen zu haben brauchen. Sie haben ja ihre Pflicht getan. Sie haben ihren kleinen Text aufgesagt. Sie können zurück zu ihren fröhlichen Dinnerpartys und geselligen Feiertagen und Kindern, sie können wieder über die Fahrradwege von Tuscon radeln. Sie können mit gutem Gewissen zurück zum Tennis und zum Wein und zum Kino.«

»Du willst nicht, dass sie … ein gutes Gewissen haben?«

»Ich versuche wieder gesund zu werden. Ich lasse mir nicht aus Spaß an der Freude alle zwei Wochen dieses Gift in die Adern spritzen, sondern weil ich wieder gesund werden will. Und dann kommen diese Leute und lesen mir meine eigene Traueranzeige vor, Shepherd! An manchen Nachmittagen habe ich nicht mal mehr das Gefühl, dass ich persönlich anwesend bin. Es ist, als wären die Leute zur Leichenschau gekommen, als läge ich aufgebahrt in meinem Sarg. Ich bin hier am Kotzen und habe am ganzen Körper diese ekelhaften Ausschläge, letzte Woche konnte ich kaum schlucken wegen der Geschwüre in meinem Mund. Ja, ich *sehe* aus wie eine Leiche, aber noch bin ich hier und lasse diesen ganzen Scheißdreck über mich ergehen. Es bringt mir nichts, wenn diese Arschlöcher reihenweise durch mein Schlafzimmer ziehen und Erde auf mein Grab werfen!«

»Ist ja gut«, sagte er und bettete ihren Kopf an seine Schulter. »Ich versteh's jetzt.« Dem unaussprechlichen Wort mit *T* war sie in all den Monaten nie so nahe gekommen wie in diesem Moment.

Er überredete sie, etwas zu essen – Kartoffelbrei, schlug er vor, etwas Kartoffelbrei wirst du doch runterkriegen. Beruhigend, geschmeidig. Sie willigte nur ein, weil sie wusste, dass er nicht lockerlassen würde, und nachdem sie nun so viel Galle gespuckt hatte, blieb ihr keine Kraft mehr, um sich noch weiter aufzulehnen. Er schälte und kochte zwei große Backkartoffeln und zerstampfte sie zusammen mit einem Becher Sahne und so viel Butter, dass sich die Stärke fast nicht mehr binden ließ. Optimistisch, wie er war, holte er ein paar Brathähnchenreste aus dem Kühlschrank, man konnte es ja mal versuchen. Obwohl er selbst keinen Hunger hatte, nahm er zwei Teller heraus und gab sich eine großzügige Portion auf den Teller – als hätte er tatsächlich einen herzhaften Appetit. Alleine würde sie nichts essen. Fürs Auge garnierte er den Teller mit etwas Petersilie und einer Scheibe Tomate. Bei der ersten Gabel machte er *Mmmm*, genau wie damals, als die Kinder noch klein gewesen waren und er sie dazu bringen wollte, etwas Neues zu kosten, das sie zunächst argwöhnisch beäugten. Glynis sah auf ihren Teller, als hätte er ihr eine frisch verquirlte Portion Fugendichtung vorgesetzt.

»Probier doch wenigstens einen Happen«, sagte er ermutigend.

Die Menge Kartoffelbrei, die sie sich auf die Gabel schob, hätte nicht einmal einen Hamster satt gemacht.

Shep hatte eigentlich einen Allesfresser-Stoffwechsel und hatte früher in den Mittagspausen unbekümmert fünf Zentimeter dicke Pastrami-Sandwiches in sich hineingestopft. Aber das war damals, als er für den Job noch viel unterwegs war, Nägel klopfte, auf Leitern kletterte und 25-Kilo-Zementsäcke schleppte. Nachdem er bei Allrounder zur Führungskraft aufgestiegen war, hatten sich die Pfunde bei ihm angesammelt, und er hatte seine Eitelkeit entdeckt. Seitdem hatte er Glynis bei jeder Diät Gesellschaft geleistet und ihren Missmut darüber besänftigen können, dass er fressen konnte wie ein Pferd, während sie essen musste wie ein Spatz, um ihr Gewicht zu halten. Sie hatten grundsätzlich nur fettarme Milch im Haus und jene rein pflanzlichen Sandwichbeläge, die nach Motoröl schmeckten. Wie die meisten ihrer Bekannten über vierzig hatten sie jahrelang die Lebensmittel in ihrem Kühlschrank mit dem Argwohn zweier missgünstiger Gastgeber betrachtet, die feindliche Truppen bei sich einquartieren mussten. Da er immer das Gefühl hatte, es könne nicht schaden, ein bis zwei Pfund abzunehmen, schmeckte längst jeder Bissen nach Selbstvorwurf, und was Glynis anbelangte – Frauen waren in dieser Hinsicht bekanntlich noch schlimmer. Und plötzlich hatten sich seine Ängste komplett umgekehrt. Er musste mit ansehen, wie sich seine Frau vor seinen Augen in Luft auflöste.

Wenn er in diesen Tagen einkaufen ging, warf er einen

prüfenden Blick auf die Kalorienangaben, und wenn sie nicht hoch genug waren, stellte er das Produkt zurück ins Regal. Er verschmähte Diatbrühen zugunsten von dicken Suppen, die er zusätzlich mit Sahne versetzte. Der Kühlschrank quoll fast über vor saurer Sahne, Käse (Weichkäse wie Brie, so fetthaltig wie möglich), Pastete und Gelegenheitskäufen vom Bäcker wie etwa Pekannusskuchen oder Schokoladenkuchen, die sich pro Stück auf 600 Kalorien beliefen. Der Gefrierschrank war vollgestopft mit Eiscreme – nicht etwa Frozen Yoghurt, sondern immer richtiges Eis, Rocky Road oder Banana Split. Die Speisekammer platzte aus allen Nähten vor Buttergebäck und Schokoladensoße; seit Monaten hatte er weder Reiswaffeln noch Cracker gekauft. Rückblickend hatte es etwas zwanghaft Vernünftiges, so viel Nährstoffgehalt aus einem Dollar herauszuschlagen wie nur möglich, ähnlich wie sie zuvor in all den Jahren aberwitzig viel Geld für Luft ausgegeben hatten – Puffmais, tütenweise Chips. Endlich konnte seine Frau also alles essen, was sie sich seit Jahrzehnten verkniffen hatte, und nun war ihr jedes Essen zuwider. Wenn er wirklich ein treu sorgender Ehemann hätte sein wollen, hätte er ihr einen Schlauch in den Mund schieben und sie mästen müssen wie eine Weihnachtsgans.

»Weißt du noch, wie wir auf unseren Rechercheeisen den ganzen Tag rumgelaufen sind, Zehn-Meilen-Wanderungen, wir haben Notizen und Fotos gemacht, und alles nur mit zwei Tassen Kaffee im Magen?«, erinnerte sich Shep. »Wie wir dem Phat Thai der Straßenverkäufer widerstanden haben, wie wir in Portugal das ganze Gebäck verschmäht haben? Mann, was für eine Verschwendung. Wenn ich eins bedaure, dann, dass ich es zugelassen habe, dass du dein Mittagessen ausfallen lässt. Du hättest in diesem Frühjahr noch Reserven für ein paar Wochen mehr haben können, und damals hätte es dir zumindest noch geschmeckt.«

»Du hättest doch keine dicke Frau gewollt, oder?«

»Doch. Im Moment ja. Nichts wäre mir lieber als eine dicke Frau. Ich wünschte, du wärst ein Fettkloß. Ich wünschte, du wärst *kolossal*. Und von dem, was ich jetzt weiß, frage ich mich, wieso die Ärzte nicht allen raten, sich zehn Kilo anzufressen, solange man noch kann. Für Fettleibigkeit würde ich jetzt nicht gerade plädieren. Aber Fett hat seinen Sinn. Fett ist ein Rohstoff.«

Sie knabberte etwas Kartoffelbrei von den Zinken, ehe sie die Gabel hinlegte. »Ironie des Schicksals. Ich habe reichlich Mühe darauf verwendet, schlank zu bleiben. Und jetzt werde ich dafür bestraft. Das soll mir wohl eine Lehre sein, auch wenn ich nicht genau weiß, worin diese Lehre besteht.«

»Du musst aufhören, nur so viel zu essen, wie du Lust hast.«

»*Lust* habe ich eigentlich überhaupt nicht.«

»Das ist es ja. Du musst es dir vornehmen. Da geht doch noch was rein.« Etwas leicht Bedrohliches schwang in seiner Stimme mit, ein überraschender Unterton potenzieller physischer Gewalt. Auch das sah er kommen. Die Ausdauer einer Ruby oder Petra gehörte leider nicht zu Glynis' Stärken, dafür aber war sie trotzig. Je mehr er sie drängte, sich diese Kartoffeln hinunterzuwürgen, desto mehr würde sie sich dagegen stemmen. Und allmählich begann er zu verzweifeln. Die meiste Zeit achtete er nicht darauf, wie sie aussah; er war ihren Anblick gewohnt; ähnlich wie er in seiner Kindheit die Papiermühlen nicht wahrgenommen hatte, die die Luft seiner Heimatstadt verpestet hatten. Doch dann und wann erhaschte er im Augenwinkel einen Blick auf sie, und er nahm seine Frau wahr, als wäre sie ein wildfremder Mensch. Ihre Leichenhaftigkeit – die eingesunkenen Augenhöhlen, die Rippen, die man zählen, und die Handgelenke, um die er mit Daumen und Zeigefinger fassen konnte –, der Anblick traf ihn so schlagartig wie der Gestank von Berlin, New Hampshire, nach einem Familienurlaub in den Bergen.

Glynis aß noch eine Spur Kartoffelbrei und legte dann energisch die Gabel zur Seite. Mit kindlicher Schläue hatte sie den Rest zusammengeschoben, damit der Teller möglichst leer gegessen aussah. Das winzige Stück Hähnchenbrust hatte sie unter dem Tellerrand versteckt. Er gab auf und räumte ihr Geschirr weg; seine eigene Portion hatte er in der Zwischenzeit irgendwie vertilgt. Er war auf dem besten Wege, seinen eigenen Rat zu beherzigen und sich die zehn Kilo Krankheitsprophylaxe anzufressen. Er aß dieselben buttertriefenden Mahlzeiten wie sie, und gegen das Wegwerfen von Essen hatte er immer schon eine presbyterianische Aversion gehabt. Glynis aß zwei Teelöffel in Olivenöl gebadeten Couscous, und er verputzte die ganze Schüssel. Die Zeit, die er einst im Fitnessstudio verbracht hatte, verbrachte er heute im Supermarkt. Er hatte sein Leben lang auf die eine oder andere Art Sport getrieben, und sein erschlaffender Bauch war das eine persönliche Opfer, das er nun am eigenen Leib zu spüren bekam. Dennoch hatte Shep beschlossen, sich keine Gedanken darum zu machen. Er würde jede Menge Zeit haben, die Pfunde wieder loszuwerden – danach. Eingedenk seines angeborenen Pragmatismus erforderte es einige Mühe, sich nicht allzu genau auszumalen, wonach.

SHEP HATTE SIE zurück ins Bett gelockt, doch Glynis war immer noch wach. Er lag neben ihr und ließ das Licht brennen. Nachdenklich fuhr sie mit dem Zeigefinger über die Kettensägennarbe in seinem Nacken. Nach längerem Schweigen, mit dem sie ihm zu verstehen gab, dass sie nicht genau wusste, wie sie das Thema anschneiden sollte, erklärte sie schließlich: »Das Jenseits.«

Seit Wochen war das Thema nicht mehr zur Sprache gekommen. Sie hatte also den Strand auf seinem Bildschirm gesehen.

»Ich weiß, wir haben diese Sache bis zum Gehtnichtmehr durchgekaut«, fuhr sie fort, »aber nach all den Jahren kapier ich's immer noch nicht richtig. Was war es, wovor du unbedingt fliehen wolltest? Was war es, das du zu finden gehofft hattest?«

Zu seiner eigenen Überraschung störte es Shep, dass sie die Vergangenheitsform benutzte. Da sie tatsächlich bis zum Gehtnichtmehr über die Sache gesprochen hatten, musste er sich gegen die Verordnung wehren, dass sie es auch jetzt nicht »kapieren« würde. Indem er Glynis gegenüber seine Gereiztheit zum Ausdruck brachte, verstieße er gegen die Spielregeln. Er bemühte sich um seine übliche Gelassenheit und versuchte, alles noch mal in Worte zu fassen.

»Wovor ich unbedingt fliehen wollte? Komplexität. Angst. Ein Gefühl, das mich schon mein Leben lang verfolgt, nämlich dass ich irgendwas vergesse, irgendein Detail oder eine Aufgabe, die ich noch zu erledigen habe oder längst hätte erledigen müssen. Dieses nagende Gefühl – ich steh damit auf, ich geh damit durch den Tag, ich leg mich damit schlafen. Als Kind bin ich immer freitagnachmittags nach Hause gekommen und habe sofort meine Hausaufgaben gemacht. Samstag früh bin ich mit diesem großartigen Gefühl aufgewacht, mit einem sauberen, offenen Gefühl der Erleichterung, der Möglichkeiten und der Ruhe. Ich hatte keine Verpflichtungen mehr. Dieser Samstagmorgen war jedes Mal ein Moment echter Freiheit, wie ich ihn als Erwachsener kaum mehr erlebt habe. In Elmsford wache ich nie mit dem Gefühl auf, meine Hausaufgaben schon gemacht zu haben.«

»Aber du bist Hausaufgaben doch gewohnt. Wenn du nichts zu tun hättest, würdest du doch wahnsinnig werden. Was würdest du denn den ganzen Tag machen, Springbrunnen bauen?«

»Wenn ich Springbrunnen bauen wollte«, sagte er in gleichmäßigem Ton und schloss die Augen, »würde ich Springbrunnen bauen.«

»Aber zu verstehen, was du ›willst‹, ist die schwierigste Aufgabe der Welt. Mir scheint, du hast die ganze Zeit auf eine massive existenzielle Krise hingearbeitet.«

Wieder die Vergangenheitsform, die ihn wie das Etikett eines Pullovers im Nacken kratzte, und mit dem Wort *existenziell* stand Shep ohnehin auf Kriegsfuß. »Vielleicht würde sich ja herausstellen, dass ich eigentlich gar nichts Besonderes will.«

»Und dann würdest du nur noch rumliegen und dösen? Glaub mir, das ist alles andere als prickelnd.«

Im Gegenteil, es klang phantastisch. In anderthalb Stunden würde der Wecker klingeln.

»Du hast nichts von deiner Freizeit, weil sie dir aufgezwungen wurde«, sagte er. »Und weil du dich scheiße fühlst. Die Zeit, in der es uns *gut*geht, ist also kostbar. Mit vermasselten Rigipsarbeiten in Queens verschwende ich nicht nur mein Leben. Ich verschwende mein Leben als *gesunder Mensch*. Gerade du solltest doch wissen, wie übel einem mitgespielt werden kann. In den paar Jahren, in denen wir's uns gutgehen lassen könnten, schuften wir uns dumm und dämlich. Was bleibt, sind die Jahre, in denen wir alt und krank sind. Freizeit kriegen wir erst, wenn sie uns belastet. Wenn sie uns nichts mehr nützt. Wenn sie keine Möglichkeit mehr ist, sondern eine Last.«

In Wahrheit hatte er sich viel mehr Gedanken über das Leben im Jenseits gemacht, als ihr klar gewesen war. Fürs Faulenzen hatte er nichts übrig, zumindest nicht fürs Faulenzen allein. Er könnte tauchen lernen; die Flora und Fauna des Meeres um Pemba war spektakulär, und es gab diverse Verleihe. Schnorcheln stellte eine reizvolle, technisch weniger anspruchsvolle Alternative dar. Auf der Insel gab es ein Spiel namens *bao*, das die Verteilung von vierundsechzig Samenhülsen auf zweiunddreißig ausgehöhlte Schälchen beinhaltete, ein angenehm undurchschaubarer Zeitvertreib, bei dem viel Wert auf Anmut und Geschicklichkeit gelegt wurde. Oder *keram*, eine offenbar urkomische Kreuzung aus Dame, Hockey und Billard; auf einem selbst gebauten schiefen Holztisch ein paar Pucks gegeneinanderschlittern wäre gewiss eine Zerstreuung, bei der wenig Gefahr bestand, dass man sie zu ernst nahm. Andererseits hatte er immer die größte Befriedigung darin gefunden – also das Gefühl, das man hat, während man etwas tut, und nicht erst danach –, dass er einzelne komplett selbst gewählte körperliche Arbeiten in Angriff nahm: eine Veranda streichen, die es bestimmt noch eine weitere Saison machen würde, ein Gewürzschränkchen mit Regalbrettern zimmern, die genau auf die Dosen aus dem Supermarkt zugeschnitten waren, und – ja, Glynis, du lachst –, Springbrunnen bauen. Vielleicht würde er lernen, ein Kanu zu schnitzen. Auf der Insel gab es jede Menge kruder Boote, *mtumbwis*, und es könnte wunderbar lange dauern, mit einfachem Werkzeug einen Baumstamm auszuhöhlen.

»Aber Shepherd«, sagte Glynis und unterbrach seine Träumereien. »Es liegt doch auf der Hand, dass du in all den Jahren eigentlich nur vor dir selber fliehen wolltest.«

Ach Gott, die alte Leier. Er musste sich unglaublich anstrengen, um sich nicht ernsthaft zu ärgern. »Ich habe kein Problem mit mir *selber.* Worauf ich verzichten kann, sind *andere Menschen.*«

»Auf mich zum Beispiel.«

»Gnu.« Er stützte sich auf seinen Ellenbogen und zog sie zu sich heran. »Noch nie in meinem ganzen Leben habe ich dich als *andere Leute* gesehen.«

Er fuhr mit der Hand über ihren Nacken und stellte betrübt fest, wie stark die Sehnen hervortraten, wie deutlich die Adern zu spüren waren. Doch es war immer noch Glynis' Hals. Dort, im Ausschnitt ihres Nachthemds, waren die Brüste kleiner, wobei sie nie groß gewesen waren; die Brustwarzen waren dunkler geworden, und die Haut hatte sich zusammengezogen, aber es waren immer noch Glynis' Brüste. Er küsste sie. Sie erwiderte den Kuss mit dem Hunger, von dem bei ihrem improvisierten Abendessen allzu wenig zu spüren gewesen war.

Bei der Intensität, mit der er sich zu seiner Frau hingezogen fühlte, hatte Shep immer tendenziell ein schlechtes Gewissen gehabt. Das heißt, körperlich hingezogen – er war niemand, der Lust mit ätherischeren oder romantischeren Gefühlen verwechselt hätte. Sie gefiel ihm außerordentlich gut, nicht nur schön angezogen, sondern auch nackt, und er fragte sich manchmal, ob sie ihm äußerlich nicht vielleicht etwas zu gut gefiel. Er war süchtig nach ihren Hüftknochen, danach, seine Hand in die Mulde zu legen und tiefer hineingleiten zu lassen in den dunkleren Spalt. Auf sein Bitten hin sah sie davon ab, sich die Bikinizone zu rasieren, und ließ die zarten Schattierungen ihres dunkleren und helleren Wuchses zu einem kleinen Wald wachsen, in dessen Geheimnisse er sich mit jungenhafter Bangigkeit hineinwagte wie in einen Zauberwald. Sie hatte lange Beine und spitze, wohlgeformte Kniescheiben. Die Anziehung ging auf ihre erste Begegnung zurück und bezog sich ganz ausschließlich auf Glynis. Es wäre ihm peinlich gewesen, vor seinen derben, anzüglichen Kollegen bei Allrounder zuzugeben, dass er sich für den Großteil seiner Ehe zu keiner anderen Frau als der eigenen hingezogen gefühlt hatte. Sie würden ihm nie glauben, oder wenn doch, würden sie ihn bemitleiden und als einen irgendwie halbwertigen Mann ohne Phantasie und Instinkte abstempeln.

Vielleicht war es ja wirklich so. Vielleicht stimmte mit ihm etwas nicht, vielleicht fehlte ihm etwas. Doch die Fixierung war exklusiv, und sie aufzugeben lag nicht in seiner Macht. Ihre Wirkung war mal stärker und mal schwächer, bewegte sich aber immer innerhalb einer engen Marge. Stets fühlte er sich zu Glynis hingezogen, außerordentlich zu Glynis hingezogen oder auf überwältigende Weise zu Glynis hingezogen.

Schon früh hatten sie mit einigen Improvisationen experimentiert, die damals obligatorisch erschienen. Aber nicht lange nach diesem Querbeetsex hatte Glynis seinen Kopf auf halbem Weg über ihren langen flachen Bauch angehalten und mit einem verruchten Funkeln in den Augen erklärt: »Weißt du, einfach *ficken* wär mir lieber.« Es war die erotischste Erklärung, die er je gehört hatte, und beim Gedanken bekam er noch heute einen Ständer. Dazu gingen sie also über. Sie fickten. Manchmal öfter, manchmal weniger oft, aber er konnte ehrlich behaupten, dass es ihn nie gelangweilt, nie ermüdet hatte. Nicht, dass es irgendjemanden etwas anging, aber sie hatte es gern etwas härter.

Und genau das machte ihm in den letzten Monaten Probleme. Erst mal war da die Schnittwunde von ihrer Operation, die er nicht berühren durfte. Wobei sie nach dem Eingriff ohnehin keine Lust auf ihn gehabt hatte; zu viele Hände und Instrumente hatten in ihrem Körper herumgefuhrwerkt; sie hätte nicht mal ein zärtliches Eindringen ertragen können und schlief zu einer kleinen privaten Kugel zusammengerollt. Die Narbe war jetzt nicht mehr ganz so zart, und mit der Zeit ging sie etwas weniger fürsorglich damit um; er war sicher, dass sie sich geschämt hatte – dass sie Angst hatte, verunstaltet worden zu sein. Gut, den roten, mittlerweile bräunlich gefärbten Strich hätte er nicht gerade als aufreizend bezeichnet, aber er stellte etwas anderes mit ihm an, das ihm schließlich doch ein Gefühl von Männlichkeit gab: Er brach ihm das Herz. Er weckte seinen Beschützerinstinkt und bewegte ihn dazu, ihren Oberkörper an sich zu drücken und seine ganze Körpermasse zwischen seine Frau und die messerwetzende Welt zu schieben.

Schließlich war es Glynis, die ihn hatte bedrängen müssen, dass er sie nicht mehr wie ein Stück Porzellan behandelte. Sie kam ihm tatsächlich zerbrechlich vor, unter dem Einfluss von Alimta war sie regelrecht druckempfindlich geworden, und als er dann tat, wie ihm geheißen, hatte sie am nächsten Morgen lauter blaue Daumenabdrücke an den Schenkeln.

Es war so: Er wusste, dass er sie auf eine zarte und geistige Art liebte. Aber gleichzeitig wusste er auch, dass sein körperliches Begehren etwas Separates war – ein ausgeprägtes Verlangen, das mit Linie und Form und Farbe zu tun hatte, mit Brüsten und Haaren und Geruch. Es hatte nichts mit ihrem trockenen Humor zu tun, ihrer Verschlagenheit, der betörend barbarischen Seite ihres Charakters. Es hatte nichts mit ihrem ärgerlichen Hang zur Selbstzerstörung zu tun oder ihrer spirituellen Verbundenheit mit dem Metall. Es hatte nichts mit ihrer kläglich ungenutzten künstlerischen Begabung zu tun. Es hatte mit den Proportionen ihrer Beine, ihrer langen Taille, ihrem kleinen, muskulösen Po zu tun. Es hatte mit ihrer dunklen, geheimnisvollen, bewaldeten Fotze zu tun. Jahrelang hatte ihn insgeheim der Gedanke gequält, dass sie älter werden würde – aus heutiger Sicht ein Luxus. Seit Januar quälte ihn der Gedanke an ihre Krankheit. Er fühlte sich viel zu sehr hingezogen zu seiner Frau, und er war es gewohnt, sich zu ihr hingezogen zu fuhlen, und wenn alles, was bliebe, nur diese nette, warme, verständnisvolle Liebe wäre, ohne die unanständige, schmuddelige und triebhafte Liebe, dann würde er sich geringer fühlen, die Liebe wäre dann eine geringere, wäre in ihrer Seelengröße und reinen Güte geringer, uninteressanter und weniger suchterzeugend. Er wollte nicht aufhören, sich zu seiner Frau hingezogen zu fühlen. Es fiel ihm nicht leicht, dem Gedanken ins Auge zu sehen, aber er hatte sechsundzwanzig Jahre lang nicht nur eine Frau geliebt. Er hatte einen Körper geliebt.

Ähnlich wie das Haus in seinem Traum, in jener Nacht vor der Operation, hatte dieser Körper über eine gute Bausubstanz verfügt. Aber ebenso, wie man über einen Fußboden gehen und eine beruhigende Festigkeit spüren wollte, ohne sich unbedingt jeden einzelnen Stützbalken darunter vorstellen zu müssen, wollte man auch nicht unbedingt die gute Bausubstanz seiner Frau bezeugen müssen. Während er über die Stufenleiter ihres Brustkorbs strich, spürte er darunter die Struktur, die Balken, aus denen Glynis gebaut war. Es mochte sein, dass ihm die spitzen Hüftknochen immer gefallen hatten, aber jetzt waren sie zu spitz, die Haut spannte sich darüber wie ein billiger Teppich, der so fadenscheinig war, dass man nicht nur die Ritzen zwischen den Dielen, sondern sogar die Nägel ausmachen konnte.

»Bist du sicher, dass es geht?«, flüsterte er.

Statt einer Antwort griff sie dorthin, wo sein Widerwille am fühlbarsten war; er schrak zurück und sank in sich zusammen. Doch eine Kunstschmiedin hat kräftige Hände, und ihre Finger weckten in ihm das Bewusstsein, dass seine Frau noch keine Leiche war. Er brauchte vor ihrem Körper nicht zurückzuschrecken, als könnte er sie beschmutzen, sich an ihr vergehen. Ihre Hand weckte in ihm ein jähes Bedürfnis, eines, das ihm völlig abhanden gekommen war angesichts der unablässigen, drängenderen Rufe nach Kartoffeln und Fleecedecken, nach vorsichtigen, langsamen Fahrten zur Chemotherapie. Eigentlich sollte man als Mann doch unentwegt an Sex denken, aber das war bei ihm nicht mehr der Fall, und die Erinnerung daran war auf einmal so heftig, dass sie wehtat.

Er hatte Bedenken, sich auf sie zu legen. Sie hatte sein volles Gewicht zwar immer genossen, aber er wollte sie nicht zerquetschen und stützte sich links und rechts mit beiden Händen ab. Er lehnte sich auf einen Ellenbogen, griff nach der Gleitcreme auf dem Nachttisch, drehte mit einer Hand die Verschlusskappe auf und drückte sich einen Tupfer klares Gel auf den Zeigefinger. Als sie zum ersten Mal auf diese kleine Hilfe zurückgegriffen hatten, war sie gekränkt gewesen, als wollte man sie der mangelnden Begeisterung überführen. Aber er hatte auf sie eingeredet, dass sie von der Krankheit geschwächt sei und dass es nichts zu bedeuten habe, wenn es ihrem Körper nicht gelingen wollte, die Maschine zu ölen. Und als er den Finger zwischen ihre Beine gleiten ließ, waren ihre Lippen tatsächlich trocken; nur die Creme gab ihm das Gefühl, dass dies wirklich seine Frau war.

Es ging noch immer. Er küsste sie, und mit dem metallischen Geschmack in ihrem Mund war es, als würde er an einer Münze lutschen, als wäre er im Begriff, sich von innen nach außen in Metall zu verwandeln. Er sah ihr in die Augen, die trübe und gelbstichig waren, aber noch immer konnte er sie erkennen. Die Pupillen waren klein und permanent verängstigt. Es war nicht so sehr Lust, die er darin las, als Lust auf die Lust, und das würde genügen müssen. Verlegen sah er an sich hinunter und fühlte sich massig, breit und wabbelig im Vergleich. Sie umfasste seine kräftige Brust, die Nägel drückten sich ins Fleisch. Mit jener Zaghaftigkeit und Zartheit, die ihr verhasst war, drang er in sie ein. Sie griff nach seinen Pobacken und schob ihn in sich hinein.

Und so erlaubte er sich, zu vergessen. Er erlaubte sich, sie zu ficken, so hart und tief, wie sie es immer gemocht hatte, mit einer Spur von Gewalt. Beim Kommen glaubte er daran, dass dies die Spritze sei, die sie heilen würde, eine Spritze, die ausnahmsweise nicht voller Gift, sondern voller Leben war. Das Gift kostete 40 000 Dollar. Dieses Elixier war umsonst.

Das hätte es eigentlich sein müssen. Doch bevor sie in seinen Armen einschlief, murmelte Glynis deutlich: »Und? Meinst du, du hast am Ende noch genug übrig?«

Sheps Gesicht brannte. Er tat, als wisse er nicht, was sie meinte, und strich ihr stattdessen schweigend übers Haar (und hatte einige Strähnen in der Hand). Nach so langer Zeit zusammen mit einer Frau war es beschämend, wie gut sie einen kannte. Wie genau sie wusste, was man dachte, auch wenn man sich alle Mühe gab, es nicht zu denken, die Gedanken sogar vor sich selbst zu verstecken. Genug was übrig? Natürlich Geld. *Nur* Geld, Papa – was sonst beschäftigte den erstgeborenen Knacker vor allen Dingen?

Und wenn ihn die Fähigkeit zu derartigem Kalkül als sündigen und selbstsüchtigen Mann hinstellte, dann war das eine Grundwahrheit, mit der er leben musste. Ein Jenseits für eine Person wäre gerade mal halb so teuer wie ein Jenseits für zwei. Für eine Einzelflucht hätte er noch genug, aber nur dann, wenn Glynis bald starb.

Kapitel 11

Shepherd Armstrong Knacker
Merrill Lynch Konto-Nr. 934 – 23F917
01.06.2005 – 30.06.2005
Gesamtnettowert des Portfolios: $ 452 198,43

Als er Glynis mal wieder zur Columbia-Presbyterian-Klinik fuhr, war Shep in der Verlegenheit, für seine Gefühle eine Analogie finden zu müssen, die nicht ans Lächerliche grenzte. War es wie damals, als er den Briefumschlag mit den Ergebnissen seines Hochschul-Zulassungstests geöffnet hatte? Oder war es wie im April nach dem Verkauf der eigenen Firma, als er Daves Bürotür öffnete und im nächsten Moment erfahren würde, wie viel von der Million er nun dem Finanzamt schuldete?

Nein, für die Fahrt zur Klinik, um die Ergebnisse von Glynis' erster Computertomografie seit Beginn der Chemotherapie einzuholen, gab es keinen Vergleich. Sie redeten nicht. Geredet hatten sie schon. Nichts, was sie hätten reden können, würde sich auf die schrumpfenden oder sich ausdehnenden Schatten auf ihren Dias auswirken. Sie konnten zu diesem Urteil nichts beitragen. Das war eines der Probleme mit dem Vergleich mit schulischen Prüfungsergebnissen, die Aufschluss darüber gaben, ob man gut oder schlecht abgeschnitten hatte; deren Resultat hatte man selbst bestimmt. Sheps Vater mochte seinen Sohn als fremdartigen Philister betrachtet haben, doch immerhin hatte er seinem Erstgeborenen das Bedürfnis mitgeben können, ein guter Mensch zu sein, Gutes zu tun und gut in etwas zu sein.

Doch ob es Glynis *gutginge,* hing nicht davon ab, ob er oder sie gut in etwas gewesen waren. Da Shep selbst bei bescheidenen Unterfangen wie dem Einbau eines neuen Badezimmerwaschtischs immer höchste Maßstäbe anlegte, war er bestürzt angesichts einer so lebenswichtigen Angelegenheit, die nun einzig und allein in der Hand des Schicksals lag. Seine Angst ähnelte also am ehesten dem Gefühl, das Jackson haben musste, wenn er eine beträchtliche Summe auf einen Windhund gesetzt hatte und der Startschuss fiel.

Um auf andere Gedanken zu kommen, dachte Shep über Dr. Goldman nach. Der Internist war energisch und aggressiv, ein auf grobschlächtige Weise gut aussehender Mann, der mit seinen eins neunzig *wirklich groß* war. Er war nicht fett, aber eine füllige Bauchgegend entlarvte ihn als Lebemann. Gewiss war er einem Teller Schweinerippchen oder einem doppelten Scotch nicht abgeneigt und hielt sich offenbar nicht an seinen eigenen Rat, wie etwa Dr. Knox – der fit, schlank und fünfzehn Jahre jünger war und nach konventionellen Maßstäben weitaus besser aussah. Warum also war Philip Goldman der attraktivere Mann? Sein breites Gesicht war flach gedrückt, und seine kleinen Augen standen zu dicht beieinander. Und doch bewegte er sich mit Elan und Selbstüberzeugung, durchmaß die Flure mit ähnlich hungrigen Schritten, mit denen er zweifellos seine Mahlzeiten verschlang. Er *bewegte* sich wie ein Mann, der zum Sterben gut aussah, und erweckte damit die Illusion, tatsächlich einer zu sein. Sein Reiz war kinetisch und würde sich niemals auf eine Fotografie übertragen lassen. Eine verliebte Freundin würde wahrscheinlich voller Stolz ihrer Vertrauten einen Schnappschuss von ihm zeigen, und die Freundin würde insgeheim den Kopf schütteln und sich verwirrt fragen, was die arme Frau an diesem biederen Trampel nur finden konnte.

Ehrlich gesagt war Shep ein wenig eifersüchtig. Nicht nur, dass der Doktor gebildeter, erfolgreicher und reicher war. Zwischen dem Arzt und seiner Patientin herrschte zudem eine Vertrautheit, der Shep selbst nach sechsundzwanzig Ehejahren nichts entgegenzusetzen hatte. Er wusste nicht, wie man die kritiklose Hingabe seiner Frau zu ihrem Arzt sonst hätte nennen sollen, wenn nicht Liebe. Dr. Knox hatte Glynis lediglich vertraut, was schon untypisch genug gewesen war; an Dr. Goldman dagegen *glaubte* sie, und das mit einer ans Erotische grenzenden Inbrunst. Wenn ihr Mann sie zum Essen ermahnte, wehrte sie sich mit Händen und Füßen. Doch als Ende Mai *Dr. Goldman* sie zum Essen drängte, setzte es sich Glynis regelrecht zur Aufgabe, zuzunehmen, und bat frohgemut um ihr Lieblingsgericht. Was immer für ihre volleren Wangen sorgte, hätte ihm eigentlich recht sein sollen, dennoch störte sich Shep dran.

Auf dem Weg aus der Parkgarage zu Goldmans Büro im siebenten Stock hielten sich Shep und Glynis schweigend an den Händen, wobei Shep mit der freien Hand den Wagen verriegelte und die Fahrstuhlknöpfe drückte. Bevor er ängstlich an der Tür klopfte, hielt er inne, um mit seiner Frau einen Blick auszutauschen. Es war ein Blick, wie ihn Angeklagte und Ehemann austauschen, während die Jury den Gerichtssaal betritt. Glynis war unschuldig, aber dieser Richter war unberechenbar.

Schwungvoll ging die Tür auf. »Mr und Mrs Knacker, bitte, kommen Sie rein!«

Shep warf einen einzigen Bick auf Goldmans strahlendes Gesicht und dachte: *Nicht schuldig.*

»Gut sehen Sie aus!«, rief Goldman, schüttelte Shep die Hand und legte ihm herzlich die andere Handfläche auf den Unterarm. (Shep sah nicht gut aus. Nachdem er monatelang die kalorienreichen Reste seiner Frau vertilgt hatte, ähnelte er Goldman von Tag zu Tag mehr, nur dass er einige Zentimeter kleiner und mit keinem solch poetischen Bewegungszauber ausgestattet war.) Als Goldman und Glynis sich begrüßten – »Und Sie sehen *sehr* gut aus!« –, war ihre drahtige Hand dem Griff des hochgewachsenen Doktors ebenbürtig. Es mochte sein, dass sie ihr Talent nie genutzt hatte, doch selbst das sporadische Feilen, Sägen und Polieren hatten einen eisernen Handgriff erzeugt, wie ihn Shep sonst noch bei keiner Frau erlebt hatte.

Sie setzten sich vor den Schreibtisch. Shep war froh über den Stuhl. Er fühlte sich wacklig auf den Beinen. Sternchen wirbelten durch sein Blickfeld, als wäre das Büro voller Fliegen. Er betete, dass Goldman nicht zu den Leuten gehörte, die durchwachsene Resultate aufzurunden und in glühende Worte zu packen pflegten.

Der Dokor ließ sich auf seinen Platz fallen, verschränkte die Hände hinter dem Kopf und kippelte in seinem beweglichen Sessel nach hinten, wobei er einen Ziegenlederschuh auf den Schreibtischrand stützte. Sein weißer Kittel stand offen, sein Hemd war zerknittert, sein Haar zerzaust; er war ein bisschen schlampig. Doch als Spezialist, dessen Patienten aus Neuseeland und Korea eingeflogen kamen, konnte er es sich leisten, ungepflegt zu wirken. »So, liebe Kinder, ich habe umwerfende Neuigkeiten!«

Shep ließ vor Erleichterung die Schultern sinken. Der Internist war Wissenschaftler, kein Autoverkäufer, und naturgemäß konnte er bei einer Klapperkiste nicht einfach den Kilometerzähler zurückdrehen.

»Das Böse weicht zurück vor der mächtigen Hand des Guten«, fuhr Goldman freudig fort. »Ich weiß, Alimta ist kein Spaß, Mrs Knacker, und Sie waren eine wahre Heldin!« (Der beliebte Begriff *wahre Heldin* war offenbar die medizinische Formel für *reißt den Arzt nicht mitten in der Nacht aus dem Schlaf, wenn sie unter Nebenwirkungen leidet, über die sie das Klinikpersonal im Vorfeld aufgeklärt hat.*) »Aber es hat sich gelohnt. Ich will ehrlich sein: Diese eine biphasische Stelle erweist sich als hartnäckig. Aber bisher ist sie auch nicht größer geworden, das heißt, wir haben das Wachstum stoppen können. Die anderen beiden Stellen sind deutlich kleiner geworden. Wir konnten auch keine Metastasierung entdecken.«

Shep legte Glynis die Hand in den Nacken und küsste ihr segnend die Stirn. Sie drückten einander die Hände und überboten sich gegenseitig mit Begeisterungsrufen: »Das ist ja wunderbar! Das ist großartig! Wir sind ja so dankbar!«

Goldman schob eine CD in seinen Computer und führte ihnen diverse Querschnitte von Glynis' Organen vor, die an die Tranchen einer feinen Wildpastete in einem Nobelrestaurant erinnerten. Shep machte sich Vorwürfe, dass er jemals Böses über Philip Goldman gedacht hatte. Vielleicht sah der Kerl ja wirklich gut aus. Shep war keine Frau, wie hätte er das also beurteilen können? Und wenn Glynis an ihren Doktor »glaubte«, war ihr Glaube am richtigen Platz.

Mit seinen Zweifeln, seinem religiösen Skeptizismus kam sich Shep nun seicht und zynisch vor, wie ein Verräter. Er fragte sich, ob er die ganze Zeit vielleicht auf dem Holzweg gewesen war. Er hatte keinen Sinn für diese neumodische »negative Energie«, die man angeblich ausstrahlte – zumindest glaubte er, keinen Sinn dafür zu haben. Allerdings hatte er ganz bestimmt auch keinen positiven atmosphärische Beitrag zu ihrer Genesung geleistet (oder durfte man es wagen, schon jetzt von »Heilung« zu sprechen?). Da der Internist mehr Erlösung versprach als Gabe Knackers Presbyterianismus oder Debs beknackte Wiedergeborenensekte in Tuscon, war es an der Zeit, sich bekehren zu lassen und ein treues, zahlungskräftiges Mitglied der Philip-Goldman-Kirche zu werden.

Seinem neuen Glauben entsprechend blickte Shep den Doktor mit frischer Anerkennung an. Dessen selbstsichere Gesten zeugten davon, dass dieser Mann es gewohnt war, vor einem hingerissenen Fachpublikum Vorträge zu halten. Artikel in *The Lancet* zu publizieren und die Forschungsergebnisse geringerer Autoren zur Prüfung zugesandt zu bekommen. Von Sterbenden womöglich unter Tränen bekniet zu werden, ihren Fall zu übernehmen. Dennoch wirkte er nicht wichtigtuerisch; das heißt, er machte nicht etwa deshalb so viel Wind, weil er eine betrügerische Seite seiner Person überspielen musste. Nein, Goldman wirkte einfach an sich wichtig.

Der Doktor wies auf den Kontrast zwischen Glynis' vorhergehender und neuester Computertomografie hin. Für das ungeschulte Auge wirkten die Unterschiede deprimierend gering;

es kostete Shep einige Mühe, umzukehren, seinen bisherigen Agnostizismus abzulegen und sich auf dieses Spiel einzulassen. Fortwährend verwendete Goldman die umfassende erste Person Plural: *Wir* haben dies geschrumpft, *wir* haben das geschrumpft. Das Pronomen war allzu großzügig gewählt. Wie Goldman genau wusste, hatten *wir* überhaupt nichts getan.

Glynis war Goldmans Vehikel seiner eigenen Seligsprechung. Indem er das Böse in ihr zähmte, freute er sich vermutlich für sie; zweifellos aber freute er sich vor allem für sich selbst. Glynis war eher Projekt denn Person, ein Werkzeug zur Beförderung der galoppierenden Ambitionen dieses Arztes, und zwar nicht nur, um Gutes zu tun, sondern auch, um selbst erfolgreich zu sein.

Shep hätte nicht genau sagen können, was an diesem Prinzip nicht stimmte. Wenn es einen Verfechter gesunden Eigennutzes gab, dann ihn. Dass Goldman das Überleben seiner Patientin mit einer persönlichen Eroberung gleichsetzte, war auch in Glynis' Interesse. Sie brauchte nicht noch jemanden, der ihr alles Gute wünschte, sagte sich Shep, nicht noch einen Freund. Sie brauchte einen fähigen, technisch versierten Experten, der nach bestem Können seinen Job erledigte. Und aus welchem Grund dieser Mann sich dann maximal ins Zeug legte, blieb ihm überlassen. Insofern ließ sich vielleicht auch umgekehrt deuten, wer hier von wem profitierte. Er und Glynis machten sich Goldmans Ego zunutze, und von dieser Warte aus wirkte das Szenario absolut erfreulich.

»Da es funktioniert«, sagte der Doktor zusammenfassend, »und Sie die Medikamente offenbar überdurchschnittlich gut vertragen, sollten wir erst mal damit fortfahren, den Krebs mit Alimta zu beschießen – mit dem ›Lift nach Manhattan‹.« Als der Arzt Glynis ein verschwörerisches Lächeln zuwarf, nahm Shep sich tapfer zusammen, um nicht gekränkt zu sein, weil sie Goldman in ihren privaten Witz eingeweiht hatte. »Ihr Blutbild macht mir noch ein bisschen Sorgen. Aber uns stehen noch genügend andere Optionen zur Verfügung, falls die Verträglichkeit von Alimta nachlassen sollte oder wir damit nicht weiterkommen.« Er leierte eine Liste von Ersatzmedikamenten herunter, um sich anschließend nach den gegenwärtigen Nebenwirkungen zu erkundigen. Glynis spielte ihre Beschwerden herunter.

Es war Sommer. Zum ersten Mal in diesem Jahr fühlte es sich nach Sommer an, und das herrliche Wetter wirkte nicht wie der blanke Hohn. An den langen Juliabenden tauchte die Sonne den Hudson in orangerotes Licht. Shep lenkte den Wagen mit Schwung und richtete die Zukunft neu aus. Vielleicht käme sie ja doch durch. Vielleicht musste er doch nicht allein nach Pemba. Vielleicht bliebe ja doch noch genügend auf dem Merrill Lynch Konto übrig, wenn nicht für das entspannte, luxuriöse Zweitleben, das er geplant hatte, dann doch genügend, um über die Runden zu kommen: um für einen Spottpreis ein Häuschen zu kaufen und Papayas zu essen. Vielleicht würde er sie noch mal zum Mitkommen überzeugen müssen, aber vielleicht würde diese Erfahrung sie verändert haben, ihr die kurze Zeit vor Augen führen, die selbst denjenigen nur blieb, die nicht krebskrank waren. Vielleicht würde er ja doch noch bei Kerzenschein Königsmakrele für zwei Personen bestellen können.

»Hättest du nicht Lust, essen zu gehen?«, schlug er vor. »Das wäre dann wirklich mal ein Lift nach Manhattan.«

»Schon etwas riskant, bei den vielen fremden Bazillen …«, sagte Glynis. »Aber was soll's. Lass uns feiern. Am liebsten würde ich zu Japonica, aber Sushi würde vermutlich den Bogen überspannen.«

Oftmals fiel Shep unter Druck kein vernünftiges Restaurant ein, und sie landeten am Ende in irgendeinem vielbeworbenen Touristenlokal wie Fiorello's. Doch an diesem Abend war das Glück ihm hold. »City Crab?«

»Perfekt!«

Auf der George Washington Bridge waren soeben die Lichter

angegangen, und die Brücke glitzerte wie eine Krone auf dem Kopf des Papstes. Aufgrund von Instandsetzungsarbeiten war der Abschnitt auf der Manhattan-Seite über Jahre hinweg unbeleuchtet gewesen, und nur eine einzige helle Spitze auf der New-Jersey-Seite hatte über der Flussmitte in der Dunkelheit gehangen; der windschiefe Effekt war irritierend fürs Auge gewesen. An diesem Abend strahlte endlich die gesamte Brücke wieder von Ufer zu Ufer in hellem Licht. Die erneuerte Symmetrie schien eine Bedeutung zu haben. Ein Rhythmus, ein Gleichgewicht war wiederhergestellt worden.

In der Öffentlichkeit zu sein war jetzt etwas Neues. Der Abend begann ein wenig holprig, als sie bemerkten, dass ein Gast in der Nähe hustete, und darauf bestanden, an einen anderen Tisch gesetzt zu werden. Als die Bedienung verärgert reagierte, zog Glynis ihren Trumpf aus dem Ärmel: »Mein Immunsystem ist geschwächt. Ich habe Krebs.« Nachdem sie daraufhin hastig an einem Tisch im Obergeschoss platziert worden waren, brachte die Bedienung einen Amuse-Bouche aufs Haus mitsamt einer Entschuldigung. Als das Mädchen weg war, murmelte Glynis: »Wenn das Mesotheliom schon für sonst nichts gut ist.«

Glynis hatte kein explizites Alkoholverbot, und Shep warf einen Blick auf die Weinkarte. Champagner war für ihn nur eine bessere Limonade, und Glynis würde kaum mehr als ein Glas trinken. Dennoch wählte er einen teuren Veuve Clicquot. Vermutlich kaufte er wie die meisten Leute die *Idee* von Champagner.

»Auf deine Gesundheit«, sagte er und prostete ihr zu, um erfreut festzustellen, dass im gedimmten Licht die von der Chemo verfärbte Haut seiner Frau fast als Bräune durchgehen konnte. Sie sah reizend aus unter ihrem cremefarbenen Satinturban, der derart gut zu ihrem länglichen, scharf konturierten Gesicht passte, dass Außenstehende durchaus hätten annehmen können, dass das Tuch um ihren Kopf ein Modestatement sei.

»Was ich dir schon die ganze Zeit sagen wollte«, sagte Glynis und machte sich über ihre Krabbenküchlein her. »Gerade kommen mir *wahnsinnig* viele Ideen für neue Besteckprojekte. Eben im Auto zum Beispiel. Ich habe ein Bild vor Augen von einem Salatbesteck, zwei ineinander ruhende Löffel – der eine größer und dicker, und der andere dünner und sehniger, beide unterschiedlich, aber perfekt ineinandergefügt. Geschmiedet, nicht gegossen, alles mit einer leichten Kurve … Schwer zu erklären.«

Es war ein romantisches Bild. »Wenn du wieder anfängst zu arbeiten«, schlug er schüchtern vor, »wie wär's denn mal wieder mit einem Springbrunnen? Mit mir zusammen. Nicht wie die verrückten Dinger, die ich so allein zusammenhaue, sondern was mit Stil, wie der Hochzeitsbrunnen. Wir haben ja seitdem nichts mehr zusammen gemacht.«

»Hmm … vielleicht für den Esstisch? Das könnte lustig werden. Das ist eine tolle Idee. Ich will nämlich unbedingt die verlorene Zeit aufholen.«

In Wahrheit beinhaltete ihre »verlorene Zeit« in Bezug aufs Kunstschmieden nicht nur die letzten sechs Monate, sondern den Großteil ihres verheirateten Lebens. Shep verlieh dieser indiskreten Beobachtung nur dadurch Ausdruck, dass er bedauernd feststellte: »Ich wünschte, du hättest nicht so viele Nachmittage mit Schokohasen verschwendet.«

»Genau das soll sich jetzt ja ändern.«

»Du hast deine Zeit mit Schokohasen verschwendet, um mir zu beweisen, dass du deine Zeit nicht mit Schokohasen verschwenden solltest.«

»So lässt sich das ungefähr zusammenfassen. Oder anders. Ich wollte dir zeigen, dass deine Verärgerung darüber, dass ich nicht sehr viel Geld nach Hause bringe, nichts war im Vergleich zu meiner Verärgerung darüber, dass ich zum Geldverdienen gezwungen wurde.«

»Ich hab dich nie dazu gezwungen, und ich war auch nie verärgert, dass du's nicht getan hast.«

»So ein Schwachsinn.«

»Erzähl doch noch ein bisschen. Von deinen Besteckideen.«

»Also Themawechsel.«

»Ja.« Während er eine Riesengarnele in die Cocktailsauce tauchte, wagte Shep einen Gedanken, vor dem er sie seit Monaten bewahrt hatte. Ihre Zerbrechlichkeit war rein körperlich. Vielleicht brauchte er sie ja nicht auch noch in jeder anderen Hinsicht mit Samthandschuhen anzufassen. »Hättest du an meiner Stelle gearbeitet, um mich und die ganze Familie zu unterstützen, während ich zu Hause geblieben wäre, um meiner Leidenschaft nachzugehen? Zimmerspringbrunnen bauen, zum Beispiel? Gern? Ohne Widerworte?«

»Meine Arbeit war dir immer ein Dorn im Auge.«

»Du weichst mir aus. Die Frage war, hättest du's getan?«

»Ganz ehrlich? Nein. Ich würde dich nicht unterstützen, während du Zimmerspringbrunnen baust. Frauen … Na ja, wir sind anders erzogen.«

»Ist das gerecht?«

»Gerecht?« Sie lachte. »Wer redet denn hier von gerecht? Natürlich ist das nicht gerecht!«

Glynis war so gut in Form, dass Shep hätte heulen können. Sie aß die Krabbenküchlein; sie aß ihre Seezunge mit Zitrone. Sie aß die Petersilienkartoffeln und zwei Scheiben Brot. Sie erwähnte gar nicht weiter, dass sie mit ihrem abgestumpften Gaumen nicht sonderlich viel mitbekam von dem edlen Fischgericht. Stattdessen ertränkte sie beide Gänge in Tabasco, damit sie wenigstens nach irgendetwas schmeckten, abgesehen von dem widerwärtigen Nickelgeschmack, der alles durchdrang, von den Krabben bis zum Kuss. Alle Gesprächsbarrieren schienen an diesem Abend zu fallen, und endlich tauschten sie sich darüber aus, dass sich Amelia ganz schön rar gemacht hatte. Ein einziges Mal in diesem Frühjahr war ihre Tochter nach Elmsford gekommen und hatte sich schon nach einer Stunde wieder verabschiedet, um ihre Mutter nicht zu sehr zu »strapazieren«.

»Ich stehe ihr zu nahe«, spekulierte Glynis. »Sie sieht mich an und sieht sich selbst als Krebskranke, und es ist ihr unerträglich.«

»Aber sie ist nicht diejenige, die Krebs hat«, sagte Shep.

»Sie hat Angst.«

»Solange sie Angst *um* dich hat, stört mich das nicht«, sagte Shep. »Es stört mich aber, wenn sie Angst *vor* dir hat.«

»Sie ist jung«, konterte Glynis, die sich seit Beginn ihrer Krankheit zum ersten Mal bemühte, sich in einen anderen Menschen hineinzuversetzen. »Sie hat sich nicht unter Kontrolle. Ich wette, sie ist sich nicht mal bewusst, was sie tut.«

»Nämlich?«

»Mich meiden, natürlich. Ich wette, wenn du sie darauf hinweisen würdest, dass sie nur ein einziges Mal bei uns war, wäre sie schockiert. Ich wette, jedes Mal, wenn sie sich endlich durchringt, mich anzurufen, kommt irgendetwas Mysteriöses dazwischen, und sie verschiebt den Anruf auf den nächsten Tag. Ich wette, das passiert so oft, wenn nicht jeden Tag, dass sie glaubt, sie würde täglich zu Hause anrufen.«

»Ich habe Angst, dass Amelia später ein schlechtes Gewissen haben wird –« Shep hielt inne. Da war es, das alte Denkmuster. Die Annahme, die bis sieben Uhr an diesem Abend gültig gewesen war.

»Weswegen?«

Er kriegte gerade noch die Kurve. »Wenn du wieder gesund bist. Sie könnte zurückschauen, und ihr könnte aufgehen, wie rücksichtslos sie war. Wie rücksichtslos sie gewesen ist angesichts einer so großen Krise in deinem Leben. Sie könnte ein schlechtes Gewissen bekommen; du könntest es ihr übelnehmen, verständlicherweise. Ich finde, sie sollte sich zusammenreißen, in eurem Interesse, für danach. Vielleicht sollte ich mal was zu ihr sagen.«

»Untersteh dich. Sie soll mich besuchen, weil sie will, nicht weil ihr Vater ihr die Hölle heiß macht. Außerdem«, fuhr Glynis fort und nahm einen Schluck Champagner, »zumindest ist Amelia öfter aufgetaucht als *Beryl*. Wahrscheinlich hat deine Schwester eingesehen, dass ich ihr zumindest theoretisch mehr leid tun müsste als sie sich selbst, und daraufhin ist sie Hals über Kopf bis nach New Hampshire geflüchtet.«

»Du willst Beryl doch sowieso nicht sehen. Und jetzt hat sie sich aus reiner Knauserei in die unangenehme Lage gebracht, ein bisschen Verantwortung für meinen Vater übernehmen zu müssen. Es hätte eigentlich gar nicht besser laufen können. Das könnte sogar charakterbildend sein.«

»Mit den Rohmaterialien deiner Schwester wäre das so, als wollte man ein Regal aus Pappe bauen.«

Beim Cheesecake lenkte Shep mit gespielter Leichtigkeit das Gespräch auf ein anderes Thema. »Willst du eigentlich jetzt, wo die Prognose so positiv aussieht, immer noch weiter die Asbestklage verfolgen?«

»Absolut! Vielleicht stehe ich diese Sache ja durch, aber deshalb habe ich nicht weniger Qualen gelitten. Die Leute, die mir das angetan haben, sollen dafür büßen.«

»Na ja, es werden kaum dieselben sein ...«, sagte er zweifelnd. »In den dreißig Jahren, seit du auf der Kunstschule warst, wird man bei Forge Craft schon die zweite bis dritte Generation an Vorsitzenden verbraucht haben.«

»Sie beziehen immer noch ihre Gehälter von einer Firma, die mit diesem wirklich bösen Zeug ihren Profit gemacht hat. Aber das Beste ist, jetzt, wo ich wieder gesund werde, werde ich auch die Kraft haben, um auszusagen, auch für das Kreuzverhör. Wenn wir mit der Klage vor Gericht ziehen, werde ich vollen Einsatz bringen können.«

Shep verlor den Mut. Er wollte einen Rechtsstreit unter allen Umständen vermeiden. »Gut.« Er zuckte mit den Schultern. »Wenn du meinst. Nächste Woche treffe ich mich noch mal mit Rick Mystic, diesem Anwalt.«

Bei Kaffee und Pfefferminztee schlug er den Bogen zurück zu ihrer Kunstschmiedearbeit, und so nahm der Abend einen heiteren Ausklang. Im Auto schlug er vor, ein Essen mit Carol und Jackson zu planen, um das Ergebnis der Computertomografie zu feiern. »Ein Themenabend«, sagte sie zustimmend. »Wir könnten passend zur Computertomografie Schichttorte servieren.«

Shep freute sich, dass er Zach in der Küche erwischte, auch wenn das nicht unbedingt auf Gegenseitigkeit beruhte. Der Junge war so versessen darauf, nicht bemerkt zu werden, dass er kurz erstarrte, ohne das Auftauchen seiner Eltern zur Kenntnis zu nehmen, als könnten sie einfach durch ihn hindurchgehen. Dennoch war Shep erleichtert, ausnahmsweise mal nach Hause zu kommen und den Jungen nicht ermahnen zu müssen, dass er, wenn er schon nicht beim Wäschewaschen half, dann zumindest seine Sockenpaare zusammensuchte oder die Musik leiser drehte, seiner Mutter gehe es nicht gut. (»Ist ja mal was ganz Neues.«) Shep konnte sich nicht erinnern, wann er zum letzten Mal eine frohe Kunde zu verbreiten hatte, und die überteuerte Limonade beim Abendessen hatte ihm noch mehr Laune gemacht.

»Gut, dass ich dich sehe, Kumpel«, sagte Shep. Grimmig nahm Zach den freundschaftlichen Klaps auf die Schulter entgegen. »Vorhin in der Klinik gab es großartige Neuigkeiten.«

Zach zuckte zusammen. Er sah nicht aus wie ein Junge, dem gute Neuigkeiten ins Haus standen. Und er beugte sich schützend über sein Putensandwich, als hätten sie ihn bei etwas Unanständigem erwischt. Der Junge war schmächtig und noch nicht ausgewachsen; warum sollte er wegen eines Sandwiches ein schlechtes Gewissen haben? »Und, was gibt's?«, fragte er missmutig.

Shep schilderte das Resultat der CT, beschrieb die beiden geschrumpften Fäulnisstellen; da er die »hartnäckigen« biphasische Zellen unerwähnt ließ, hätte man ihn ohne Weiteres jenes Aufrundens bezichtigen können, das er bei Philip Goldman befürchtet hatte. Aber es war ja nicht verkehrt, das Positive hervorzuheben, vor allem gegenüber einem sechzehnjährigen Jungen, dem das Schicksal einiges zugemutet hatte und der bei seinem zerstreuten und dauergestressten Vater wenig Rückhalt fand.

»Echt?«

Shep wartete und wartete auf eine Reaktion des Jungen, bis er sich damit zufriedengab, dass dieser zusammengesackte, passive, unveränderte Wunsch, sich in Luft aufzulösen, bereits die Reaktion seines Sohnes *war.* »Vielleicht ist dir nicht klar, was das bedeutet. Es bedeutet, dass deine Mutter wieder gesund wird. Dass die Chemo anschlägt. Dass wir diese Sache besiegen werden.«

»Echt?« Zach sah seinem Vater in die Augen. Der weiche braune, ungebrochen starre Blick, betrübt und mitleidig, gab Shep auf einmal das Gefühl, dass er der Jüngere von beiden sei. Zach bewegte sich auf Glynis zu, die am Tisch saß, legte seiner Mutter die Hand auf die Schulter und drückte sie ein bisschen; seine Bewegungen waren eckig und zögerlich. »Das ist toll, Mama«, sagte er bleiern. »Ich bin total froh, dass es dir wieder besser geht.« Die Geste schien ihn einige Mühe zu kosten, er schlurfte erschöpft nach oben.

Shep wollte gerade murmeln: »Was war das jetzt schon wieder?«, da klingelte das Telefon. Es war spät für einen Anruf. Er hatte eine seltsame Vorahnung, dass er den Anrufbeantworter drangehen lassen sollte. Seit mindestens einem Jahr hatten er und Glynis keinen so schönen Abend in der Stadt verlebt, und die Störung war unwillkommen. Es fiel ihm gerade niemand ein, mit dem er sich gern unterhalten hätte, abgesehen von seiner Frau, die ihm nun mit ihrem üblichen trockenen Humor, ihrer Feinfühligkeit und guten Laune zurückgegeben worden war, eine wundersame Auferstehung mit freundlicher Genehmigung der Philip-Goldman-Kirche. Er wollte seine eigene Champagnerblase nicht zum Zerplatzen bringen, der Zauber des Abends fühlte sich fragil an.

Sein »Hallo?« war argwöhnisch.

Im Verlauf des Telefonats sagte Shep wenig und fragte nicht viel. Anschließend schlenderte er hinaus auf die Veranda. Es war noch immer ein herrlicher Abend – Elmsford lag weit genug vor der Stadt, um die Sterne sehen zu können –, doch die Idylle war dahin. Er hätte das verdammte Telefon einfach klingeln lassen sollen.

Auf der Fahrt nach Berlin, katastrophalerweise auch noch am Wochenende des 4. Juli, dachte Shep über seinen Vater nach. Angesichts der höheren Sphären, in denen der Mann sich beruflich bewegt hatte, war Shep erst nach Jahren dahintergekommen, dass Geld für Gabriel Knacker sehr wohl ein Thema war. Der ehrwürdige Pastor hatte lang und breit gepredigt, immer die Lichter auszuschalten, aber nicht etwa aus Umweltschutzgründen, sondern weil er geizig war. Als Gemeindevorsteher war er so gierig gewesen wie ein Unternehmer an der Wall Street und hatte seinen klammen Schäfchen schamlos immer wieder den Opferteller hingehalten, bis er endlich die heimelige schindelverkleidete Kirche mit etwas weniger heimeligen Rohrleitungen ausstatten konnte. Streng genommen hatte der Konflikt zwischen steigenden Kosten und rückläufiger Mitgliederzahl damals die meisten Sonntagsessen beherrscht. Der Rückschluss auf das Geldinteresse des Vaters hätte ihn wahrscheinlich zutiefst gekränkt, doch hinter den Tiraden des Pastors gegen wohlhabende Fabrikeigentümer und deren Zweithäuser und Sportwagen hatte Shep irgendwann eine Spur, nur eine Spur von ganz gewöhnlichem Neid ausgemacht.

Außer einigen Prellungen hatte Papa sich den linken Oberschenkel gebrochen. Er war beim Treppensteigen in einen Walter-Mosley-Krimi versunken gewesen. Im Grunde war es ein Unfall, der auch einem jüngeren Krimifan hätte passieren können, und zumindest war es nicht die Hüfte. Dennoch war mit achtzig jeder Knochenbruch gefährlich. Zum Glück war Beryl zu dem Zeitpunkt in der Nähe gewesen. Ihre Soforthilfemaßnahmen hatten ihre knappen altruistischen Vorräte leider rasch erschöpft; oder wie Glynis sagen würde, das Pappregal war unter der Last sofort zusammengebrochen. Jeder weitere Kampf mit Papierkram, Rechnungen und der bei einem behinderten älteren Patienten erforderlichen Logistik – die Frage, ob Papa wieder nach Hause dürfe, und wenn nicht, wohin dann mit ihm – war jetzt Sheps Problem. Ehrlich, nach dem Telefonat mit seiner Schwester am vergangenen Abend hätte man meinen können, sie sei die Taxifahrerin, die den alten Knacker zum Krankenhaus gefahren habe und jetzt ihr Fahrgeld eintreiben müsse.

Gern wäre er sentimental geworden. Aber wie jeder zeitgenössische Amerikaner im Angesicht einer medizinischen Katastrophe konnte er es sich nicht leisten, seine Kräfte allein an Zuneigung und Sorge zu verschwenden. Die Kosten für die akute Krise seines Vaters würden von Medicare gedeckt werden, aber nur zu achtzig Prozent; Shep hätte sich in den Hintern treten können, dass er seinem Vater nicht eine Medigap-Zusatzversicherung gekauft hatte, solange er das noch konnte. Aber richtig schwierig würde es werden, wenn die Krise erst mal überstanden war. Was die Kosten für eine Pflegekraft oder eine Senioreneinrichtung anging, verstand es sich von selbst, dass Beryl allenfalls ihren Senf dazugeben würde.

Vom Flussufer aus erhob sich die schmucklose Fassade von St. Anne's, die strengen vertikalen Linien aus rotem Backstein, die von Rechtschaffenheit und geiziger Duldsamkeit sprachen. Mit der verlängerten Spitze ihres linken Kirchturms, der asymmetrisch höher aufragte als der rechte, hatte ihn das Wahrzeichen Berlins immer an eine alte Jungfer mit einem Regenschirm erinnert. Im Zusammenhang mit dem dahinter sich erhebenden Häusergewirr wirkte die hochmütige Erhabenheit der Kirche fehl am Platz. In Anbetracht des stetigen Verfalls der Stadt war der Umstand, dass sie sich am Zusammenfluss der Flüsse Dead und Androscoggin befand, heute auf gruselige Weise passend.

Gegenüber der St.-Anne's-Kirche wuchsen Berlins letzte Fabrikschornsteine empor. Es ging das Gerücht, dass Fraser Paper dem Untergang geweiht war. (Wenn das Überleben seiner Heimatstadt von der geplanten Quadrennbahn abhängig wäre, dann gute Nacht. Greinende junge Leute auf greinenden vierrädrigen Gefährten, die sich anhörten wie ein Mückenschwarm: das war keine respektable Erlösung für erwachsene Menschen.) Klar, die rußgeschwärzten Backsteintürme seiner Kindheit hatten einen diesigen weißen Gestank in die Atmosphäre gepumpt. Bei den Zellstoffarbeitern war eine hohe Darmkrebs- und Leukämierate festgestellt worden. Umwelttechnisch gesehen war es vielleicht gesünder für Berlin, dass die meisten Fabriken dichtgemacht hatten. Dennoch fehlten sie ihm. Die spitze Stadtsilhouette war charakteristisch gewesen. Dass sich die Touristen beim Vorbeifahren an seiner Heimatstadt die Nase zuhielten, hatte ihn als Kind immer auf widersinnige Weise mit Stolz erfüllt. Die klappernden, höhlenartigen Fabriken, zu denen die Grundschulklassen Pilgerfahrten unternommen hatten, waren die eigentlichen Kathedralen von Berlin, New Hampshire, gewesen. Außerdem hatte Shep immer zu schätzen gewusst, dass er aus einer Stadt stammte, die etwas Greifbares herstellte, etwas, das man in der Hand halten, zusammenfalten und beschriften konnte. Er hatte wenig übrig für Städte, deren Wirtschaft auf flüchtigen »Dienstleistungen« oder schwer fassbaren Raffinessen wie Software basierten. Shep gehörte eigentlich nicht in dieses Jahrhundert, und er wusste das.

Als Shep damals nach New York gezogen war, hatte er sich seiner Provinzherkunft geschämt und an seiner Aussprache gefeilt. Die Beschämung hatte sich längst gelegt. Jeder, der aus einem Zehntausend-Seelen-Nest ausgewandert war, stellte eine Seltenheit dar; aus New York kamen viele. Seine Widerstandsfähigkeit gegen kaltes Wetter hatte er dieser kargen nördlichen Ansiedlung zu verdanken. Durch meterhohen Schnee zur Schule zu stapfen, während einem der Eisregen ins Gesicht peitschte. Das Taubheitsgefühl in den Füßen, schon nach zwei Straßen – *das,* liebe Glynis, nennt man periphere Neuropathie. Jene Robustheit, die ihm als Junge in Fleisch und Blut übergegangen war, hatte ihm im letzten halben Jahr gute Dienste geleistet: Wie man in schweren Zeiten klaglos zupackt, sich zu einem kleinen, schützenden Ich zusammenballt, um feindlichen Angriffen von außen standzuhalten.

Selbst bei halber Produktionskraft entließ Fraser Paper noch immer einen betörenden Duft. Auf dem Parkplatz des Androscoggin Valley Hospital sog Shep die bittere Luft tief in seine Lungen: Nostalgie. Mit seiner neuen Fassade aus glatt poliertem

Granit war es nicht mehr das heruntergekommene viktorianische Krankenhaus gleichen Namens, in dem man ihm mit zehn die Mandeln herausgenommen hatte. Das ursprüngliche Androscoggin Valley Hospital hatte ehrlicher gewirkt, mehr wie ein echtes Krankenhaus, in dem noch streng gelitten und Bettwäsche noch ausgekocht wurde. Die neue Klinik aus den Siebzigerjahren hüllte sich in kommunale Unschuld und war ein Gebäude, in dem man sich eher den Führerschein verlängern als ein Bein abnehmen ließ. Es war ordentlicher, sauberer und heller und wirkte wie eine Täuschung – wie der strahlende Sonnenschein an einem Wintermorgen in New Hampshire, der so einladend wirkte, bis man vor die Tür trat und einem die Windchill-Temperatur von minus eins ins Gesicht schlug.

Als ihm schließlich das Zimmer gezeigt wurde, in dem sein Vater noch schlief, um sich von der Narkose nach seiner Operation am Morgen zu erholen, dachte Shep nicht mehr über Medicare nach. Sie hatten ihre Meinungsverschiedenheiten gehabt, aber Gabriel Knacker war immer eine Respektsperson für ihn gewesen. Seine Wortgewalt war mit seiner kleinen Gemeinde nie zu vereinbaren gewesen, das starke Engagement des Pastors bei Fragen wie der Weltarmut oder der Apartheid in Südafrika hatte nie gepasst zu der sehr pragmatischen Sorge der Gemeinde um ihre Arbeitsplätze in den Mühlen. Als Vater hatte er mit derselben Unbarmherzigkeit seine Urteile gefällt, mit denen andere Väter ihren Kindern den Hintern versohlten. Als Junge war es Sheps größte Angst gewesen, seinen Vater zu »enttäuschen«. Als einstiger Firmengründer, der sich in seinem eigenen Unternehmen zum Funktionär degradiert hatte, war er zweifellos zur permanenten Enttäuschung geworden.

Für die meisten erwachsenen Kinder muss früher oder später der Augenblick kommen: die erschreckende Entdeckung, dass die Eltern alt geworden sind. Der autoritäre Eindruck aus der Kindheit ist so nachhaltig, dass ihnen dieser Umstand oft erst dann zu dämmern beginnt, wenn Mutter oder Vater für alle anderen längst eindeutig geriatrisch erscheint. Schon das Händewaschen am Desinfektionsmittelspender vor der Tür des Krankenzimmers machte jetzt allerdings auf die objektive Realität des väterlichen Verfalls aufmerksam.

Die aufragende Gestalt seiner Kindheit nahm in dem schmalen Bett unpassend wenig Raum ein; vielleicht hätte Shep doch versuchen sollen, den unverändert nur aus gegrilltem Käsetoast bestehenden Speiseplan etwas aufzupeppen. Die Haut seines Vaters hatte etwas Wässriges, Durchscheinendes, fraglos schon seit Jahren, nur dass Shep darüber hinweggesehen hatte. Bis Ende sechzig hatte der Pastor einen bemerkenswert vollen, dunklen Haarschopf gehabt – der seinen Sohn irgendwie darüber hinweggetäuscht hatte, dass der Mann in den letzten zehn Jahren doch endlich kahl und die paar verbleibenden Strähnen endlich weiß geworden waren. Die Hand, die die Bettdecke umklammerte, war faltig, fleckig und klein, wobei die Verwandlung jener breiten, gewölbten Extremität, die sich einst allwöchentlich zum Segen erhoben hatte, vermutlich nicht über Nacht geschehen war.

Shep und sein Vater hatten sich reichlich gestritten – weil Shep den »höheren Bildungsweg« verschmäht, seinen »scharfen Verstand« verschwendet, sich dem Mammon verschrieben und einer eigenen abgeschmackten, abtrünnigen Vorstellung vom »Jenseits« nachgegangen war. (Sparen für die Armen in der Dritten Welt wäre eine Sache gewesen; Bargeld zu horten, um sich eines Tages mit einem Glas Ananassaft auf die faule Haut zu legen, eine ganz andere.) Doch der Generationskonflikt war kein Kampf, den ein vernünftiger Sohn zu gewinnen hoffte. Shep wollte nicht, dass sein Vater einfach nur deshalb kapitulierte, weil seine vielen Jahre auf dem Planeten klammheimlich vom Vorteil zur Behinderung wurden; ein Sieg nur aufgrund von Sheps Jugend war billig. Er wollte nicht, dass sein Vater aufhörte, ein beängstigender, furchteinflößender, ärgerlicher oder unüberwindbarer Mann zu sein. Er wollte nicht, dass sein Vater alt wurde, was eigentlich nur hieß, dass er nicht wollte, dass sein Vater aufhörte, sein Vater zu sein.

Shep küsste dem schlafenden Patienten behutsam die Stirn; die dünne Schädelhaut fühlte sich beunruhigend beweglich an unter seinen Lippen. Er setzte sich auf einen Stuhl neben dem Bett. Dort hielt er etwa eine halbe Stunde Wache. Er lauschte dem unregelmäßigen Atem seines Vaters und legte ihm hin und wieder eine Hand auf den verkümmerten Arm. Es war eine kurze Sitzung des schlichten Da-Seins von jener Art, wie er sie sich für das Jenseits erhofft hatte. Doch das, was Glynis »Nichtstun« nannte, das Riechen, Sehen und Hören und das stille Beobachten eines anderen Menschen, war zweifelsohne doch auch eine Form von Aktivität, vielleicht sogar die wichtigste überhaupt. Er war nicht sicher, ob sein Vater seine Gegenwart spürte, aber das war in Ordnung. Es war eine Form von Gemeinsamkeit, die er gerade in letzter Zeit mit Glynis zu schätzen gelernt hatte: wortlos, aber so verblüffend anders, als wenn man nur für sich allein war.

In der Mt. Forist Street bog Shep in die Einfahrt: Kein Wunder, dass er sich wie ein Bauerntrampel vorgekommen war, als er nach New York kam. In seinem Heimatort konnte man nicht mal die Hauptstadt Deutschlands aussprechen oder das Wort »forest« richtig buchstabieren. Wie immer verwirrte ihn das zweigeschossige, im Kolonialstil gebaute und mit sepiafarbenen Schindeln verkleidete Haus mit der Rundumveranda. Es rief ein warmes Gefühl der Gemütlichkeit hervor, zweideutig gepaart mit einer depressiven Stimmung, wie ein Eimer goldener Farbe, der mit ein paar Tropfen grünlichem Umbra versetzt wird und sich in einen unschönen namenlosen Farbton verwandelt. Verklärte Bilder aus seiner Erinnerung kollidierten mit der unangenehmen Einsicht, dass das Haus allmählich baufällig wurde. Die angeschlagenen Zedernholzschindeln würden bei Gelegenheit ersetzt werden müssen. Das Geländer der Veranda war verzogen. Dennoch war es ein solides Haus, Baujahr 1912, mit einer kleinen architektonischen Besonderheit in Form eines eigenwilligen runden Türmchens, das auf der rechten Seite ein drittes Geschoss bildete. Sein altes Kinderzimmer lag dort oben. Dass es nahezu unmöglich gewesen war, ein rundes Zimmer zu möblieren, war nichts, was ihn als Jungen gekümmert hatte. Er liebte die Wendeltreppe und die Baumhausatmosphäre sowie das Plätschern des Baches hangabwärts, das durch die Bogenfenster drang. Als Kind hat man immer das Gefühl, im Zentrum des Universums zu wohnen, es fällt einem nie auf, dass man eigentlich am Ende der Welt lebt.

Beryl winkte von der Veranda aus. Ihr unförmiges Häkeltop saß so locker, dass ihr peinlich auffälliger pinkfarbener BH hervorschaute. Eigentlich hatte sie nicht mehr ganz die Figur für derart enge Jeansshorts. Andererseits konnte man die Tage, an denen man sich überhaupt kurze Hosen erlauben konnte, im nördlichen New Hampshire an einer Hand abzählen, und kaum dass das Thermometer die 15-Grad-Marke erreichte, liefen die einheimischen Mädchen schon in Hotpants herum.

»Shepardo! Ich bin ja so froh, dass du da bist!« Sie fiel ihm in die Arme. »Du kannst dir gar nicht vorstellen … Ich hab mich so allein gefühlt. Gott, immer wieder höre ich dieses *Wumms-wumms-wumms* auf der Treppe. Ich hab die ganze Nacht kein Auge zugetan. Und ich muss immer wieder daran denken, was passiert wäre, wenn ich nicht hier gewesen wäre.«

»Ja, Glück gehabt.« Shep schulterte seine Tasche und trug sie ins Haus, während Beryl vor sich hin plapperte, dass sie »alles, was in ihrer Macht stand, getan« habe, »total neben der Spur« sei und »nicht mehr weiter« wisse und – sie griff sich beidhändig mit drastischer Geste in die dicken braunen Locken – wirklich »erst mal 'ne Verschnaufpause« brauche. Er konnte sich nicht vorstellen, was sie großartig hatte tun müssen, außer den Krankenwagen zu rufen und ihren Vater in die Klinik einweisen zu lassen, aber er wollte nicht undankbar sein.

Shep machte sich auf den Weg nach oben, um seine Tasche abzustellen. »Ach ja, du müsstest dann mein Zimmer nehmen«, rief Beryl. »Ich bin jetzt in deinem.«

Er blieb stehen. »Wieso das?«

»Du weißt doch, dass ich immer schon dein Zimmer haben wollte. Es war das coolste. Und ich wohn doch hier; du bist doch nur zu Besuch, oder?«

Er musste seine Verärgerung hinunterschlucken, in der noch immer Unmut mitschwang, weil Beryl mit achtzehn *unbedingt* ihrem Bruder nach New York hatte folgen müssen. Als er wieder unten war, sah Shep, wie sehr seine Schwester das Haus seines Vaters in Beschlag genommen hatte. In jeder Ecke standen ihre schrägen Antiquitäten aus der Wohnung auf der West 19th Street; Filmzeitschriften und Zubehör benetzten jede Fläche wie Hundepipi. Ihr Laptop hatte seinen Ehrenplatz auf dem mit Ausdrucken übersäten Esstisch. Ohne Rücksicht auf den Heuschnupfen ihres Vaters steckte ein welker Strauß wilder Möhren in einem Mayonnaiseglas.

»Hast du nach Papa gesehen?«

»*Gesehen* hab ich ihn.« Shep ließ sich auf die Couch fallen. »Er hat noch geschlafen. Aber die Schwestern meinten, er hätte die Operation ziemlich gut überstanden.«

»Ich weiß, ich weiß. Ich ruf ja praktisch alle halbe Stunde an.«

Shep fragte sich, ob seine Schwester mit der gleichen eingebildeten Häufigkeit im Krankenhaus anrief wie möglicherweise Amelia ihre Mutter. »Sag mal, hast du hier irgendwas zu trinken? Ich bin total groggy.«

»Klar … da lässt sich bestimmt was auftreiben.« Widerwillig schlurfte Beryl in die Küche und kam mit einer fast leeren Flasche billigen Weißweins zurück. Das Glas, das sie ihm einschenkte, war nicht mehr als ein Fingerhut voll, und er begriff, was sie damit sagen wollte. Es reichte nicht, dass er zu Nancy hinübergelaufen und vereinbart hatte, dass sich Glynis im Notfall an sie wenden könne, dass er seiner zufälligerweise krebskranken Frau das Frühstück gemacht und im Internet schon mal einige Pflegeeinrichtungen in New Hampshire recherchiert hatte und acht Stunden in dichtem Urlaubsverkehr einmal quer durch Neuengland gefahren war, nein, er hätte außerdem noch ein paar genießbare Flaschen Wein, ein Sechserpack Bier und eine Familientüte Doritos mitbringen müssen, vorzugsweise in Beryls Lieblingsgeschmack Cool Ranch.

»Und, wo gehen wir heute Abend essen?«, fragte Beryl. »Ins Moonbeam Café? Ins Eastern Depot?«

Das Moonbeam war unten in Gorham, wo er gerade herkam, und die Fahrt zurück würde seinen Alkoholkonsum auf weniger beschränken, als es seiner Stimmung entsprach. Das Eastern Depot war jene Art von Nobelschuppen, der für Jahrestage und Geburtstage angemietet wurde, und Sheps natürliche Spendierfreude war ein wenig überstrapaziert. »Was spricht denn dagegen, zum Black Bear zu laufen?«

Beryl rümpfte die Nase. »Da gibt's nur Fleisch. Ich bin jetzt wieder Vegetarierin.«

»Seit wann?«

»Seit der Lasagne damals bei dir zu Hause. Davon war mir total schlecht.« Schlecht war ihr vor allem deshalb gewesen, weil sie ihren Willen nicht bekommen hatte.

»Danke.«

»Nimm's nicht persönlich.«

»Warum essen wir nicht hier? Ich fahr eben runter zum Weinladen in der Pleasant Street, aber mehr ist bei mir nicht drin.«

Dass er sie nicht zum Essen ausführen wollte, würde ihn teuer zu stehen kommen, dafür würde sie sorgen. Aber das änderte nichts, am Ende würde Shep ja ohnehin mit der Rechnung dasitzen.

»Ich sterbe vor Hunger«, verkündete Shep und stellte die Flaschen auf der Küchentheke ab.

Seine Schwester warf einen Blick auf seinen Bauchumfang und zog eine Augenbraue hoch. »Verhungert siehst du nicht gerade aus.«

»Ich muss für Glynis immer so mächtig wie möglich kochen. Das meiste davon ess dann aber ich.«

»Oh, das tut mir so leid, wegen der Sache mit Papa hab ich ganz vergessen zu fragen!« Beryl dreht sich vom Herd weg und legte die Stirn in Falten, um möglichst betroffen zu wirken. »Wie *geht's* ihr denn?«

Es war ein Gesichtsausdruck, den Shep inzwischen gut kannte. Schon die gedehnte Betonung war identisch mit dem Tonfall der Erkundigungen, die ihm nun seit Monaten vonseiten diverser Randfiguren entgegenschlugen. Unter dem aufgesetzten Stirnrunzeln lauerte die Hoffnung, dass die Antwort nicht unangenehm sein, dass der fragenden Person nichts abverlangt und dass es vor allem nicht zu lange dauern werde.

»Wie's aussieht, kriegen wir die Sache vielleicht in den Griff«, sagte er und zwang sich, daran zu denken, dass er inzwischen gläubig, ein Jünger, ein religiöser Eiferer war. »Die Chemo schlägt an.«

»Das ist ja phantastisch!« Mit dieser kryptischen, positiven Antwort war sie aus dem Schneider, und damit hatte sich das Thema.

Beryl kochte genau so, wie sie sich kleidete. Alles, was sie zubereitete, wurde unförmig und braun. Das, was sie heute Abend auf dem Herd zusammenrührte, war ein Klassiker: ein Brei aus durchweichten Cashewnüssen, sojagetränktem Tofu und breiig verkochten Pintobohnen.

Der Topf köchelte auf hoher Flamme auf dem Herd vor sich hin, und das Essen war eindeutig angebrannt, bloß nahm Beryl den Geruch nicht wahr. Während er diskret etwas Wasser hinzu gab, dachte Shep darüber nach, dass seine Schwester ihren fehlenden Geruchssinn nicht als Defizit, sondern als Auszeichnung sah. Dieser Tage war alles auf mysteriöse Weise auf den Kopf gestellt, und wer nicht sehen, hören, lernen oder gehen konnte, war etwas Besseres. Insofern wusste er nicht recht, was er mit seinem Mitgefühl anfangen sollte. Zu bedauern, dass seine Schwester mit dem Duft von knackendem Tannenholz nichts anfangen konnte, wäre dann von ihr wohl als Beleidigung aufgefasst worden.

Sie setzten sich, und das Essen auf seinem Teller sah aus wie der Fladen einer magenkranken Kuh. Im Moonbeam Café hätten sie leckeres hausgebackenes Brot und Obstcrumbles bekommen; vielleicht war diese sandig-klebrige Masse ja das, was Beryl wirklich gern aß, er wurde aber das Gefühl nicht los, dass ihm hier eine Lektion erteilt werden sollte. Zumindest würde das plumpe Abendessen nicht vom Hauptprogrammpunkt ablenken, wobei der Hauptprogrammpunkt ebenso wenig appetitlich war.

»Weißt du, wegen Papa«, begann Beryl. »Ich sag's nur ungern, aber ich hab von Anfang an gewusst –«

»Nein, du sagst es nicht ungern. Tu dir keinen Zwang an. Selbstgefälligkeit gehört zu den Freuden des Lebens.«

»Ich meine doch nur, wie ich damals in Elmsford schon sagte, so was musste ja irgendwann passieren –«

»Okay, bist du fertig? Es ist passiert. Weiter.«

»Jetzt sei doch nicht so zickig. Das ist für uns alle schwer.«

»Am schwersten ist es für Papa.«

»Ja, natürlich«, gab sie zu.

Die Kruste vom Boden des Topfes loszukratzen war ein Fehler gewesen. Angebrannte Fetzen tauchten auf seiner Gabel auf.

»Der Anlass ist natürlich ein Horror für mich«, fuhr Beryl fort. »Aber es ist auch eine Erleichterung, dass Papa und ich mal ein bisschen Ruhe haben, wo wir doch hier so aufeinanderhocken. Er ist aber auch so was von pingelig geworden! Sein ganzer Tag ist total durchgetaktet, und alles muss genau nach Vorschrift gehen.«

Shep nickte in Richtung Computer am Ende des Tisches. »Er scheint deinen Kram hier akzeptiert zu haben. Das spricht doch von Flexibilität.«

»Aber dann mache ich ihm seinen gegrillten Käsetoast. Ich will ein bisschen nett sein. Angenommen, das Brot wird zu dunkel, oder der Käse ist nicht genug geschmolzen. Man muss den

Regler auf einen ganz bestimmten Punkt einstellen und einen Topfdeckel über das Sandwich legen, und zwar einen ganz bestimmten Topfdeckel, der genau die richtige Größe hat. Und wenn man die beiden Gurkenscheiben vergisst oder mit ungeriffelter Gurke aus dem Laden kommt, dann gnade einem Gott. Ich hab ihn immer für so sparsam gehalten, aber er hat doch tatsächlich das Brot weggeschmissen und sich ein neues gemacht!«

»Umso besser für ihn«, sagte Shep. »Wie viele gegrillte Käsetoasts wird ein Mann in seinem Alter wohl noch essen?«

»Mann, und was mich wirklich wahnsinnig macht«, fuhr sie fort und mühte sich tapfer um geschwisterliche Komplizenschaft, »das ist seine Zeitung. Er schneidet immer noch diese ganzen Zeitungsartikel aus – du weißt schon, über Schuldenerlass für Dritte-Welt-Länder, alles über Abu Ghraib, die ganz große Aufregung, wenn irgendwo jemand verhungert. Und wenn ich mir dann die Zeitung nehme, sieht sie aus wie diese Schneeflocken, die wir damals in der Schule aus Papier gebastelt haben. Ich hab schon auf ihn eingeredet, nach dem Motto, wenn er irgendeinen Artikel will, können wir ihn runterladen und ausdrucken, aber nein, er muss unbedingt die Zeitungsversion haben. Du hast sein Arbeitszimmer da oben ja gesehen. Da stapeln sich die Ordner mit vergilbten Zeitungsausschnitten. Ich weiß nicht; ist doch irgendwie traurig. Was will er mit dem ganzen Zeugs?«

»Ist doch eher ein gutes Zeichen, dass er sich immer noch dafür interessiert, was in der Welt passiert«, sagte Shep beharrlich. »Die meisten Achtzigjährigen lesen überhaupt keine Zeitung mehr, geschweige denn, dass sie Artikel ausschneiden.«

Dass er nicht bereit war, gemeinsame Sache mit ihr zu machen, ging an Beryl vorbei. »Ist dir eigentlich klar, dass kaum ein Tag vergeht, wo er keinen Leserbrief an irgendeine Redaktion schickt? Manchmal an den *Sentinel*, aber meistens an die *New York Times* oder die *Washington Post*. Die Briefe werden so gut wie nie abgedruckt. Als würde die ganze Welt nur darauf warten, was Gabriel Knacker zu irgendeinem Ereignis zu sagen hat. *Das* ist doch wirklich traurig. Ich stell mir diese Leserbriefredakteure vor, die schon wieder einen Brief mit Absender Berlin, New Hampshire, in der Post haben, und wie sie die Augen verdrehen und den Brief ungeöffnet in den Müll werfen.«

Shep war nicht wohl dabei, von Glynis getrennt zu sein, und er hatte nicht die Absicht, Wurzeln zu schlagen; das große Haareraufen anlässlich ihres Vaters würde verschoben werden müssen. »Und, wie ist die Prognose? Glaubst du, er kann wieder hierher zurück?«

»Das würde aber heißen, dass wir eine Pflegerin einstellen müssten, weil er vermutlich wochenlang bettlägrig sein wird. Wahrscheinlich bräuchte er sogar eine Rund-um-die-Uhr-Betreuung, und zwar, was weiß ich, bis ans Ende aller Zeiten.«

»Das ist wahr …« Shep sah seiner Schwester fest in die Augen.

»Und wer weiß, was für eine Pflegerin man dann erwischt. Wenn sie ein Drache ist, könnte sie einem das Leben hier zur Hölle machen.«

»Nach allem, was ich gelesen habe, kann eine Vollzeit-Pflegekraft, die im Haus wohnt, an die Hunderttausend im Jahr kosten.«

»Ich fass es nicht, dass wir kaum eine Minute über dieses Thema reden, und schon geht's dir wieder nur ums Geld.« Mit ihrem Lächeln versuchte sie die Spitze als Witz zu verkleiden, aber ohne Erfolg.

»Da er nicht hier ist, um uns zu sagen, was er als Nächstes tun möchte, können wir beide uns doch nur über Geld unterhalten.«

»Egal, was es kostet«, erklärte Beryl, »es kommt doch vor allem darauf an, was das Beste für Papa ist.«

»Meinst du nicht, dass er lieber wieder nach Hause möchte?«

»Ich glaub aber nicht, dass es praktikabel ist, wenn er hier lebt«, sagte Beryl. »Es könnte sogar gefährlich sein; er könnte wieder stürzen. Außerdem würde es das Unvermeidliche nur hinauszögern. Das ist der ideale Zeitpunkt, um den entscheidenden Schritt zu machen und irgendeine Einrichtung zu finden, wo er seine Ärzte hat und sein Essen bekommt und wo er in Gesellschaft von Gleichaltrigen ist.«

»Und du bleibst dann hier im Haus wohnen. So stellst du dir das vor, ja?«

»*Vielleicht* würde ich noch eine Zeit lang hier wohnen. Was ist denn daran so schrecklich? Irgendjemand muss doch hier die Stellung halten.«

»›Die Stellung‹ ist Papas einziges Kapital. Es ist alles, was er hat, um mögliche Kosten von einhunderttausend Dollar im Jahr zu decken, egal, wofür er sich entscheidet – ob Pflegerin, Altenheim oder betreutes Wohnen.«

»Willst du damit sagen, dass du mir das Haus unterm Hintern wegverkaufen willst? Wo soll ich denn dann hin, verdammt noch mal?«

»Wo erwachsene Menschen hingehen, die nicht mehr bei ihren Eltern wohnen.«

»Das ist doch lächerlich! Wozu gibt's denn schließlich dieses ganze Medicare und Medizeugs?«

»Das hab ich dir doch schon auseinanderzusetzen versucht, als dir von meiner Lasagne schlecht geworden ist.« Er warf einen raschen Blick auf seinen Teller. »Medicare übernimmt keine Langzeit-Pflegekosten, Punkt. Was du meinst, ist Medicaid.«

Gelangweilt winkte Beryl ab. »Verwechsle ich immer.«

»Medicaid hat strenge Vorgaben, und es würde eine Menge Papierkram erfordern, bis sie ihn überhaupt erst aufnehmen. Die zahlen nur bei Leuten, die wirklich kein Geld haben. Papa wird sich niemals qualifizieren, solange er dieses Haus besitzt und jeden Monat seine Pension bezieht. Also müssen wir das Haus entweder verkaufen, das Geld ausgeben und seinen Rentenfonds auflösen, oder *wir* –«, bei dem Pronomen stockte er, beschloss aber, dass es für die moralische Erziehung seiner Schwester gut wäre, »*wir* dürfen am Ende blechen.«

»Was ist mit meinem Erbe?«

»Welches Erbe?«

»Die Hälfte dieses Hauses wird mir gehören, und ich rechne mit dem Erlös für die Anzahlung auf meine Eigentumswohnung!«, sagte sie klagend. »Wie soll ich denn sonst jemals an ein eigenes Zuhause kommen?«

»Ich besitze auch kein Haus, Beryl.«

»Das ist deine Entscheidung. Du könntest dir alles kaufen, und das weißt du.« Sie verschränkte die Arme und schmollte. »Verdammt, das ist echt Stoff für 'ne Doku. Papa, der sein ganzes Leben lang arbeitet und Steuern zahlt, und jetzt, wo er –«

»Dass die ein oder andere Altersvorsorge an Wert verloren hat«, fuhr Shep ihr ins Wort, »das hat sich mittlerweile rumgesprochen.«

Mit offenkundiger Selbstbeherrschung faltete Beryl die Arme auseinander und stützte die Hände links und rechts neben ihrem Teller auf. »Hör zu. Folgender Vorschlag. Du zahlst Papas Pflegeheim oder betreutes Wohnen, was auch immer. Gib mir zwei oder drei Jahre hier, und ich kann mir ein bisschen Geld zusammensparen. Wenn Papa verstorben ist und wir das Haus verkaufen, würde dein Teil des Erbes deine Auslagen decken.«

Shep setzte sich zurück. Vor so viel Kühnheit konnte er nur den Hut ziehen. Seine Schwester hatte einen hohen Unterhaltungswert, das musste man ihr lassen. »Meinen Anteil stecke ich ins Pflegeheim. Und du darfst deinen behalten?«

»Klar, warum nicht? Und du hast mich vom Hals. Ich werde dann nie wieder an deine Tür klopfen und dich um eine Tasse Zucker bitten. Ich könnte nach New York zurückziehen.«

»Unabhängig davon, ob ich dir deine Idee abkaufe oder nicht, was glaubst du, wie viel dieses Haus wert ist?«

»Die Immobilienpreise sind im ganzen Land nach oben gegangen. In den letzten zehn Jahren ist doch alles dreifach im Wert gestiegen. Alle außer mir haben das dicke Geld gemacht. Fünf Schlafzimmer, drei Bäder … Dieses Haus muss ein Vermögen wert sein!«

»Ich wiederhole: Genau wie viel, glaubst du, ist dieses Haus wert?«

»Ach, bestimmt so … 500? 750? Mit dem großen Garten, ich weiß nicht, vielleicht sogar 'ne Million!«

Shep wusste, dass seine Schwester das Haus liebte, und eigentlich aus gutem Grund. Die dunkle Holzvertäfelung im Innern war noch original und nie übermalt worden. Das Haus war geräumig, es hatte Flair. In ihrer Wertschätzung war es zusätzlich noch gestiegen als Ort ihrer Kindheit, und sie hatte gute Erinnerungen; sie war immer das Lieblingskind gewesen. Er wollte sie ungern ihrer Illusionen berauben, aber ein Makler würde nicht ganz so sentimental sein. »Ich hab mich auf den Immobilienseiten im Internet ein bisschen schlau gemacht. Häuser von dieser Größe in Berlin werden für unter hunderttausend veräußert.«

»Völlig unmöglich!«

»Fraser Paper machen dicht, und alle wissen das. Ist dir gar nicht aufgefallen, wie viele leer stehende und heruntergekommene Häuser es in dieser Gegend gibt? Angeblich soll hier ein großes Staatsgefängnis gebaut werden und eine Quadrennbahn, aber selbst wenn, geht's dabei höchstens um ein paar Hundert Arbeitsstellen. Nach *Kampf dem Papierkrieg* solltest du doch eigentlich am besten wissen, dass die Leute in Scharen wegziehen. Die Immobilienpreise in dieser Gegend *fallen.*«

»Sie fallen nirgends! Dieses Haus ist die beste Investition, die Papa je gemacht hat!«

»Beryl, denk mal drüber nach. Wer will denn schon hier wohnen? Exilierte New Yorker Dokumentarfilmerinnen, die ihre Mietpreisbindung verloren haben. Das war's dann aber auch schon. Und da liegt das eigentliche Problem. Selbst wenn wir morgen dieses Haus auf den Markt werfen, könnten Monate, wenn nicht Jahre vergehen, bis es jemand kauft, und in der Zwischenzeit wird Medicaid den Teufel tun, Papas Pflegeheim zu finanzieren. Also nur keine Sorge, dass dir das Haus ›unterm Hintern wegverkauft‹ wird. Wir sollten uns eher sorgen, ob wir's überhaupt loswerden.«

»Mh … aber wir wissen ja nicht, wie lange er noch durchhält, oder? Man hört doch immer, dass bei alten Leuten ein Knochenbruch der Anfang vom Ende ist.«

Das war ziemlich mies. »Klar, wenn er nur gleich sterben würde, könntest du schon jetzt an dein *Erbe*.«

»Was unterstellst du mir! Ich wollte doch damit nur sagen –«

Shep räumte den Tisch ab. Er stand neben dem Stapel Teller und dachte nach. Fast hätte er nichts gesagt, aber inzwischen – vielleicht weil Papa im Krankenhaus lag – kam er sich weniger wie Beryls Bruder als wie ihr Vater vor.

»Je länger Papa zu Hause wohnen kann«, sagte Shep, »desto besser ist es für ihn, und desto besser ist es auch für uns. Aber eine Vollzeit-Pflegekraft wäre teuer und, wie du schon richtig sagtest, ein Störfaktor. Aber ich bin neugierig. Es gäbe da eine Möglichkeit, über die wir noch nicht gesprochen haben. Wie wär's denn, wenn er hierher zurückkäme und *du* ihn pflegen würdest?«

»Nie im Leben!«, rief sie. Logischerweise war ihr diese Option noch gar nicht in den Sinn gekommen.

»Im Januar noch hast du Amelias Zimmer vorgeschlagen – obwohl wir dir noch gar nicht erzählt hatten, dass Glynis krank ist. Damals kam es nicht infrage, dass er bei dir in Manhattan wohnt, weil du gerade dabei warst, deine Wohnung zu verlieren. Aber jetzt hast du dich ja hier eingenistet, und niemand würde aus seinem Zuhause vertrieben, weder du noch Papa. Du könntest dich nützlich machen.«

»Ich bin dazu nicht qualifiziert. Ich bin keine *Krankenschwester*!«

»Ich bin sicher, das Krankenhaus bietet die entsprechende Physiotherapie an. Aber hauptsächlich ginge es darum, zu kochen und einzukaufen und das Haus sauber zu halten. Das Bettzeug zu wechseln, Wäsche zu waschen, ihm Gesellschaft zu leisten. Ihn zu baden und ihm mit der Bettpfanne zu helfen. Und dafür bist du genauso qualifiziert wie jeder andere.«

»Papa wäre es niemals recht, wenn ihm seine Tochter den Arsch abwischt. Das wäre total peinlich für alle Beteiligten.«

»Wenn man seine Meinung darüber ändert, was man geben will, ändern andere ihre Meinung darüber, was sie annehmen wollen.« Shep lächelte. Es war eine Moralpredigt, wie sie ihre Mutter nicht besser hätte halten können.

»Ich fass es nicht, dass du so was von mir verlangst! Ich sehe nicht, dass *du* freiwillig alles aufgibst und den ganzen Tag jemanden pflegst!«

»Ach nein? *Alles aufgeben und den ganzen Tag* – oder die ganze Nacht – *jemanden pflegen* ist genau das, was ich für Glynis tue. Während ich einen Vollzeitjob habe, den ich hasse und den ich nur deswegen behalte, damit meine Frau halbwegs krankenversichert ist.«

Das Unbehagen über ihren Fauxpas war nicht von Dauer. »Du willst, dass ich mein ganzes Leben auf Eis lege, möglicherweise auf Jahre hin! Du hast ja nur einen Job, ich dagegen verfolge eine Karriere! Und zufällig handelt es sich dabei um eine Karriere, an die Papa glaubt. Er würde es niemals wollen, dass ich aufhöre, meine Filme zu brisanten gesellschaftlichen Themen zu machen, nur um ihn zu baden! So gesehen werde ich vielleicht *tatsächlich* einen Dokumentarfilm über Altenpflege drehen. Und in dem Fall werde ich für sehr viel mehr Menschen sehr viel mehr Gutes tun, als ich jemals tun könnte, indem ich hier rumhänge und einen einzelnen alten Mann frage, ob er ein Glas Wasser braucht!«

»War's das? Also nein? Ende der Durchsage?«

»Das kannst du aber glauben. Vollkommen indiskutabel. Nix da, niemals, kommt nicht infrage, vergiss es, Punkt.« Sie wirkte frustriert, weil ihr keine weiteren Verneinungen mehr einfielen.

Nach dem Verkauf des Allrounders hatte Shep bestimmt nicht erwartet, dass er mehr Anerkennung finden würde – dass man ihm bessere Tische im Restaurant zuteilen, seinen bescheidenen Ansichten mehr Gewicht beimessen würde –, nur weil er an etwas Geld gekommen war. Aber dass er dafür bestraft würde, hatte er verdammt noch mal auch nicht gedacht.

»Soll also heißen, dass ich für die Alternative aufkommen

soll – ob nun Vollzeit-Pflegekraft oder irgendeine Art Einrichtung. Und was deinen Gratiseinzug in *mein* altes Kinderzimmer angeht, hast du Glück, denn solange Papa auch nur die geringste Hoffnung hegt, wieder nach Hause zu kommen, werde ich dieses Haus nicht auf den Markt werfen. Aber lass dir gesagt sein, dass es mir nicht leichtfallen wird, seine Pflegekosten zu übernehmen. Wegen Glynis fallen für mich enorme Kosten an, und so dicke, wie du glaubst, hab ich's längst nicht mehr.«

»Das versteh ich nicht«, sagte Beryl ehrlich verblüfft. »Du hast doch gesagt, du bist krankenversichert.«

Shep lachte. Es war kein schönes Lachen, aber immer noch besser als zu weinen.

Kapitel 12

Jede Menge Paare schliefen nicht mehr miteinander, und es ging ihnen vermutlich bestens. Hatte die Lust eben nachgelassen, na und. Es blieb ja dieses wohlige Grundgefühl, vorausgesetzt, man schlief im selben Bett, und das war ja bei ihm und Carol nach wie vor der Fall, wenn auch nur deshalb, weil Carol die Mädchen nicht mit irgendeiner phantasiereichen Erklärung beunruhigen wollte, warum Papa plötzlich auf der Couch schlief. Das kleinere Exil in Form eines fünfzig Zentimeter breiten Burggrabens aus kaltem Bettzeug war definitiv schmerzhafter. Sie konnte seinen Anblick nicht ertragen. Gelegentlich drehte sie sich im Schlaf zu ihm um, aber aus reiner Gewohnheit; wenn sie kurz erwachte und feststellte, dass sie mit der Wange an seiner Brust lag, zuckte sie zurück und verzog sich brummend an den äußersten Matratzenrand. Jedes Mal zog sie die Bettdecke mit und ließ Jackson allein in seinen Boxershorts liegen. Inzwischen war es ihm verhasst, in Unterwäsche zu schlafen. Die Boxershorts lösten die gleiche Beschämung aus wie als Junge die Unterhose, die er vor lauter Angst, dass Mutter einen braunen Fleck entdecken könnte, lieber in den Abfall stopfte als in die Wäsche.

Auch wenn jede Menge Paare also aufhörten mit dem Sex, hätte er nie gedacht, dass Carol und Jackson Burdina dazuzählen würden. Mag sein, dass sie es seit Flickas Geburt nicht mehr so oft miteinander trieben, aber siehe Bobby Sands: Diät und Hungerstreik waren immer noch zwei Paar Schuhe. Der Verlust schuf ein Gefühl der Beklemmung, das über die Schlafenszeit hinausreichte. Denn wenn er nicht im Bett lag, fürchtete er sich davor. Diese schwebende, ineinander verschlungene Trägheit zwischen dem ersten und dem zweiten Weckerklingeln war für ihn immer der schönste Teil des Tages gewesen.

Schon seit Anbeginn seiner Ehe ärgerte er sich über seine Unfähigkeit, seine Frau tatsächlich zu besitzen. Sie entzog sich ihm; sie hielt sich auf Distanz. Auch wenn Carols Selbstgenügsamkeit ihm immer Respekt eingeflößt hatte, hatte er für sich keinerlei Wunsch nach diesem unbeschwerten, bedürfnislosen Mit-sich-eins-Sein. So weiblich das Bild auch sein mochte, eine kleine innere Leere, jenes kleine, weiche, bodenlose Loch, das immer gefüllt zu werden verlangte, machte aus Jackson einen begehrlichen und somit begehrenswerten Mann. Hätte er sich plötzlich in einen Seelenverwandten verwandelt – einen diskreten, autarken Organismus, der genauso herumwuselte wie sie, der um nichts bat und nichts erwartete, der effizient und unermüdlich tat, was zu tun war, nun – da wäre Carol verdammt übel dran gewesen.

Denn früher hatte Jacksons Frustration über seine Unfähigkeit, sie … nicht direkt zu besitzen … aber sie *einzunehmen*, ihm ein belebendes Gefühl der Sinnhaftigkeit und ihnen beiden beste Unterhaltung geboten. Sie hatte ihren Spaß gehabt, ihn damit zu reizen, dass sie immer knapp jenseits seiner Reichweite blieb; er spielte gern den Jäger, der immer etwas zu jagen hatte. Doch nun hatte sich Carols aufreizende Unerreichbarkeit verfestigt, und es machte keinen Spaß, auf Safari zu gehen, wenn der Wildpark leer war.

Dabei hätte ihn Carol nicht noch zusätzlich bestrafen müssen. Gut, er war nicht *konsultativ* gewesen – was einfach nur hieß, dass er etwas Teuflisches, etwas unerwartet Pikantes und Unanständiges hatte tun wollen, das ausnahmsweise nichts mit den Kindern zu tun hatte, denn, mein Gott, schließlich hatte die Frau wenig Spontanes im Leben, abgesehen von immer wieder neuen Arztrechnungen oder, Überraschung!, einer nagelneuen Sorte Bakterium, die über Flickas Hornhaut herfiel. Und sicher, er hatte sich vielleicht nicht an den Grundsatz gehalten, dass man ein halbwegs funktionierendes Körperteil am besten in Ruhe ließ. Andererseits sah er auch nicht ein, warum die katastrophalen Auswirkungen dieses unüberlegten Mätzchens allein seine Schuld sein sollten. Hätte er die Infektion vorhersagen können, und hatte er nicht die ganze Packung Antibiotika genommen? Hatte er im Vorfeld nicht reichlich recherchiert? Und wie hätte er nach der begeisterten Aussage seines Cousins Larry wissen können, dass der Arzt ein Quacksalber war? War es seine Schuld, dass sein Schwanz noch immer aussah wie ein unförmiger Hotdog in einem zerdrückten Brötchen, aus dem in der Mitte ein Stück herausgebissen worden war? Er litt ohnehin schon genug, und Carols grausame Kälte war unverdient. Doch die Überzeugung, dass er nicht nur seine eigene Person, sondern auch die seiner Ehefrau verstümmelt hatte, war ihr nicht mehr auszureden. Wie sich herausstellte, glaubte sie *wirklich,* sein Schwanz gehöre ihr – ihr persönlich, und zwar mit der gleichen Schlichtheit und Vollkommenheit wie zum Beispiel ein Küchenspachtel –, und sie sei es, die ihm gnädigerweise seinen Schwanz gelegentlich ausborgte, etwa, wenn er pinkeln musste.

Zudem drängte sie ihn zu einer Auseinandersetzung mit sich selbst, für die Jackson wenig Geduld hatte. Es war nicht so, dass er sich selbst »fremd« war oder irgend so ein Blödsinn; Nabelschau war für ihn schwächlicher und sinnloser Mädchenkram. Was geschehen war, war nun mal geschehen. Was nützte also eine Gefühlsautopsie? Man konnte sie sezieren, wie man wollte, aber eine Leiche war und blieb eine Leiche.

Wobei, eine Leiche war sein Schwanz ja nicht gerade. Es war schlimmer als das. Er war entstellt, er war schlaff, und er lebte noch, was die Sache nur schrecklicher machte. Sein Schwanz erinnerte ihn an »Die Affenpfote«, jene Geschichte, die sie bei Mrs William in der achten Klasse gelesen hatten – in der der geliebte Sohn einen verheerenden Unfall hat, durch finstere Mächte wiederaufersteht und eines Nachts an die Haustür klopft. Sein Schwanz stand vor der Tür und wollte rein.

Vor ein paar Wochen hatte Jackson alles Menschenmögliche getan, um zu erklären, was ihn dazu getrieben hatte, auch wenn die Erklärungen offenbar sinnlos gewesen waren und er sich am Ende gefragt hatte, wozu er sich überhaupt die Mühe machte. »Es war nur für den Kick«, hatte er begonnen. »So eine schräge, übermütige Idee, als hätte man immer nur Pralinen geschenkt und wollte sich dieses Jahr mal was einfallen lassen und seiner Frau was wirklich Unerhörtes zum Geburtstag schenken. Wir sind umgeben von Leuten, die sich piercen oder sich neue Nasen machen oder sich Fett absaugen lassen – die ihren Körper wie ein Haus behandeln, das man nach Lust und Laune renovieren kann. Ich repariere ständig anderer Leute Häuser. Ich hab ein bisschen rumgespielt, okay? Eine kleine Geste, einfach nur aus Spaß. Herrgott, ich lass mir weder ein Magenband einsetzen noch meinen Männerbusen verkleinern; ich bin nicht mal tätowiert.«

»Mit diesem Körperteil pfuscht man nicht herum, ›einfach aus Spaß‹«, hatte sie beharrlich gesagt. »Das kauf ich dir nicht ab, Jackson. Dass diese Operation nur zum Spaß war, ein spontaner Einfall, eine kleine Laune.«

»Ich hab mich doch jetzt schon tausendmal entschuldigt. Aber ich seh nicht ein, warum man die Sache zu Tode analysieren muss. Ich komm mir vor, als wäre ich auf einem spontanen Ausflug am Samstagnachmittag gewesen, auf irgendeinem Berg, und plötzlich schlägt das Wetter um, und was als unbeschwerter Spaß begonnen hat, ist plötzlich lebensgefährlich, mit Windböen, die einen fast über die Klippe fegen, und die halbe Mannschaft leidet an Unterkühlung. So was kommt doch vor, meinst du nicht? Aber wenn die Rettungshubschrauber landen, dann halten dir die Sanitäter doch nicht erst mal eine Predigt über die

Motivation hinter deiner düsteren und perversen Entscheidung, am Wochenende wandern zu gehen.«

»Du ermüdest mich, Jackson«, sagte Carol, die Lider auf Halbmast. »Meinetwegen kannst du auf Dinnerpartys die Leute mit deinem ganzen Quatsch bombardieren und mundtot machen, aber mich lass bitte aus dem Spiel.«

Er klopfte sich auf die Schenkel, stand auf und ging im Zimmer auf und ab – das von Tag zu Tag kleiner zu werden schien. Er würde ihr schon etwas Handfesteres bieten müssen als einen angeblichen Spleen.

»Hör zu. Willst du die Wahrheit wissen?«

»Das wäre erfrischend.«

»Ist mir aber peinlich.«

»Ich kann mir wenig Peinlicheres vorstellen als die gegenwärtige Situation.«

»Ich ...« Verdammt, peinlicher ging's nun wirklich nicht mehr. Er warf einen Blick aus der Tür, um sich zu vergewissern, dass die Mädchen noch nicht auf den Beinen waren, drehte den Knauf, bis es Klick machte, und senkte die Stimme. »Einmal bin ich überraschend nach Hause gekommen, weil wir einen Auftrag hier in der Gegend hatten. Die Mädchen waren in der Schule, und du musst dich wohl ... Na ja, anscheinend hast du dich unbeobachtet gefühlt. Ich hab dich gesucht, und du hast mich nicht gehört, weil du ... gerade anderweitig beschäftigt warst. Du warst nämlich hier drin, und du hattest die Tür offen gelassen.« Er hielt inne in der Hoffnung, dass sie sich den Rest zusammenreimen würde, aber stattdessen verschränkte sie die Arme und sagte: »Na und?« Er würde es also ausbuchstabieren müssen.

»Ich hab nicht spioniert, Carol. Ich wollte dich nur fragen, ob du Lust hast, mit mir was zu essen. Aber du warst – na ja, du hattest dich nackt ausgezogen, und es war am helllichten Tag, und das war schon ein bisschen seltsam. Du hast vor dem Spiegel gestanden, und deine Hände waren voll mit – ich weiß nicht – irgendwas Schmierigem, Cremigem.«

Sie lachte. »Haarkur. Es hat die optimale Konsistenz.«

»Tut mir leid, dass ich deine Privatsphäre missachtet hab, und du sollst auch nicht denken, dass ich mich angegriffen gefühlt hätte oder so was –«

»Warum hättest du dich angegriffen fühlen sollen?«

»Das nehm ich mal gleich zurück. Ich hab mich ein bisschen angegriffen gefühlt.«

»Ich darf nicht masturbieren? Das hättest du mir längst sagen müssen.«

»Das meinte ich nicht. Und angegriffen ist das falsche Wort. Ich war gekränkt.«

»*Gekränkt?* Jackson, ich arbeite unglaublich hart, die Marketingarbeit für IBM ist stinklangweilig, und hin und wieder muss ich ein bisschen Dampf ablassen.«

»Du verstehst mich nicht. Der Punkt ist, du warst in Ekstase. Du hast mit beiden Händen an dir rumgemacht, hast dir dabei zugesehen und warst total in Fahrt, und du hattest überall dieses Zeug – dann eben Haarkur. Und du hast gestöhnt und dir schmutzige Sachen zugeraunt. Scheiße.«

»Offenbar habe ich großen Eindruck auf dich gemacht. Aber warum in aller Welt hast du nicht einfach mitgemacht?«

»Ich habe mich ausgeschlossen gefühlt. Und du verstehst es immer noch nicht. Du hattest … mehr Spaß ohne mich als mit mir.« Er senkte den Blick. So. Jetzt war's raus.

Sie nahm seine Hand mit einer Zärtlichkeit, nach der er ausgehungert war. »Also hast du mich gesehen, wie ich's mir selbst mache. Das ist ein bisschen anders. Vielleicht ist es etwas hemmungsloser, wenn du nicht dabei bist. Ich wünschte, es wäre anders, aber es ist fast unmöglich, im Beisein eines anderen Menschen komplett seine Hemmungen abzulegen, selbst wenn man diesen Menschen liebt und selbst wenn man in der Gegenwart dieses Menschen mehr oder weniger entspannt ist. Ich sehe noch immer nicht ein, warum diese kleine Sitzung, bei der du mich beobachtet hast, auch nur das Geringste mit deiner vermasselten Penisvergrößerung zu tun hat.«

Er zuckte jedesmal zusammen, wenn sie die Sache so beim Namen nannte. Da er sich die Häufigkeit seiner eigenen, privaten Rituale – oder deren einstige Häufigkeit – nur ungern eingestehen wollte, mochte er auch nicht zugeben, dass ihm seit Jahren diese versehentlich beobachtete »Sitzung« als Vorlage diente. Selbst jetzt, nur vom Reden darüber, hatte er schon wieder eine Latte. (Zumindest andeutungsweise. Vermutlich sollte er dankbar sein über seine unterschwellige Begeisterung, auf die er vor allem wegen der Schmerzen überhaupt aufmerksam wurde; das Narbengewebe infolge der Infektion schnürte den Schaft in der Mitte zusammen wie ein Cockring.) Der Gedanke, wie sich Carol mit dem Haarzeug einschmierte und vor dem Spiegel befingerte, machte ihn richtig heiß und quälte ihn gleichzeitig. Großer Gott, das hätte man dieser Frau doch niemals angesehen, bei der Selbstbeherrschung. Außenstehende hielten Carol vermutlich für verklemmt. Und er hatte nicht vor, zu wiederholen, was er sie an jenem Tag hatte sagen hören – ihr laufender Kommentar aus Schmuddelkram wäre für beide zu peinlich gewesen und gleichzeitig so aufregend, dass sein Schwanz die fürchterlichsten Qualen gelitten hätte – was für ein verdammtes Biest sie war! An jenem Nachmittag hatte er sich so betrogen gefühlt, seit Jahren mit einer Wildkatze zusammenzusein, einer Wildkatze mit großen, üppigen Brüsten und einer Hand in der Fotze und lustvoll verzerrtem Gesicht, und er hatte die ganze Zeit gepflegten Blümchensex mit einem Hauskätzchen gehabt.

»Ich wollte, dass du dich auch mit mir zusammen so fühlen würdest«, sagte er. »Ich wollte etwas beisteuern, damit du's genauso aufregend findest, wenn du's mit mir machst. Bevor ich dich damals gesehen hab, war mir gar nicht klar, dass du in der Lage bist … so abzugehen.«

»Habe ich nicht den Eindruck gemacht, dass ich Spaß mit dir hatte? Wir hatten ein wunderbares Sexleben. Wär's nicht so gewesen, würde ich mich doch kaum jetzt so ärgern, dass es damit vorbei ist.«

»Siehst du? *Spaß. Ein wunderbares Sexleben.* So was sagt

man bei einen Picknickausflug. Ich will nicht, dass du *Spaß* hast. Ich will dich rasend machen.«

»Na dann, herzlichen Glückwunsch. Ich bin rasend. Rasend vor Enttäuschung. Du hättest mit mir darüber reden müssen, statt dich wie einen Rostbraten aufschneiden zu lassen. Herrgott noch mal, wenn du's einfach nur ein bisschen schärfer gewollt hättest, hätte ich gewartet, bis es die Haarkur wieder im Sonderangebot gibt.«

Ihr Scherz ließ ein Zugeständnis erahnen, und er setzte sich neben sie aufs Bett. Trotz der Schwüle trug sie neuerdings ein Nachthemd, doch die Tür war zu, und es ließ sich auch wieder ausziehen. Er legte ihr eine Hand auf den Oberschenkel. Sie blickte erst auf die Hand, dann sah sie ihm in die Augen; sie wirkte skeptisch, aber ausnahmsweise nicht feindselig. Es war noch etwas früh nach dem zweiten Eingriff beim Schönheitschirurgen – die Narben waren noch rot und empfindlich –, doch wie ein Arbeitsloser in einer Wirtschaftsflaute würde er sich nun da bewerben müssen, wo es die Jobs gab. Als er sie küsste, blieb sie passiv, aber immerhin schrak sie nicht zurück.

Als Jackson die Hand unter ihr Nachthemd gleiten ließ, waren sie meilenweit entfernt von einem erotischen Durchbruch mit einer Flasche Haarkur. Er war supersanft und superbehutsam, fragte implizit bei jeder Berührung um Erlaubnis, als wäre sie nicht seine Frau und Mutter seiner Kinder, sondern eine Jungfrau, die es langsam und liebevoll zu verführen galt. Schließlich gelang es ihm, ihr den reizlosen weißen Baumwollsack über den Kopf zu streifen – ein Negligé wäre natürlich undenkbar gewesen – und die beiden herrlichen Vanilleeiskugeln zu umfassen. Carol blieb eher teilnahmslos, hielt ihn aber auch nicht zurück. Der letzte Schritt stand noch bevor: das Abstreifen der verdammten Boxershorts, eine Enthüllung, die ihn jetzt mit Grauen erfüllte; er hätte auf Carols Seite des Bettes das Licht ausmachen sollen, als er noch die Chance gehabt hatte. Beim Herunterziehen schnitt ihm das Gummiband ins Fleisch; er sah, wie sie den Anblick unbedingt vermeiden wollte und doch hinschauen musste, wie sie hinschaute und wieder wegschaute. Besser würde seine Erektion nicht werden, das heißt, mehr war nicht zu holen, und auch wenn das jetzt nicht der richtige Zeitpunkt war, sich darüber Gedanken zu machen, musste er sich eingestehen, dass nach all dem Schnippeln und Ziehen und Häckseln und Zusammenflicken der entstellte Stummel – der an einen halb zerkauten Hühnerhals aus dem Küchenabfall erinnerte – jetzt noch kleiner war als zuvor.

Als er sich auf sie legte, erinnerte Carols verzerrtes, zuckendes Gesicht ein wenig an den Augenblick, als er sie inmitten ihrer Haarkuraktion erwischt hatte, wobei ihr Gesicht in Wahrheit der wackligen Grimasse eines Patienten kurz vor seiner Darmspiegelung vermutlich näherkam. Da Carol offenbar keine Hilfestellung leisten würde, stützte er sich mit einer Hand auf und versuchte, seinen behinderten Schützling in Position zu bringen. Er schob sich ihr entgegen, sein Schwanz wölbte sich, er zuckte zusammen. Er unternahm einen weiteren Versuch, indem er seinen Mittelfinger wie eine Schiene unter den Schaft hielt, doch mit einer einzigen, zugegebenermaßen anmutigen Bewegung rollte sich Carol unter ihm hervor und stand auf einmal neben dem Bett. »Ich kann das nicht.« Trotz der schwülen Julinacht zitternd, griff sie nach dem Nachthemd, das zerknüllt unter ihrem Kopfkissen lag. »Tut mir leid. Ich hab's versucht, aber selbst wenn du ihn reinkriegen würdest, Jackson, ich kann's nicht. Er ist einfach zu widerlich.«

Carol hatte keinerlei Hang zur Theatralik, und er glaubte eigentlich nicht, dass sie zum Klo rannte, um sich zu übergeben. Aber sie flüchtete ins Bad und schloss hinter sich die Tür, und sie war lange weg.

»Ja, Mr Pogatchnik, es ist nur so, dass –«

»Hören Sie? Nicht auf meine Kosten. Ich bin Ihnen unzählige Male wegen Ihrer Frau entgegengekommen, Knacker. Aber das hier ist kein Hospiz. Eine Firma ist eine Firma.«

Jackson spähte hinter seiner Trennwand hervor. Pogatchnik war mit Sommersprossen übersät und hatte kurze Beine, einen kurzen Hals und Finger wie Wiener Würstchen. Mit seinem rot-weiß gestreiften Hemd, den Fettarschbermudas und der umgedrehten Baseballkappe, die aus diesem Winkel wie ein Barett wirkte, hätte nur noch ein Lutscher gefehlt, um das Bild eines Riesenbabys zu vervollständigen. Er war der Einzige im Büro, der gepolstert genug war, um in Sommerklamotten nicht zu frieren; Mitte August dagegen trug Shep eine Daunenweste, und er hatte gelernt, mit Handschuhen zu tippen. Pogatchnik fasste das Bergsteigeroutfit offenbar als Herausforderung auf, und seit Juli steigerten sich die beiden immer: Shep kam im Wollschal ins Büro, Pogatchnik stellte die Heizung zwei Grad kälter; Shep kam mit Ohrenschützern ins Büro.

»Ich fürchte, bei der World Wellness Company sind die Leitungen nur während der Geschäftszeiten besetzt«, erklärte Shep in ruhigem, übermenschlich gleichmäßigem Tonfall, der an Carol erinnerte. »Auch wenn ich in der Warteschleife hänge, nehme ich trotzdem die Anrufe für den ralligen Randy entgegen –«

»Wie haben Sie mich gerade genannt?«

»Ich meinte natürlich, ich nehme Anrufe für Handy Randy entgegen. Ich habe mich nur versprochen.«

»Sie sind auf dünnem Eis, Knacker. Halten Sie es unter diesen Umständen für klug, den Namen Ihres einzigen Arbeitgebers mit Schweinereien in Verbindung zu bringen?«

»Nein, Mr Pogatchnik. Ich weiß nicht, wie mir so was rausrutschen konnte. Sie machen mich anscheinend nervös, Sir. Wegen Ihrer … Unzufriedenheit.«

Zur Hölle noch mal. Shep hörte sich an wie ein armes Wehrpflichtigenwürstchen in der Grundausbildung, das schlotternd vor seinem Sergeanten steht. Es machte Jackson wütend, und zwar, vielleicht zu Unrecht, auf Shep. Diese Speichelleckerei in der Nachbarwabe gab ihm das Gefühl, persönlich betrogen zu werden. Er wollte wetten, dass der »rallige« Versprecher wirklich ein Versehen war und nicht die hinterhältige Spitze, die er hätte sein sollen. Immerhin war das ständige »Mr Pogatchnik« eine kürzlich eingeführte Büroregel und nicht auf Sheps arschkriecherischem Mist gewachsen. In einer Zeit, wo sich jeder, vom Restaurantgast bis zum Premierminister, beim Vornamen nennen ließ, hatte sich die absurde Formalität auf erfreuliche Weise ins Ironische verzerrt; auch wenn die fette rothaarige Kröte zu blöd war, um es mitzubekommen, schallte die Anrede mit unverhohlenem Sarkasmus durch das ganze Büro.

»Privattelefonate sind Privattelefonate«, sagte Pogatchnik. »Und die können Sie in der Mittagspause machen, auf Ihrem eigenen Telefon.«

Während er den ganzen Vormittag über Arbeitstrupps zusammenstellte, knapste Jackson an einem Rätsel herum, das ihm fortwährend zu schaffen machte. Die übrige Belegschaft hatte Jackson immer gemocht, oder zumindest hatten sie ihn geduldet – und bei so beengten Verhältnissen, wo Schulter an Schulter gearbeitet wurde, war Toleranz tatsächlich viel wert. Knacker dagegen war nicht immer gemocht, aber *respektiert* worden, damals, als Shep noch das Sagen hatte. Er hatte ein strenges Regiment geführt. Wer sich dabei erwischen ließ, wie er in den Kühlschrank eines Kunden griff und sich einen Schluck aus einer offenen Weißweinflasche genehmigte, konnte einpacken. Seine hehren Geschäftsprinzipien mochten ihm hinter seinem Rücken Spott eingehandelt haben, dennoch war die Belegschaft stolz darauf, dass der gute Ruf der Firma ein Heer von Stammkunden gesichert hatte. Als damals ein gelernter Klempner ein klaffendes Loch in einer Wohnzimmerdecke hinterließ, entschied sich Shep für eine minutiös zurechtgeschnittene Rigipsplatte, weil das für den Kunden billiger war, selbst wenn das Ersetzen der ganzen Tafel nur die Hälfte der Zeit gekostet und der Allrounder die zweifache Summe eingespielt hätte. Wenn er ahnte, dass ein Hausbesitzer knapp bei Kasse war, setzte er seine Schätzungen eher niedrig an. Er hielt sich an seine Kostenvoranschläge, selbst wenn der Job vertrackter war als erwartet. Es sei ihre eigene Schuld, behauptete Shep, wenn ein Job dreimal länger dauerte als geplant; sie hätten die Probleme voraussehen müssen.

Jackson selbst überzog nur selten die festgelegte Zeit, denn er war schnell – schludrig, sagte Shep manchmal dazu, und das Wort versetzte ihm einen Stich. Jackson war zwar schnell, aber er war gut, oder gut genug – und gut genug war gut genug. Geschliffenes Handwerk war in diesen Vorortschuppen sowie für die Katz. Die meisten Bruchbuden, die sie reparieren mussten, waren alte Arbeitergebäude für Wäschereiarbeiter oder Handwerker wie sie selbst.

Damals zu Allrounder-Zeiten hatte Jackson als rechte Hand des Chefs einen gewissen Status genossen, fast so, als wäre er der inoffizielle zweite Mann gewesen. Doch als Shep verkaufte und Jacksons Managerjob wirklich offiziell wurde, löste sich die Ehrfurcht der Mitarbeiter in Luft auf. Und genau hier lag das Rätsel, und Jackson musste zugeben, dass es ihm doch ein wenig Bauchschmerzen machte – trotz der Hänseleien wegen seiner »Fluchtphantasie« und trotz der öffentlichen Kriecherei vor »Mr Pogatchnik« konnte Shep noch immer ein Ansehen für sich beanspruchen, das nie unter ein bestimmtes Level fiel. Herrgott, die Selbsterniedrigung dieses Mannes war kaum zu überbieten. Dennoch, immer wenn ein richtig heikler Auftrag reinkam – wie heute Morgen, als der Bau einer Durchreiche zwischen Küche und Esszimmer einen Durchbruch durch einen halben Meter massiven Beton erforderte –, an wen wandten sich die Jungs um Rat? Kleiner Wink: jedenfalls nicht an Jackson Burdina.

Als es endlich Mittag wurde, zwang sich Jackson, an Sheps Arbeitsplatz vorbeizuschlendern. Er hatte sich aus so vielen Mittagspausen ausgeklinkt, um nachmittags »Besorgungen« zu machen, dass allmählich allzu klar wurde, dass er seinem besten Freund aus dem Weg ging. Ständig war er in Verlegenheit, alles aus dem Gespräch zu streichen, was er gerade mit Carol durchmachte; wie beim Boxen durfte er mit keinem Thema unter die Gürtellinie zielen. Obwohl er natürlich immer auf die Absahner und armen Säue zurückgreifen konnte, war eine Schimpftirade allein als Ablenkungsmanöver niemals wirklich befriedigend. »Musst du telefonieren, oder kommst du mit, was essen?«

»Vierzig Minuten reichen nicht, um in dieser Telefonzentrale an einen echten Menschen ranzukommen«, sagte Shep. »Die Sache ist, gestern hatte ich eine Rechnung in der Post, die komplett abgelehnt wurde. Und zwar über 58000 und ein paar Zerquetschte. Goldmans Sekretärin meinte, da sei vielleicht irgendein Zahlendreher passiert. Eine falsche Ziffer im Formular, und sie übernehmen nichts von den Kosten.«

»Kein Wunder, dass bei denen so viel Kohle für den Verwaltungsaufwand draufgeht«, sagte Jackson. »Carol meint, diese Firmen heuern scharenweise Leute an, deren ganzer Job nur darin besteht, Wege zu finden, um die Arztrechnungen der angeblich bei ihnen Versicherten *nicht* übernehmen zu müssen. Diese Wichser sind angeblich so gewieft, dass sie's schaffen, sich aus durchschnittlich dreißig Prozent aller eingereichten Rechnungen rauszuwinden.«

»Klar, und jedes Mal, wenn sie sich ›rauswinden‹ oder wenn irgendeiner eine Zahl verdreht, geht die Rechnung in voller Höhe an meine Wenigkeit.«

»Krankenversichert ist krankenversichert«, donnerte hinter ihnen eine Stimme. »Sie sind überhaupt versichert und *beschweren* sich auch noch?« Es war Mr Pogatchnik, der Lauschangriffe als sein Vorgesetztenvorrecht ansah. »Dieser Vertrag hat mich ein Vermögen gekostet, Knacker.«

»Ja, mir ist klar, dass das einen beträchtlichen Posten darstellt. Zu meiner Zeit –«

»Es ist aber nicht Ihre Zeit. Hatten wir das nicht geklärt? *Es ist nicht Ihre Zeit.* Wiederholen Sie das bitte.«

»Es ist nicht meine Zeit.«

»Also bilden Sie sich bloß nicht ein, dass Sie von irgendwas 'ne Ahnung haben. Als Sie Chef von diesem Laden waren, mussten Sie nur einen Bruchteil meiner Belegschaft versichern. Kann schon sein, dass ich Ihre ehemalige Cadillac-Versicherung durch einen durchaus brauchbaren Ford Fiesta ersetzt habe. Nur hat sich in acht Jahren die Arbeitnehmerprämie für Kleinbetriebe pro Kopf *verdoppelt.*«

»Tja, es kostet, was es kostet«, sagte Shep, und Jackson bemerkte mit Erleichterung ein listiges Funkeln im Auge seines Freundes.

»Es kostet verdammt noch mal zu viel«, sagte Pogatchnik, der sich seiner pseudoprofunden Tautologien genauso unbewusst war wie der Existenz des Begriffes selbst. »Gerade hab ich nämlich den Vertrag verlängert, und *Ihre* Frau wurde als einer der Gründe für die Erhöhung angegeben. Ich kann nur hoffen, dass Ihnen die Dame was bedeutet, sie kostet mich nämlich jede Menge Geld.«

»Ja, zufällig bedeutet mir meine Frau etwas.«

»Jedenfalls sind die Neuen, die ich angeheuert habe, alle auf Zeitvertrag, ohne Leistungen. Also können Sie sich glücklich schätzen.«

»Bei medizinischen Fällen kann es um Leben oder Tod gehen«, sagte Shep mit größter Vorsicht. »Gar keine Versicherung anzubieten scheint mir ... ein bisschen brutal.«

»Ich bin, was ich bin, oder? Ich bin kein Eisverkäufer. Ich bin Geschäftsmann. Wenn ich keinen Gewinn mache, stehen Sie *alle* auf der Straße.«

»Das mag wohl stimmen«, gab Shep zu.

»Und schwuppdiwupp, soll ich auch noch für Ihren Flachbildschirm und Ihr Kabelfernsehen löhnen. Was übrigens um einiges billiger wäre als diese verfluchte Krankenversicherung, und da könnte ich sogar noch 'ne Sitzecke und ein Flatrateessen bei Pizza Hut drauflegen.«

»Stimmt, das wollte ich noch fragen«, sagte Jackson, »könnte ich meine Salami nicht gegen Pepperoni tauschen?«

»Ich stelle die Leute ein«, polterte Pogatchnik weiter, der nicht den geringsten Sinn hatte für derartige Scherze. »Ich hab sie nicht adoptiert, und ihre ganzen verdammten Familien schon gar nicht. Sie beide werde ich so schnell nicht los. Aber ich kann Ihnen sagen, mit dieser Scheiße, dieser riesengroßen Kommunistenscheiße von der Wiege bis zur Bahre, ist es *vorbei*. Ich heuere jemanden an, um den Leuten die Haare aus dem Abfluss zu fischen, und nicht, weil ich dessen krebskranke Frau mitfinanzieren will, bevor sie dann sowieso übern Jordan geht.«

Pogatchniks Sprechpause hätte Shep die Gelegenheit zur Gegenwehr gegeben, doch seit dem »Mach's gut, Arschloch!« neulich hielt sich der eigenmächtig degradierte Angestellte vorbildlich zurück.

»Wenn ich weiter gezwungen werde, die ganze Bagage hier krankenzuversichern«, fuhr Pogatchnik fort, »dann wär's das bald mit Handy Randy. Sie kennen doch wohl einen der Hauptgründe, warum die amerikanischen Unternehmen alle ins Ausland abwandern? Wegen der Krankenversicherung. Ich würde verdammt noch mal auch den ganzen Laden nach China verlegen, wenn meine Mexikaner zwischen Beijing und Queens pendeln könnten. Wenn Sie beide heute zu mir kämen, würde ich Ihnen einen Job geben. Und das wäre alles. Ein Job ist ein Job. Bei Krebs könnten Sie dann auf Ihre Kosten sterben.«

»Und das wären also die ersten zehn Minuten von unserer Mittagspause gewesen«, murmelte Jackson, nachdem sie sich hinaus auf die 7th Avenue gerettet hatten. »Reicht nicht mehr für die Schlange bei Brooklyn Bread. Dann laufen wir wohl ein bisschen, was? Drecksau.«

»Er ist, wer er ist«, sagte Shep, und damit steuerten sie auf Prospect Park zu.

»Ich geb's nur ungern zu«, sagte Jackson auf der 9th Street, »aber da ist schon was dran an dem, was Pogatchnik gesagt hat. Ich weiß auch nicht, was diese neuen Mitarbeiter machen sollen, wenn sie von einem Lieferwagen überfahren werden. Aber diese Leute haben teilweise riesige Familien. Wie soll eine kleine

Firma wie Randy ihre ganzen Arztrechnungen tragen? Ich bin mir nicht sicher, warum das sein muss.«

»Irgendjemand muss dafür aufkommen.«

Sie hatten es so eilig gehabt, Pogatchnik den Rücken zu kehren, dass Shep vergessen hatte, seine Daunenweste auszuziehen, die er sich jetzt in den Rucksack stopfte. Die glühende Sonne war ein Segen nach der Eiseskälte im Büro, aber auch nur für wenige Minuten. Shep krempelte sich die Ärmel hoch; obwohl er vor Monaten das gemeinsame Eisenstemmen aufgegeben hatte, hatte er immer noch kräftige Arme. Was die kontinuierliche Gewichtszunahme des armen Kerls seit Januar anging, schwankte Jackson zwischen böser Genugtuung und Mitleid.

»Aber die Sache mit dem Arbeitgeber, das ist doch ein historischer Glücksfall«, sagte Jackson mit Autorität; vermutlich wäre er in der Lage, diesen ganzen Spaziergang mit einem Monolog zu den entsprechenden Fakten zu füllen. Das war es doch, was echte Männer eigentlich miteinander austauschen sollten: harte Fakten. »Bis ungefähr 1920 gab es im Grunde überhaupt keine Krankenversicherung. Du hast eine Arztrechnung bekommen, und du hast sie bezahlt. Während des Zweiten Weltkriegs, als die Arbeiter knapp waren, haben die großen Firmen dann um die paar Männer gebuhlt, die nicht eingezogen worden waren, und als kleinen Anreiz die Krankenversicherung angeboten. Kostete nicht viel, weil die Leute damals sowieso meist überraschend und in jungen Jahren tot umgefallen sind. So viel konnte man für die medizinische Versorgung gar nicht ausgeben, weil damals die Chemotherapie noch gar nicht erfunden war. Pogatchnik hält sich für komisch, aber damals war eine extra Krankenversicherung eigentlich wirklich nichts anderes, als seinen Lakaien einen Pizzagutschein hinzuwerfen. Wobei die Pizza gar nicht das Problem ist, sondern die Versicherungsgesellschaften! Das sind elende Schmarotzer, die vom Leiden der Leute profitieren!«

»Es sind halt private Unternehmen. Die sollen doch Gewinn machen.«

»Genau das ist doch der Punkt, du Schwachkopf! Genau das ist der Punkt, verdammte Scheiße!«

Sie hatten den Park erreicht; Jackson war wohl ein wenig laut geworden, denn eine Dame warf ihm aus der Nähe mit erkennbarer Großstadtbesorgnis einen Seitenblick zu und drehte ihren Kinderwagen hastig in die entgegengesetzte Richtung.

Jackson gab sich Mühe, seinen Ton zu mäßigen. »Weißt du noch, was du mir mal zum Thema Glücksspiel gesagt hast? Wenn die Leute nicht meistens verlieren würden, gäbe es überhaupt keine Glücksspielindustrie.«

»Ja, sicher«, sagte Shep. »Aber du gehst doch nicht etwa immer noch –?«

»Komm mal runter, vom Hunderennen lass ich inzwischen komplett die Finger«, sagte Jackson hastig. Auf die eine oder andere Lüge kam es inzwischen nicht mehr an. »Ich will doch nur sagen, Krankenversicherungen funktionieren genauso, oder etwa nicht? Alle Versicherungen. Im Durchschnitt muss man sein Leben lang mehr einzahlen, als man rausbekommt, sonst würde es diese Firmen doch gar nicht erst geben. Und deshalb ist jede Krankenversicherung ipso facto Betrug.«

»Ipso facto!« Shep lachte in sich hinein. »Klingt wie 'ne Waschmittelreklame aus den Fünfzigerjahren. Wo schnappst du dieses Zeug bloß immer auf?«

»Ich lese viel. Könnte dir auch nicht schaden.«

»Klar doch. Nachdem ich den ganzen Tag arbeite, in den Supermarkt gehe, Essen koche, Medikamente für Glynis besorge ... Ihr eine Spritze Neupogen in den Hintern jage, nachdem ich sie vorher unter Lorezepam gesetzt hab, damit sie wegen der Spritze nicht hysterisch wird ... Ihr Gesellschaft leiste, weil sie nicht schlafen kann, um zwei Uhr morgens Wäsche wasche und um drei die Rechnungen bezahle ... Dann kann ich ja noch mal mit 'nem dicken Wälzer die Füße hochlegen, bevor um fünf der Wecker klingelt.«

»Na und? Flicka ist auch ein Vollzeitjob, und ich schaff jede Menge Bücher.«

»Du hast ja auch Carol.«

Davon, dass Jackson Carol »hatte«, konnte leider nicht die Rede sein, jetzt noch weniger als je zuvor. »Na ja, ist ja hier kein Wettbewerb«, sagte er.

»Ein Wettbewerb, wer von uns beiden mehr Selbstmitleid hat? Das könnte hart werden.«

»Von Selbstmitleid hab ich nie was gesagt«, sagte Jackson.

»Ich schon.«

»Warum solltest du mit mir Mitleid haben?«, sagte Jackson schroff.

Shep warf seinem Freund einen hastigen Blick zu. »Ich hatte das auf mich bezogen, du Vollidiot. Mit dir auch noch Mitleid zu haben wär ein bisschen viel verlangt.«

»Okay, lassen wir das.«

Verkrampft und schweigend gingen sie weiter.

Jackson hatte mal festgestellt, dass er nach dem Kauf neuer Schuhe jedes Mal eine Phase durchlief, in der er nicht aufhören konnte, anderer Leute Schuhe anzusehen – und sie jeweils als schön oder hässlich einzustufen. Das gleiche Phänomen galt jetzt für die Schwänze anderer Männer. Bei jedem Jogger und jedem Gassigänger, an dem sie vorbeikamen, stellte er fest, dass er zwanghaft die Wölbung unter dem Reißverschluss musterte und diejenigen bitter beäugte, die viel in der Hose hatten. Fahrradfahrer in engen Lycrahosen zogen seinen Blick auf ihren Schritt, wo sie sicherlich ihre glatten, geraden und funktionierenden Gemächte schön verpackt hatten, die sie törichterweise als selbstverständlich hinnahmen. Inzwischen hielt ihn wahrscheinlich der ganze Park für eine Schwuchtel.

»Gestern musste Glynis wieder wegen einer Bluttransfusion ins Krankenhaus«, sagte Shep nach einer Weile, um ein wenig Konversation zu betreiben. »Die Anzahl ihrer weißen Blutkörperchen war viel zu niedrig. Die Chemo musste abgesagt werden. Sie ist nicht stark genug.«

»Zumindest hat sie mal ein bisschen Luft«, grunzte Jackson.

»Klar, aber der Krebs hat dann auch Luft. Goldman meint, dass sie Alimta und Cisplatin nicht mehr verträgt, und wenn sie dann doch wieder Chemo bekommt, werden sie den Cocktail ändern. Das Wort muss man sich mal auf der Zunge zergehen lassen: *Cocktail.*«

Jackson musste es Shep schon lassen, er gab sich wirklich alle Mühe – um entweder so zu tun, als wäre zwischen ihnen alles in Ordnung, oder um alles tatsächlich wieder in Ordnung zu bringen.

Im Gegenzug machte Jackson nur einen widerwilligen Versuch. »Ja, ich stell mir so 'n tolles Martiniglas von Tiffany vor, eisgekühlt und mit Zahnstocher und Olive – nur das, was da drinnen so schimmert, ist kein Bombay Gin mit einem Schuss Wermut, sondern Strychnin.«

Doch kaum hatte Jackson sich seines freundschaftlichen Engagements wegen auf die Schulter geklopft, da war es auch schon wieder um seine Aufmerksamkeit geschehen, weil er an einen quälenden Vorfall vor etwa zehn Jahren denken musste. Er war gerade dabei gewesen, bei irgendeinem Hampelmann die klapprigen Setzstufen auszutauschen; obwohl es sich um einen Ein-Mann-Auftrag handelte, erstreckte sich der Job über drei bis vier Tage. Und zufällig befand sich der Treppenabsatz genau vor dem Arbeitszimmer dieser Niete. Jackson war immer stolz darauf gewesen, Leben in anderer Leute Häuser zu bringen und nicht nur der übliche mundfaule Handwerker-Muskelprotz zu sein. Er plauderte munter drauflos – manchmal über den Job selbst, aber öfter noch über das aktuelle Tagesgeschehen. So wie andere Leute bei der Arbeit pfiffen, nur weniger nervtötend. Eingedenk seines Status als vielseitiger Autodidakt – zum Beispiel hatte er sich die Bedeutung des Wortes *Autodidakt* selbst beigebracht –, gewährte er den Hauseigentümern durch seine erbaulichen Geschichten die Möglichkeit, etwas dazuzulernen. Sie hätten eigentlich dankbar sein müssen, dass er nicht dafür auch noch Geld verlangte.

Doch als Jackson am dritten Tag zu seinem Setzstufenjob aufbrechen wollte, hatte Shep ihn zur Seite genommen und gesagt: »Dieser Typ in Clinton, er will, dass du … na ja … Er will, dass du die Klappe hältst.« Anscheinend war der Setzstufentyp irgendein Romanschriftsteller, der sich bei dem Gerede auf seiner Treppe nicht »konzentrieren« konnte. Der Kunde hatte alles, was Jackson erzählt hatte, geradezu verschlungen und hegte garantiert die Absicht, diesen unwahrscheinlich intelligenten, eloquenten, übermenschlich großen »Charakterkopf« aus der Welt des Heimwerkerservice in einer seiner öden, unpublizierbaren Kurzgeschichten unterzubringen.

Klar hatte Jackson den Job durchgezogen und dabei die Klappe gehalten – zumindest sah er das so –, aber von Shep hätte er sich damals doch ein wenig mehr Solidarität gewünscht. Als Jackson eingewendet hatte, das Shep doch wisse, wie diese überheblichen Schriftstellertypen so seien: ständig dieser Horror vor dem leeren Bildschirm, ständig auf der Suche nach Ablenkung, nach einem Vorwand, um ihrer armseligen, pygmäengroßen Phantasie zu entfliehen, doch als er erklärt hatte: »Ich sag dir, der Kunde war total hin und weg, es hätte nicht viel gefehlt, und er hätte mitgeschrieben«, da hatte Shep ihm nicht mit *Das glaub ich dir gern* zugestimmt, sondern ihn unterbrochen und gesagt: »Hör zu, lass mal gut sein. Nur dieses eine Mal, ja? Wir machen unsere Arbeit, der macht seine Arbeit. Du bist kein Fernsehmoderator, du bist Handwerker.« Das war wirklich eine unnötige Härte gewesen, denn Shep wusste genau, wie sehr Jackson das Wort *Handwerker* hasste, für dessen Ersatz durch etwas Würdigeres, weniger Billiges auf ihrer Visitenkarte er sich stark gemacht hatte – zum Beispiel so was wie *Berater für Bau- und Instandhaltung.* Aber nein, auf der Karte *musste* Handwerker stehen, denn *das* sei das Wort, das die Kunden »verstünden«. Schlimmer noch, Shep hatte durchblicken lassen, dass Jacksons Gerede allen auf die Nerven gehe, dass dieser Typ einfach nur der Erste sei, der sich beschwert habe. Jackson hatte Shep beim Verkauf vom Allrounder und beim Überbordwerfen von Pemba und jetzt mit Glynis immer zur Seite gestanden, aber offensichtlich funktionierte die Unterstützung nicht unbedingt auch in die umgekehrte Richtung.

»Diese Bluttransfusionen dauern ungefähr *fünf Stunden*«, erklärte Shep gerade. »Und Glynis wird immer noch flau, wenn sie die Kanüle einführen. Aber unsere Nachbarin, Nancy, ist wirklich unglaublich. Sie begleitet Glynis immer, wenn ich nicht kann. Sie hält ihr die Hand und bringt sie auf andere Gedanken, mit Kochrezepten und so Zeug – und dann kommt Glynis nach Hause und kann die Zutaten für einen komplizierten, ekelhaft klingenden Hüttenkäse-Ananas-Dip runterbeten. Man muss versuchen, sie davon abzuhalten, dass sie auf die Nadel schaut. Und das ist gar nicht so einfach. In letzter Zeit haben sie Probleme, eine Vene zu finden, und müssen mehrmals reinstechen. Nancy ist unglaublich langweilig, aber nett. Langweilig macht mir kaum noch was aus. Alles, was mich interessiert, ist, dass die Leute nett sind.«

Jackson war nicht sicher, ob dieses Kompliment an irgendeine wildfremde Tante durch die Blume als Kritik gemeint war. Nach seiner anfänglichen Treue hatte er Glynis seit mehreren Wochen schon nicht mehr besucht. Kunden zu unterhalten war eine Sache; bei einer Freundin, die gerade durch die Hölle ging, die vorgefertigten Schimpftiraden weiterzuführen hatte irgendwann einen künstlichen Beigeschmack bekommen. Aber er wusste nicht, worüber er sich sonst mit ihr hätte unterhalten sollen, und er hatte seine eigenen Probleme.

»Inzwischen wurde mein Vater aus dem Androscoggin Valley Hospital entlassen«, fuhr Shep fort, »und in ein privates Pflegeheim in der Nähe gebracht. Es soll nur vorübergehend sein, für die Rekonvaleszenz. Aber er glaubt nicht daran. Er ist überzeugt, dass er für den Rest seines Lebens abgeladen worden ist wie ein Altkleidersack. Also muss sich Beryl einiges anhören. Die Lösung meiner Schwester sieht so aus, dass sie ihn einfach nicht mehr besucht.«

»Sauber«, sagte Jackson und erkannte schuldbewusst, dass er mit dem Problem Glynis zur gleichen Lösung gelangt war.

»Das heißt, dass ich ständig nach New Hampshire fahren muss. Was nicht so einfach ist, weil ich Glynis nicht lange allein lassen kann. Ich kann mir nicht mehr Urlaub oder freie Tage nehmen, als ich unbedingt muss. Trotzdem, ich will nicht, dass er sich verlassen fühlt. Ach ja, und Medicare hat ihn ausgeschlossen, da sie für seinen ›akuten Fall‹ die Kosten ja gedeckt haben. Also muss ich diese Morgentau-Residenz komplett aus eigener Tasche bezahlen. Achttausend im Monat, ob du's glaubst oder nicht. Und jedes Aspirin kostet extra.«

Normalerweise hätte Jackson sein Mitgefühl bekundet, auch wenn Shep nach dem Verkauf der Firma mehr Geld auf der Bank hatte, als er selbst je zusammen auf einem Haufen sehen würde. Doch nicht einer seiner angeblich *restaurativen* Eingriffe war von der Krankenkasse übernommen worden, da es sich streng genommen um einen freiwilligen schönheitschirurgischen Eingriff gehandelt hatte. Also war er gezwungen gewesen, seine sämtlichen Arztrechnungen mit Kreditkarte zu bezahlen, plus 22 Prozent Zinsen; noch immer hatte er die ursprüngliche Operation nicht abbezahlt, und das waren nur die Schulden, von denen Carol wusste. Da er selbst kaum die Mindestratenzahlung seiner Kreditrate hinbekam, war er nicht so nachsichtig gegenüber Sheps bescheuerter Gutmütigkeit wie sonst.

»Wie immer«, erzählte Shep weiter, »muss ich Zachs Schulgeld zahlen, und Amelia mit ihrer Miete unterstützen –«

Da platzte Jackson der Kragen. »Wieso lässt du immer alles mit dir machen? Dein Vater, na, dann fährst du halt mal *nicht* rauf nach Berlin. Du kannst nicht. Deine Frau hat Krebs. Punkt. Und wenn die nächste Rechnung von diesem Pflegeheim eintrudelt, *zahlst du halt einfach nicht*. Du hast es doch in der Hand, verfluchte Scheiße! Was glaubst du denn, was dann passiert, sie setzen ihn auf die Straße? Es ist schlimm, aber so schlimm nun auch wieder nicht. Du hast doch erzählt, er hat dieses Haus, und dass er deswegen kein Medicaid beziehen kann. Na gut, wenn du die Rechnung nicht bezahlst, dann wird ihn dieses private Drecksloch einfach in ein öffentliches Drecksloch verlegen, oder etwa nicht? Ich wette, es macht ohnehin keinen großen Unterschied, wenn's einem scheiße geht und man nicht aufstehen kann. Und dann tritt Medicaid auf den Plan, und vielleicht pfänden sie das Haus. Sollen sie doch! Sollen sie deinem egozentrischen Arschloch von einer Schwester einen schönen Arschtritt verpassen, damit sie da hochkant rausfliegt. Spiel einfach nicht mit, Kumpel! Und wenn du schon dabei bist, hol Zach aus diesem überteuerten Sportklub und freunde dich damit an, dass er einfach nur ein stinknormaler Schüler ist, der genauso gut auf 'ner öffentlichen Schule stinknormal sein kann! Sag Amelia, dass sie jetzt erwachsen ist, und wenn sie nicht genug verdient, um ihre Miete und ihre gottverdammte Krankenversicherung zu zahlen, dann soll sie sich einen anderen Job suchen, ob sie damit ihren zarten Kreativitätsdrang befriedigt oder nicht! Warum bist du der Einzige, der die Verantwortung übernehmen muss? Warum kannst du die Leute nicht auch mal sich selber überlassen, so wie du dir immer selber überlassen worden bist? Warum kannst du nicht mal anfangen, die Leute so zu behandeln, wie sie *dich* seit Jahren behandeln?«

»Ich bin, wer ich bin.« Sheps Ausspruch war so mechanisch, dass man unmöglich sagen konnte, ob es ein Scherz war.

Sie kehrten um und marschierten schweigend zurück. Jackson wusste nicht, ob er sich hätte entschuldigen müssen, aber eigentlich hatte er keine Lust dazu. Ihm war klar, dass er nicht vernünftig war, und dennoch beschlich sie ihn immer wieder: die Überzeugung, dass der »Spleen«, der sein Sexleben zunichte gemacht hatte und ihm noch beim Pinkeln Probleme bereitete, in gewissem Maße Shep Knackers Schuld war. Die Erklärung, die er Carol geliefert hatte, war zwar immerhin so weit echt gewesen. Er wäre wirklich fast ins Zimmer geplatzt, und er hatte die Darbietung sowohl anregend als auch verstörend gefunden. Aber da war noch etwas gewesen, was er Carol niemals auf die Nase gebunden hätte. Wüsste sie davon, würde sie ihn verachten – also noch mehr verachten, vorausgesetzt, dass das möglich war. Ohne Shep hätte sich der ganze Albtraum niemals so abgespielt.

Trotz der Beteuerung, dass das Ausmaß ihrer jeweiligen Misere »kein Wettbewerb« sei, fragte sich Jackson nämlich inzwischen, ob es nicht doch ein subtiles Element der Konkurrenz zwischen ihnen beiden gab. Shep musste ja immer den Helden spielen, den Stoiker, der allen Lasten standhalten konnte, den Atlas, auf dessen Schultern die Geschicke der Welt ruhten. Jackson hatte die Tugendhaftigkeit seines Freundes satt – diese Empathie, dieses unerträgliche Sichverbiegen, um alles auch ja von der anderen Seite aus zu betrachten, dieses stumpfe Alleshinnehmen – und vielleicht war er deswegen gerade so aus der Haut gefahren, um diesem Einfaltspinsel endlich mal zu zeigen, wo der Hammer hing. Man seufzte nicht einfach nur und zückte mal wieder sein Scheckheft; man regte sich gefälligst auch mal auf.

Außerdem machte Flicka bestimmt mehr Arbeit, als Shep sich überhaupt vorstellen konnte, und auf einmal sollte Jackson sich Sheps schrecklicher Situation mit Glynis' schrecklicher Krankheit unterordnen. Dabei war Shep nicht der Einzige, der damit zurechtkommen musste, dass jemand, den er liebte, wahrscheinlich bald sterben würde. Manchmal hätte Jackson den Kerl am liebsten genommen und geschüttelt. Verstehst du *jetzt,* wie es für mich die ganze Zeit war, seitdem wir damals Flickas Diagnose bekommen haben, weil sie, ausgerechnet, als Säugling nicht weinen konnte? Wie das ist, wenn man nie weiß, ob dieser eine Mensch, der einem das Leben lebenswert macht, nicht vielleicht plötzlich einen unangekündigten Abgang macht, und dann stellt sich heraus, dass man recht hatte – und das Leben ist tatsächlich in der Folge nicht mehr lebenswert. Shep wusste doch wohl, dass Flicka sich zwar den Wecker stellte und sich ihre Dose Compleat selbst einfüllte, dass ihr Vater meistens aber doch für seine alte Vier-Uhr-Schicht aufstand, vorgeblich, um sich ein Glas Wasser zu holen, aber eigentlich, um an Flickas Zimmer vorbeizugehen und sich zu vergewissern, dass sie noch am Leben war. Denn so verabschiedeten sich die meisten dieser Kinder: Sie schliefen ein und wachten einfach nicht wieder auf.

So verrückt, wie es war, aber laut dieser letzten CT hatte Glynis ja anscheinend doch noch eine Chance. Für Flicka würde es nie ein Testergebnis geben, bei dem sich plötzlich die Aussicht auf einen Beruf und eine eigene Familie eröffnete. Da er an diesem Nachmittag so beschäftigt damit war, den hilfsbereiten Freund zu spielen, hatte Jackson noch gar nicht erwähnt, dass Flicka am Vortag wieder in die New-York-Methodist-Klinik eingeliefert worden war. Ihre Lungenentzündungen folgten in immer kürzeren Abständen und wurden von Mal zu Mal schlimmer. Die Antibiotika schlugen immer weniger an, und in der Welt tobte ein Heer von räuberischen Mikroben, die sich gegenüber den Medikamenten zunehmend immun zeigten. Er konnte sich nicht erinnern, wann er zum letzten Mal einfach nur mit der Familie gefaulenzt hatte, nach dem Essen ein bisschen ausgelassen gewesen war wie damals im letzten Frühjahr, als er mit seinen Kindern die Prüfungsfragen von 1895 durchging. Carol musste ja immer alles schlecht machen, aber sie hatten es lustig gehabt damals.

Nachdem Jackson seinen Freund als Vollidioten und Weichei beschimpft hatte, hielt Shep auch die andere Wange noch hin, indem er sich kurz vor dem Büro freundlich erkundigte: »Und, habt ihr einen Termin gefunden?«

»Ach ja, stimmt«, sagte Jackson. »Die kleine Feier wegen Glynis' CT. Klar, ich schau gleich im Büro mal in meinen Kalender.«

Er war der Einladung immer wieder ausgewichen und wusste selbst nicht genau, ob er neidisch war auf die gute Nachricht über das optimistische Resultat der CT oder ob er ihr einfach nur misstraute.

Kapitel 13

Shepherd Armstrong Knacker
Merrill Lynch Konto-Nr. 934 – 23F917
01.08.2005 – 31.08.2005
Gesamtnettowert des Portfolios: $ 274 530,68

DEN GANZEN TAG hatte sich Shep durch seine To-do-Liste gearbeitet. Lebensmittel einkaufen. Grillkohle besorgen. Gemüse schneiden – das am Ende ohnehin wieder keiner essen würde. Einen Dip zusammenrühren – für den er trotz seines Widerwillens Nancys Dosenananas benutzt hatte, weil ihm nichts anderes eingefallen war. Kartoffeln in Alufolie wickeln. Den Tisch decken – wobei er zu seinem Leidwesen feststellte, dass Glynis' Fischmesser bei der Speisefolge nicht zu gebrauchen sein würde.

Doch die Gäste verspäteten sich. Alle Punkte auf der Liste waren durchgestrichen. Shep hatte nichts zu tun. Er verlieh damit der Skepsis seiner Frau gegenüber seinem idyllischen, müßigen Leben im Jenseits zwar einige Glaubwürdigkeit, aber das, was Shep dieser Tage nicht ertragen konnte, war das Fehlen eines Plans. Auf irgendeine seltsame mikrokosmische Weise deutete diese Kluft der Untätigkeit nach der Essensvorbereitung auf noch erschreckendere Abgründe. Das Muster des heutigen Abends von hektischer Betriebsamkeit zum freien Fall würde sich ständig wiederholen. Fieberhaft würde Shep jedem Bedürfnis nachkommen – jedes Arztrezept einreichen, Transport und Gesellschaft für jeden Termin arrangieren, Getränke holen, Kopfkissen aufschütteln und Füße hochlagern. Dann, plötzlich, würde nichts mehr – nichts mehr – überhaupt nichts mehr zu tun sein.

Er kontrollierte erneut, ob Glynis es bequem hatte auf der hinteren, verglasten Veranda. Etwas zu bequem; sie war in sich zusammengesackt und schlief. Das Zurechtmachen für den Abend hatte sie erschöpft. Er hätte ihr die Geselligkeit nicht aufzwingen dürfen. Das Timing war fürchterlich. Aber es hatte zweieinhalb Monate gedauert, bis ihre Freunde zum Essen herüberkamen. Er hatte nicht die Absicht, die Einladung zurückzuziehen und erneut mit Jackson umständlich ihre Terminkalender durchzugehen. Er rührte die Grillkohle um. Er hatte zu früh Feuer gemacht, es würde zu heiß werden für die Steaks. Achtzehn Dollar pro Pfund hatte er bezahlt. Es spielte keine Rolle. Wenn es allerdings keine Rolle spielte, ob sie verkohlten oder nicht, hätte er sich die Rumpsteaks ja gleich sparen können. Allmählich begann ihm der Grund zu entgleiten, warum sie die beiden zum Essen eingeladen hatten. Es entglitt ihm, warum sich Leute überhaupt zum Essen einluden. Was Leute groß miteinander zu reden hatten. Oder vielleicht war er vor allem unsicher, was er und Jackson noch zu reden hatten.

Schließlich nahm sich Shep den Wasserschlauch, ging im Garten umher und füllte seine verrückten Springbrunnen auf: den feierlich-kinetischen mit den Windrädern, Paddeln und der überfließenden Snoopy-Lunchbox aus Plastik, ein Geburtstagsgeschenk, das den neunjährigen Zach damals nicht begeistert hatte; der eher konstruktivistische zum Thema »Heimwerker«, bei dem das Wasser über Wasserräder und Spachtel und durch Rohrstücke floss. Die reine Willkür der Springbrunnen hatte ihn immer erheitert, doch in letzter Zeit erschienen ihm die Dinger nur noch albern, und er war dazu übergegangen, sie verächtlich und sarkastisch als seine »Wasseranlagen« zu bezeichnen. In einem Leben, das bestimmt wurde durch bittere Notwendigkeit, war Willkür verzichtbar.

Fast eine Stunde später als vereinbart stieg Jackson mit einem Armvoll alkoholischer Getränke aus dem Auto – nicht nur Wein und Bier, sondern auch Zutaten für Margaritas, als hätten sie verabredet, sich heute Abend die Kante zu geben. Vielleicht hätte Shep vorher anrufen und sie warnen sollen, dass die Umstände sich geändert hatten.

»Wisst ihr, was mich alle macht«, begann Jackson sogleich, vorausgesetzt, er hatte jemals aufgehört. »Dass mitten auf allen großen Kreuzungen in Brooklyn Verkehrspolizisten aufgestellt werden, die nichts anderes machen – wirklich *nichts* anderes – als vollkommen synchron mit den Ampeln den Verkehr zu regeln. Es sind menschliche Ampeln, mehr nicht. Brauchen wir wirklich irgendeinen aufgeplusterten Wichser, der nach links zeigt, wenn die Ampel auf Grün springt? Müssen wir dieses Arschloch dafür bezahlen, wie 'ne Vogelscheuche mitten in der Stadt rumzustehen, wenn die Ampel sogar ausnahmsweise funktioniert und sowieso leichter zu sehen ist? Man sieht nämlich nur dann mal *keinen* übereifrigen *Staatsdiener*, wenn die Ampel *ausgefallen* ist. Die Ampel fällt aus, die Hölle bricht los, und kein Cop weit und breit.«

Es versprach eine lange Nacht zu werden.

»Ach ja, und wisst ihr schon das Neueste aus dem Internet?«, fuhr er beim Limettenschneiden fort.

Jackson war genau wie die frisch aufgefüllten Springbrunnen im Garten, die den ganzen Abend durchblubberten und unermüdlich dieselben paar Liter Brauchwasser recycelten.

»Zum Beispiel unten in Downtown«, fuhr Jackson fort, »um die City Hall ist es ja total unmöglich, einen Parkplatz zu finden. Dafür gibt's einen Grund, und es liegt nicht daran, weil wir in New York sind und die Plätze eben knapp sind. Es liegt an den Absahnern in der Regierung. Die Stadt hat 142 000 Parkerlaubnisse rausgegeben, auf denen steht, dass die jeweiligen Besitzer von den Parkregeln ausgenommen sind. Diese beschissenen Schmarotzer brauchen nur ihr kleines Kärtchen aufs Armaturenbrett zu stellen, und bingo, können sie ihren zufahrtsberechtigten Arsch sogar im Parkverbot abstellen. In Lower Manhattan haben sie mehr als 11 000 Gratisparkplätze zur Auswahl. Und wisst ihr, wie viele Parkplätze die armselige Allgemeinheit zur Auswahl hat? 665. Das, Freunde, ist keine Demokratie. Das ist Tyrannei. Wir zahlen für den Asphalt, den Bordstein, für die Reparatur von Schlaglöchern, für die Schilder, auf denen steht, dass wir uns verpissen sollen, und diese Leute parken, wo sie wollen, umsonst und so lange sie Bock haben.«

Shep hätte sich gehütet, jemals in Manhattan einen Parkplatz zu suchen. Das alles tangierte ihn nicht. Er tauschte mit Carol einen Blick aus, die peinlich berührt wirkte. »Das ist nur Jacksons Holzhammermethode, unsere Verspätung zu entschuldigen«, sagte sie. »Er musste unbedingt noch bei Astor Liquors auf der Lafayette Street anhalten, wo es den billigen Tequila gibt, und wir haben eine Dreiviertelstunde einen Parkplatz gesucht.«

Natürlich bot Carol ihre Hilfe an, während Jackson dazu überging, Limettensaft über sämtliche von Shep soeben sauber gewischten Arbeitsflächen zu spritzen. Und natürlich wollte sie Glynis begrüßen. Shep eilte auf die hintere Veranda, um sie zu wecken, obwohl es dieser Tage einen aufschlussreicheren Einblick in das Leben in Elmsford dargestellt hätte, wenn die Gäste seine Frau statt im ungestümen Begrüßungsmodus im katatonischen Kollaps vorgefunden hätten. Leider kam er nicht rechtzeitig, um ihr den Turban wieder um den Kopf zu wickeln, der zu Boden gerutscht war. Sie war immer stolz auf ihre äußere Erscheinung gewesen, wobei Shep vor dem Wort *eitel* zurückgeschreckt wäre, und stolz war sie noch immer.

Carol hatte mit Flicka alle Hände voll zu tun gehabt, die seit August eine hartnäckige Lungenentzündung hatte, also konnte Shep ihr nicht vorwerfen, seit gut sechs Wochen nicht mehr in Westchester vorbeigekommen zu sein. Sie gab sich alle Mühe, den Schock zu überspielen, aber er war ihr ins Gesicht geschrieben. Carols letzter Stand war, dass die wunderbare Nachricht der CT von Anfang Juli und die Heilung gefeiert werden sollten. Insofern hatte sie jeden Grund gehabt zu glauben, dass ihre Freundin wenn sie auch nicht wieder ganz bei Kräften sei, dann doch zumindest von menschenähnlicher Farbe und dreidimensionaler Form sein würde.

Jacksons wiederholte faule Ausreden und Terminverschiebungen aber hatten diese Zusammenkunft bis Mitte September hinausgezögert. Nicht nur im jahreszeitlichen Sinne war die Stimmung herbstlich geworden. Shep hatte keinen Blick mehr dafür, doch als er Glynis mit Carols Augen betrachtete, erkannte er, dass sich seine Frau auf ähnliche Art verfärbt hatte wie das üppige Sommerlaub. Ihr bräunlicher Teint war grau geworden wie eine Urlaubsbräune, die zur traurigen Inlandsfarbe verblasst war und nur noch schmutzig wirkte; der fahle orangefarbene Unterton erinnerte an ranzigen Tee. Wegen der neuen Chemo mit Adriamycin (oder, wie Glynis sagte, »Adrian muss ziehen«, was dem Medikament etwas von einem Schachspiel gab) hatte sie den Großteil ihrer Haare verloren; nachdem ihr mit Alimta kaum Haare ausgefallen waren, hatte sie gehofft, zu den wenigen glücklichen Chemopatienten zu gehören, die davon verschont blieben. Ihr Schädel hatte etwas schrecklich Nacktes und schimmerte durch die letzten dunklen Strähnen umso deutlicher hervor. Weitaus schlimmer als etwa ein zu tiefer Ausschnitt waren diese nackten Stellen beunruhigend intim und wirkten wie etwas, das andere wahrhaftig nicht zu Gesicht bekommen sollten. Sie war natürlich wieder abgemagert und sah außerdem aus, als wäre sie geschrumpft.

Carols gezwungener Ausruf, »Glynis, das ist aber ein tolles Kleid!«, war immer noch besser als *Glynis, du siehst ja grauenhaft aus!*

Glynis wirkte groggy und schien sich verwirrt zu fragen, was diese Leute hier im Haus zu suchen hätten. Die Schale Tortillachips schien ihr auf die Sprünge zu helfen. »Ach, Carol, danke. Ich hoffe, es stört dich nicht, wenn ich nicht extra aufstehe. Du siehst auch toll aus. Du arbeitest so hart, aber man sieht es dir einfach nicht an. Immer so frisch und voller Leben.«

Es war vielleicht wenig diplomatisch, aber auch Shep konnte nicht umhin zu bemerken, dass Carol wirklich bezaubernd aussah. Vielleicht aus Angst, die Gastgeberin auszustechen – so war Carol; darüber hatte sie sich bestimmt Gedanken gemacht –, hatte sie sich eindeutig für den Abend nicht groß zurechtgemacht und einfach irgendetwas übergezogen. Doch der Schuss war nach hinten losgegangen. Wer hätte es der armen Frau vorhalten können, dass sie im schlichtesten Outfit am besten aussah? Das meerblaue ärmellose Kleid betonte nur umso mehr ihre sehnige Figur und spannte augenfällig über dem Busen. Was natürlich bestimmt keine Absicht gewesen war. Schon möglich, dass sie das zarte Sommerkleidchen ganz hinten aus dem Schrank gefischt hatte – es hing in jenen anatomisch unlogischen Falten, die typisch dafür waren, wenn etwas monate- oder gar jahrelang auf einem Kleiderbügel vor sich hin gewelkt hatte, – und passte nicht sonderlich gut. Das aber hatte zur Folge, dass sich ihre Brustwarzen unter dem Material abzeichneten, und es war schwierig, nicht hinzustarren. Glynis hatte keine nennenswerten Brüste mehr. Der implizite Kontrast hätte einer einst nicht minder attraktiven Frau ein Gefühl der Verbitterung geben müssen. Wenn dem so war, schien seine Frau mit einigem Erfolg die Bitterkeit zu überspielen. Tatsächlich wusste niemand so gut wie Shep, wie sehr sich Glynis zusammennahm.

Lärmend kam Jackson mit einem Tablett herein, den Krug Margaritas übervoll, die Gläser mit zu viel Salz am Rand. Er hatte eine nachlässige Seite, derentwegen sich die Freunde damals, als Jackson in Sheps Firma noch als Handwerker jobbte, immer wieder in den Haaren gelegen hatten, und wahrscheinlich war es für alle einschließlich der Kunden das Beste, dass er in eine Führungsposition aufgerückt war. Alles, was Jackson in die Hand nahm, lief auf einen Exzess hinaus.

»Shep sagt, man hätte dir einen neuen *Cocktail* verordnet«, sagte er und schenkte Glynis reichlich ein. »In diesem Sinne.«

Glynis schien die Anspielung nicht zu begreifen. (Mit Enttäuschung hatte Shep einmal festgestellt, dass in darwinschen Kategorien die Natur einen Sinn für Humor als verzichtbar betrachtete.) Während Jackson der restlichen Runde einschenkte, besah sie das Glas in ihrer Hand wie ein Foto aus besseren Zeiten. Auf »Adrian muss ziehen« sollte Glynis möglichst wenig Alkohol trinken, was Jackson hätte wissen können, wenn er denn gefragt hätte. Das Glas war zwar ein fröhliches Requisit, doch im Grunde trug es lediglich dazu bei, das Bühnenhafte des ganzen Ereignisses zu unterstreichen. Sie würden sich an die Bühnenanweisungen für das Stück *Ein weiteres heiteres Essen mit Jackson und Carol* halten, denn niemand hatte das Skript geliefert hinsichtlich der Frage, was die Veranstaltung sonst darstellen sollte.

»Habt ihr beiden diesen Schlamassel mit Katrina verfolgt?«, sagte Jackson zur Einführung.

Ausnahmsweise war Shep froh über aktuelle Ereignisse, ein offizielles Thema, das sie über die Tortillachips hinwegretten würde.

»Klar, bei uns läuft so ziemlich den ganzen Tag CNN«, sagte Glynis.

Sie hätte hinzufügen können, dass sie sich diebisch gefreut hatte über Katrina. Glynis hatte schon immer eine boshafte, dunkle Seite gehabt, aber jetzt war es nicht mehr bloß eine *Seite*. Sie sah sich mit Begeisterung Bilder der Verheerungen an – wie die großen geräumigen Häuser bis ins Obergeschoss mit galligem, öligem Wasser vollliefen. Wie schwarze Matriarchinnen vergebens von ihren Häuserdächern aus nach Rettung winkten und jetzt wussten, dass sie allein waren auf der Welt und dass es niemanden kümmerte. *Tja,* spürte er Glynis kühl antworten, *willkommen im Klub.* Es machte ihr nicht das Geringste aus, andere Menschen leiden zu sehen. Glynis ging es ja nicht besser. Die Aussicht auf eine ganze Stadt, die nicht länger leben würde als sie selbst, schien ihr eine gewisse Genugtuung zu schaffen. Wenn es nach ihr ginge, würde sie gern auch noch andere Städte packen, darunter vor allem New York, und mit sich in den Abgrund ziehen. Mit schwungvollem Befreiungsschlag hatte Glynis ihre Empathie aufgegeben und spiegelte trotzig genau jene Teilnahmslosigkeit gegenüber ihrem eigenen

Schicksal wider, die sie zunehmend hinter den vermeintlich guten Wünschen der anderen Leute wahrnahm. So pflichtschuldig sich einige wenige Freunde noch an ihrer Bettkante einfanden, sah Glynis nämlich sehr wohl, wie erleichtert sie waren, wenn sie gingen.

»Es ist kaum mitanzusehen, wie diese ganzen Menschen in New Orleans alles verlieren«, sagte Carol mit löblichem, aber langweiligem Mitgefühl. »Es sprengt zwar ein bisschen unser Budget, aber ich musste einfach einen Scheck ans Rote Kreuz schicken.«

»Ist nicht dein Ernst«, sagte Jackson barsch.

»Sieh es als Geld von meinem Einkommen«, sagte Carol. »Ich musste etwas tun, sonst hätte ich nicht damit leben können.«

»Aber wir haben doch schon *gezahlt*, wir tun schon ›etwas‹!«, rief ihr Mann.

»Das genau ist doch die Aufgabe eines Landes, oder etwa nicht? Solidarisch zu sein, anderen in schweren Zeiten zu helfen.«

»Eine *Regierung* hat genau die Aufgabe, den Leuten in schweren Zeiten zu helfen!«, sagte Jackson, der seine erste Margarita schon intus hatte. »*Dafür* sollten die Steuern verwendet werden. Bürgersteige. Und Hurrikane!«

»Und die Krankenversicherung«, sagte Shep. »Für jemanden, der behauptet, nicht viel von Regierungen im Allgemeinen zu halten, erwartest du aber ganz schön viel.«

»Nein, das stimmt nicht. Zum Beispiel erwarte ich nicht, dass sie drei Milliarden Dollar pro Woche im Nahen Osten in den Sand setzt oder dass ich die Hälfte aller verdammten Nichtstuer in meinem eigenen Land mitfinanzieren soll. Aber, stimmt, wenn mir schon vom Staat das Geld aus der Tasche gezogen wird, kann ich wenigstens ein paar kümmerliche Dienstleistungen dafür verlangen. Ich will nicht, dass meine Frau einen Job macht, den sie hasst, nur damit mein Kind im Krankenhaus auch behandelt wird. Und wenn eine ganze Stadt nur wegen der inkompetenten Verwaltung ihrer Deiche im Wasser versinkt, dann erwarte ich, dass irgendeiner aus Washington, D.C., den armen Schweinen 'ne Flasche Mineralwasser und 'ne Handvoll Cracker besorgt und sie aufs Trockene schafft. Dieses Monstrum von einer Regierung macht sich nicht mal die Mühe, den Leuten ein trockenes Handtuch zu reichen.«

Bei Jacksons Mitgefühl für seine glücklosen Landsleute in Louisiana hätte Shep eigentlich das Herz aufgehen müssen, hätte ihn die kaum verhohlene Freude an der eigenen Tirade nicht an Glynis erinnert. Ihr Freund war allzu dankbar für jede noch so schlimme Wendung der Ereignisse, wenn sie nur seinem geliebten Konstrukt dienten von den einfältigen und charakterschwachen armen Säuen, die sich von den gewieften und geldgeilen Absahnern schröpfen ließen. Vielleicht war es ganz normal, eher Genugtuung als Trauer zu empfinden, wenn anderer Leute Unglück die eigene Weltsicht bestätigte. Jacksons Schwäche mochte gang und gäbe sein, aber dennoch war sie eine Schwäche: eine Selbstverherrlichung auf Kosten der ungezählten Menschen, deren Glück geopfert worden war.

»Es ist deshalb, weil sie schwarz sind«, sagte Carol. »Das sind Demokraten, wenn sie denn überhaupt wählen gehen.«

»Klar, ich weiß, dass du das denkst und dass alle das denken«, sagte Jackson. Er tauchte einen Selleriestreifen in den dubiosen Dip, biss ab und schob den angebissenen Selleriestreifen auf den Tisch. »Aber ich glaube, es ist einfacher als das und gruseliger. Du hast eine Regierung, die eigentlich nur ein Riesenunternehmen ist und deren treibende Kraft daraus besteht, sich selbst zu befördern und endlos zu vergrößern. Es fällt ihr also gar nicht erst ein, anderen zu helfen. Es ist nicht ihre Aufgabe, anderen zu helfen. Es ist ihre Aufgabe, sich selbst und ihren kleinen Freunden, den Vertragsfirmen, zu helfen, Punkt. Die kleine Säuberungsaktion in New Orleans wird am Ende vor allem den mitmauschelnden Vertragsfirmen in die Kasse spielen, und wenn alles vorbei ist, sind die Vertragsfirmen reich, und die Gegend sieht immer noch aus wie ein Wattenmeer. Millionen, wenn nicht Milliarden Dollar später werden diese armen Wichser immer noch mit ihren kaputten Tiefkühltruhen voller vergammelter Shrimps leben müssen. Mann, Thomas Jefferson würde sich im Grabe umdrehen. Dieses Land ist die reinste Parodie seiner selbst. Eine Farce.«

»Gibt es denn ein Land, das deiner Meinung nach besser ist?«, fragte Shep.

»Nein«, sagte Jackson bereitwillig. »Natürlich nicht. Sie sind alle gleich. So ist der Mensch, Kumpel. Wenn man jemandem die Macht gibt, anderen Leuten ihr Geld abzunehmen, glaubst du etwa, dass das dann nicht tatsächlich auch ausgenutzt wird?«

Carol verdrehte die Augen. »Klar. Deswegen wär's besser, wenn wir gar keine Regierung hätten. Und auch keine Armee, um uns und unsere Landesgrenzen zu verteidigen.«

Als Ehefrau dieses Mannes hätte es Carol eigentlich besser wissen müssen.

»Eine Million Mexikaner und Zentralamerikaner, die pro Jahr durch den Rio Grande waten, und du bist der Meinung, dass unsere Landesgrenzen *verteidigt* werden, ja?«, rief Jackson. »Und unsere großartige Armee und diese ganze Supermachtnummer machen uns zur *Zielscheibe*. Zwei Typen, die in Riad durch die Straße gehen, einer aus den Staaten und einer aus Litauen. Wer wird entführt? Der Amerikaner! Welches Hotel in den Philippinen sucht sich der Selbstmordattentäter aus? Das für die Einheimischen, das, wo hauptsächlich Chinesen absteigen, oder das, wo die Amerikaner wohnen? Die Japaner haben seit dem Zweiten Weltkrieg keine Armee mehr, und die könnten nicht sicherer sein.«

Shep wollte einwenden: »Aber nur deshalb, weil sie immer die USA im Rücken hatten.« Aber er hielt sich zurück. Er wollte dieses Gespräch nicht noch mehr anheizen. Er küsste seiner Frau die Stirn und nutzte die Gelegenheit, ihren Turban zurechtzurücken – sie warf ihm einen dankbaren Blick zu –, ehe er davonschlüpfte, um die Kartoffeln zu wenden und die Steaks auf den Grill zu legen.

Die Einsamkeit des Gartens tat gut, das Plätschern der Springbrunnen gab der schlichten Rasenlandschaft die Ruhe eines Steingartens. Es hatte wenig Sinn, Freunde einzuladen, nur um ihnen bei jeder sich bietenden Gelegenheit zu entfliehen. Dennoch hatte Jacksons Wüten gegen den Himmel eine neue Qualität. Es war noch immer der gleiche Text, aber er war nicht mehr genüsslich oder spielerisch aufsässig; Jackson war nur noch zornig. Nichts von dieser Flachserei hatte auch nur den geringsten Einfluss auf die Welt, und wenn sie dann nicht einmal mehr unterhaltsam war, dann war sie im Grunde sinnlos.

Als Shep zur Veranda zurückgeschlendert kam, um einen Blick hineinzuwerfen und zu fragen, wie die anderen gern ihr Steak hätten, hatte Jackson einen Ausdruck aus der Tasche gekramt, was immer ein schlechtes Zeichen war. »Vor einhundert Jahren waren wir das florierendste Land der Erde, stimmt's? Wir hatten die größte Mittelschicht der Welt, stimmt's? Und wir hatte keine Staatsschulden. Wir hatten auch keine der folgenden Steuern.«

Jackson strich seinen Zettel glatt, der zerknittert und abgegriffen war, als wäre er damit schon öfter aufgetreten. Jedes Mal beim Wort Steuern schlug er mit der Hand auf den Tisch, und der Vortrag wirkte wie ein Mittelding zwischen Dichterlesung und HipHop-Konzert. »Baugenehmigungs*steuer*, Berufskraftfahrer-Führerschein*steuer*, Benzin*steuer*, Debitoren*steuer*, Erbschafts*steuer* und natürlich unsere Lieblingssteuer, die Einkommens*steuer* –«

Als Jackson innehielt, um Luft zu holen, bemerkte Shep, dass die Liste alphabetisch geordnet war und sie gerade erst beim *E* waren.

»Grundstücks*steuer*, Gewerbe*steuer*, Hunde*steuer*, Jagd*steuer*, Körperschafts*steuer* –«

»Schatz, das reicht jetzt«, sagte Carol.

»Luxus*steuer*, Medicare-*Steuer* –«

»Wenn du nicht sofort die Klappe hältst –!«

»Schul*steuer*, Straßenbenutzungs*steuer* –«

»Dann schwöre ich dir, ich fahr auf der Stelle wieder nach Hause und lass dich hier sitzen.«

»Pass auf, Süße, nur noch ganz kurz, ja? Telefonzusatzgebühr-*Steuer* –«

Diesmal war es Carol, die auf den Tisch schlug, nämlich mit der vollen Handfläche, und es war laut. »*Was* macht dich eigentlich so wütend, Jackson? Sag's mir! *Was* ist so schrecklich an deinem Leben?«

»Wohnmobilsteuer, Umsatzsteuer«, murmelte Jackson hastig, aber ohne den dramatischen Zorn.

»Schluss!« Carol stand auf.

»Halt, halt, setz dich wieder. Den Rest können wir überspringen. Ich bin fertig.«

»Das will ich dir auch geraten haben«, sagte sie und blieb stehen, hoch aufragend über ihrem rundschultrigen Ehemann. »Dann kannst du mir ja meine Frage beantworten. Du hast ein anständiges Haus. Deine Tochter hat eine genetische Krankheit, aber immerhin ist sie noch am Leben, oder? Du isst gut« – sie nickte in Richtung der Bauchgegend ihres Mannes –, »ein bisschen zu gut. Was willst du, was du nicht hast? Warum fühlst du dich so entwürdigt, so benachteiligt, so schwach und weinerlich und verbittert? Warum hast du nie das Gefühl, die Kontrolle zu haben, warum *fühlst* du dich immer so unterlegen und ohnmächtig? Und erwartest du von mir, als deiner Frau, dass ich das attraktiv finde? Warum fühlst du dich nicht wie ein Mann, Jackson? Warum fühlst du dich so – *klein*?«

Jackson starrte zornig vor sich hin. Er schenkte sich schwungvoll eine weitere Margarita ein und spülte dabei den Großteil vom restlichen Salz gleich mit ins Glas. Peinlich berührt wandten Glynis und Shep den Blick ab. Es kam schon mal vor, dass sich Carol ins politische Gefecht stürzte, aber meist war sie die Stimme der Vernunft, der Güte sowieso, sie gab allenfalls energische Widerworte. Dass sie vor Freunden schmutzige Gefühlswäsche wusch, war noch nie vorgekommen.

Die anderen drei dachten vielleicht, Shep sei aus der Fliegengittertür verschwunden, um nicht mitansehen zu müssen, wie sein bester Freund zusammengestaucht wurde. Doch in Wahrheit waren es genau die Leviten, die er Jackson selbst seit Jahren schon hatte lesen wollen, und Carols Fragen waren längst überfällig. Er hatte nie verstanden, was Jackson von innen antrieb, woher diese Hitze kam.

Nein, ihm war bloß der verwaiste Grill wieder eingefallen. Als er zu den Steaks kam, mit denen man jetzt eher die Terrasse neu hätte fliesen können, wurde er von Schuldgefühlen übermannt. Die Rumpsteaks hatten ihm vertraut. Als er die Platte mit dem geschrumpften Fleisch und den verkohlten Kartoffeln zurück zur Veranda brachte, nörgelte Jackson: »Niemand lässt sich gern veralbern. Sich für dumm verkaufen. Weißt du noch, als dieser Junge bei uns vor der Tür stand und für zwanzig Dollar die Fenster putzen wollte? Du hast ihm das Geld gegeben, und er ist aufs Fahrrad gestiegen, und weg war er. Du hast ihn nie wieder gesehen. Und du warst sauer. Es waren nicht die zwanzig Dollar, das hast du selbst zugegeben. Es war die Tatsache, betrogen worden zu sein.«

»Ich habe mich über mich selbst geärgert«, sagte Carol, die sich zumindest wieder hingesetzt hatte. »Es war meine Dummheit.«

»Und genau so fühle ich mich. Als würde ich ständig zum Narren gehalten.«

»Ich habe mich nicht zum Narren gehalten gefühlt. Ich war selbst der Narr. Ich hatte es verdient.«

»Vielleicht geht's mir ja genauso.« Das Paar tauschte einen Blick aus.

Nachdem Shep den Salat aus dem Kühlschrank geholt und den Wein geöffnet hatte, verkündete Carol: »Jackson möchte sich entschuldigen.«

»Wofür?«, fragte ihr Mann.

»Schon gut, Carol«, sagte Glynis und richtete sich in ihrem Korbstuhl auf. »Wenn er nicht über Steuern schimpfen würde, würde er eben über was anderes schimpfen.«

»Aber wir wollten doch eigentlich feiern«, sagte Carol beharrlich. »Jackson scheint vergessen zu haben, warum wir hier sind. Aber ich nicht. Wir beide sind wahnsinnig erleichtert, Glynis, dass es dir wieder besser geht. Ich schwör's, als Shep das mit der Computertomografie erzählt hatte, musste ich weinen. Also würde ich gern einen Toast aussprechen.« Carol hob das Glas. »Auf deine Genesung. Auf das Wunder der modernen Medizin. Darauf, dass wir uns wieder treffen werden, wenn Glynis ganz gesund ist, wir werden Steaks essen und Margaritas trinken, und dann darf Jackson *vielleicht* auch über Steuern schimpfen!«

Es war ein tapferer Versuch, die gereizte Stimmung in der Runde umzukehren, aber weder Glynis noch Shep hoben ihr Glas.

»Tut mir leid, Carol«, sagte Shep. »Wir werden wohl auf was Bescheideneres anstoßen müssen. Zum Beispiel auf die Hoffnung auf mehr weiße Blutkörperchen.«

Carol blickte von Shep zu Glynis und stellte ihr Glas wieder ab. »Was ist denn los?«

»Wir haben gestern das Ergebnis einer neuen Tomografie bekommen«, sagte Shep. »Das Mal davor hat uns Goldman in sein Büro gebeten. Also hätte ich wahrscheinlich ahnen können, dass die Nachricht ...« – sowohl *schlimm, ziemlich schlimm,* wie auch *lausig* oder *unbefriedigend* lagen ihm auf der Zunge, bevor er schließlich sogar *schlecht* verwarf – »... dass die Nachricht diesmal *weniger ermutigend* sein würde, als er es vorzog, uns am Telefon zu informieren. Wahrscheinlich können wir von Glück reden, dass wir keine E-Mail bekommen haben.«

»In der was gestanden hätte?«, fragte Carol.

»Dass ...« Shep hatte sich von Anfang an gegen Euphemismen gewehrt, doch unter diesen Umständen brachte er es nicht fertig, noch mal das Wort *Krebs* zu verwenden. »Dass die Situation fortgeschritten ist. Im Nachhinein tut es mir leid, dass wir's nicht geschafft haben, die letzte CT zu begießen, als wir noch die Chance hatten. Diese ... na ja, das Ergebnis ist einfach nicht so toll.«

»Es ist nur ein Rückschlag«, sagte Glynis standhaft.

»Ja«, sagte Shep. »Das meinte ich. Wir haben einen Rückschlag erlitten.«

»Es bedeutet einfach nur, dass ich ein bisschen länger Chemotherapie bekomme«, sagte Glynis.

»Ja«, wiederholte Shep. »Es könnte bedeuten, dass Glynis ein bisschen länger Chemotherapie bekommen muss.«

»Scheiße, das ist ja übel«, sagte Jackson.

»Das tut mir so leid, das ist aber …« Carol schien ebenfalls ihr inneres Synonymwörterbuch durchzublättern. »Das ist aber enttäuschend. Wie ent-, inwiefern denn *weniger ermutigend*?«

Shep suchte Carols Blick, aber sie hatte sich mit der Frage an Glynis gewandt.

»Nicht so gut, wie wir uns erhofft hatten, das ist alles«, sagte Glynis gereizt. »Aber Adrian – … Adriamycin scheine ich immer noch gut zu vertragen« – das Husten kam zu illustrativen Zwecken eher ungelegen –, »und es gibt eine ganze Menge anderer Medikamente, die wir noch nicht ausprobiert haben.« Sie begegnete Carols Blick mit einer Herausforderung, bis Carol den Blick senkte.

»Ja, es gibt heute die erstaunlichsten Therapien«, räumte Carol ein und sah hastig wieder auf ihren Teller. »In allem, was ich so lese, heißt es, dass bei allen Krebsarten die Überlebensrate von Tag zu Tag steigt. Dass Krebs immer mehr zu einer Krankheit wird, mit der man einfach umgehen muss wie mit so vielen anderen chronischen Krankheiten: Herpes, Rückenschmerzen. Ich … ich bin mir sicher, dass sie diese Sache in den Griff kriegen werden. Manchmal müssen sie einfach nur genau das richtige Medikament finden, oder? So lange rumprobieren, bis sie's gefunden haben.« Sie blickte wieder hoch und brachte ein Lächeln zustande. Carol war sehr viel cleverer, als man auf den ersten Blick annahm. Zwei Minuten, und schon war sie auf den Zug mit aufgesprungen.

Aber immer wenn es etwas gab, über das man nicht reden sollte – Shep kam ums Verrecken nicht dahinter –, war es auf rätselhafte Weise unmöglich, ersatzweise über ein anderes Thema zu reden. Während sie sich durch ihre Schuhsohlen kauten – Glynis rührte ihr Rindfleisch nicht an –, war dem Vierergespann auch schon der Gesprächsstoff ausgegangen.

»Kannst du denn nicht wenigstens ein bisschen was essen, Glynis?«, fragte Carol vorsichtig nach wortlosem Besteckgeklimper. »Es ist doch bestimmt wichtig, dass du bei Kräften bleibst. Und das Rind ist zwar gut durch, aber eindeutig von bester Qualität.«

Glynis stocherte an ihrem Steak herum. »Ich will jetzt hier beim Essen nicht ins Detail gehen. Aber ich kann so was kaum ansehen, ohne mir vorzustellen, wie schwierig es sein wird, das Ganze … am anderen Ende wieder rauszubekommen.«

»Ah«, sagte Carol.

Die Steakmesser erzeugten ein unschönes Quietschen auf dem Porzellan. Inzwischen hatte Shep geradezu den Wunsch, dass Jackson etwas zweckmäßig Ärgerliches zur Sprache brächte wie die Alternativsteuer. Nach weiteren zehn Minuten, in denen Carol noch einen verzweifelten Versuch unternahm und lobend das Etikett des Salatdressings hervorhob, war er versucht, sogar selbst die Alternativsteuer ins Spiel zu bringen.

Kapitel 14

Shepherd Armstrong Knacker
Merrill Lynch Konto-Nr. 934–23F917
01.10.2005 – 30.10.2005
Gesamtnettowert des Portfolios: $ 152 093,29

Seit er erwachsen war, hatte sich Shep immer die größte Mühe gegeben, anderen Menschen nichts nachzutragen. Menschen, die er kannte; Menschen im Allgemeinen. Doch allmählich gingen ihm die Vorwände aus – für ihren Freundeskreis, von dem er arglos angenommen hatte, er sei anständig, großzügig und rücksichtsvoll; für die halbherzige Spezies Mensch. Auch wenn es kein toller Abend gewesen war, waren Jackson und Carol immerhin endlich aufgetaucht. Was Shep von allen anderen nicht behaupten konnte. Streng genommen entpuppten sich die meisten Menschen in Glynis' Leben als so rundheraus enttäuschend, dass ihn manchmal spätnachts eine erstickende Misanthropie überkam wie der Gestank aus einem kaputten Gully.

Damals im März war Deb entschlossen gewesen, dass Glynis erlöst werden müsse, bevor es zu spät war. Ruby hatte sich der Idee verschrieben, alte Rivalitäten beizulegen und mit ihrer älteren Schwester in einen »Zustand der Gnade« zu treten. Insofern hatte Shep schon damals gefürchtet, dass seine Toleranz gegenüber seinen Schwägerinnen vielleicht, nach wiederholten Besuchen über viele Monate hinweg, noch einer harten Prüfung unterzogen werden könnte. Er war davon ausgegangen, dass Deb niemals aufhören würde, seine weltliche Familie zum Gebet aufstellen zu wollen und den introvertierten Zach zu bedrängen, gemeinsam Gott zu danken für jeden Tag, der seiner kranken Mutter noch vergönnt war. Er hatte vorab bereits seine leichte Verärgerung darüber gespürt, dass Ruby jeden Abend joggen gehen musste, während sich alle anderen zu einer Mahlzeit zusammenfanden, die zuzubereiten er wieder mal sein abendliches Fitnesstraining geopfert hatte.

Im Fall gleichzeitiger Besuche war er es vorauseilend schon leid gewesen, wie Glynis und Ruby ihre mollige jüngere Schwester vorführten, indem sie sich nur eine magere Hähnchenkeule nahmen, wenn Deb zwei aß. Bei Debs anhaltendem Verdruss über die Appetitlosigkeit seiner Frau sah sich Shep schon, wie er irgendwann die Geduld verlor und Glynis anherrschte, dass ihre elend kleinen Portionen kein Zeichen von Überlegenheit, sondern eine unzureichende Zufuhr von Kalorien darstellten, die auch Verhungern genannt wurde und mit der sie sich über kurz oder lang umbringen werde, sofern der Krebs ihr nicht zuvorkomme. Insgesamt gesehen hatte er sich ein wenig Sorgen gemacht, dass ihm seine Schwägerinnen nach immer längeren Aufenthalten auf die Nerven gehen würden.

Niemals in einer Million Jahren hätte er damit gerechnet, dass er sich mit dem umgekehrten Problem würde herumschlagen müssen: dass nach dem anfänglichen Run an die postoperative Bettkante keine der beiden Schwestern noch einmal zu Besuch käme.

Gut, beide Geschwister riefen immer noch an, aber immer seltener, und die Frequenz dieser gelegentlichen Telefonate war genau an jenem Punkt endgültig abgestürzt, als sich der Zustand ihrer Schwester nach der kurzlebigen »Genesung« erneut verschlechterte. Unterdessen rief immerhin Hetty nach wie vor jeden Tag an, und zwar so zuverlässig zur gespenstisch frühen Stunde um neun Uhr morgens, dass man die Uhr nach dem Telefon hätte stellen können.

Nachdem Ende September eines dieser Telefonate eine Viertelstunde lang dahingehumpelt war und sich Glynis noch kryptischer und mürrischer zeigte als gewöhlich, hatte sie Shep den Hörer weitergereicht. »Meine Mutter will dich sprechen. Nur zu.«

»Sheppy?«, sagte Hetty, und er zuckte zusammen. Seine Schwiegermutter hatte diesen beleidigten Tonfall, den Glynis hasste, da er weniger an eine zweiundsiebzigjährige pensionierte Lehrerin als an einen ihrer Erstklässler erinnerte, dem man den Lutscher weggenommen hatte. In Person neigte sie dazu, sich an seinen Arm zu klammern, und diese weinerliche Intonation war die akustische Entsprechung. Indem sie »Sheppy«, den idealen Schwiegersohn (also diesen wunderbaren Mann, der alles bezahlte), vergötterte, hatte sie schon lange einen Keil zwischen ihn und Glynis getrieben.

»Ich tue *wirklich alles*, um Glynis wissen zu lassen, dass ich in diesen schicksalsschweren Tagen für sie da bin. Aber sie kann ja so ... schnippisch sein! Ich weiß, sie ist sehr krank, und ich versuche immer Rücksicht darauf zu nehmen, aber ...« Hetty begann zu schniefen. »Gerade eben war sie furchtbar unfreundlich!«

»Sie hat's nicht so gemeint, Hetty, das weißt du doch.« Natürlich hatte Glynis es so gemeint. Sie meinte immer mehr von dem, was sie sagte..

»Entschuldige bitte die Frage...« Er hörte, wie sie sich in eines der vielen zerfetzten Papiertaschentücher schnäuzte, die sich in den Taschen ihrer Hausmäntel angesammelt hatten. »Aber will Glynis überhaupt, dass ich sie anrufe? Will sie überhaupt mit mir reden? Davon ist nämlich wenig zu merken! Wenn meine Kontaktaufnahme nicht erwünscht ist, will ich mich bestimmt nicht aufdrängen.«

Nachdem er das Gespräch mit seiner Schwiegermutter beendet hatte, war Glynis ausgerastet, und den Text kannte er inzwischen auswendig. »Ständig will sie was von mir, und ich kann's ihr einfach nicht geben! Ich hab's nie gekonnt und gerade jetzt erst recht nicht! Sie ruft nicht meinetwegen an, sie ruft ihretwegen an! Immer und immer wieder soll ich ihr bestätigen, was für eine wunderbare Mutter sie war, aber so war es einfach nicht, und ich kann's nicht sagen und ich werde es nicht sagen. Ich soll sie unterhalten und trösten und mir was einfallen lassen, um Tag für Tag diese tote Luft zu füllen, eine Zumutung ist das! Herrgott noch mal, sie ist wie ein schwarzes Loch! Jetzt, wo ich vielleicht zum ersten Mal in meinem Leben tatsächlich eine Mutter gebrauchen könnte! Nicht noch eine Abhängige, noch ein Problem, noch mehr Ansprüche, noch ein Energiefresser, sondern eine richtige Mutter!«

Zum Glück war Glynis nach ihrem Wutanfall so erschöpft gewesen, dass sie auf dem Küchensofa zusammenklappte und endlich etwas schlief. Er war froh, dass sie nicht nachgebohrt hatte, was Hetty von ihm hatte wissen wollen, denn darauf hätte er nur ungern geantwortet.

Er hatte das Telefon auf die hintere Veranda mitgenommen und Hetty inständig gebeten, weiterhin anzurufen. Jeden Tag. Sich nicht entmutigen zu lassen, die anhaltenden Attacken ihrer Tochter der Krankheit anzulasten, die Beleidigungen und wütenden Bemerkungen an sich abprallen zu lassen und einfach nicht darauf zu reagieren. Implizit bat er sie um eine Reife, die an den Tag zu legen sie nicht die geringste Chance haben würde, wenn sie mit zweiundsiebzig noch immer derart sensibel war. Wer in dieser umkämpften Beziehung nun gerade wen am meisten brauchte, darüber konnte man trefflich streiten. Die einfachste Antwort lautete wohl, dass sie sich gegenseitig brauchten. Glynis hasste diese Telefonate und fürchtete sie ganz aufrichtig. Sollte es jedoch neun Uhr werden, und der Anruf ihrer Mutter bliebe aus, wäre sie am Boden zerstört.

Und weiter? Hetty mochte für ihre Tochter »da« sein, bloß war sie für ihre Tochter nicht *hier*. Seit jener ersten Reise im März war selbst Glynis' eigene Mutter nicht wieder nach Elmsford gekommen. Kein einziges Mal. Shep konnte es kaum glauben. Zudem bezog sich der systematische Rückzug vor seiner Frau und ihrem *ekligen* Krebs längst nicht auf die unmittelbare Familie. Er war universell.

Glynis' Cousinen, Nichten und Neffen, die Nachbarn (bis auf die unermüdliche Nancy) und schockierenderweise ihre sämtlichen Freunde hatten immer seltener angerufen und die Gespräche immer kürzer ausfallen lassen. Sie alle hatten größere Abstände zwischen ihre Besuche gelegt und hielten die Gesellschaft seiner Frau immer weniger lange aus.

Shep kannte sämtliche Standardausreden. Dass man sie nicht überstrapazieren, stören oder wecken wolle. Dass man nie genau wisse, ob sie gerade im Krankenhaus liege, Chemotherapie bekomme oder immer noch k.o. sei von der letzten Dosis. Nachdem sie gewarnt worden waren, dass Glynis keinen Infektionen ausgesetzt werden dürfe, sagten einige Freunde unter dem Vorwand hartnäckiger Erkältungen mehrere Besuche in Folge ab. Sie wollten ja nur Rücksicht nehmen. Andere Ausreden waren so umständlich, dass es weitaus weniger Mühe erfordert hätte, Shep nach Monaten des Schweigens mit den undurchsichtigen Erklärungen zu verschonen und die arme Frau einfach selbst kurz anzurufen.

Nach Zachs Informationen waren die Eigers – die Eltern von einem von Zachs engeren Kumpels, mit denen sie seit vielen Jahren am vierten Juli gegrillt und Vorweihnachten gefeiert hatten – so sehr damit beschäftigt, mit ihrem ältesten Sohn für den Hochschul-Zulassungstest zu lernen, dass die anstrengende Fahrt aus dem sechs Meilen entfernten Irvington nicht infrage kam, wobei das eine Distanz war, die Zach regelmäßig per Fahrrad zurücklegte. Es verstand sich von selbst – zumindest schienen es alle so zu verstehen –, dass diese strikten Nachhilfesitzungen durch beide Eltern zu jeder zur Verfügung stehenden Tageszeit eine so zeitaufwendige und kräftezehrende Geste wie ein Telefonat ausschlossen.

Marion Lott, die Chocolatière, mit der Glynis bei ihrem albernen Job viel getratscht und sich recht gut angefreundet hatte, war eine Zeit lang aufmerksam gewesen. Mit der Entschuldigung, dass Glynis selbst mit Schokolade wahrscheinlich wenig anfangen könne, stand Marion anfangs mit einer Tüte formloser

Trüffel für Shep und Zach nebst Früchtekorb für die Patientin vor der Tür. Doch die Carepakete sowie die Besuche waren seit Mai ausgeblieben. Als Shep Anfang Oktober Marion vor der Apotheke über den Weg lief – er war mal wieder auf der Suche nach Einlauftabletten für Glynis –, hatte die Schokoladenfabrikantin nervös drauflosgeplaudert, wie viel gerade im Laden los sei und dass sie aus dem fernen Chicago Bestellungen zu bearbeiten habe, und dann sei eine ihrer Mitarbeiterinnen schwanger geworden und leide schrecklich unter morgendlicher Übelkeit, und er wisse ja, wie unangenehm das sei, den ganzen Tag dieser Schokoladenduft, und so habe es an Arbeitskraft gefehlt … Ach ja, und Shep sollte wissen, dass die neue Gussformfrau sich als weitaus weniger geschickt entpuppt habe als Glynis, sie habe auch nicht ihr Händchen für Linienführung oder ihren Sinn für Humor, und er solle seiner wunderbaren Frau doch bitte ausrichten, wie sehr sie ihr fehle … Er hätte ja Mitleid mit der Frau haben können, hätte versuchen können, sie zu bremsen … Mit bewusstem Sadismus ließ er sie jedoch bestimmt fünf Minuten reden. Es war eine ganz bestimmte Art von übertrieben wortreicher Ausrede, die meist von Leuten bevorzugt wurde, die schlechte Lügner waren. Wobei sie mit ihrer verbalen Inkontinenz zumindest durchblicken ließen, dass sie ein schlechtes Gewissen hatten.

Die Vinzanos dagegen entschieden sich für die große, saubere, allumfassende Ausrede, die immerhin effizient war. Glynis kannte Eileen Vinzano noch aus der Zeit, als sie beide an der Parsons Kunst unterrichtet hatten, somit ging ihre Freundschaft mit Eileen und deren Mann Paul über zwanzig Jahre zurück. Aber seit er ihnen am Telefon von der Operation erzählt hatte, konnte sich Shep nicht erinnern, wann er zuletzt von den beiden gehört hatte. Kurz nachdem er Marion über den Weg gelaufen war, rief Eileen an und behauptete atemlos, dass sie und Paul seit Juni außer Landes gewesen seien. In beklommenem Tonfall erkundigte sie sich nach Glynis' Gesundheitszustand. Sie hatte Angst, dass sie mit ihrem Anruf schon zu spät war. Offenkundig hatte sie mit einer zartfühlenden Formulierung gerechnet, etwa: »Tut mir so leid, dass ich dir das sagen muss, Eileen, aber Glynis ist im September von uns gegangen.« (*Von uns gegangen,* das war die Wendung, die sie erwartet hätte. Als wäre seine Frau nicht unter Qualen gestorben, sondern einfach aus der Tür spaziert.) Stattdessen erzählte er, dass Glynis noch immer durchhalte und dass sie nun schon beim dritten Chemococktail seien. Doch als er ihr anbot, Glynis selbst ans Telefon zu holen, geriet Eileen in Panik. »Nein, nein, lass sie bloß liegen!«, sagte sie fast entsetzt. »Sag ihr einfach nur alles Gute.«

Spätabends in der Halloweennacht schaltete er seinen Computer schließlich ein, um die Liste der »engen Freunde« zu kopieren und in die Liste »weniger enge Freunde« einzufügen. Die Datei »enge Freunde« löschte er.

In seiner gutmütigen Tagesinkarnation räumte Shep ein, dass mehr oder minder alle bereits ein gefühlvolles Zeugnis abgelegt hatten, wie viel Glynis ihnen bedeutet habe. Wie außerordentlich sie ihre Arbeit bewunderten. Wie sehr ihr ganzes Leben von Eleganz und Stilsicherheit geprägt gewesen sei. Wie gern sie sich an dieses oder jenes Ereignis zurückerinnerten … Indem sie passionierte, hochtrabende Reden schwangen, die, wie Glynis mit Empörung bemerkte, ebenso gut als Grabreden funktioniert hätten, manövrierten sich die Besucher von vornherein in eine ganz bestimmte Ecke. Es war dramaturgisch unmöglich, von großen Liebes- und Bewunderungserklärungen zu nichtigem Geplauder überzugehen und zu sagen, wie's aussieht, wird die Walnut Street doch endlich neu asphaltiert. Mit zehn multipliziert, ähnelte die anschließende Unbeholfenheit der schlechten Dramaturgie, mit der man nach einer Dinnerparty blumige Abschiedsworte aussprach – überladene, stilvolle Worte von der Art, zu denen man sich im Auto noch mal selbst beglückwünschte –, nur um dann festzustellen, dass man seinen Pullover vergessen hatte. Man musste dann beschämt an der Tür klingeln, während die Gastgeber gerade die Geschirrspülmaschine einräumten.

Und voilà, die ganze Eleganz, der Schalk und die überbordende Dankbarkeit des ursprünglichen Abschieds waren dahin, die Gastgeber schlurfen betretenen Schrittes über den Flur und wischten sich die fettigen Hände an einem Geschirrtuch ab, um sich auf die Suche nach dem Kleidungsstück zu machen. Vermutlich war es immer schwierig bei todkranken Menschen, die Sache so hinzudrehen, dass die Beziehung einen heiteren Ausklang nahm. Um einen bewegenden und gut getimeten Abschied zu garantieren, gab es nur den einen Trick, eine zartfühlende, tränenreiche, gut einstudierte kleine Rede zu halten und dann nie wieder aufzutauchen.

Außerdem, was *sagte* man zu Glynis, wenn die medizinischen Fragen ausgeschöpft waren? Sie wollte nichts davon hören, dass man selbst ein tolles Leben führte, den Klagen der anderen gegenüber war sie äußerst intolerant. Die Ereignisse ihres eigenen Lebens hatten sich auf die Ereignisse ihres Körpers beschränkt: die Entzündungen an den Armen, wo die Chemo aus der Kanüle sickerte und ihr die Haut versengte; die Thoraxdrainage, um die Lungenflüssigkeit aufzusaugen, die ihr Atembeschwerden verursachten; die Müdigkeit, die etwas besser oder lähmend schlimm wurde, aber nie ganz wegging; die Ausschläge und Schwellungen und die sonderbaren Striche in ihren verfärbten Nägeln. Dies waren die Geschichten, die sie erzählen konnte, und sogar für Glynis selbst waren sie deprimierend und monoton.

Glynis zeigte keinerlei Bewusstsein für die Welt jenseits der Grenzen ihres bescheidenen Heims. Denn schließlich bezogen die durchschnittlichen heutigen Probleme ihre Dringlichkeit aus dem Umstand, dass sie in Wirklichkeit Probleme von morgen waren: der Klimawandel, die Verschlechterung der amerikanischen Infrastruktur, das wachsende Finanzdefizit. Solche Dinge kümmerten einen nur, wenn einen ebenfalls kümmerte, dass San Francisco eines Tages in den Pazifik rutschen könnte, Dutzende von Autos demnächst von einer maroden Brücke auf der I-95 zu stürzen drohten oder das ganze Land vielleicht bald in chinesischer Hand wäre. Doch die Dinge, die da kamen, kümmerten Glynis nicht. Die ersten beiden kamen ihr lustig vor. Und was Letzteres anging, den Ausverkauf der Gesamt-USA, konnten ihretwegen die Chinesen das Land ruhig haben.

Der deutlichste Hinweis dafür, dass sie die Augen doch nicht so sehr vor der Wahrheit verschloss, wie es den Anschein machte, war Glynis' Desinteresse an der Zukunft. (Die einzige Ausnahme zu Glynis' allumfassender Teilnahmslosigkeit stellte alles dar, was ihre laufende Klage gegen Forge Craft anging. Der Rechtsstreit weckte einen Blick in ihren Augen, den Shep aus Natursendungen kannte – wenn ein Panther mit geöffnetem Fang und starrem Blick auf seine Beute lauert. Doch Shep versuchte das Thema zu vermeiden. Die treibende Kraft seiner Frau war ihm nicht ganz geheuer: Rache, und zwar von der wahllosesten Sorte.)

Zu guter Letzt, um fair zu sein – Shep hatte keine Lust, fair zu sein, aber die Dinge aus einer anderen Warte zu betrachten war eine lebenslange Gewohnheit –, war Glynis ganz einfach ein schwieriger Mensch. Eine Vielzahl von Themen kamen im Gespräch mit ihr nicht infrage. Vor allem ein Thema war mit dicken roten Strichen abgegrenzt, und an jedem Zugang prangte ein Betreten-verboten-Schild. Das Problem war, dass dies unter den gegebenen Umständen ein großes, möglicherweise das wichtigste oder gar das einzige Thema darstellte. Wie er am Ende jenes verunglückten Abendessens mit Carol und Jackson festgestellt hatte, konnte man immer dann, wenn man über ein bestimmtes Thema nicht reden durfte, auch über sonst nichts reden. Insofern schienen diese Besuche sich in vorgegebenen Bahnen zu bewegen; sie wirkten nicht real; sie hatten etwas Verlogenes, an dem allein Glynis schuld war.

Aber weiter reichte sein Mitgefühl nicht. War es einmal so weit gedehnt worden, sprang es wie ein Bungeeseil zurück an den Punkt des traurigen Eindrucks, dass seine Frau die bekanntermaßen kurze Aufmerksamkeitsspanne ihrer Landsleute mit ihrer Krankheitsdauer schlichtweg überfordert hatte. Nachdem das Mesotheliom seinen Neuheitswert verloren hatte, war sie zu einem personifizierten Allmählich-Reicht's geworden. So wie die meisten von ihnen keine zwei Runden um ein Footballfeld geschafft hätten, ohne vor der Tribüne erschöpft zusammenzubrechen, zeigten Freunde wie Familie wenig emotionales Durchhaltevermögen.

Shep war Eingeborener eines Landes, zu dessen kulturellen Errungenschaften das Telefon, die Flugmaschine, das Fließband, das Fernstraßennetz, die Klimaanlage und das Glasfaserkabel zählten. Sein Volk war brillant, wenn es um das Unbeseelte ging – Ionen und Prionen, Titan und Uran und tausendjähriges Plastik. Was sensiblere Zusammenhänge anging – von der Art, dass es einfach auffiel, wenn ein Vertrauer plötzlich von der Landkarte verschwand, sobald eine Freundschaft unbequem, unangenehm, anspruchsvoll, übrigens auch endlich mal zu etwas nutze wurde –, waren seine Landsleute nicht zu gebrauchen. Es war, als wäre noch nie zuvor jemand krank geworden. Als hätte noch nie jemand dem Unaussprechlichen ins Auge sehen müssen. Als wäre Sterblichkeit ein Ammenmärchen, ähnlich wie die Überzeugung, dass man unbedingt acht Gläser Wasser pro Tag trinken müsse, eine These, die am vergangenen Dienstag auf der Gesundheitsseite der *Science Times* widerlegt worden war.

Es gab kein Protokoll. Schon möglich, dass die meisten von ihrer Mutter gelernt hatten, beim Essen die Ellbogen nicht auf dem Tisch aufzustützen oder mit offenem Mund zu kauen. Aber es hatte sich nie ein Elternteil mit ihnen hingesetzt und ihnen erklärt, dass man dies zu tun und jenes zu sagen habe, wenn jemand, der einem zumindest angeblich am Herzen lag, todkrank war. Es war ein bitterer Trost, dass vielen dieser schäbigen Exemplare der Spezies Mensch im Krankheitsfall irgendwann einmal ein ähnliches Hoppla-jetzt-muss-ich-aber-ganz-dringend-Weg widerfahren würde.

Die vollmundigen Hilfsangebote, mit denen Freunde und Familie der schlechten Kunde am Anfang begegnet waren, stießen Shep sauer auf. Die Eigers hatten ihn gedrängt, sie unbedingt wissen zu lassen, was ihn entlasten würde, doch von ihnen aus war nie auch nur die kleinste Geste gekommen; es musste ihnen doch klar gewesen sein, dass er sie niemals darum *bitten* würde, Glynis zur Chemotherapie zu begleiten und stundenlang neben ihrem Polstersessel zu sitzen. Eileen Vinzano hatte lang und breit erklärt, dass sie Shep beim Hausputz helfen könnte. Keine Arbeit sei zu nieder, schwor sie, nicht mal Toilettenputzen. Aber das war, bevor die Vinzanos »außer Landes« verschwunden waren. Inzwischen hatte er ein spanisches Mädchen anheuern müssen, das ein Mal die Woche vorbeikam und seinen Putzrückstand aufholte. Eine ehemalige Nachbarin aus Brooklyn, Barbara Richmond, hatte vorgeschlagen, regelmäßig vorgekochte Mahlzeiten vorbeizubringen, die man nur noch hätte in die Mikrowelle schieben müssen, einen Vollzeit-Cateringservice sozusagen, der am Ende auf eine einzige Torte hinausgelaufen war. Glynis' Cousine Lavinia hatte erklärt, dass sie gern für ein paar Wochen einziehen würde! Damit jemand da wäre, um Besorgungen zu machen und Glynis Gesellschaft zu leisten. Natürlich hatte sie sich nie in Amelias Zimmer einquartiert und war seit April verschollen. Erinnerten sich diese Leute überhaupt noch an ihre extravaganten Angebote im Zuge ihres überstürzten ersten Mitgefühls? Und wenn ja, glaubten sie etwa, Shep habe sie vergessen? Er war von Natur aus nicht nachtragend, aber vergessen hatte er nichts.

Was Enttäuschungen anging, schoss *Beryl* natürlich den Vogel ab.

Die zusätzlichen 8300 Dollar pro Monat für das Pflegeheim seines Vaters beschleunigte die Plünderung von Sheps Kapital. Selbst wenn er hartherzig genug gewesen wäre, eine solche Aussicht in Betracht zu ziehen, war das Merrill Lynch Konto zu leer, um den alleinigen Rückzug nach Pemba oder sonst wohin zu finanzieren. Alles drehte sich jetzt um Zusatzzahlungen,

Zusatzversicherungen und Rezepte für Glynis' Behandlung, Punkt. Also wagte er bei einem Telefonat mit Beryl Anfang November einzuwerfen, dass sie eventuell darüber nachdenken müssten, ihren Vater aus der Morgentau-Residenz zu holen und in ein öffentliches Pflegeheim zu geben. Genauso gut hätte er vorschlagen können, den Mann nach Auschwitz zu schicken.

»Diese öffentlichen Heime sind die reinsten Kloaken!«, kreischte Beryl. »Die lassen einen tagelang in der eigenen Scheiße liegen. Öffentliche Pflegeheime haben immer zu wenig Personal, und die Schwestern sind alle Sadisten. Das Essen ist schrecklich, wenn man denn Glück hat und überhaupt welches bekommt; manche dieser alten Leutchen werden so vernachlässigt, dass sie verhungern. So eine Ausstattung wie in der Morgentau-Residenz kannst du vergessen – keine Fitnessräume, keine Krankengymnastik. Es gibt auch keine Veranstaltungen – keine Kurse, keine Singgruppen. Vielleicht ein paar Zeitschriften, das war's dann aber auch.«

»Na ja, neben einem ständigen Vorrat von Krimis braucht Papa eigentlich nichts weiter als einen Stapel Zeitungen und eine Schere.«

»Aber diese öffentlichen Läden sind wie Müllhalden für die Alten! Alte Frauen hängen mit offenem Mund in ihren Rollstühlen in den Fluren, sabbern sich das Nachthemd voll und brabbeln vor sich hin, dass sie heute Abend mit Danny auf den Schulball gehen, weil sie denken, es ist 1943. Das willst du deinem eigenen Vater antun? Das wird er dir niemals verzeihen, und ich auch nicht.«

Shep vermutete, dass der Unterschied zwischen privater und öffentlicher Pflege überbewertet wurde. Auch in der Morgentau-Residenz hatte er jede Menge Demenzkranke gesehen und jede Menge Gesabber. Gabriel Knacker hatte zwar mit seiner Gemeinde Kirchenlieder gesungen, doch nicht mal in der appetitlichsten Einrichtung würde er sich jemals an einer »Singgruppe« beteiligen. Dennoch war Beryls deprimierendes Bild weit verbreitet. Es hätte Shep nichts ausgemacht, wenn sie dieses Klischee aus Angst heraufbeschworen hätte, dass ihr Vater leiden könnte. Ebenso wenig hätte ihm Beryls standhaftes Beharren auf privater Pflege etwas ausgemacht, wenn sie sie mitfinanziert hätte.

Es machte ihm aber sehr wohl etwas aus, dass ihre selbstgerechte Verteidigung des väterlichen Komforts ganz andere Gründe hatte. Der einzige Sinn und Zweck des von ihm vorgeschlagenen Umzugs war es, seine finanzielle Belastung auf die Öffentlichkeit zu übertragen. Er war selbst schuld, dass sie wusste, was dieses moderne finanzielle Wunder bewirken würde, weil er sie damals im Juli darüber informiert hatte. Damit ihr Vater Medicaid beziehen könnte, würden sie zunächst das Haus verkaufen müssen. Oder *ihr* Haus, wie sie sicherlich sagte, wenn er außer Hörweite war. (Jacksons Idee war vielleicht technisch machbar: sich einfach zu weigern, die Morgenröte-Residenz zu bezahlen und die bürokratische Mühle mahlen zu lassen, bis der Besitz vom Staat gepfändet wurde. Zu seiner stillen Verblüffung waren er und Beryl gesetzlich nicht verpflichtet, ihren Vater zu pflegen oder seine Rechnungen zu bezahlen. Doch das war nicht die Art und Weise, wie Shepherd Knacker seine Angelegenheiten regelte. Seine Pflichten zu vernachlässigen und darauf zu hoffen, dass irgendjemand hinter ihm herräumen würde, erschien ihm schlampig und unverantwortlich. Er war nun mal, wer er war, dachte Shep ironisch.) Der Erlös von Haus und Grundstück würde dann in das Pflegeheim fließen, bis ihr Vater offiziell mittellos war. Adieu, freie Unterkunft, adieu, Erbe – und das war die Quelle der Empörung, die ihm durchs Telefon entgegenschlug.

Dennoch hatte Shep nicht die Kraft, sich gegen Beryl aufzulehnen. Er hatte ja selbst seine Bedenken gegenüber den öffentlichen Pflegeanstalten und einen ausgeprägten Sinn für seine Pflicht als Sohn. Die Morgenröte-Residenz war wahrscheinlich die schönere Alternative. Die Begeisterung seines Vaters hielt sich zwar in Grenzen, aber zumindest hatte er sich eingewöhnt. Wenn Shep weiterhin 99 600 Dollar pro Jahr ausspucken musste, käme er zudem rasch an den Punkt, an dem er nicht deswegen die Morgenröte-Residenz nicht mehr bezahlen würde, weil er ein schlechter Sohn war, sondern weil er das Geld nicht mehr hatte. Und es wäre offensichtlich hirnrissig und verschwenderisch gewesen, wenn er alles bis auf den letzten Cent ausgegeben hätte, nur um wieder an demselben Punkt zu landen, an dem er seinen Vater würde aus der Morgenröte-Residenz nehmen, die Rentenversicherung auflösen und das Haus verkaufen müssen. Jackson hatte schon recht, dass man in einem Land, das einem nahezu sein halbes Einkommen abknöpfte und jedes Mal ein extra Schmiergeld verlangte, wenn man nur irgendetwas tun wollte, einen Schraubenzieher kaufen oder angeln gehen zum Beispiel, nicht wirklich von Freiheit sprechen konnte. In diesem speziellen Fall und in Bezug auf seine Schwester hatte es allerdings etwas wahrhaft Befreiendes, bankrott zu sein.

Inzwischen versuchte Shep, etwa zwei Mal die Woche mit seinem Vater zu telefonieren. Der gebrochene Oberschenkel schien langsam zu verheilen. Dann klingelte der Apparat plötzlich die ganze erste Novemberhälfte auf seinem Nachttisch vor sich hin, ohne dass sein Vater abnahm. Statt direkt mit dem Heimpersonal zu sprechen, beging Shep den Fehler, sich bei Beryl auf den neusten medizinischen Stand bringen zu lassen. Sie sagte nur, dass er offenbar Gewicht verloren habe. Zumindest war es das, was die Pflegerinnen gesagt haben mussten, denn in selbigem Telefonat hatte Beryl verkündet, dass sie »streike«.

»Du kannst doch von mir nicht verlangen, dass ich ihn andauernd besuche. Das ist nicht fair. Nur weil ich in der Nähe bin, muss ich doch nicht die ganze Last auf mich nehmen. Wirklich, Shep. Ich komme mir allmählich ausgenutzt vor. Ich kann das nicht. Diese Besuche sind so deprimierend. Ich muss meinen Film schneiden, und ich muss meinen, na, du weißt schon, mein Qi beschützen.«

»Was verstehst du unter ›andauernd besuchen‹?«

»Das ist einfach nicht mein Ding, Shepardo. Und wenn ich dann doch hingehe, kriege ich nur die ganze Zeit zu hören, warum ich mich so lange nicht hätte blicken lassen, obwohl es mir so vorkommt, als hätte ich ihn gerade erst besucht, ungefähr noch am selben Morgen. Wenn du glaubst, dass ihm die ständige Zuwendung seiner Familie so wichtig sei, wirst du dich hin und wieder schon selber hierher bewegen müssen.«

Shep seufzte. »Hast du irgendeine Ahnung, was ich hier alles am Hals habe?«

»Wir haben beide Sachen am Hals. Und er ist auch dein Vater.«

Widerwillig versprach er, sich Mühe zu geben und demnächst mal wieder nach New Hampshire zu kommen. Gegen Ende des Telefonats warf Beryl noch ein: »Ach ja, und wie läuft das jetzt mit der Heizung? Ich hab da einen Brief bekommen, ich weiß nicht, so eine Art Zwangsräumungsklage von der Gasgesellschaft.«

»Ich hab die Rechnung auf deinen Namen übertragen lassen. Hatte ich ganz bestimmt schon erwähnt.«

»Auf meinen Namen, okay, aber du erwartest doch nicht, dass ich die Rechnung auch noch zahle?«

Er atmete tief durch. »Doch, das tu ich.«

»Weißt du eigentlich, was es kostet, dieses Haus im Winter zu beheizen?«

»Natürlich weiß ich das. Schließlich komme ich seit Jahren für die Heizkosten auf.«

»Pass auf, ich hüte hier das Haus. Von jemandem, der das Haus hütet, kann man nicht auch noch verlangen, dass er die Betriebskosten übernimmt. Manche werden fürs Haushüten sogar *bezahlt*.«

»Du willst, dass ich dich auf meine Gehaltsliste setze?«, fragte Shep ungläubig. Geschickt hatte Beryl ihre Vereinnahmung des elterlichen Hauses in einen großen Gefallen umgewandelt. Es war genau die Art von genialem Schachzug, die ihn bei seiner Schwester immer in Erstaunen versetzt hatte.

»Ich hab kein Geld für die Gasrechnung, Punkt. Du wirst denen einen Scheck schicken müssen, es sei denn, du möchtest, dass ich hier mit Eiszapfen an der Nase sitze und die Möbel verbrenne, um nicht zu krepieren.«

Schon vor Jahren hatte Beryl die wahrhaftige Freiheit des persönlichen Bankrotts entdeckt. Er war neidisch.

Am Thanksgiving-Wochenende machte sich Shep auf den Weg nach Berlin. Der Rückreiseverkehr versprach fürchterlich zu werden, doch ein abendlicher Besuch und ein Sonntagmorgen in dieser Zeit traditioneller Familienzusammenkünfte würden seinem Vater vielleicht wenigstens vorübergehend das Gefühl der Verlassenheit nehmen.

Ein Country Club war die Morgenröte-Residenz nicht gerade, aber es wirkte alles sauber: Vielleicht war der Hauch von Fäkalien, der den beißenden Desinfektionsmittelgeruch durchdrang, in Einrichtungen zur Pflege der Alten und Kranken unvermeidlich. Ähnlich wie bei dem schwarz angelaufenen viktorianischen Krankenhaus seiner Kindheit hätten dem Heim ein paar Schmutzstreifen nicht geschadet, um dem schlichten quadratischen Bau ein wenig Charakter zu verleihen. So hatte man die Morgenröte-Residenz einer architektonischen Gehirnamputation unterzogen. Shep war ziemlich beeindruckt. Gewiss stellte ein so vollendeter Mangel an Identität in der Welt der Baukunst und Inneneinrichtung eine ebensolche Errungenschaft dar, als ob es jemandem in der gesellschaftlichen Sphäre gelungen wäre, überhaupt keine Persönlichkeit zu generieren. Die Eingangshalle und Flure waren hell und beige. Die Privatzimmer waren mit hellem poliertem Ahornholz ausgestattet. Der Effekt war der einer Traumlandschaft. Die Morgenröte-Residenz war so ein Nicht-Ort, an dem das Hirn vergessenswerte Abenteuer zweiten Ranges registrierte: sinn- und logikfreie Fabulierungen, Zerrbilder vorbeiziehender Bekannter, die einem gleichgültig sind, die frustrierende Suche nach einer Toilette.

Als Shep vom Flur aus seinen Vater entdeckte, war der alte Mann zumindest nicht katatonisch oder brabbelte etwas von einem bevorstehenden Schulball, vielmehr saß er aufrecht in seinem Bett, hatte die Lesebrille auf der Nase und unterstrich mit konzentrierter Miene einen Absatz in der *New York Times*. Großartig: also alles wie gehabt. Doch als Shep eintrat und seinem Vater die Wange küsste, erschrak er. Mit einer so drastischen Gewichtsabnahme hatte er nicht gerechnet. Shep hatte genug davon, im fettesten Land der Welt zu leben und gleichzeitig mitansehen zu müssen, wie sich die Menschen, die ihm am meisten bedeuteten, in Luft auflösten.

»Worum geht's in dem Artikel?«, fragte Shep und zog einen Stuhl ans Bett. Wie erwartet, war der Nachttisch mit Zeitungsausschnitten übersät.

»Darum, wie viel Geld diese verflixten Manager verdienen. Millionen, zehn Millionen im Jahr! Das ist doch pervers! Während der Rest der Welt verhungert.« Anders als sein Sohn hatte Gabe Knacker immer frohgemut an seinem New-Hampshire-Dialekt festgehalten.

»Na ja, falls du dich wunderst, ich hab mir keine zehn Millionen bezahlt, als ich der Chef vom Allrounder war.« Das war schon die äußerste Anspielung auf den Kostenpunkt der Morgenröte-Residenz, über den sich sein Vater nie erkundigt hatte. Der Pastor schien praktischerweise der Illusion zu erliegen, dass nach wie vor der Staat die Rechnung übernahm.

»In meinen Augen«, nörgelte sein Vater, »kann kein einzelner Mensch so verflixt wichtig sein, dass er zehn Millionen Dollar im Jahr wert ist. Kein Mensch, nicht mal der Präsident. Vor allem nicht *dieser* Präsident.«

»Aber wenn du der Ansicht bist, es müsse eine Obergrenze geben für das, was man einer einzigen Person als Gehalt zahlen darf«, spekulierte Shep, »gibt es dann auch eine Obergrenze für das, was man zahlen sollte, um einen Menschen am Leben zu erhalten?«

Sein Vater grunzte. Die Furchen in seiner faltenreichen Stirn waren tiefer und zahlreicher als im Juli.

Shep lachte. »Tut mir leid. Ich meinte das ganz allgemein. Es ist nicht so, dass Beryl und ich gerade versuchen, über die Kostengünstigkeit deines Daseins zu entscheiden.«

»Ich habe es nicht persönlich genommen. Es ist nur eine gute Frage, das ist alles. Was ist ein Leben wert, in Dollar? Wenn die Mittel nicht endlos sind, und das sind sie ja nie. Wenn das Geld, das für eine Person gezahlt wird, nicht einer anderen zukommt.«

»So überschaubar ist die Sache nicht«, sagte Shep. »Wenn die Morgenröte-Residenz zum Beispiel fünf Dollar einspart, indem sie dir Ibuprofen statt Advil gibt, landet das Geld ja nicht in einem Krankenhaus in Nairobi. Aber ... die Frage beschäftigt mich trotzdem.«

»Glynis.«

»Ja.«

»Du hast keine Wahl. Du musst alles tun, was in deiner Macht steht, um deiner Frau zu helfen.«

»Das ist die ... Erwartung.«

»Aber rein theoretisch«, sagte sein Vater, setzte sich auf und legte einen Schwung an den Tag, von dem Shep nur hoffen konnte, dass er nicht gespielt war, »wie käme man auf eine Zahl? Darf man 10 000 Dollar für ein einzelnes Leben ausgeben, aber keine 10 001 Dollar?« (Die geringe Summe, die der Pastor nannte, löste bei seinem Sohn ein müdes Lächeln aus.) »Und die Reichen werden immer in der Lage sein, sich über finanzielle Schranken hinwegzusetzen. Deckelt man die Kosten für das Gesundheitswesen, deckelt man es eigentlich nur für die Armen.«

Sein Vater war noch immer hellwach im Kopf, und Shep dachte, diese Gespräche werde ich vermissen, wenn er mal nicht mehr da ist.

»Wichtiger noch«, fügte Gabriel hinzu, »wie geht es Glynis?«

»Die Chemo macht ihr schwer zu schaffen. Sie ist dauernd wütend, was an diesem Punkt ein gutes Zeichen ist. Dass sie aufhören könnte, wütend zu sein, ist das, was mir Angst macht.«

»Es gibt nichts zu fürchten. Sie wird ihren Frieden schließen müssen: mit sich, mit dir und mit all ihren Freunden und ihrer Familie. Ich weiß, wie schwierig es ist, den Spieß umzudrehen, aber eine schwere Krankheit ist auch eine Chance. Eine Chance, die man nicht hat, wenn man von einem Bus überfahren wird. Sie hat die Chance zu reflektieren. Die Chance, sich Gott zuzuwenden, auch wenn ich in ihrem Fall nicht unbedingt damit rechnen würde. Sicherlich die Chance, alles zu sagen, was sie nicht ungesagt lassen möchte, bevor sie weg ist. Auf seltsame Weise hat sie Glück. Ich hoffe für euch beide, dass ihr euch in dieser Zeit sehr nahe seid.«

»Ich bezweifle, dass Glynis ihren Krebs als ›Chance‹ sieht. Wobei ich beim besten Willen nicht weiß, was sie denkt. Sie redet nicht darüber, Papa. Soweit ich weiß, glaubt sie immer noch, dass sie sich der Chemo unterzieht, um wieder gesund zu werden. Von den anderen Dingen – noch mal alles sagen, was gesagt werden soll – ist nichts zu merken. Ist das normal?«

»In diesem Zusammenhang gibt es nichts Normales. Und was würde es für eine Rolle spielen, selbst wenn sie anormal wäre? Dann wäre es eben so. Die Menschen klammern sich so blindwütig an ihr Leben, man kann es sich kaum vorstellen. Oder vielleicht kannst du es dir ja inzwischen vorstellen.«

»Sie ist immer so ehrlich gewesen. Anstrengend ehrlich. Erschreckend ehrlich. Und jetzt, wo ihre Ehrlichkeit am meisten gefragt wäre ...«

»Denk dran: du weißt nicht, wie es ist. Ich habe mir vielleicht das Bein gebrochen und bin mit dem Schrecken davongekommen, aber auch ich weiß noch immer nicht, wie es ist. Keiner von uns wird es wissen, bevor es uns trifft. Man hat keine Ahnung, wie man reagieren wird. Vielleicht ganz genauso. Man möge sich eines Urteils enthalten.« Ein wenig parodierte Gabriel den Tonfall seiner eigenen Predigten, und Shep war froh über seine Neigung, sich eines Urteils zu enthalten, jene Eigenschaft, derentwegen sein Vater ihn immer getadelt hatte.

»Eine Sache noch«, sagte Shep. »Als du Pastor warst, hattest du doch ständig mit Leuten zu tun, die krank waren. Sind die

Leute damals … gut damit umgegangen? Aufmerksam? Haben sie zueinander gehalten? Und ich meine, bis zum Ende? Bis zum bitteren, hässlichen Ende?«

»Es gab solche und solche. Es war immer meine Aufgabe, zu ihnen zu halten. Das ist eine Sache, für die das Pfarramt gut ist – auch wenn du nie davon überzeugt warst.« Der Tadel war fast willkommen. Sein Vater klang so, wie er immer geklungen hatte, und in diesen vier Wänden war das eine Erleichterung. »Wieso fragst du?«

»Die Leute … ihre Freunde, selbst die engste Familie. Sie haben Glynis … viele haben sie im Stich gelassen. Ich schäme mich für die Leute. Und dieses allgemeine Sich-in-Luft-Auflösen, na ja, es setzt ihr zu, auch wenn sie so tut, als wäre sie froh, ihre Ruhe zu haben. Es zieht einen ganz schön runter. Ich frag mich, ob die Menschen immer schon so waren, so schwach. Illoyal. Ohne Rückgrat.«

»Als Christen haben wir die Pflicht, für die Kranken zu sorgen. Die meisten Menschen in meiner Gemeinde haben diese Pflicht immer ernst genommen. Deine weltlichen Freunde haben nur ihr eigenes Gewissen als Antriebsfeder, und das reicht eben nicht immer. Es gibt keinen Ersatz für einen tiefen Glauben, mein Sohn. Der Glaube kehrt das Beste in einem hervor. Einen kranken Menschen zu pflegen ist harte Arbeit, und es ist nicht immer schön; das brauche ich dir nicht zu erzählen. Wenn man sich auf die schwache Idee verlässt, dass es von freundlicher *Aufmerksamkeit* zeugen würde, einen Auflauf vorbeizubringen« – hier zuckte das Gesicht des alten Mannes seltsam besorgt, und er schloss für einen Moment die Augen –, »wird dieser Thunfischauflauf es vielleicht nicht … bis in den Ofen schaffen.«

»Papa, ist alles in Ordnung?«

Sein Vater griff nach einem Summer und sagte: »Tut mir leid, mein Sohn, ich weiß, du bist gerade erst gekommen. Aber du wirst mich einen Moment mit der Pflegerin allein lassen müssen.«

Einige unbehagliche Minuten verstrichen, während sich sein Vater mit großer Konzentration zusammenkauerte und nicht sprechen konnte. Mit einer Bettpfanne in der Hand betrat eine Philippinerin geschäftig den Raum, deren weiße Tracht für ihre Aufgabe wenig geeignet war. Shep wartete im Flur. Irgendwann kam sie mit einem Knäuel Bettzeug aus dem Zimmer. Ein wässrig-brauner Fleck verriet, dass sie nicht rechtzeitig gekommen war.

»Fünfzehn Mal pro Tag geht das so«, nörgelte Gabriel, der einen frischen Pyjama trug, als Shep wieder ins Zimmer trat. »Wenn du glaubst, der Körper gewöhnt sich an so was, denk noch mal nach. Es ist erniedrigend.«

Shep rührte sich beklommen und rückte den Stuhl ein paar Zentimeter vom Bett weg. »Hast du dir irgendeine Grippe eingefangen?«

»Könnte man so sagen. Ein Bakterium von der Größe eines Schoßhündchens. *Clostridium difficile*. Oder CDiff, wie man hier liebevoll sagt.«

»Was ist das?«

»Eine dieser Infektionskrankheiten, die auf ganze Krankenhäuser übergreifen. Die Hälfte der Patienten in dieser Einrichtung leiden daran. Die Schwestern waschen ihre Hände wie Macbeth, aber soweit ich feststellen kann, macht es nicht den geringsten Unterschied. Ist dir nichts aufgefallen, im Flur? Es stinkt. Ich werde mit Antibiotika vollgepumpt, aber bisher ist es, als würde man mit einer Spielzeugpistole auf Elefanten schießen. Und ich muss unbedingt wieder gesund werden, sonst lassen sie mich nie wieder *nach Hause*.«

Ein weiteres Problem wäre dann Beryl, aber Shep hatte plötzlich andere Sorgen. Er stand auf, spreizte die Finger, hielt die Arme vom Körper weg und versuchte sich genau zu erinnern, welche Oberflächen er seit Betreten des Hauses berührt hatte.

In der Herrentoilette im Flur seifte sich Shep minutenlang Hände und Unterarme ein und drehte die Hähne mithilfe eines

Papiertuchs vom Spender zu, dessen Kurbel er mit dem Hemdzipfel bedient hatte. Mit demselben Zipfel öffnete er die Tür der Toilette.

»Du hast mich gebeten – oder soll ich sagen, mir befohlen –, herzukommen und Papa zu besuchen«, fuhr er Beryl zu Hause nach einer zwanzigminütigen Dusche an. »Warum hast du mir vorher kein Wort davon gesagt, dass er sich eine dieser Krankenhausinfektionen eingefangen hat?«

»Was spielt das denn für eine Rolle?«

»Diese Superbazillus-Stämme sind *resistent gegen Antibiotika.* Ich darf mit so was auf keinen Fall in Berührung kommen!«

Beryl wirkte verdutzt. »Du bist doch eigentlich gesund. Es sind doch meist alte Leute, die zur Risikogruppe gehören. Ich kann ja nachvollziehen, dass du dir um Papa Sorgen machst, aber dass du dir deinetwegen Sorgen machst, versteh ich nicht. Es ist doch nur ein kleines Risiko, das du deinem Vater zuliebe eingehst.«

»Selbst wenn die Krankheit bei mir nicht ausbricht, könnte ich ja Träger werden!«

»Das wär nicht so toll, aber, na und …?«

»Glynis. Hallo? *Meine Frau.* Glynis hat ein total lädiertes Immunsystem. Eine Sache wie CDiff könnte sie das Leben kosten.«

»Herrje, du bist aber melodramatisch.«

»Ich zeig dir, was melodramatisch ist«, sagte Shep und stelzte hinaus zu seinem Auto.

Sonntag um fünf Uhr morgens kam er zu Hause an und stellte sich als Erstes noch mal unter die Dusche. Er warf seine Kleidung in die Waschmaschine und wählte den heißesten Waschgang. Er hatte ein schlechtes Gewissen, jede Spur seines

Vaters so auslöschen zu müssen, aber für Sentimentalitäten war jetzt keine Zeit. Er nahm die Packung Reserveantibiotika, die Glynis für Notfallinfektionen im Haus hatte, und warf sich zwei Tabletten ein, bevor er sich unten auf der Couch zusammenrollte, um ein paar Stunden zu schlafen. Er haderte mit sich. Er hatte keinen Durchfall; eher Verstopfung, und das teigige Fastfood auf der Fahrt von New Hampshire würde die Sache nicht besser machen. Die Vorstellung, sich körperlich von Glynis fernhalten zu müssen, war ihm unerträglich. Aber wenn auch nur die geringste Gefahr von ihm ausging …

Dass seine Frau Angst vor ihm hatte, konnte er sich nicht leisten; er war es, der sie in erster Linie pflegte. Als Glynis also wach wurde und staunte, dass er schon wieder zu Hause war, erklärte er ihr, dass er sich nach einem langen, fruchtbaren, aber für seinen Vater erschöpfenden Besuch gestern Abend wieder auf den Weg gemacht habe, um nicht in den Feiertagsverkehr zu kommen. Dass er sie weder küsste noch berührte, schien sie zu übersehen, wobei sie unbewusst seine Distanziertheit bemerkt haben könnte. Insofern freute er sich besonders für sie, weil sie ausnahmsweise am Nachmittag Besuch erwartete.

Petra Carson hatte mit größerer Regelmäßigkeit vorbeigeschaut als die meisten Freundinnen seiner Frau, obwohl die alte Rivalin von der Saguaro-Kunstschule kein Auto besaß und von der Grand Central Station mit dem Zug kommen musste. Sie bestand auch jedes Mal darauf, ein Taxi vom Bahnhof und zurück zu nehmen, um Shep bloß keine Umstände zu machen.

Er wollte bestimmt nicht lauschen, aber wegen Thanksgiving war Isabel am Donnerstag nicht da gewesen, um das Haus seiner allwöchentlichen Reinigung zu unterziehen. Nachdem er Petra also ins Schlafzimmer geführt hatte, wo Glynis im Bett lag, machte er sich wieder daran, das Badezimmer am Ende des Flurs zu putzen. (Glynis' letzter Einlauf hatte seine Spuren hinterlassen.) Petra muss die Schlafzimmertür offen gelassen haben, da ihr Gespräch selbst den Fernseher übertönte, den Glynis inzwischen den ganzen Tag lang leise laufen ließ.

Shep hatte Petra immer gemocht. Es mochte sein, dass Glynis die Arbeit ihrer Kollegin oberflächlich und konventionell fand, aber die Frau selbst verkörperte eine Ernsthaftigkeit und Rebellion gegen gesellschaftliche Normen, die er nur bewundern konnte. (Mit ihren siebenundvierzig Jahren war sie in zweiter Ehe mit einem Fünfundzwanzigjährigen verheiratet.) Insofern war Petra kein Mensch, der die impliziten »Betreten verboten«-Schilder ihrer Freundin selbstverständlich achtete; sind doch nur Schilder, würde sie möglicherweise mit einem Achselzucken sagen. Bei Petra musste Shep immer an Jed denken, den verwegenen Nachbarsjungen aus seiner Kindheit. Eines Nachmittags waren sie durch die Gegend gestreift und an eine eingezäunte Wiese mit diversen »Betreten verboten«-Schildern gekommen. »Da dürfen wir nicht rauf«, hatte Shep gesagt, und Jed hatte gesagt: »Wieso denn nicht?« – »Steht doch da, ›Betreten verboten‹«, sagte Shep, und Jed sagte: »Na und?« Und er hatte den Draht hochgezogen. Dieser kurze Augenblick war eine Offenbarung gewesen: als Shep sich unter dem Draht hindurchbückte und nichts geschah. Offenbar halten Vorschriften genau so viel Macht, wie man ihnen einräumt. Und Petra gehörte jedenfalls zu den Drahthochziehern. Nachdem sie sich der No-go-Grenze ihrer Freundin genähert hatte, tauchte sie unter dem Draht hinweg.

»Wie ist es denn?« hörte er sie Glynis fragen. »Wie fühlt es sich an? Was hast du dabei für Gedanken?«

»Wie ist *was*?« Glynis zeigte wenig Entgegenkommen.

»Ich weiß nicht … Sich dem Unvermeidlichen zu stellen, denke ich.«

»Dem *Unvermeidlichen*«, wiederholte Glynis säuerlich. »Stellst du dich nicht auch dem Unvermeidlichen?«

»In abstraktem Sinne, ja.«

»Es ist aber nichts Abstraktes.«

»Natürlich nicht. Und natürlich sitzen wir wohl alle im selben lecken Boot.«

»Dann sag du mir doch, *wie es ist.*«

»Du machst es einem nicht leicht.«

»Es fällt mir nicht leicht«, sagte Glynis schroff. »Warum sollte ich's dir leichtmachen?«

»Ich finde einfach, wir sollten diese Zeit – diese knappe Zeit – nicht damit verbringen, uns über silberne Nieten zu unterhalten.«

»So haben wir aber immer unsere Zeit verbracht: mit silbernen Nieten. Es war dieselbe Zeit – unsere Zeit, unsere ›knappe Zeit‹, alles, was wir an Zeit hatten. Wenn das jetzt Verschwendung ist, dann war es das damals genauso. Also, wenn's nach dir ginge, hätten wir uns an all den Nachmittagen besser über den Tod unterhalten sollen.«

»Das wäre vielleicht auch wieder Verschwendung gewesen, nur anders.«

»Also, bitte sehr. Wenn's das ist, was du willst. Reden wir über den Tod. Ich bin ganz Ohr.«

»Ich … entschuldige. Ich weiß nicht, was ich sagen soll.« Petra klang beschämt.

»Hab ich mir gedacht. Und wieso sollte ich dann wissen, was man dazu sagen soll?«

Als Glynis die Lautstärke des Fernsehers aufdrehte, konnte Shep das Gespräch nicht länger verfolgen. Vermutlich wurden viele der verbleibenden Besucher mit dieser alles durchdringenden Streitlust und zeitweise offenen Feindseligkeit konfrontiert, und offensichtlich hatten sich einige dadurch unwiderbringlich in die Flucht schlagen lassen.

Als Petra zwanzig Minuten später wieder auftauchte, bot er ihr unten noch eine Tasse Kaffee an. Den Kaffee lehnte sie ab, aber wie sie sagte, könne sie definitiv eine »Nachbesprechung« gebrauchen, und ließ sich im Wohnzimmer auf die Couch fallen. Er war froh, dass sie nicht sofort ein Taxi wollte. Jackson war so düster, mal schweigsam und dann wieder aufbrausend gewesen, dass Shep seit jenem Abendessen einen großen Bogen um ihn gemacht hatte. Er hatte nicht viele Leute, mit denen er reden konnte.

»Gott, ist das warm hier drin«, sagte Petra und zupfte an ihrer Bluse. »Da ist ein Kaffee jetzt das Letzte, was ich brauche. Was sind das, achtundzwanzig Grad? Dreißig?«

»Glynis friert die ganze Zeit. Wie wär's stattdessen mit einem Bier?«

»Das wär genau das Richtige, danke. Aber mein Gott, dieses ganze Haus zu beheizen muss dich doch ein Vermögen kosten!«

»Stimmt.« Er staunte jedes Mal, wenn jemand diese eigentlich selbstverständliche Seite des Albtraums zur Kenntnis nahm.

Er holte für jeden eine Flasche Brooklyn Brown Ale. Petra sah nicht schlecht aus für eine Frau über fünfzig, obwohl sie ein Button-down-Hemd mit Säurelöchern und weite Jeans mit Lötpasteflecken trug: ihre Atelierklamotten. Wie so viele Kunstschmiede, die Schmuck herstellen, trug sie selbst keinen. Ihre Haare waren ungekämmt, die Nägel rissig und schwarz. Ihre Handflächen waren überzogen mit roten Striemen vom Pariser Rot, dem Poliermittel – das war ihre Art von Make-up. Petra gehörte zu den Leuten, die sich offenbar keine Gedanken um ihre äußere Erscheinung machten, oder mehr noch: die sich nicht bewusst waren, dass sie von anderen wahrgenommen wurden. Eine seltene und erfrischende Eigenschaft.

»Und – kann sie mich hier unten hören?«, fragte Petra leise.

»Nein. Durch die Chemo ist ihr Gehör nicht mehr so toll.«

»Sie sieht nicht gut aus, Shep.«

»Langsam wird's eng«, gab er zu.

»Ich wollte mich eigentlich entschuldigen. Ich sollte mich eher bei Glynis entschuldigen, aber ich glaube, sie würde mich gar nicht lassen. Eigentlich kann ich mit ihr über gar nichts mehr reden, und wenn ich's versuche, wird sie wütend.«

»Das liegt nicht an dir. Und wenn du *das* für wütend hältst, versuch's mal mit dem Thema Forge Craft.«

»Wie läuft's denn überhaupt mit eurer Asbestklage?«

»Wie zu erwarten, setzt Forge Craft erst mal auf eine Verzögerungstaktik. Aber wer den Fall gerade wirklich ausbremst, ist Glynis selbst. Sie muss unter Eid aussagen, und dann muss sie sich von den Anwälten der Firma ins Kreuzverhör nehmen lassen. Der Termin musste schon ein paarmal verschoben werden, weil er zeitlich zu nah an der Chemo lag und Glynis sich zu krank fühlte. Aber einige Male fühlte sie sich gesund genug – was man so gesund nennt –, wollte die Aussage aber trotzdem unbedingt verschieben.«

»Das versteh ich. Es gibt bestimmt Unterhaltsameres. Der ganze Druck, der auf ihr lastet, sich an alles genau zu erinnern, bloß nichts durcheinanderzubringen, wo das alles doch dreißig Jahre zurückliegt. Schon komisch, wie genau sie sich offenbar an diese Produkte erinnern kann, mit denen wir gearbeitet haben. Immerhin saßen wir in denselben Kursen. Ich jedenfalls hab das Werkzeug und die Materialien nur noch verschwommen vor Augen. An kleine lila Blümchen mit grünen Stängeln, die auf den feuerfesten Handschuhen gewesen sein sollen, kann ich mich ums Verrecken nicht erinnern, so viel ist sicher.«

»Ich will dir nicht den Tag verderben, aber theoretisch könntest auch du auf der Kunstschule mit Asbest in Berührung gekommen sein.«

»Ja, das ist mir auch schon in den Sinn gekommen. Nur dass ich diese seltsame Erinnerung habe ...«

»Woran?«

»Ach, egal. Es kann eigentlich nicht stimmen. Glynis hat anscheinend eine genauere Wahrnehmung als ich.« Petra nahm einen großen Schluck Bier und schob die Flasche vor dem Hochzeitsbrunnen auf den Tisch. Ein paar gedehnte, peinliche Takte lang erfüllte nur sein Plätschern die stickige, überheizte Luft.

»Hör zu«, begann sie. »Ich ... wie gesagt, ich wollte mich entschuldigen. Dass ich nicht öfter hier vorbeigekommen bin. Dass ich nicht enger in Kontakt geblieben bin.«

Er wappnete sich für die üblichen Rechtfertigungen: Sie habe furchtbar viel zu tun gehabt in der Zeit, sie habe diese anspruchsvollen Aufträge, und Termindruck ...

»Ich habe keine Entschuldigung«, sagte sie stattdessen. »Dieses Jahr war nicht viel los. Ich teile mir meine Zeit ein.

Ich könnte jederzeit vorbeischauen, auch ständig. Und es wäre überhaupt kein Ding, immer wieder anzurufen. Ich tu's einfach nur nicht.«

»Du hast mehr Kontakt gehalten als viele ihrer Freundinnen.«

»Das tut mir leid. Das wundert mich. Sie hat doch immer eine so große Loyalität ausgelöst. Sie ist schon ein komischer Vogel, deine Frau, aber diese Schärfe, diese Boshaftigkeit und dieser erbitterte Trotz – den sie immer noch hat, auch wenn sie einen damit jetzt wahnsinning nervt –, na ja, viele Leute vergöttern sie deswegen. Die Leute ernähren sich geradezu davon.«

»Eine Zeit lang«, sagte Shep, »als die Besuche immer weniger wurden, hat sie noch relativ viele E-Mails bekommen. *Wir drücken dir die Daumen, wir denken an dich,* solche Sachen. Ich persönlich halte das Internet für ein Medium für Feiglinge. Aber diese Zweizeiler waren immer noch besser als gar nichts. Jetzt sehe ich ihre E-Mails durch, und es ist nur noch Spam. Bis auf den täglichen Anruf ihrer Mutter klingelt das Telefon manchmal tagelang nicht.«

Petra fasste sich an die Stirn. »Ich habe einen gelben Zettel oben auf meinem Computer kleben. Darauf steht: ›GLYNIS ANRUFEN‹, in Großbuchstaben. Seit Februar klebt er da. Ein paar Monate später habe ich noch ein paar Ausrufezeichen dazu gemalt. Hat auch nichts genützt. Inzwischen habe ich mich an den Zettel gewöhnt. Erst war er gelb, aber jetzt ist er verblichen und ein bisschen verstaubt. Ein Teil der Landschaft. Ich weiß ja, was draufsteht, ich weiß, warum er da ist, und die ganze Zeit denke ich daran, dass ich Glynis anrufen muss, aber ich tu's nicht. Stattdessen fühle ich mich schrecklich, dass ich nicht anrufe, als würde ich Glynis irgendeinen Gefallen tun, indem ich mich schrecklich fühle. Klar«, fuhr sie fort, nachdem sie das halbe Bier geleert hatte, »ab und zu komme ich vorbei, und ich rufe hin und wieder an, aber ich muss mir dazu schon die Pistole auf die Brust setzen, und ich versteh's gar nicht. Sie ist ja manchmal ziemlich barsch zu mir gewesen … du weißt ja, sie hat einfach nicht viel produziert, was ich mir auch nicht erklären kann, weil sie so irrsinnig talentiert ist. Wahrscheinlich hätte ich es ihr einfach mal ins Gesicht sagen müssen, aber sie ist eine hochgradig originelle Designerin und eigentlich besser in der Ausführung als ich – das heißt, *sogar* besser, denn so schlampig bin ich auch wieder nicht –, sie ist eben Perfektionistin. Ich weiß, sie missgönnt mir meine Verkäufe, und ich weiß auch, dass sie meine Sachen für Mist hält. Ich halte meine Sachen nicht für Mist, ist schon okay. Meine Sachen sind Mainstream, deswegen verkaufen sie sich ja auch. Deshalb unser angespanntes Verhältnis. Aber was soll's, ich fand unser angespanntes Verhältnis gut. Wir hatten eine gemeinsame Energie. Ich fand's immer toll, mich mit ihr zu streiten, über die ganze Handwerk-versus-Kunst-Frage, oder sogar, was weiß ich, ob gegrillter Radicchio eklig ist, und er ist wirklich eklig; er nimmt eine ganz schlimme bräunlich-lila Farbe an. Ich habe mich sonst nie vor ihrer Gesellschaft gedrückt. Warum bin ich keine bessere Freundin? Jetzt, wo sie mich mehr braucht als je zuvor? Ich sollte hier jede Woche auf der Matte stehen, oder fast jeden Tag! Sie *stirbt* doch, oder nicht?«

Ruckartig setzte sich Shep zurück. Er war es nicht gewohnt, diese Frage so direkt gestellt zu bekommen. »Vermutlich. Sag Glynis nichts davon.«

»Sie muss es wissen. Sie muss es besser wissen als alle anderen.«

»Das mit dem ›Wissen‹ ist eine seltsame Sache. Sie verweigert sich dem Wissen. Muss man etwas erst wissen, um sich dem Wissen zu verweigern? Oder kann man etwas auch wieder entwissen? Sie redet nie darüber.«

»Nicht mal mit dir? Das kann ich gar nicht glauben.«

»Vielleicht gibt es nichts zu sagen.«

»Ach, Quatsch. Fragt sie sich nicht, wie du ohne sie zurechtkommen wirst? Ob du in Westchester bleiben wirst, wenn Zach erst mal aus dem Haus ist? Ich weiß, du findest es schrecklich hier. Oder wie du darüber denkst, noch mal zu heiraten? Wie sie darüber denkt? Will sie eine Beerdigung, und wie soll die Beerdigung sein? Will sie begraben oder eingeäschert werden? Gibt es irgendwelche Formalitäten, die sie erledigen muss, während sie noch die Chance hat, ihren Kram in Ordnung zu bringen? Möchte sie jemandem ihre Arbeiten überlassen, oder will sie, dass ich versuche, ihr Werk – was eben da ist – in einer Galerie oder in einem Museum unterzubringen?«

»Das sieht Glynis nicht als ihr Problem an. Und was die Formalitäten anbelangt, glaube ich, dass es ihr lieber wäre, alles in einem großen Chaos zurückzulassen. Als Rache. Sie ist böse, das weißt du doch. Ist ja auch eigentlich ganz charmant. Vielleicht versteht sie den Tod ja doch besser, als wir alle denken. Wenn sie nicht hier ist, bin ich nicht hier. Ist Westchester nicht hier. Wenn Glynis stirbt, stirbt alles andere mit. Was kümmert es sie, ob ich wegziehe oder noch mal heirate, wenn ich ohnehin nicht mehr existiere?«

»Aber sie liebt dich.«

»Auch die Liebe stirbt. Manchmal denke ich, es ist gar nicht so, dass sie die Augen vor der Realität verschließt oder sich selbst belügt oder in einer Phantasiewelt lebt. Manchmal denke ich, sie ist ein spirituelles Genie.«

Petra lachte. »Du bist ein sehr großzügiger Mensch.«

»Mhm. Noch was, was Glynis an mir nie ausstehen konnte.«

»Wie lautet denn nun die Prognose?«

»Ihr Arzt glaubt angeblich nicht an Prognosen. Aber meinen Internetrecherchen zufolge … Tja, ich vermute, sie ist genau in der Zeit.«

»Das heißt?«

»Dass du recht hast. Dass du wahrscheinlich versuchen solltest, öfter vorbeizukommen.«

WÄHREND ER AM Abend darauf für Glynis die nächste Vollfettmahlzeit in der wie üblich optimistischen Menge zubereitete, wobei er darauf achtete, sich vorab die Hände zu waschen, dachte

Shep über Amelia nach. Auf der langen Liste der Nebenfiguren in diesem Drama war ihre eigene Tochter vielleicht die enttäuschendste. Es kam nur selten vor, dass Glynis nachsichtiger war als Shep, doch es fiel ihm schwer, über Amelias Verhalten hinwegzusehen, das für Glynis nachvollziehbar und für Shep erschreckend war.

Zugegeben, im August war Amelia endlich mal wieder nach Hause gekommen, den Rücksitz ihres Kleinwagens voller Lebensmittel. Fast einen Tag lang war sie zwar körperlich im Haus anwesend gewesen, hatte aber die meiste Zeit damit zugebracht, eine aufwendige Mahlzeit zu kochen – Cannelloni (mit selbst gemachtem Nudelteig), einen edlen italienischen Brotsalat, der jede Menge Gemüseschneiden erforderte, und Zabaione-Halbgeforenes in einzelnen kleinen Gläsern. Ein kompliziertes Abendessen ganz ohne Fertigprodukte *wirkte* wie eine großzügige Geste. Doch kurz zuvor hatte Glynis mit Adriamycin begonnen gehabt, und ihre Medikamente gegen Übelkeit waren nur bedingt wirksam. Also brachte sie kaum einen Bissen herunter. Das Timing war schlecht; sie war die halbe Nacht wach gewesen, und die Vorbereitungen dauerten so lange, dass Glynis kaum noch die Augen offenhalten konnte, als sie sich endlich an den Tisch setzten. Schlimmer noch, die ausgiebige Kochübung lenkte von allem anderen ab. Stunde um Stunde rührte und schnippelte Amelia vor sich hin, während Glynis auf dem Zweiersofa saß, immer wieder wegnickte und sich dann dafür entschuldigte, dass sie keine große Hilfe sei. Bestimmt hätte seine Frau sich mehr gefreut, wenn Amelia mit einem Tiefkühlhähnchen aus dem Supermarkt aufgetaucht wäre, sich ans andere Ende des Sofas gesetzt und den ganzen Tag lang mit ihrer Mutter geplaudert hätte.

Zach dagegen hatte sich ohne weitere Aufforderung vonseiten seines Vater angewöhnt, nach der Schule im Elternschlafzimmer vorbeizuschauen und sich neben seiner Mutter auf dem Bett auszustrecken. Shep glaubte nicht, dass sie sich großartig unterhielten. Glynis guckte wahrscheinlich eine Kochsendung, die Zach unendlich langweilte. Dennoch fand er die beiden wieder mal so vor, als er an diesem Abend von der Arbeit nach Hause kam: Zachs ruhiger Blick war auf ein Rezept für »Bagels mit allem und Krautsalat« gerichtet, während er seiner Mutter behutsam die Hand hielt. Shep war sehr stolz auf seinen Sohn.

Als Zach in die Küche schlenderte, um sich ein Sandwich zu machen, fragte Shep: »Und, wie war's in der Schule?«, wobei er sich schämte, eine Frage zu stellen, die er selbst als Kind gehasst hatte.

»Beschissen«, sagte Zach und wich dem Blick seines Vaters aus. »Gestern war's beschissen, morgen wird's auch wieder beschissen sein, du brauchst mir diese Frage also nicht mehr zu stellen.«

Kurz vor Schulbeginn im Herbst war Shep widerwillig ins Zimmer seines Sohnes gegangen, um ihm zu sagen, dass sie ihn von seiner Privatschule nehmen mussten. Ein plötzlicher Schulwechsel im vorletzten Highschooljahr bedeutete die Trennung von seinen Freunden, weniger Wahlfächer, größere Klassen und eine weniger luxuriöse Schulumgebung. Um gleich mit der ganzen Wahrheit herauszurücken, fügte Shep hinzu, dass sie auch nicht mehr in der Lage sein würden, irgendein Elitecollege zu finanzieren; der Junge sollte über eine staatliche Universität nachdenken, und selbst dafür würde er Studienbeihilfe beantragen müssen. Zach hatte sich bisher nur eine einzige Entgleisung erlaubt: Als sein Vater erklärte, dass ihr restliches Geld für die Arztrechnungen seiner Mutter reserviert werden müsse, platzte dem Jungen der Kragen: »Wozu soll das gut sein? Sie stirbt ja doch. Bei einer Ausbildung hat man wenigstens was von seinem Geld.«

Ihr sechzehnjähriger Sohn hatte nicht herzlos sein wollen. Er war seines Vaters Sohn. Sein Argument war absolut vernünftig.

»Übrigens«, sagte Zach und nickte in Richtung der Hähnchenkeulen mit Rosmarin, die Shep gerade aus dem Tischbackofen gezogen hatte, »Mama hat gesagt, kein Hähnchen mehr. Sie kann's nicht mehr sehen.«

Shep holte tief Luft. Er hatte nicht genug geschlafen, nachdem er gestern Morgen nach seiner fünfzehnstündigen Autofahrt nur etwas gedöst hatte. Er war müde. Doch unter den vielen Dingen, die er seit Januar aufgegeben hatte, war das Recht auf Müdigkeit.

Er stellte das Hähnchen zum Abkühlen zur Seite. Was Glynis noch sehen und nicht mehr sehen konnte, änderte sich von einer Minute zur anderen, und morgen hätte sie vielleicht schon wieder Appetit auf Hähnchen. In der Tiefkühltruhe fand er ein paar Rinderrücken-Burger und taute sie vorsichtig in der Mikrowelle auf, indem er sie alle sechzig Sekunden umdrehte. Er briet das Fleisch. Sie mochte es blutig.

Er arrangierte alles auf Glynis' Tablett. Um die Mahlzeit ansprechender zu machen, pflückte er ein paar Zweige Efeu von der Veranda und stellte sie in einer handbemalten Kristallvase von ihrer Bulgarienreise in etwas Wasser. Er brachte ihr das Tablett, dann holte er seinen eigenen Teller, um auf dem Stuhl neben ihr zu essen. Er sinnierte darüber, ob Petra nicht recht hatte und er sich mehr Gedanken machen müsste, dass seine Frau nie nach seinen Plänen für danach fragte – und dann hielt er inne. *Wo*nach? Wie hätten sie über das »Danach« sprechen können, ohne jemals zum eigentlichen »Was« gekommen zu sein?

Wie immer starrte Glynis wie gebannt auf den Bildschirm, wo eine Kochsendung lief. Sie sah sich kaum noch etwas anderes an. Ihre Fixierung auf Kochsendungen hätte ihm Mut gemacht, wenn die Menge an Essen, die sie sich im Fernsehen ansah, sich nicht umgekehrt proportional zu dem verhalten hätte, was sie tatsächlich zu sich nahm.

»Weißt du, was mich total fertigmacht«, sagte sie, ohne ihr Essen angerührt zu haben, »die Leute erwarten von mir, dass ich eine *Antwort* haben soll. Als hätte ich das Geheimnis des Universums gelüftet. Neben Chemotherapie, Lungendrainagen und MRTs soll ich für den Rest der Welt auch noch das Wasser teilen! Was soll das, verdammte Scheiße? Das ist doch aberwitzig! Was soll man denn noch alles auf sich nehmen, wo man sich sowieso schon wie ausgekotzt fühlt? Was ist der Sinn des Lebens? Wie hast du dich verändert? Wie siehst du jetzt die Welt? Jetzt, wo du das Licht gesehen hast, sag uns, was ist wirklich wichtig? Herrgott, ich betreibe doch kein Ashram, ich bin krank. Alle wollen was von mir, genau wie meine Mutter. Und wenn ich's dann nicht bringe, bin ich die große Enttäuschung. Man gibt mir das Gefühl der Unzulänglichkeit, nur weil ich's nicht schaffe, ins Badezimmer zu kriechen, mir einen Einlauf zu machen, mir pro Stunde fünfzig Pillen einzuwerfen und gleichzeitig die Gutenberg-Bibel runterzubeten.«

Es war immerhin eine Annäherung an das Gespräch, das sie mit Petra geführt hatte. »Ich verstehe ja, dass du das als Zumutung empfindest«, sagte er. »Aber ich verstehe auch, wie die Leute darauf kommen, dass du ihnen vielleicht etwas sagen könntest. Wie es ist, mit etwas konfrontiert zu sein … mit dem sie noch nicht konfrontiert waren.«

»Die sollen sich ihre verfluchte Erlösung woanders suchen. Die Glynis-Knacker-Kirche ist wegen Renovierung geschlossen.« Endlich nahm sie einen Bissen. »Was hast du denn mit dem Reis gemacht?«, fragte sie mürrisch, während ein munteres Mädchen im Fernsehen ein rohes Ei über einem Teller Tatar aufschlug und über Salmonellen scherzte.

»In Hühnerbrühe gekocht«, sagte er. »Ich dachte, das macht ihn nahrhafter.« Brühe statt Wasser zu nehmen war eine Idee, die er aus dem Fernsehen hatte.

»Schmeckt ja scheußlich. Mag ich nicht.« Sie schob den Teller an den Rand des Tabletts. »Ich will lieber normalen Reis.«

»Also gut«, sagte er geduldig und nahm das Tablett. »Dann mach ich dir normalen.«

Er ließ sein eigenes Essen stehen. Unten löffelte er den unliebsamen Reis zurück in den Topf. Er kochte einen neuen Topf Reis. Als der Reis fertig war, ließ er ihn etwas quellen, wie er es in *The Joy of Cooking* gelesen hatte. Er bedeckte ihn mit Butterflöckchen – mindestens fünfzig Gramm –, ehe er ihn mit einer Gabel auflockerte. Er erhitzte ihren Teller in der Mikrowelle, bei 20 Prozent, um das Fleisch nicht zu verkochen, und ging wieder hoch ins Schlafzimmer.

Sie nahm einen Bissen von dem neuen Reis und kaute lange daran herum. Mehr würde sie von dem Reis nicht essen. So lief es meistens. In letzter Zeit neigte sie dazu, um sehr spezifische und manchmal abwegige Speisen zu bitten, auf die sie Lust hatte, und zwar nur auf diese und keine anderen. Er kam ihren Wünschen stets nach. Zuletzt hatte sie um chinesische Sesamnudeln gebeten, die unbedingt von Empire Szechuan in Manhattan sein mussten. Es hatte ihn zwei Stunden im Feierabendverkehr gekostet, um auf dem Nachhauseweg vom Büro das Essen abzuholen. Auch davon hatte sie nur einen einzigen Bissen gegessen. Er glaubte, den Grund zu verstehen. Essen in der Vorstellung wurde immer reizvoller, während Essen in der Realität immer abstoßender wurde.

»Du glaubst, dass ich das alles nicht richtig mache, stimmt's?«, sagte Glynis, nachdem sie den Teller mit dem verschmähten Essen zum zweiten Mal an den Rand des Tabletts geschoben hatte.

»Was alles?«

»Na, du weißt schon«, krächzte sie. »Ich soll doch anmutig sein. Philosophisch. Gütig. Liebend, großherzig und tapfer. Meinst du, ich weiß nicht, wie so was laufen soll? Ich soll wie dieses kleine Mädchen in *Onkel Toms Hütte* sein. Wie hieß sie noch gleich? Nell. Selbstlos … was für ein billiger Scheiß.«

»Niemand verlangt von dir, dich auf eine bestimmte Art zu verhalten oder irgendwie zu sein.«

»Quatsch. Du glaubst, ich wüsste nicht Bescheid, dabei weiß ich sehr wohl, was du denkst. Was Petra denkt. Was alle denken, wenn sie überhaupt mal an mich denken«, sie hustete, »also so gut wie nie. Ich soll auch noch *gut sein* im Krebshaben.«

»Den Tag zu überstehen heißt doch schon, dass man gut ist im Krebshaben.«

»Ach, was für ein Schwachsinn. Das ist doch nur wieder eine

dieser – verweichlichten – *Floskeln*. Ich kann's nicht mehr hören. Ich komme mir vor wie in einem Top-Vierzig-Hit von den Carpenters. Guck dir Petra an. Sie hat ihren Kram immer verteidigt. Jetzt kommt sie her, und es ist, als bekäme ich Besuch von einem Vanillepudding. Ich kann alles sagen. *Deine Arbeit ist das Letzte. Du bist ein Pfuscher.* Sie nimmt es einfach hin. Wofür halten mich die Leute?«

»Für krank, nichts weiter. Das bedeutet, du brauchst nicht nett zu sein, alle anderen aber schon. Lieb. So wie du sagtest.«

»Lieb? Es ist aber nicht ›lieb‹, mich wie eine böse Königin zu behandeln, die dich köpfen lässt, wenn du ihr nicht ständig sagst, sie sei die Schönste im ganzen Land. Und *du* bist am schlimmsten von allen. Du wirst überhaupt nicht mehr wütend auf mich! Du hältst mir nichts mehr vor. Ich kann dich beschimpfen, wie ich will, ich kann dich mit grünem Schleim bespucken. Ich hör immer nur, *das ist aber schöner grüner Schleim, Glynis, warte mal, ich wisch ihn dir eben weg, und dann schüttel ich dir deine Kissen auf.* Immer und ewig bist du so verflucht nett. Immer diese Nettigkeit, die macht mich *erst recht krank*. Du hast schon immer alles mit dir machen lassen. Aber jetzt bist du auf dem besten Wege, dich vom Wurm zur *Nacktschnecke* zu entwickeln.«

Als sie beim Wort »Nacktschnecke« mit der Hand über das Tablett fuhr, stieß sie die Vase mit dem Efeu um. Der Hals der Vase knallte gegen den Teller. Das Wasser lief über das Essen und das Bettzeug. Shep stellte seinen eigenen Teller ab. Mit flinken Fingern pflückte er die Glassplitter von der Bettdecke und vom Teppich. »Ich bezieh dir das Bett neu«, versprach er.

»Guck dich an! Was ist denn mit dir los? Warum sagst du nicht: ›Glynis, du blöde Fotze‹, warum sagst du nicht: ›Glynis, mach's selber weg‹. Ich habe dich gerade als Nacktschnecke beschimpft. Und was bekomme ich als Antwort? *Ich hol dir neues Bettzeug*. Du bist nicht mal eine Nacktschnecke! Eine Nacktschnecke hat noch mehr Mumm! Du bist zu irgendeiner Art Amöbe verkommen!«

Er stand auf und nahm das Tablett. »Glynis, du bist einfach nur müde.«

»Müde, ich bin immer müde. Na und?«

Reis lag auf dem Bettzeug. Obwohl das Bett vorgestern erst frisch bezogen worden war, würde es nicht genügen, das Bettzeug einfach nur trocknen zu lassen. Er würde es waschen müssen. »Ich weiß nicht, was du von mir willst.«

»Genau das meine ich! Es geht immer nur darum, was ich will. Willst du denn gar nichts mehr? Du bist – verschwunden! Du bist nicht mehr da. Du bist ein Dienstleister. Du könntest genauso gut von einem japanischen Roboter ersetzt werden.«

»Glynis. Warum willst du mich kränken?«

»Gott, da bin ich aber erleichtert. Ein zarter Schimmer von Selbstverteidigung. Nur ein Hauch. Eine Ahnung. Eine Messerspitze.« Mit Daumen und Zeigefinger schnipste sie gegen ein Reiskorn auf der Bettdecke, hatte aber nicht genug Kraft, und das Reiskorn blieb an ihrem Finger kleben. »Aber um deine Frage zu beantworten. Ich werde dich kränken, weil du der einzige Mensch bist, den ich zwischen die Finger bekomme. Und vielleicht um rauszufinden, ob du überhaupt Gefühle *hast*, die sich kränken lassen.«

»Ich habe jede Menge Gefühle, Glynis.« Doch er sprach mit stoischer Miene. Bei den vielen Themen, denen sie aus dem Weg ging – ihre Zukunft, um nicht zu sagen, ihre nicht vorhandene Zukunft –, hatte er oft das Gefühl gehabt, dass er der Dinge beraubt wurde, die sie ihm vorenthielt. Vielleicht erahnte auch sie alles das, was er ihr vorenthielt, und nahm es ihm übel.

»Du fragst mich also, was ich will«, knurrte sie. »Ich will jemanden, der selbst etwas will. Du fickst mich ja nicht mal mehr.«

Er war verblüfft. »Ich bin davon ausgegangen, dass du nicht mehr dafür zu haben bist.«

»Scheiß drauf, für was ich deiner Meinung nach zu haben bin! Du sollst selbst etwas wollen!«

»Gut«, sagte ich. »Ich werd mir Mühe geben.«

»Immer dasselbe. Diese Fügsamkeit. Also wirst du dir ›Mühe geben‹, mich zu vernaschen, so wie du dir ›Mühe geben‹ wirst, mir noch ein Glas Cranberrysaft zu holen. Immer diese Fügsamkeit, nichts als Fügsamkeit! Hältst du das etwa für sexy? Diese *Gutmütigkeit*, davon wird einem kotzübel. Das ist für mich ungefähr so sexy, wie es Jacksons weinerlicher Defätismus für Carol ist.«

Er wusste nicht genau, wie er reagieren sollte. Ihre Stimmungsschwankungen waren zur Zeit extrem. Er wollte nicht alles noch schlimmer machen. Aber wenn er sich zu viel Mühe gab, um nicht alles noch schlimmer zu machen, würde er mit seiner ganzen Vorsicht ins Fettnäpfchen treten und alles nur noch schlimmer machen. »Ich soll mich also schlecht fühlen, weil ich zu gut zu dir bin, ja?«

Obwohl der zaghafte Ton sie noch wütender hätte machen können, schüttelte sie nur mitleidig den Kopf samt Turban. »Hör zu, du bist unglaublich. Diese Unermüdlichkeit. Diese Geduld. Diese unaufhörliche Hingabe. Nie ein böses Wort. Nie eine Klage. Ich seh's schon, in den nächsten Tagen ist dein Foto auf der Titelseite der *Time*. Aber ich will kein mustergültiges Vorbild, ich will einen Ehemann. Du fehlst mir. Ich weiß nicht, wo du hin bist. Ich glaube, du bist derselbe Mann, der vor knapp einem Jahr verkündet hat, dass er entweder mit mir oder ohne mich nach Ostafrika gehen will. Wo ist dieser Mann hin, Shepherd? Ich will einen Mann, der Grenzen hat! Jemand, der schlecht gelaunt ist, jemand, der mir auch mal was übelnimmt, der mir den Hals umdrehen könnte. Einen richtigen Mann, der zumindest auch mal *sauer* wird!«

Er dachte genau nach. »Ich war von Beryl ziemlich genervt.«

»Ja, zwanzig Jahre zu spät. Ich meine mich. Ich will, dass du von mir genervt bist! Ich nehm's dir nicht ab, dass dich dieses ganze Schleppen und Holen und Bepuscheln nicht in den Wahnsinn treibt!«

»Also gut.« Noch immer stand er da, das Tablett in der Hand – dummerweise eine Geste der Dienstbarkeit. »Es gefiel mir nicht besonders gut …« Er würde noch mal von vorn anfangen müssen. Glynis hatte recht. Allein das Vokabular für ein solches Gespräch war ihm fast schon entglitten. »Ich war genervt, dass du anderen Reis haben wolltest.«

»Bravo«, sagte Glynis spöttisch.

Er konnte sich kaum noch erinnern, wie Leute Gespräche führten, gesunde Leute, Eheleute. Wie er früher mit Glynis geredet hatte. »Ich war genervt, weil ich wusste, wenn ich mir die Mühe mache, noch einen Topf Reis zu kochen, würdest du auch dann nicht mehr als einen Bissen davon essen.«

»Richtig.« Sie wirkte auf seltsame Weise befriedigt, und er hatte einfach nur sagen müssen, dass er sich geärgert hatte.

»Und der Reis, der in Brühe gekocht war – die Zubereitung hatte ich aus dem Fernsehen. Ich hatte extra daran gedacht, im Supermarkt die Brühe zu kaufen. Ich wollte den Reis doch nur ein bisschen interessanter machen und besser für dich. Statt mir zu danken, hast du mich bestraft. Du hast gesagt, der Reis in der Hühnerbrühe schmeckt dir nicht. Auch das hat mich genervt. Weil es in Wahrheit nur darum geht, dass dir gar nichts mehr schmeckt. Statt Reis hätte ich dir auch eine frische Portion Zement zusammenrühren können. Für dich schmeckt alles nach Zement, und dafür kann ich nichts. Es würde sehr viel helfen, wenn ich etwas mehr Anerkennung bekäme für meine Mühe, dass ich dafür sorge, dass du es gut hast und dass du … weiter am Leben bleibst.«

»Na also«, sagte Glynis. »War doch gar nicht so schwer, oder?«

Shep war über sich selbst überrascht. Er begann zu weinen. Seit dem Abend, an dem er im Internet die Prognose seiner Frau gelesen hatte, hatte er nicht mehr geweint.

Wahrscheinlich hatte er sich ohnehin nicht mit CDiff angesteckt, und manchmal wurde auch das Risiko, etwas zu tun, durch das Risiko, etwas nicht zu tun, übertroffen. Und so stellte er das Tablett auf dem Fußboden ab. Er kroch unter die Bettdecke und legte sich auf den nassen Fleck. Er bettete seinen Kopf auf die eingefallene Brust seiner Frau. Sie strich ihm über die Haare. Wahrscheinlich fühlte sie sich nicht gut – und das wäre wie immer noch stark untertrieben gewesen. Aber zum ersten Mal seit ihrem illusionären Essen bei City Crab hatte er den Eindruck, dass sie glücklich war. Erst jetzt ging ihm auf, dass eine Frau, für deren »Wohlergehen« den lieben langen Tag gesorgt wurde, vielleicht mit am meisten vermissen könnte, anderen Trost zu spenden.

Kapitel 15

Wieder mal lag die *New York Times* frisch und ungelesen auf dem Küchentisch. Sie hatten sich das Abonnement ausgestellt – sich das Abonnement bestellt, korrigierte sich Glynis selbst, als spielte es irgendeine Rolle. Aber niemand las hier noch Zeitung und Glynis schon gar nicht. Jeden Morgen lag sie auf demselben Platz, Shep legte sie jeden Morgen auf den Tisch, nachdem er sie von der vorderen Veranda hereingeholt hatte. Ihr Inhalt war ein Symbol von Veränderung, von »Nachrichten«, doch die Zeitung selbst war ein Symbol dafür, dass nichts geschah.

Blau. Der Plastikumschlag der Zeitung war leuchtend kobaltblau. Dass der Plastikumschlag der *New York Times* blau war, hatte die gleiche Wichtigkeit wie die Geschichten auf der Titelseite. Das war schon mal eine Offenbarung, wenn man denn von Offenbarung sprechen konnte: dass alles gleichwertig war. Es gab nichts Großes und nichts Kleines mehr. Abgesehen von den Schmerzen, die zu ehrfurchtgebietender Heiligkeit emporgewachsen waren, war alles gleich wichtig geworden. Wichtigkeit an sich gab es also nicht mehr.

Ein Experiment. Sie sitzt vor der Zeitung. So wie damals, in der alten Zeit, als sie dazu einen Kaffee getrunken hatte.

(Igitt – Wie konnte sie nur? Igitt.) Sie kann die alte Zeit nicht zurückholen. Sie denkt an Step-Aerobic im Fitnessstudio: schlimmer als Kaffee. *Wie konnte sie nur? Igitt.*

Es ist schwer, aufrecht zu sitzen. Schwer, die Schrift zu erkennen. Rutscht einem immer wieder aus der Hand. Sind aber eigentlich nicht die Augen. Die Augen tun's noch – gehören zu den wenigen Körperteilen, die noch funktionieren. Fokussieren, befiehlt sie sich. Für einen Moment stehen die verschwommenen Buchstaben still. »Studie findet keinen Zusammenhang zwischen fettarmer Diät und Krebs oder Herzkrankheiten.«

Huh, dachte Glynis matt. Es hätte eine Zeit gegeben, da hätte sie sich aufgeregt; der viele wässrige Hüttenkäse, die bläuliche fettarme Milch, die den Kaffee grau machte: alles umsonst. »Dreitägige Sektenunruhen durch Ausgangssperre niedergeschlagen …« Irak. Oder irgendwo anders, scheißegal. Früher hätte sie vielleicht unterschieden, aber jetzt waren alle Kriege gleich, Hintergrundrauschen. Es gab immer irgendwo Krieg, man konnte die Kämpfe nicht aufhalten, also sollte man es am besten gar nicht erst versuchen. Wenn einer aufhörte, fing woanders einer an, also könnten sie im Prinzip auch da weiterkämpfen, wo sie schon waren. Glynis konnte nicht ganz nachvollziehen, wie Menschen wegen irgendeiner Sache so in Wallung geraten konnten, dass sie tatsächlich deswegen das Haus verließen.

Unfassbarerweise hatte sie einst jeden Morgen, komme was wolle, auf diesem Stuhl gesessen und Seite für Seite den Politikteil durchgeblättert. Hatte sich auch immer das Feuilleton durchgesehen, auf der Suche nach Kritiken über Leute, die sie kannte (in der Hoffnung, dass die Kritiken böse sein würden – weswegen sie vermutlich ein schlechtes Gewissen hätte haben sollen, was aber nicht der Fall gewesen war). Hatte sich Rezepte aus dem Gastronomieteil ausgeschnitten, war es immer dienstags gewesen? Mittwochs. Ihr Mann dagegen hatte die Zeitung kaum mehr als überflogen. Also pflegte sie Shep beim Essen *(Vor dem Abendessen, Essen-als-Genuss: Die von Ihnen gesuchten Daten stehen nicht länger zur Verfügung; Genuss: Die von*

Ihnen gesuchten Daten stehen nicht länger zur Verfügung) mit empörenden Details unterhalten, von denen sie gelesen hatte in einem Artikel über …

Was? Worüber hatte die Vorher-Glynis einst gelästert? Beeindruckt von sich selbst, dachte sie: über die Pläne zum Wiederaufbau des World Trade Center. Wie irgendein Komitee den Entwurf dieses einen … *Name des Architekten entfallen. Oder besser: zu faul, um sich an Architektennamen zu erinnern.* (Eine weitere Offenbarung: Ihr war nie klar gewesen, dass Denken Mühe kostete. Dass Gedanken Kraft erforderten. Wie sich herausstellte, lohnten nur sehr wenige Gedanken, einst mühsam formuliert, diese Kraft. Selbst dieser: Sie hätte auch darauf verzichten können. Und das war jetzt das Maß aller Dinge: das reine Am-Leben-Sein, Lebendigsein. Ihr zerrann allmählich zwischen den geistigen Fingern, was dieses Lebendigsein eigentlich genau war. Es war absolut denkbar, zum Beispiel, dass sich Lebendigsein vor allem dadurch auszeichnete, Schmerzen empfinden zu können, und in dem Fall stellte sich die Frage, weshalb dieser Zustand so gepriesen wurde.)

Richtig; da war doch dieser Abend gewesen. Sie war lebhaft geworden. Zuvor hatten sie und Shepherd die öffentliche Ausstellung der Wettbewerbsentwürfe für den Wiederaufbau der Zwillingstürme besucht. Von den sieben ausgestellten Modellen hatte Shepherd typischerweise einen quadratischen, konventionellen Wolkenkratzer bevorzugt. Glynis hatte sich in ein anderes Modell verliebt, von diesem – wie hieß er noch gleich? – irgendeinem Ausländer. Sie hatte das Bild noch vor Augen: eine dynamische, fraktale Anordnung – komplex, kristallin, wie ein explodierter Quarzstein. Es war kein geringes staatsbürgerliches Wunder, dass am Ende ihr persönliches Lieblingsmodell für den Bau ausgewählt worden war.

Deswegen hatte sie sich an dem Abend auch so aufgeregt. In der Morgenzeitung stand, dass diese gewagte, inspirierte Kreation vom Komitee langsam, aber sicher zum Tod verurteilt worden war. Jedes Element des Entwurfs, das das Modell einzigartig, erhaben und ungewöhnlich machte, war nach und nach abgeschlagen, abgestumpft, erdgebunden und alltäglich gemacht worden. Die schiefen Winkel verliefen jetzt senkrecht. Den Originalplänen des Siegerentwurfs war der gesamte Stil entzogen worden, ähnlich wie Glynis selbst der Stil entzogen worden war, bis er klotzig und klobig war – genau so hatte Petra das Fischmesser genannt: klobig. Ohne Freude, ohne Begeisterung, ohne Verspieltheit würde das neue World Trade Center der Nachher-Glynis ein Denkmal setzen.

Es war eine schwebende Erinnerung: wie beleidigt, entrüstet sie gewesen war wegen eines Gebäudes. Weil es sie damals noch kümmerte, wie etwas aussah, wie die Dinge aussahen. Die Linienführung der Dinge, aller Dinge. Vielleicht war es wundersam, solche Leidenschaften gehabt zu haben. Glynis wusste es nicht mehr genau. Sie konnte sich an Leidenschaften nicht mehr erinnern. Sie konnte sich nicht mehr erinnern, wie es war, die Zeitung zu lesen und aufgrund der Berichterstattung Gefühle zu haben. Sie konnte sich jetzt nicht mehr vorstellen, sich jemals hingesetzt und von Anfang bis Ende einen Artikel über Bulgarien gelesen zu haben. Bulgarien. Erstaunlich, dass ihr das Wort überhaupt noch einfiel.

War es möglich, sich ernsthaft an etwas zu erinnern, was in der Gegenwart nicht mehr erfahrbar war? Die Frage selbst begann ihr noch im selben Moment zu entgleiten. Sie zwang sich, klar zu denken, *nein*. Das konnte doch nicht möglich sein. Bevor ihr kleines geistiges Selbstgespräch vom Tisch und zu Boden geschlittert war, dachte Glynis matt, *das heißt also, dass alles, was in meinem Kopf abgespeichert war, verrottet ist*. Es war, als hätte sie ihre geschätzten Familienerbstücke auf einem löchrigen Dachboden aufbewahrt, wo sie von Mäusen angenagt worden und aufgeweicht und verschimmelt waren. Sich in Shepherd zu verlieben – sein erster Besuch als Handwerker in ihrer Wohnung, um die festschraubbare Werkbank einzubauen –, war fleckig, verschwommen, feucht. Sie konnte das Gefühl des Begehrens nicht mehr wachrufen. Sie konnte sich zwar theoretisch noch erinnern, dass sie von seinen breiten, geäderten Unterarmen wie gebannt gewesen war, aber es war eine Erinnerung in Form einer feststehenden Tatsache, ähnlich wie sie den Namen der Hauptstadt von Illinois noch wusste. Ihre Einzelausstellung, 1983 in SoHo – die Genugtuung und Hoffnung für die Zukunft, die damit verbunden gewesen war, die Ambitionen, von denen sie kündete, die ausgelassene, feuchtfröhliche Feier in Little Italy im Anschluss an die Eröffnung –, das alles hatte sich in einen einzigen monochromen Brei verwandelt wie unleserliche Bücher mit zerlaufener Tinte und verklebten Seiten in morschen Pappkartons auf dem Dachboden. Das Erinnern war eine viel aktivere Tätigkeit, als sie ... es in Erinnerung hatte. Die Vergangenheit ließ sich nur aus den Bausteinen der Gegenwart zusammensetzen. Um sich an Freude zu erinnern, musste man Freude zur Hand haben. Um also die Feier nach der Eröffnung in Little Italy zu rekonstruieren, musste man zur unmittelbaren Verfügung haben: Genugtuung, Hoffnung, Ambitionen, Ausgelassenheit, Betrunkenheit. Diese Posten waren nicht mehr auf Lager. Alles, was ihr noch blieb, waren die Wörter, wie die Etiketten unter den leeren Regalen. Auf Lager waren nur noch Unwohlsein, Angst und hier und da für besondere Anlässe eine ungeöffnete Kiste Wut. Nur eine einzige der ungeöffneten Kisten enthielt keine Wut, sondern Selbstanklage, klebrige schwarze Selbstvorwürfe, und sie sickerten heraus und breiteten sich stetig aus wie heißer flüssiger Teer.

Vielleicht hätte sie dankbar sein sollen, dass ihr das Erinnerungsvermögen abhandengekommen war. Der Verlust, den sie sonst am meisten beklagt hätte, wäre vermutlich der gewesen, dass sie nichts mehr wichtig nehmen konnte. Vorher hatte sich Glynis in alles vertieft, von der spiralförmigen Anordnung von Garnelen auf einer Platte bis hin zu einem letzten hartnäckigen Kratzer auf einer Oberfläche. Hatte die Vorher-Glynis einen Kratzer entdeckt, hatte sie eine ansonsten makellose Oberfläche abermals mit dem 100er-Schmirgelpapier aufgeraut, um den Kratzer zu entfernen und sich anschließend wieder durch die 200er-, 300er-, 400er-Schmirgelpapiere zu arbeiten, wobei sie sorgfältig jede Gradierung senkrecht zur vorhergehenden schliff, bis sie schließlich die Oberfläche mit Polierpaste und Tuch so spiegelglatt aufpolierte, dass man wie zuvor sein Make-up darin hätte überprüfen können. Es dauerte Stunden, die Hände taten weh, und die Fingergelenke waren geschwollen – nur weil sie einen einzigen Kratzer hatte eliminieren wollen. Inzwischen wusste sie nicht mehr, wie es sich anfühlte, wenn sie etwas wirklich wichtig nahm, und was sie sich nicht vorstellen konnte, das konnte Glynis auch nicht vermissen. Also war das Nichtwichtignehmen auf seine Weise in Ordnung. Sie kannte ja nichts anderes.

Die Vorher-Glynis war der Nachher-Glynis ein ziemliches Rätsel geworden – ähnlich wie diese etwas anstrengenden Verwandten, mit denen man wenig gemein hat und zu denen man nur deshalb überhaupt eine Meinung hat, weil man zufälligerweise blutsverwandt ist. (Waren sie das? Blutsverwandt? Jetzt nicht mehr, könnte man behaupten. Das Blut in ihren Adern war mehrfach ausgetauscht worden. Inzwischen war sie nicht mal mehr mit sich selbst blutsverwandt.) Diese Vorher-Glynis war vermutlich eine Frau gewesen, die den Luxus großer Zeitabschnitte genossen hatte, die frei waren nicht nur von jener von Shepherd ewig beklagten Notwendigkeit des Geldverdienens, sondern – und nur darauf war es angekommen, wie sich nun zeigte – frei von der Last des Körpers. Die Vorher-Glynis war eine Frau gewesen, die »gesund« war. (Dieser theoretische Zustand war der Nachher-Glynis vielleicht mehr als jedes andere Merkmal entfallen. Doch nur als Erfahrung. Als Begriff konnte sie »Gesundheit« besser nachvollziehen als jeder andere auf der Welt. Denn die Nachher-Glynis hatte ein schreckliches Geheimnis entdeckt: *Es gibt nur den Körper. Es hat nie etwas anderes gegeben als den Körper. »Gesundheit« ist die Illusion, keinen Körper zu haben. Gesundheit bedeutet, dass man dem eigenen Körper entkommen ist … Aber es gibt kein Entkommen. Also ist Gesundheit nur ein Aufschub.*) Was hatte die Vorher-Glynis, die gesunde Glynis, die Kurz-bevor-sie-im-nächsten-Moment-gnadenlos-krank-werden-würde-Glynis, mit ihrer Freifahrt gemacht, mit der wunderbaren Illusion, dass sie mehr wäre als nur ein Körper – ein Körper und nichts als Körper?

Sie hatte Zitronenbaisertorten gebacken, fast so hoch wie breit. Die weißen Türme mit den braun gewellten Krusten wuchsen vor ihrem inneren Auge als reine architektonische Errungenschaft empor, genau wie die Modelle von ... *Daniel Libeskind.* (Da war er wieder. Der Architekt des neuen World Trade Center hieß Daniel Libeskind. Ein Triumph. Ein solcher Moment der Geistesschärfe teilte die Tage in »gute« und alle anderen Tage.) Flüchtig, verderblich, fragil und dazu berufen, bei lebendigem Leibe verzehrt zu werden, waren ihr derlei kulinarische Projekte jetzt ein Rätsel, als hätte diese erwachsene Frau ihre Zeit damit verbracht, Ponys aus Knetmasse zu formen oder Pyramiden aus Bauklötzen zu bauen, die sie am Ende des Nachmittags wieder umstoßen würde. Sie hatte mit dem *falschen Material* gearbeitet.

Sie hatte Kinder aufgezogen, aber auch dazu hatte die Nachher-Glynis erstaunlich milde Gefühle. Kinder waren keine Torten. Sie hatte sie nicht gebacken. Eltern, von denen sie nichts hielt, damals, als sie noch Meinungen hatte, waren diejenigen gewesen, die ihre Kinder gebacken zu haben glaubten. Zach und Amelia waren in Ordnung, sie hatte kein Problem mit ihnen, aber sie hatten im besten Sinne eigentlich nichts mit ihr zu tun.

Aber: abgesehen von Torten, Kindern und Fußböden war es schwer zu ergründen, womit genau die Vorher-Glynis denn ihre Zeit herumgebracht hatte. Womit sie spezifischerweise *nicht* den durchschnittlichen Glynis-Tag herumgebracht hatte, war das Schmieden.

Und hierauf konzentrierte sich ihre heutige Verwirrung.

Die Vorher-Glynis war auf der Kunstschule gewesen. Die Vorher-Glynis war sehr geschickt gewesen, und es hatte viele kostbare gesunde Jahre erfordert, um diese Geschicklichkeit zu erlangen.

Indem sie die Zeitung von sich schob – sie hatte nicht mal einen Blick auf die Titelseite geworfen –, torkelte sie an die eigens für ihr Besteck reservierte Küchenschublade. Zurück am Tisch, packte sie langsam die Geräte aus ihrem schützenden Filz. Während sie stumpf auf die Stücke starrte, fragte sie sich, ob es überhaupt möglich war, »stumpf« auf derart glänzende Gegenstände zu starren. Das Gefühl, das sie in ihr auslösten, ließ sich nicht mit Stolz umschreiben, da es sich dabei um einen weiteren Posten handelte, der nicht mehr auf Lager war, als würde sie in einem dieser alten Ostblockländer leben, wo man stundenlang Schlange stehen musste, weil es in einem einzigen Laden angeblich Glühbirnen gab. Dennoch regte sich beim Betrachten ihrer verwirrend nüchternen Werke etwas in ihr. Vielleicht ließ es sich mit Wehmut umschreiben. Sie hatte ihren Mann geliebt oder war zumindest gewillt, wie eine Hauptstadt-von-Illinois-Tatsache zu akzeptieren, dass sie ihren Mann geliebt hatte. Diese glänzenden Artefakte aber waren ihre eigene Mitte. Sie waren immer ihre Mitte gewesen. Sie waren, dachte Glynis, was ich wichtig genommen habe. Das Wichtignehmen war vorbei, doch die Ergebnisse des Wichtignehmens glänzten noch immer in der Politur des Metalls.

Der Vorher-Glynis hatte Metall am meisten bedeutet. Also würde auch der Nachher-Glynis das Metall etwas bedeuten, vorausgesetzt, dass die Nachher-Glynis überhaupt noch irgendeiner Sache Bedeutung zumessen konnte. Sie war nicht sicher, aber vielleicht war sie noch immer in der Lage, wichtig zu nehmen, dass sie nichts mehr wichtig nehmen konnte.

Es warf kein sonderlich gutes Licht auf sie: eins geworden zu sein mit einem so harten und kalten Material. Man sollte andere Menschen wichtig nehmen. Man sollte sehen, wie das eigene Haus niederbrennt, und draußen auf dem Bürgersteig die Hände seiner Liebsten ergreifen, vielleicht einen kleinen Stich verspüren wegen der Bücher, der Kleidung und des Porzellans und doch überfließen von dem Wissen, dass man das wirklich wichtige Hab und Gut gerettet, dass man immer noch seine Familie hatte.

Glynis aber hätte sich in das brennende Gebäude gestürzt, um ihr Fischmesser zu retten, während sie, um das Leben eines Babys zu retten, einen Augenblick länger gezögert hätte. Das war schrecklich von ihr. Aber damit hatte sie ihren Frieden geschlossen. Glynis – sowohl die Vorher- als auch die Nachher-Glynis – scherte sich nicht darum, ob sie einen guten oder schlechten Eindruck hinterließ. Form war für sie immer von Belang gewesen. Tugendhaftigkeit hatte sie einen Dreck geschert. Wenn man's bedenkt, war sie nie allzu wild gewesen auf andere Menschen, und jetzt musste sie sich nicht mehr verstellen. Das war eine gute Sache: die Befreiung. Sie konnte jetzt genau so sein, wie sie wollte. Sie konnte eine Frau sein, die ein Fischmesser retten und ein Baby zurücklassen würde.

Das Metall war alles, was sie vorzuweisen hatte.

Warum gab es nicht mehr von ihrer Kunst? Das Seltsame daran war Folgendes: Jahrelang war sie sich insgeheim wie eine Dilettantin vorgekommen. Die anderen, die Pfuscher wie Petra, ihre eigene Familie, die sie aus einem brennenden Haus nicht retten würde, glaubten, sie hätte keine Ahnung, wie man sie hinter ihrem Rücken nannte: Hobbykünstlerin; oder, was sogar noch schmeichelhaft war, Exkünstlerin. Natürlich wusste sie das. Aber was den Leuten nicht klar war: Genauso dachte sie ja über sich selbst. Mit Verachtung. Doch hier an dieser kargen Endstation überkam sie nun die nutzlose Erkenntnis, dass sie es doch ernst gemeint hatte – dass sie es die ganze Zeit ernst genommen hatte. Dass sie die Torten, die Fußböden, die Kinder nie allzu sehr geschätzt hatte, oder zumindest anders. Das gekrümmte Fischmesser, die gekordelten Essstäbchen aus Sterlingsilber, die schlanke Eiswürfelzange mit ihrer wunderbaren Einlegearbeit aus Kupfer und Titan, das dazu passende Salatbesteck mit dem roten Glas in den Griffen, an denen die Flammenarbeit am Silber hinunterlief, als hätte man sich in die Hand geschnitten … Diese Gegenstände bildeten das Zentrum ihres Seins und hatten es immer getan.

Alle fragten sich, was Glynis durch den Tag rettete, und

niemandem hatte sie es je verraten. Sie ging ohne Wasser durch eine Wüste, doch auf der anderen Seite lag die Oase der Nach-Nachher-Glynis – die Frau, die sie immer gewesen war und wieder sein würde, nur besser. Was sie durch den Tag rettete, war die Vision ihrer endgültigen Chemotherapie, es war Goldman, der ihr triumphierend verkündete, dass sie durch sei, dass man ihr das Böse aus der Blutbahn gespült habe, ähnlich wie Shep jedes Jahr mit dem Gartenschlauch Ablagerungen und Schlamm aus seinen bescheuerten Gartenspringbrunnen spülte. Ihr Urin würde jeden Tag weniger den toten grauen Geruch von nassem Zement haben, er würde nicht mehr die beängstigend falschen Farben der jeweiligen Chemikalie haben, von der sie gerade kaputtgemacht wurde, kirschrot oder lavendelblau. Nein, endlich würde ihr Urin wieder ein sonniges Gelb annehmen und diesen lehmigen, stechenden Geruch abgeben, der von anderen törichterweise als anstößig empfunden wurde und von dem ihr nie klar gewesen war, dass er köstlich und herrlich war. Sie würde nachts durchschlafen, schön träumen und früh aufstehen, früher noch als Shepherd, und sofort unters Dach in ihr Atelier tapsen. Wo sie den ganzen Tag bleiben würde. Das Silber wäre fügsam. Ihr Output wäre atemberaubend. Shepherd würde sich Sorgen machen, dass sie zu viel arbeitete. Shepherd würde seine »Rechercheireisen« machen wollen, aber sie würde sagen, nein, ich muss arbeiten; du musst allein fahren …

Er hatte geplant, allein zu fahren! Dieser Verräter, nach Pemba, einer Stecknadel auf der Landkarte, auf irgendeine schäbige Flipflopinsel, die ihm mehr wert war als sechsundzwanzig Ehejahre …

Halt. Er zahlt. Er zahlt den Preis für seinen Wahnsinn. Er wird zahlen, und er soll zahlen. Und man wird sicher sein können, dass er niemals aufhören wird zu zahlen, genau wie diese Kreditnehmer, die so viel Kapital schuldig sind, dass sie nicht mehr tun können, als ihre Zinsen abzudrücken, und dennoch bleiben die Schulden, unnachgiebig, unreduzierbar … Wegen eines dämlichen Sandkastens, das muss man sich mal vorstellen. Niemand außer Glynis konnte begreifen, dass ihr Mann verrückt war, und woher kam überhaupt seine ganze Unzufriedenheit? Was war denn so verkehrt an seinem Leben, dass er unbedingt davor fliehen musste, dass er vor Glynis fliehen, sie betrügen musste? Also wirklich, in letzter Zeit schlurfte er hier dermaßen deprimiert durchs Haus, wo er doch hätte rausgehen können, oder etwa nicht, einfach wegfahren, ins Kino gehen, wenn er Lust hatte, oder in den Supermarkt, was doch ein Privileg war, auch wenn ihm das nicht klar war – doch, ausgerechnet der Supermarkt war ein Privileg! Sie hatte ihn dabei erwischt, wie er Liegestütze machte ... Liegestütze! Er konnte immer noch Liegestütze! Und da beklagte er sich? Er beklagte sich implizit, indem er tat, als würde er sich überhaupt nie beklagen, aber sie konnte es hören, dieses untergründige Gemurmel des Selbstmitleids, der edelmütigen Aufopferung, der Unterwerfung und des heimlichen Eigenlobs. Und des Pläneschmiedens. Pläneschmieden! Er schmiedete Pläne! Er hatte ein ganz und gar anderes Bild des Nach-Nachher, *als wüsste sie nichts davon.* Wenn alles »vorbei« war. Dabei wusste sie, was er mit »vorbei« meinte, oder besser, mit wem es dann seiner Ansicht nach vorbei wäre. In seine Pläneschmiederei war sie nicht einbezogen, sie kehrte nicht in ihr Dachatelier zurück, zurück zu den Brennern und der Politur, zurück zu ihren Kräften ...

Halt. Man musste an das Nach-Nachher denken. Sie hatte noch sechs Chemotherapien vor sich. Das war natürlich nicht fair. Neun Monate Chemo, hatte es geheißen. Die neun Monate waren vergangen. Sie hätte inzwischen fertig sein, sie hätte es überstanden haben müssen. Doch all die Bluttransfusionen, das schlechte Blutbild, die Wochen, in denen es geheißen hatte, ihre Kraft würde noch nicht ausreichen, hatten diese fürchterliche Krankheitsphase in die Länge gezogen. Es war Februar, sie hätte es überstanden haben müssen! Beruhige dich. *Ich hätte es überstanden haben müssen!* Nein. Ruhig. Ruhig jetzt. Bleib dran. Bring die nächsten Runden hinter dich. Sechs Runden. Nur noch sechs Runden … Konzentrier dich auf die andere Seite. Konzentrier dich. Auf die andere Seite …

Denn die Nach-Nachher-Glynis wäre die »neue, verbesserte Version!«, wie ein Reinigungsmittel in neuer Verpackung. Weil sie jetzt das Leben verstanden hatte. Dieses Verständnis würde sie mitnehmen. Alle hatten nach Aufklärung geschrien, und sie hatte abgestritten, irgendeine Aufklärung erfahren zu haben, dabei war da eine gewisse Form von Erleuchtung gewesen, von der sie aber nichts abgeben wollte, weil es privat war. Weil sie so teuer dafür bezahlt hatte und die Erleuchtung ihr gehörte.

Es war nämlich so: Im Grunde hatte es nie etwas zu fürchten gegeben. Dinge zu erschaffen, jenen ersten Schnitt zu machen, mit einer dreieckigen Nadelfeile in den Rand eines frischen Stücks Silber zu schneiden, war für sie immer ein Horror gewesen. Sie hatte immer Angst, sich selbst zu enttäuschen, lediglich der eigenen Unzulänglichkeit ein Denkmal zu setzen, ebenso wie sie ihre fertigen Stücke nie als ausgereift ansah, nur als einigermaßen gut. Nun ja. Natürlich. Jetzt aber ging ihr auf, dass die Unzulänglichkeit einen Teil der Schönheit ausmachte. Das heißt, ihre Neigung, Besteck zu entwerfen, das auf subtile Weise immer wieder das gleiche war, die kleinen Wiederholungen, gegen die sie sich gewehrt hatte, die Verzweiflung, wenn sie am Ende erkannt hatte, dass das Salatbesteck trotz der innovativen Flammenglasarbeit der Einwürfelzange immer noch im Wesentlichen ähnlich sah, und selbst ihre Neigung, immer wieder dieselben Fehler zu machen – das alles gehörte dazu und machte die Arbeit typisch für Glynis Pike Knacker. Der perfekte Kunsthandwerker hatte keine Identität. Er konnte alles und daher nichts. Man musste seine Unzulänglichkeiten gleichzeitig als Stärke sehen. Wenn sie etwas schuf und es nicht gelungen war, konnte sie den Fehler später berichtigen – auch das war ihr inzwischen aufgegangen. Es bestand keine Gefahr, es hatte nie eine Gefahr bestanden. Stattdessen bestand nur die eine Gefahr: nichts zu schaffen. Den Verlockungen des Ungeformten nachzugeben, dem luftigen geistigen Konstrukt, das somit unendlich perfektionierbar und, theoretisch zumindest, unendlich edel war. Endlich fiel der Groschen: Konzeption ist Nebensache, Ausführung ist alles. Und sie hatte das Auge; sie hatte das Metall gemeistert. Die Materialien, über die andere verfügten – schmuddeliger formbarer Ton, der eigentlich nichts als feuchte Erde war; oder Holz, die Leichenteile geschlachteter Pflanzen – alles das war gering, schäbig, ängstlich, einfach und klein. Für Glas hatte sie noch Respekt. Wer jedoch das Metall beherrschte, beherrschte die Welt.

Lange hatte sie über einen Messergriff nachgedacht, der sich an eine gute Sabatier-Klinge nieten ließe, die man zuvor von ihrem traurigen schwarzen Griff würde trennen müssen – vielleicht konnte sie aber auch eine schmale Klinge von hochwertigem Stahl in Auftrag geben, gefährlich und verboten scharf. Für den Griff etwas Köstliches, Üppiges, eine sinnliche Fabrikation aus schwerem Sterlingsilber mit Wucht und Ondulation, perfekt austariert und auf subtile Weise schief ... Eine Linie zog sich durch ihren Kopf, verwob sich wie ein Heftfaden.

Schließlich hatten alle Werkzeuge der Gewalt ihren Reiz. Sie sah die Nach-Nachher-Glynis schon vor sich, wie sie nur noch Dolche, Fleischermesser, Keulen und Schlagringe mit zart glitzernden Einlegearbeiten aus Diamanten anfertigte, um damit noch mehr Schaden anzurichten, ja sogar Folterinstrumente – nicht nur bis ins feinste Detail konstruierte filigrane Schälmesser, sondern die Instrumente ihrer eigenen Folter. Ein leuchtend silberner Nachbau der Gifttüten, die monatelang am Tropf über ihrem Kopf gebaumelt hatten; seine spiegelglatten Sterlingfalten würden das Licht zurückwerfen. Vielleicht könnte sie so ihre allerschlimmsten Ängste konfrontieren, denn für Glynis bestand der Weg zur Kontrolle und Inbesitznahme darin, den Weg des Midas zu gehen und alles, was sie berührte, in Metall zu verwandeln, alles, woraus sie gemacht war, was sie geliebt hatte und was sie kannte. Also könnte sie eine vollkommene, glänzende Replik einer Spritze mitsamt funktionstüchtigem Kolben schaffen, deren glatte, herrliche Mechanik die Galerien in Ehrfurcht versetzen würde, die fürchterlich spitze Nadel für den Luxusmarkt aus Weißgold. Denn es gab dafür einen Markt. Sie hatte den Markt kennengelernt, in der Columbia-Presbyterian-Klinik, all diese Mitleidenden, die in heimtückisch bequemen Lehnstühlen geradewegs auf den Tod zusteuerten. Die nie die Klappe halten konnten, die stundenlang am Telefon hingen und Glück hatten, dass Glynis keine Waffe besaß. Sie alle brannten auf Mitbringsel, Ablenkung und die Illusion von Bedeutung. Sie könnte eine ganze Bestecklinie für Krebspatienten schaffen.

Wie Shepherd hatte auch sie Pläne, aber es waren respektable Pläne. Nicht die Pläne eines Feiglings, der müde war oder müde zu sein glaubte, aber dabei keinen Begriff hatte von Müdigkeit. Nicht die Pläne eines Schwächlings, der einfach nur aus allem rauswollte, der nur wartete, die Sache aussaß, seiner Entlassung harrte, Entlassungspläne schmiedete, der nachts, wenn er sich unbeobachtet wähnte, wie ein Alcatraz-Insasse heimlich mit dem Löffel seinen Tunnel grub.

In Glynis Kopf drängten sich die Ideen, drängte sich alles, was die Nach-Nachher-Glynis erschaffen würde. Scharfe Gegenstände, aggressive Gegenstände, kompromisslose Gegenstände. Sie würde sofort mit dem Messer beginnen. Sie könnte sofort mit dem Entwurf beginnen, dann hätte sie im Nach-Nachher schon einen Vorsprung. Denn sie hatte keine Minute zu verlieren. Ihr armer, fehlgeleiteter Mann hatte seine Pennies gehortet, wo doch Zeit die einzige Währung war, die je gezählt hatte.

Mit einer wahrhaft spektakulären Anstrengung, die Außenstehende lediglich als ein wenig bemerkenswertes Aufstehen vom Stuhl gesehen hätten, ging Glynis zum Telefon und holte Bleistift und Notizblock. Schlurfte zurück zum Küchentisch. Versuchte eine frische Seite aufzuschlagen. Es dauerte eine Ewigkeit, die Seite aufzuschlagen. Es gelang ihr nicht, mit dem Finger die Ecke aufzubiegen, und schießlich nahm sie dazu den Radiergummi. Die Hände … (*Die* Hände, nicht *ihre* Hände; wenn überhaupt, besaßen ihre Hände sie. So war es nämlich; sich auf »ihren« Körper beziehen zu wollen war inzwischen völlig verkehrt, denn eigentlich hatte der Körper seine Glynis; der Körper besaß den Menschen, nicht umgekehrt.) Nun, die Hände waren so taub, dass man ihr das Telefonbuch darauf hätte fallen lassen können, und sie hätte nicht mal mit der Wimper gezuckt. Außerdem lösten sich ihre Fingernägel ab, jeder mit einem leisen Plopp, so kam es ihr vor, sie ploppten ihr von den Fingern – gefurcht, verformt, so dunkel, dass sie fast lila waren. Sie hatte Finger wie ein schwerer Raucher oder wie ein Hobbybastler, der sich gern mit dem Hammer auf den falschen Nagel schlug. (Wenn Shepherd nicht in der Nähe war, knibbelte sie daran herum. Sie bluteten. Das war nicht gut. Die Fingernägel hochzuklappen und drunterzugucken war krank, aber sie konnte sich stundenlang damit beschäftigen.) Mit ihren Zehennägeln war es sogar noch schlimmer, weil sie nämlich keine mehr hatte; wenn sie im Bett lag, starrten die Nagelbetten seelenlos zu ihr hoch, wie blind, zehn eingedrückte Höhlen.

Der Bleistift war schwer wie eine Schaufel. Als sie die Spitze übers Papier zog, hatte die wacklige Grafitlinie nichts gemein mit der sauberen Linie in ihrem Kopf – ein ondulierender Messergriff, Küchenutensilien wie von Henry Moore. Also ließ sie den Entwurf des Griffs sein, um sich erst der Klinge zuzuwenden, aber auch die wurde wacklig – dünn, zittrig und schlaff, die abgeschrägte Seite konkav.

Selbst als Dreijährige hatte sie besser zeichnen können. Mit einer letzten Anstrengung für diesen Morgen zog sie an der Seite, ohne sie aus der Gummierung reißen zu können. Also begnügte sie sich damit, den peinlichen Klecks mit einer geschlängelten Linie durchzustreichen, deren Blässe ihren Zorn kaum einzufangen vermochte.

Glynis erwachte, das Gesicht eingedrückt auf dem Küchentisch. Das Gekritzel auf dem Notizblock ergab für sie wenig Sinn. Komisch, aber das bisschen geistiges Strandgut, das der morgendliche Wirbelsturm flüchtiger Gedanken übrig gelassen hatte, war ein einzelner Gedanke: »bescheuerte Gartenspringbrunnen«. Sie nahm es zurück. Das war gemein. Sie wusste Shepherds Springbrunnen wirklich zu schätzen. Sie waren ein bisschen verrückt, entstammten aber der verrückten Seite ihres Mannes, die sie mochte.

Neben dem Notizblock stand ein Teller Nudelsalat, aufgehellt mit roten Paprikastückchen und Petersilie, an der Seite eines halben Thunfischsandwichs mit zu viel Mayonnaise. Nancy, die einen Schlüssel hatte. Welche Gnade, die nette Geste verpasst zu haben. Dass sie nicht auch noch dankbar sein musste für die nette Geste. Vor allem, dass sie das Zeug nicht auch noch essen musste.

Es musste Nachmittag sein. Freitag. Sie sollte heute Besuch bekommen. Eine Aussicht, die ihr normalerweise verhasst war, aber es war eine seltene Besucherin, die ihr eigentlich nichts ausmachte. Flicka. Sie ähnelten sich. Wie eigenartig, dass sie mit einer Siebzehnjährigen inzwischen mehr gemein hatte als mit deren energischer, großbusiger Mutter.

Glynis zog sich Hand über Hand am Geländer entlang nach oben; niemand würde je nachvollziehen können, wie viel Kraft es sie kostete, einen frischen samtenen Hausanzug anzuziehen. Auf der Mitte der Treppe war sie außer Atem und lehnte sich ans Geländer, um zu verschnaufen. Atmen – jedes Mal, wenn sie heutzutage einatmete, war es irgendwie zu spät. Der Atem kam zu spät; die Luft von diesem Atemzug hätte sie schon beim vorigen gebraucht gehabt. Die Füße taten ihr weh; sie quollen aus ihren rosa Plüschpantoffeln, die Haut war gedehnt und rissig von den Ödemen. Sie hätte nicht auf dem harten Küchenstuhl einschlafen dürfen; der Druck auf ihrem Hinterteil hatte die wunden Stellen um ihren After verschlimmert – denn wenn sie ausnahmsweise mal auf die normale Art Stuhlgang hatte, brannte er ihr Löcher in den Arsch. Toxischer Stuhl. Socken, um hässliche geschwollene Fußgelenke zu verstecken. Wollmütze. Bloß nicht die Besucher mit der Glatze erschrecken.

Zurück auf dem Treppenabsatz, drehte sie das Thermostat

noch mal zwei Grad höher, wobei sie nicht auf die Ziffern sah, sich um Ziffern nicht scherte. Ihr war ständig kalt.

Halb vier. Carol hatte vier Uhr gesagt. Da sie nichts Besseres zu tun hatte, spähte Glynis aus dem Fenster der Diele und hielt Ausschau nach dem Auto. Bei dem, was sie stattdessen sah, durchfuhr sie ein vertrauter, hilfloser pawlowscher Ekel.

Ein Nachbar beim Joggen. In seiner edlen Trainingshose mit den kleinen Streifen, in seinen edlen Laufschuhen mit noch mehr kleinen Streifen. Mit feschem Stirnband. Er wirkte so stolz auf sich. Strahlte das gleiche von Eigenlob überlagerte, verhohlene Selbstmitleid aus, das sie schon bei ihrem Mann nicht ausstehen konnte. In seinem zum restlichen Outfit passenden Sweatshirt und seinen Funktionshandschuhen drehte er seine Runden um den Golfplatz. Strotzend vor mannhafter Disziplin. Unerschrocken angesichts des peitschenden Februarwindes und des Schnees in der Luft. Na klar, lauf dir ruhig die Seele aus dem Leib, du scheinheiliger Wichser. Glaubst du, ich wäre früher nicht auch gelaufen? Warte du nur. Du wirst schon sehen. Eines Tages gehst du zu irgendeiner *Routine*untersuchung, haha, und der Arzt wird dich mit lateinischem Gewäsch bombardieren, und siehe da, dann wirst du nicht mehr um irgendeinen Golfplatz rennen; du wirst Gott danken, wenn du überhaupt noch aus dem Bett kommst. Also lauf du nur, lauf, lauf. Solange, wie's noch geht. Du brauchst dir nämlich gar nichts vorzumachen. Es *ist* bei dir nur noch nicht so weit.

Manchmal ärgerte sich Glynis, dass ein Mesotheliom nicht ansteckend war.

Zugegeben, Glynis selbst hatte Fitnesskurse genommen und die verschiedensten Sportarten betrieben, um das zu behalten, dessen sie jetzt nicht etwa durch schwindende Disziplin, Nachgiebigkeit, Faulheit oder einen Mangel an Entschlusskraft beraubt worden war. Während dieser Workouts hatte auch sie sich eingebildet, Willenskraft aufzubieten, mitunter bis zum Maximum. *Falsch.* Und das war die Hauptquelle der Verachtung, die ihr Nachbar in ihr weckte, während er oben den Hügel umrundete und auf der Rückseite wieder hinuntertrabte. Er glaubte, »über seine Grenzen hinauszugehen«, *wo sie an diesem Nachmittag fünfzig Mal so viel Willenskraft hatte aufbieten müssen, um nur die Treppe hochzukommen.* Er glaubte, den »Elementen zu trotzen«, hatte jedoch keinerlei Wertschätzung dafür, wie freundlich sich ein kleiner Februarsturm ausnahm, wenn einem ein finsterer Wind durch den Körper fegte. Er glaubte, sich zu etwas zu zwingen, wozu er eigentlich keine Lust hatte, dabei war ihm gar nicht klar, dass das Laufen, ähnlich wie der Supermarkt, ein Privileg war. Er glaubte, er arbeite an seinem Durchhaltevermögen, dabei würde er sich noch umgucken, wenn sein eigenes Pestschiff in den Hafen einlief, dann würde er entdecken, dass er nicht einen Funken Durchhaltevermögen aufgebaut hatte, mit dem er in den neuen, unschönen Umständen etwas anfangen könnte. Es war zum Totlachen, aber er bildete sich doch tatsächlich ein, Schmerzen zu überwinden.

Klar, Glynis schaffte es nicht mal mehr von der Veranda zum Briefkasten. Aber das ganze letzte Jahr mindestens hatte der Krebs echtes Durchhaltevermögen erfordert, echte Disziplin, echte Willenskraft, und dagegen waren ein bisschen Step-Aerobic oder eine Runde um den Golfplatz der reinste Witz.

Die halbe Stunde, die sie warten musste, verging wie ein Jahrhundert. Wie unfair, die Kostbarkeit der Zeit genau dann festgestellt zu haben, wo einem jedes Zucken des Sekundenzeigers zur Qual wurde. Was sollte man tun, wenn einem die gleiche Menge Zeit sowohl kostbar also auch verhasst war? Es war sadistisch, eine Offenbarung gepaart mit der vollkommenen Unfähigkeit, sich entsprechend zu verhalten. Wenn jemand wie Petra von ihrer hohen Warte aus nach Wahrheit schrie, hätte sie ihr genau das vor die Nase knallen sollen: Warte nur ab. Deine geliebte Erkenntnis sollst du haben. Aber erst dann, wenn's *zu spät* ist.

PUNKT VIER FUHR der Wagen in die Auffahrt. Mühsam zog Glynis die Haustür auf und versuchte gastfreundlich auszusehen. Da ihre unbrauchbare Familie und die Schönwetterfreunde sie zwangen, sich allein durchzuboxen, hatte sie in letzter Zeit wenig Übung in Gastfreundschaft.

Carol winkte vom Auto aus, ehe sie Flicka aus dem Beifahrersitz half. Das Mädchen befreite sich aus dem Fahrzeug, indem es sich schwer auf die Schulter seiner Mutter stützte; Flicka wirkte sichtlich schwächer und ungelenker als bei ihrem letzten Besuch. Mager wie eh und je, ohne Busen und mit einer dicken, geschlechtsneutralen Brille auf der Nase, wirkte sie eher wie eine Neunjährige als eine Siebzehnjährige. Als kleines Mädchen war sie fast entzückend gewesen, doch mit zunehmendem Alter war ihr Gesicht immer mehr aus der Form geraten: Die Nase war flacher geworden; das Kinn wölbte sich nach vorn. Trotz ihrer schubweisen Gehässigkeit war Glynis doch nicht so hart – nicht so sehr aus Metall –, dass sie an Flickas Verfall Freude gehabt hätte. Stattdessen spürte sie eine Kameradschaftlichkeit, über die sie erfreut war. Mitgefühl richtete sich ja naturgemäß nach außen, und da es keinen anderen Gegenstand gab, der Glynis' Mitgefühl wert war, fiel es allzu oft sinnloserweise auf ihre eigene Person zurück.

Glynis für ihren Teil hatte sich das Fotografieren verbeten. (Und es war verblüffend, wie taktlos die Leute sein konnten und ihr ständig ein Objektiv vor die Nase hielten. Gänzlich blind gegenüber der morbiden Tragweite ihres Impulses, waren die Freunde eifrig darauf bedacht, jetzt, wo sie den Mund voller Geschwüre und keine Haare mehr auf dem Kopf hatte, ihr Abbild für die Ewigkeit festzuhalten. Wie oft waren sie dagegen mit einer Kamera angerückt, als sie noch *toll* aussah?) Da sie weder Augenbrauen noch Wimpern hatte, war ihr Antlitz konturlos, wie nicht zu Ende gemalt. Na gut, die beklemmende Glätte ihrer Beine erforderte keine Wachsenthaarung mehr. Unbehaarte Unterarme an einer erwachsenen Frau aber hatten etwas Gruseliges. Carol konnte es ihr natürlich nicht ansehen, aber der größte Verlust in Sachen Haar spielte sich weiter unten ab; Shepherd hatte immer ihren üppigen Wuchs gepriesen. Der

Anblick einer haarlosen einundfünfzigjährigen Vulva war keine schöne Sache: verschrumpelt, faltig, flatterig und eigentümlich lilafarben. Ästhetik hatte natürlich eigentlich keine Rolle mehr zu spielen, und in Wahrheit hatte Glynis in Bezug auf die Degeneration ihres Körpers eine perverse und obsessive Faszination entwickelt, einen kranken Nervenkitzel. Doch immer wenn sie einen Blick auf ältere Fotos warf – ihr Hochzeitsalbum, ihr offizielles Porträt für die Galerien, die wenigen gerahmten Schnappschüsse von ihren Auslandsreisen –, betrachtete sie dieses vollere, jüngere Gesicht, die majestätische Gestalt, die sie einst abgegeben hatte, und war eifersüchtig. Eifersüchtig auf sich selbst. Heute also, in formlosem Samt und diesen lächerlichen Plüschpantoffeln, die einzigen Schuhe, in die ihre Füße noch passten, kämpfte Glynis mit der Beschämung. Seit ihrer Diagnose wurde sie von dem Gefühl verfolgt, irgendetwas falsch gemacht zu haben. Das Krankenhaus hatte sich in ihrem Kopf nie von einem Gefängnis unterschieden, und jedes Mal, wenn sie dort eingesperrt war, hatte sie das kafkaeske Gefühl, nicht genau zu wissen, welches Vergehens man sie beschuldigte.

Carol dagegen sah umwerfend aus.

Carol zu hassen hätte wenig Sinn.

»Hey, Glynis!«, greinte Flicka und breitete die Arme aus. Für Glynis war es, als umarmte sie ihren eigenen Oberkörper – all die kleinen, vogelhaften Knochen, die am Rücken des Mädchens zu spüren waren. Sie waren vom gleichen Schlag. Flicka war kleiner, aber sonst hatten sie die gleichen Maße.

»Sie ist eigentlich nicht gesund genug für einen Ausflug nach Westchester«, sagte Carol bei der Umarmung. »Aber sie wollte unbedingt.«

»Willst du mit rauf in mein Nest?«, sagte Glynis einladend.

»Klar«, lallte Flicka. »Aber nur, wenn du dein verdammtes Kochfernsehen ausmachst.« Zum Glück bewegten sich Flickas hohe nasale Töne in einer Frequenz, die Glynis noch immer ausmachen konnte; Shepherds tiefes Brummen verschwamm nicht selten mit dem Surren eines fernen Rasenmähers.

»Okay. Aber nur, weil du's bist.« Glynis ergriff das Geländer und zog sich hoch. »Müssen die anderen ohne mich lernen, wie man Eiersalat mit Curry macht.«

»Igitt.«

»Gibt's irgendetwas, das dir schmeckt?«

»Eis.« Flicka schleppte sich hinter Glynis hinauf, und auf der vierten Treppenstufe schon außer Atem, warf sie einen raschen Blick zu ihrer Mutter hinunter und murmelte: »Soll ich eigentlich nicht essen, aber manchmal klau ich mir was von Heather, wenn Mama nicht guckt.«

»Ich denke immer, ich will irgendetwas. Aber dann merke ich, dass ich es doch nicht will.« Sie waren noch nicht mal auf halbem Wege oben, da ließ sich Glynis auf eine Stufe sinken. »Lass uns hier Pause machen, ja?«

Carol, die den beiden Krüppeln von der Diele aus zugesehen hatte, rief: »Ich lass euch beide mal machen, okay? Kümmere dich nicht um mich, Glynis, ich kann solange Zeitung lesen.«

»Wenigstens einer«, sagte Glynis und war froh, dass Carol nicht mit hochkommen wollte. Flicka fand ihre Mutter erdrückend und war in ihrer Gegenwart oft verschlossen und missmutig.

»Zumindest haben wir endlich eine PEG-Sonde gefunden, die wir zu Hause auswechseln können«, krächzte Flicka, nachdem sie ebenfalls auf einer Treppenstufe zusammengebrochen war. »Also muss ich jetzt nicht jedes Mal ins verdammte Krankenhaus, wenn sie kaputtgeht. Papa hat recht, in diesem bescheuerten Land wird nichts produziert, was länger als eine Woche hält.«

»Aber geht dir das nicht so, dass du dich im Krankenhaus irgendwie schon wie zu Hause fühlst?«

»Ein bisschen schon. Man gewöhnt sich eben dran, wie alles läuft. Wer von den Schwestern einem zum Beispiel die Nadel in den Arm jagt wie mit 'nem Locher. Ich spür ja nichts, aber wenn sie mir auf der Suche nach 'ner Vene 'ne halbe Stunde lang in den Arm stechen, wird's irgendwann unglaublich langweilig.

Sag mal, hast du eigentlich immer noch Angst davor? Vor den Spritzen?«

»Schreckliche Angst. Shepherd hat ja gedacht, die Phobie würde weggehen, aber wenn überhaupt, ist sie schlimmer geworden. Nach jeder Chemo muss er mir fünf Spritzen geben, um mein weißes Blutbild anzukurbeln. Ich weiß nicht, wie er das aushält. Ich kann diese Spritzen nicht mal ansehen. Ich bitte ihn, die Dinger hinter meinem Rücken vorzubereiten, und davor muss ich Lorezepam nehmen. Oder ›Marzipan‹, wie wir hier gerne sagen. Das erste Mal, also bevor ich wusste, dass ich vorher Marzipan nehmen kann, bin ich umgekippt. Ich bin so ein Weichei.«

»Dann hast du dir die falsche Krankheit ausgesucht. Hättest was nehmen sollen, wo sie einfach die Hände über dem Kopf zusammenschlagen. Irgendwas Unheilbares.«

»Mesotheliom ist unheilbar«, sagte Glynis leise. Das hatte sie so noch nie laut ausgesprochen.

Flicka wirkte verlegen. »Sorry. Ich meinte eigentlich ›nicht behandelbar‹.«

»Ist mir egal, wie du dazu sagst. Du musst mich nicht mit Samthandschuhen anfassen.« Sie hatten wieder die Treppe in Angriff genommen: einen Fuß hoch, den anderen Fuß dazu, Pause.

»Hängt's dir nicht zum Hals raus?«, fragte Flicka. »Diese Vorsicht. Dieses ganze *huh,* bloß nichts sagen, worüber Flicka sich ›aufregen‹ könnte! Bloß nichts Unsensibles zu Glynis sagen! Man wird doch behandelt wie 'n Spasti.«

»Ich glaube, Spasti darf man heutzutage nicht mehr sagen.«

»Für uns gilt das nicht. Wir dürfen alles sagen«, sagte Flicka und lächelte verschlagen, »alles, was wir wollen.«

»Ehrlich gesagt, mich stört das manchmal schon. Um Thanksgiving herum habe ich mich mit Shepherd richtig gestritten. Es ging darum, dass ich mir bei ihm *wirklich* alles erlauben kann. Das ist unmenschlich. Man wird bevormundet.«

»Stimmt … Mama gibt sich zwar alle Mühe, aber ab und zu

wird sie dann doch wütend auf mich, und irgendwie find ich das gut. Dann ist sie wie 'ne ganz normale Mutter. Nicht wie irgend 'ne verdammte Heilige.«

In ihrem Schlafzimmeruniversum legte sich Glynis in das breite Doppelbett und arrangierte ihre fünf Kopfkissen, während sich Flicka die Fernbedienung von der Matratze schnappte. »Hier sieht's wild aus, entschuldige«, sagte Glynis. Wie immer war das Zimmer übersät mit Arzneifläschchen, benutzten Gläsern und dem erstarrten Frühstück, das Shepherd ihr heute Morgen überflüssigerweise ans Bett gebracht hatte. Auf den Stühlen knäulten sich Fleecejacken und Strickjacken, und auf dem Bett lagen verschieden dicke Decken ineinander verdreht. *Nest* war das richige Wort.

Ohne zu fragen, schaltete Flicka den Fernseher aus. Sie hatte das Herrische eines Kindes, dem Erwachsene ständig alles recht zu machen versuchen. »Schon besser.«

»Fernsehen schafft die Illusion von Aktivität.«

»Quatsch, damit hab ich im Krankenhaus rumexperimentiert. Das gibt so 'ne eklige Atmosphäre, wenn man den ganzen Tag den Fernseher an hat. Stille ist besser. Da fühlt man sich nicht so schmutzig.« Indem sie halb absichtlich das Gleichgewicht verlor, ließ sich Flicka in den Sitzsack fallen, aus dem sie vermutlich schlecht wieder hochkommen würde. »Und? Hast du's allmählich satt? Mit den Leuten reden, ohne irgendwas zu erzählen zu haben?«

»Ich mag es nicht, wenn die Leute herkommen und erwarten, dass *ich sie* unterhalte.«

»Aber wenn sie dir von den geilen Sachen erzählen, die sie gerade so machen, wirst du sauer.«

Glynis zuckte mit den Achseln. »Ich weiß auch nicht, was ich will. Insofern kann mir keiner eine Freude machen – von dir abgesehen.«

»Natürlich«, sagte Flicka beiläufig. »Elend verbindet.«

»Weißt du, vor ein paar Tagen hatte ich abends eine … Episode.«

»Dann hast du ja doch was zu erzählen.«

»Geht so. Ich hab noch mit niemandem sonst darüber geredet. An diesem Abend hatte mir Shepherd – entschuldige, so was erzählt man eigentlich nicht – einen Einlauf gemacht.«

»Schon okay. Mama muss mir dauernd Einläufe machen. Bei FD ist Verstopfung das Normalste der Welt. Ich würde lieber drauf verzichten, überhaupt was zu verdauen, aber diese Lösung kommt bei mir zu Hause nicht so gut an.«

»Na ja, bei Shepherd … ich bin mir nicht sicher, ob sich Menschen so nahe kommen sollen.«

»Aber ihr seid doch verheiratet. Du musst es doch gewohnt sein, dass er dir seinen Finger irgendwo reinsteckt. Wo ist da der Unterschied?«

Glynis' Lachen verkam zu einem Husten. »Sex ist ein bisschen was anderes als ein Einlauf.«

»Das werde ich wohl kaum noch erleben.«

»Das kann man nie wissen. Gibt's denn nicht irgendwelche Jungen, die du nett findest?«

»Letztes Jahr gab's einen, der mich zu 'ner Abschlussparty in der Schule eingeladen hat. Aber er wollte wohl nur die anderen mit seinem Gutmenschentum beeindrucken. Bei seinen Eltern und Lehrern Punkte sammeln für seinen Großmut. Du glaubst ja gar nicht, wie der geguckt hat, als ich abgelehnt hab. Total geil. Ich hab keine Lust, anderen Leute die Lebensläufe zu veredeln.« Seit gut einem Jahr war Flicka nicht mehr nur sarkastisch, sondern regelrecht dreist geworden. »Aber zurück zu deiner Geschichte.«

»Tja, mit dem Einlauf hat's nicht so richtig geklappt, und … also, ich hatte schlimme Verstopfung. Die Scheiße war trocken. Fast wie Erde. Er musste sie … richtig rausgraben. Ich hab mir alle Mühe gegeben, mich nicht zu schämen, aber wenn man so überm Badewannenrand hängt, den Hintern in der Luft – na ja, man schämt sich trotzdem. Mein Mann fand mich immer schön. Wenn er mich heutzutage berührt, hat er Scheiße an den Fingern. Er ist wirklich lieb dabei, zärtlich und sachlich zugleich, aber trotzdem. Das spielte halt mit rein. Einfach grundsätzlich angewidert zu sein, von mir selbst, dass es so weit mit mir gekommen war.«

»Das war aber noch nicht die ›Episode‹.«

»Nein, die kam später. Drei Uhr morgens. Ich konnte nicht schlafen. Wir sind aufgestanden, aber ich wollte nicht auf sein. Ich wollte nicht – ich wollte überhaupt nicht da sein. Ich wollte einfach nicht mehr sein. Nach dem Einlauf habe ich bestimmt eine Stunde unter der Dusche gestanden, weil alles so gejuckt hat, aber der Ausschlag an den Schienbeinen war schon wieder wahnsinnig schlimm. Ich hatte Geschwüre im Mund und konnte kaum reden oder schlucken, nicht mal lächeln – nicht dass ich Grund dazu gehabt hätte. Ich war geschwächt und erschöpft, und mit dem ganzen Wasser in der Lunge ... Das ist, als würde man keine Luft bekommen, als würde man ertrinken ...«

»Wem sagst du das. Meine Narben von der Lungenentzündung werden immer schlimmer, und die gehen nicht mehr weg.«

»Ich ... ich wollte nur noch raus. Ich wollte so dringend raus, dass ich dachte, ich werde verrückt. Ich hatte wohl so eine Art Nervenzusammenbruch. Ich habe mich gefangen gefühlt. Es war genau wie damals, da war ich zwölf, und meine Schwestern hatten sich gegen mich verbündet. Es ging um irgendeine Mutprobe, und sie haben mich in den Keller gelockt und in einem Schrank eingesperrt. Sie haben gelacht und sind verschwunden. Kreischend. Aus irgendeinem Grund waren meine Eltern nicht da oder haben mich nicht hören können. Ich hab so laut geschrien, dass mir die Stimme wegblieb. Ich hatte blaue Flecken an den Ellenbogen und Knien, so sehr hab ich gegen das Holz gehämmert. Durch die Tür kam wohl genug Luft rein, dass ich nicht in Gefahr war, zu ersticken. Aber zu der Zeit war ich überzeugt, dass ich keine Luft mehr bekomme. Ich saß mehrere Stunden eingesperrt in diesem Schrank. Ich habe heute noch Albträume davon.«

»Was war es denn, wo du rauswolltest, an dem Abend?«, fragte Flicka, aber so, als wenn ihr die Antwort klar wäre.

»Aus … aus mir selbst. Aus allem. Peinlicherweise muss ich hysterisch geworden sein. Ich habe geschrien: ›Ich will hier raus!‹ Du weißt schon. ›Lasst mich hier raus, ich will raus!‹«

Glynis' Imitation ihrer selbst war absichtlich schwach. Ihre Erinnerung war besser, als sie vorgab. Sie hatte Shepherd blutig gekratzt, als er sie festhalten wollte. Die Kratzwunden waren noch nicht verheilt; ihre Fingernägel waren jetzt lockerer. Trotz ihres Keuchens hatte sie irgendwie hyperventiliert, und dadurch war ihr auch noch schwindlig geworden. Da Shepherd alles wieder aufgeräumt hatte, war sie sich nicht sicher, ob nicht auch Gegenstände zu Bruch gegangen waren.

»Shepherd hat sich total erschrocken«, gab sie zu. »Er hatte Angst, dass ich mich verletze, so wie ich mich hier im Schlafzimmer hin und her geworfen habe. Irgendwann hat er mich runtergedrückt und mir ein Marzipan in den Rachen geschoben, an dem ich fast erstickt wäre.«

Flicka wirkte wenig beeindruckt. »Dazu noch ein bisschen Gewürge, und das, was du da beschreibst, ist so ziemlich das Gleiche wie ein FD-Anfall. Aber wenn du ›raus willst‹, Glyn – gibt's nur einen Weg.«

»Das ist nicht wahr«, erwiderte sie aufsässig. »Ich habe nur noch sechs Mal Chemo, das ist alles. Meine CTs könnten ein bisschen besser sein« – die kaum merkliche Pause diente der Überlegung, dass sie log; seit dem schlechten Ergebnis im September hatte Glynis ihren Mann und den Arzt angewiesen, alle weiteren Ergebnisse für sich zu behalten –, »aber wir können die Krankheit immer noch in den Griff kriegen. Es ist ein Ende abzusehen. Ich kann wirklich geheilt werden. Das ist doch der Punkt.«

Flicka zog die Augenbrauen hoch, und dass sie welche hatte, machte Glynis neidisch. Flickas Miene war nachsichtig. »Klar. Und das glaubst du auch noch.«

»Woran soll ich denn sonst glauben?«

»An die saubere Lösung. Ich weiß nicht, ob die so schlimm ist.«

»So kannst du doch nicht denken.«

»Kann ich wohl«, entgegnete Flicka, »und tu ich auch.«

»Ich verstehe ja, dass man schwarze Momente hat. Das war ja, was ich dir geschildert habe. Aber man muss doch durchhalten.«

»Das sagen sie einem immer.«

»Was meinst du damit?«

»Noch ein Jahr, dann bin ich volljährig. Dann kann ich machen, was ich will.«

»Ist das eine Drohung?«

»Eher ein Versprechen. Ich hab's satt, hier zu bleiben, nur um anderen einen Gefallen zu tun.«

»Ich tu auch niemandem einen Gefallen, indem ich bleibe«, sagte Glynis leise. »Ich ruiniere das Leben meines Mannes.«

»Das nehm ich dir nicht ab. Du bist jetzt Sheps Sinn des Lebens, der einzige Grund für ihn, morgens aufzustehen. Ist doch klar. Ist nicht so viel anders als mit meinem Vater.«

»Shepherd würde lieber auf irgendeiner gottverlassenen Insel leben.«

»Pemba ist keine gottverlassene Insel. Er hat mir mal Fotos gezeigt. Da gibt's einen Regenwald und so was. Eigentlich ganz cool.«

Glynis kämpfte gegen die Wut. Was dachte sich Shepherd dabei, diesem armen Mädchen pornobildmäßig Fotos von einer Insel vor die Nase zu halten, die sie niemals besuchen würde.

»Aber ich finde trotzdem ...«, sagte Flicka. »Na ja, irgendwann reicht's dann einfach.«

»An dem Punkt bin ich noch nicht.«

Flicka zuckte mit den Achseln. »Das musst du selbst wissen.«

»Ich kann immer noch gesund werden. An manchen Tagen spür ich's – ich fühle mich besser.«

Die Miene des Mädchens erinnerte Glynis an ihren Schwiegervater. Sie hatte etwas *Pastorenhaftes*.

»Bei mir jedenfalls ...«, sagte Flicka, womit sie das vorhergehende Thema unter hoffnungslos verbuchte. »Ich hab so ein

Video gedreht, für einen Film für eine Spendenaktion. Für die Stiftung, für FD-Forschung.«

»Sehr ehrenwert von dir.«

Flicka lachte laut auf, und ein Rinnsal Spucke tropfte an ihrem Kinn herunter. »Nicht wirklich, wie ich gemerkt habe. Wir waren alle zur Premiere eingeladen. Mich hatten sie rausgeschnitten.«

»Wieso haben sie deinen Videoclip nicht benutzt? Gab es eine Erklärung?«

»Klar. Der Vorsitzende der Stiftung sagte, so total zerknirscht, dass ich wohl nicht die richtige positive Einstellung hätte.«

»Das hast du doch bestimmt als Kompliment aufgefasst.«

»Schon möglich. Aber das war nicht der echte Grund. Auf dem Empfang danach hab ich zufällig mitbekommen, wie sich der Typ mit einem der Aufsichtsräte unterhalten hat. Dass es so schwierig ist, für die Geldgeber den ›richtigen Ton‹ zu treffen. Dass die Kinder sowohl ›krank genug‹ als auch ›süß genug‹ sein müssen. Das soll einer kapieren. Denn krank genug« – sie hustete – »bin ich definitiv.«

»Ich finde dich schon süß.«

»Lass mal. Ich hab zwar Probleme mit meiner Hornhaut, aber ich bin nicht blind.« Auch ohne Zigarette hatte Flicka eine abschnipsende Art. »Und sonst so? Irgendwas ist mit meinen Eltern. Die fassen sich nicht mehr an. Die streiten sich auch nicht mehr, was ein schlechtes Zeichen ist, ob man's glaubt oder nicht. Ich könnte mir vorstellen, dass sie an Scheidung denken.«

»Oh nein! Das kann ich nicht glauben!«

»Wir werden sehen. Vielleicht beiben sie ja meinetwegen zusammen. Aber dieses Gefühl – als wären sie zwei Hausgäste, weißt du, die im Flur aneinander vorbeigehen. Ich glaube, das ist mit ein Grund, warum Heather so unfassbar fett geworden ist.«

»Das ist schade. Sie ist ein hübsches kleines Mädchen.«

»Hübsch vielleicht schon, aber bestimmt nicht klein. Ihre ganzen Freunde nehmen Psychopharmaka und krampflösende Mittel und Ritalin und so Zeug, und die sind auch alle zu fett.

Also behauptet sie, dass sie wegen ihres ›Cortomalaphrin‹ so zugelegt hätte.«

»Wozu nimmt sie das denn?«

»Es sind eigentlich nur Zuckertabletten, ein ›Medikament‹, das sich meine Eltern ausgedacht haben, damit sie das Gefühl hat, was Besonderes zu sein. Das geht schon seit Jahren so, obwohl ich's auch erst seit ein paar Wochen weiß. Ich hab zufällig mitbekommen, wie sich mein Vater bei Mama beschwert hat, wieso sie sich die Mühe machen, jedes Mal wieder mit 'nem ›Rezept‹ in die Apotheke zu laufen und zehn Doller zu zahlen, wo sie das Fläschchen doch einfach mit M&M's auffüllen könnten. Ich hab ihn gefragt, was er damit meint, und er hat mir alles erzählt. Ich hab mich echt weggeschmissen. Aber diese Nummer mit den ›Nebenwirkungen‹, auf denen Heather so rumreitet, wo die echten ›Nebenwirkungen‹ einfach nur von zu viel Häagen Dazs kommen … irgendwann hatte ich dann doch die Schnauze voll. Dann hab ich mich wohl … ein bisschen daneben benommen.« Flicka lächelte listig.

»Du hast es ihr erzählt.«

»Genau. Erst wollte sie mir nicht glauben, bis ich die ganze Flasche ›Cortomalaphrin‹ zerstoßen, mit Wasser vermischt und durch meine PEG-Sonde gegossen habe. Ist nichts passiert. Es musste mich keiner wegen 'ner Überdosis in die Notaufnahme karren. Nachdem sie's dann kapiert hatte – Mann, war die sauer.«

»Das war aber ganz schön gemein«, sagte Glynis.

»Stimmt«, sagte Flicka leichthin. »Aber weißt du, viel Spaß hab ja ich nicht im Leben.«

»Und, was haben deine Eltern gemacht?«

»Sie mussten ihr ein echtes Medikament besorgen, ein Antidepressivum – und bei diesem steifen, superhöflichen Getue bei uns zu Hause, nach dem Motto *Jackson, Schatz, würdest du mir bitte den Salat reichen,* braucht sie vielleicht wirklich Zoloft. Davon nimmt man echt dann zu. In den letzten paar Monaten hat sie bestimmt noch mal zweieinhalb Kilo zugelegt.«

»Du solltest mal fragen, ob du dir ein paar ausborgen kannst.«

»Stimmt, du auch.«

»Und, hast du in letzter Zeit ein paar neue Exemplare für deine Handysammlung gefunden?« Schon bei der Vorstellung, uralte Exemplare einer Technologie zu sammeln, die für ihre Begriffe eine hochmoderne Innovation darstellte, fühlte sich Glynis alt.

»Ich hab einen echten Knochen von 2001«, sagte Flicka, stolz wie ein Antiquitätenhändler, der einen echten Louis-quatorze an Land gezogen hat. »Total eckig und schwer und megagroß. Wenn man bei mir an der Schule mit so was auftauchen würde, würden sich die Leute totlachen. Und was ist mit dir, wann ist deine nächste Chemo?«

Ach ja, das waren noch Zeiten, als Gäste fragten: »Und, woran arbeitest du gerade?« oder »Wann ist eure nächste Auslandsreise?«

»Nächste Woche«, sagte Glynis. »Deswegen döse ich dir auch gerade nicht weg. Die letzte ist schon ein paar Wochen her. Aber sie machen's nur, wenn mein Blutbild besser ist als negativ Null.«

»Die Chemo – du hast mir nie davon erzählt. Wie ist das eigentlich?«

Erstaunlicherweise fragten die Wenigsten danach. »Chemo« war zu einer solchen Standardabkürzung geworden für Leute in Glynis' Alter, dass jeder davon ausging, ohnehin schon zu wissen, wie es war. Dabei wusste man es eben nicht.

»Na ja, manche kommen allein, und andere bringen jemanden mit. Ich zum Beispiel bin ja nicht so gesellig –«

»Große Überraschung.«

»Alle halten mich für reserviert und schnöselig.«

»Bist du ja auch.«

Verblüffend, was sich Glynis bieten ließ von dieser vorlauten, verkümmerten Siebzehnjährigen; bei niemand anderem hätte sie so etwas geduldet. »Das kannst du mir ja wohl kaum vorwerfen. Wenn die da rumschreien und damit prahlen, wie viel sie kotzen müssen oder was sie nach der letzten Behandlung für einen tollen bunten Ausschlag bekommen haben ... da brech ich lieber alleine zusammen.«

»Ich halte mich auch nicht gern in der Nähe anderer FD-Kinder auf«, sagte Flicka und wischte sich routiniert mit dem Schweißband an ihrem Handgelenk den Speichel weg. »Geht uns aber allen so. Das Sommerlager ist ja noch okay, aber in der Selbsthilfegruppe war es am Ende so, dass fast niemand mehr gekommen ist. Die Eltern treffen sich noch. Aber wir, die ganzen Freaks, haben uns ausgeklinkt.«

»Das wundert mich eigentlich. Es gibt doch nur so wenige von euch. Wollt ihr denn nicht mal Erfahrungen austauschen?«

»Würdest du an meiner Stelle in den Spiegel gucken wollen? Wenn nur ich es bin, kann ich's irgendwie ausblenden. Ich kann nicht so toll laufen, aber irgendwann komm ich schon ans Ziel. Dann seh ich diese ganzen anderen Kinder, und die sehen total spastisch aus. Dann wird mir klar, dass ich genauso spastisch aussehe. Kann ich drauf verzichten.«

»Damit du nicht denkst, ich sei nicht gesellschaftsfähig, vor meiner letzten Chemo habe ich mich im Warteraum mit jemandem unterhalten, weil ich zufällig mitbekommen hatte, dass derjenige auch ein Mesotheliom hat, und das ist genauso wie FD: Wir sind nicht viele. Irgendein Bauunternehmer, der wahrscheinlich mit Asbest gearbeitet hat. Wie sich herausstellte, *ist er immer noch berufstätig*. Das konnte ich kaum glauben. Ich krieg's während der Chemo nicht mal hin, die Küchentheke abzuwischen, und er baut Mauern. Aber er kann nicht aufhören. Er muss wegen der Versicherung weiterarbeiten.«

»Na, da haben wir aber Glück. Shep und meine Mutter machen total beschissene Jobs, damit du und ich stilvoll zu Tode gequält werden.«

Seit Beginn dieser Horrorshow hatte Flicka bei Glynis eigenartige geständnishafte Ergüsse ausgelöst. Aber selbst die hatten ihre Grenzen. Es käme nicht infrage, diesem Teenager zu erklären, dass Sheps »beschissener Job« Teil seiner Strafe war. Für Pemba, dafür, dass er Nach-Nachher plante, in dem seine

Frau keine Rolle mehr spielen würde, und dafür, dass sie Krebs hatte.

»Jedenfalls«, sagte Glynis, um wieder auf das Thema zurückzukommen, »begleitet mich meistens Nancy, unsere Nachbarin, die mir früher auf die Nerven ging und die ich inzwischen vergöttere. Erst entspannen wir ein bisschen im Warteraum und gucken uns die Kopfbedeckungen an; die meisten Frauen tragen Kopftücher wie Babuschkas, man ist wie in einer Zeitschleife, zurück ins Schtetl. Die Männer sind da kreativer – Pork-Pie-Hüte, Baseballkappen, manchmal ein schicker Filzhut. Es gibt einen, der kommt immer in einem großen Cowboyhut mit Silbersternen. Bevor wir losfahren, nehme ich immer Aprepitant, das Marzipan versuche ich schon eine halbe Stunde vorher zu nehmen. Ach ja, und beim Warten werfe ich mir sicher noch eine Handvoll Pillen ein. Dieses Ledertäschchen, weißt du, das mir deine Mutter für meine Medikamente geschenkt hat, ist super. Vorher habe ich aus dem Tiefkühlbeutel gelebt. Andere Besucher tauchen mit Duftkerzen auf, von denen ich würgen muss. Aber deine Mutter hat einfach ein Händchen für Geschenke.«

»Ja, wenn's um medizinische Sachen geht, ist sie ziemlich cool.«

»Ach ja, und dann läuft immer so ein irre lustiger Wettbewerb, wer die guten Sessel bekommt. Es gibt da ganz viele bequeme Sessel, wie Fernsehsessel, mit kleinen Trennwänden, die einem Privatsphäre vorgaukeln sollen. Man will immer ein bisschen früher da sein, um einen der Sessel am Fenster abzugreifen, mit Blick auf den Hudson. Wobei ich kaum glaube, dass E.M. Forster an die Colombia-Presbyterian-Klinik gedacht hat, als er *Fenster mit Aussicht* schrieb.«

»Sorry, aber ich kann dir gerade nicht folgen.«

»Ja, das hat man davon, wenn man einem Kind sein Herz ausschüttet.« Flicka machte ein finsteres Gesicht. Für ihre Begriffe war sie kein Kind mehr.

»Das heißt, wenn ich schnell bin, kriege ich meinen Premiumplatz in der ersten Reihe. Und ob du's glaubst oder nicht, es kommt dann jemand mit einem Getränkewägelchen vorbei, genau wie im Yankee Stadium. Man soll eben andauernd trinken, aber ich lass mich nicht rumkommandieren. Ich hab's satt, jedes Mal, wenn ich pinkeln muss, den Tropf bis zur Toilette hinter mir herzuschleppen. Dann wird mein rechter Arm in warmem Wasser eingeweicht, was zu meiner Zeit beim Zelten ein Trick war, um jemanden im Schlaf dazu zu bringen, sich in die Hose zu machen. Wenn ich dann endlich den Verband um den Arm gelegt bekomme, ist mir schon schwummrig, selbst mit Marzipan. Es ist nicht mal so, dass die Spritze so wehtut; es ist allein die Vorstellung. Also hält mir Nancy immer die andere Hand, und ich muss ihr die ganze Zeit in die Augen sehen, während die Schwester nach einer Vene tastet, und sie erzählt mir lauter grausige Kochrezepte … mit Götterspeise und Puddingpulver und Birnen aus der Dose! Ich glaube, inzwischen weiß sie, dass ich die Vorstellung, mit Kartoffelbrei-Fertigpulver zu kochen, widerlich finde, und sie versucht, sich die allerschrecklichsten Gerichte auszudenken. Die lenken mich ab. Dann, nach dem Glukoserausch … Tja, das ist surreal.«

»Wie, ›surreal‹?«

»Eine Krankenschwester bringt die Chemo in so einer Art Schulranzen – in schulbusgelb. Nur statt eines Bildes von Daffy Duck steht auf beiden Seiten eine Warnung in fetten Großbuchstaben, ZYTOTOXISCH, will heißen, *Komm nicht mal in die Nähe von diesem Zeug, sonst bist du sofort tot.* Und das stimmt. Und wir sitzen ruhig da, während sie die Tüte an unseren Tropf anschließen. Wir blättern in Zeitschriften oder schauen auf den kleinen Fernseher an unserem Sessel, während dieser giftige Dreck stundenlang in unseren Arm tropft. Die Schwestern rennen von Sessel zu Sessel und verteilen Pillen wie Bonbons – alles gegen die Nebenwirkungen von dem Dreck. Währenddessen kommt ein leises, regelmäßiges Geräusch aus dem Tropf, *kowakak, kowakak …* Ich schlaf davon immer ein. Wir lassen uns alle den Schierlingsbecher spritzen, folgsam wie Schafe, wie die Juden in der Schlange vor den Duschen. Ist das etwa nicht surreal? Jedes Mal, wenn ich da bin, denk ich sofort an ... das hab ich noch keinem erzählt; es ist zu abgefahren. Aber hast du schon mal *Raumschiff Enterprise* geguckt?

»Jetzt komm mal runter. Ich hör vielleicht keine Platten mehr, aber *Raumschiff Enterprise* ist mir immerhin ein Begriff. Papa und ich finden's geil, Mama findet's blöd.«

»Es soll blöd sein! Deine Mutter muss mal ein bisschen locker werden.«

»Sag bloß.«

»Auf jeden Fall gibt's da diese eine Episode, irgendwas mit einem Planeten, auf dem der Krieg aufhört, weil sich beim Waffenstillstand auf beiden Seiten eine Unmenge Leute finden, die sich bereit erklären, nach einem regulären Zeitplan in eine Kammer zu gehen und sich freiwillig einschläfern zu lassen. Es läuft alles ganz manierlich ab; weißt du, *Raumschiff Enterprise* spielt immer wahnsinnig gern auf die Nazis an. Und dann taucht Captain Kirk auf und macht das Ganze zunichte, indem er eine seiner langatmigen, emphatischen Reden hält, dass sie jetzt wieder dazu übergehen müssten, sich auf herkömmliche Weise umzubringen oder Frieden zu schließen. Jedes Mal, wenn ich in die Klinik fahre, stelle ich mir vor, wie Captain Kirk in die Onkologie platzt und sieht, wie sich auf diesem irren Planeten die Leute wie die Lemminge Strychnin in die Adern pumpen lassen. Ich sehe ihn, selbstgerecht und völlig entsetzt, wie er hektisch den Leuten die Spritzen aus dem Arm reißt. Wie er eine donnernde, selbstgerechte Rede darüber hält, wie barbarisch das sei und dass man eine Krankheit doch nicht mit Gift bekämpfen könne. Ich bin wirklich überzeugt, dass man irgendwann genau so auf die Chemotherapie zurückblicken wird, wie wir heute auf Aderlass und Blutegel zurückblicken.«

Die Tür bewegte sich, und Carol schaute ins Zimmer. »Ich weiß nicht, wer von euch beiden unartiger ist, aber ihr laugt euch gegenseitig aus.«

Glynis bat Carol herein, wobei sie als gesunder Mensch ein Fremdkörper war, aus einem anderen Land mit eigentümlichen Bräuchen, deren Bewohner betrügerische übermenschliche Kräfte besaßen; die Gesprächsdynamik wirkte bald gezwungen. Glynis spielte mit dem Gedanken, Carol zur Seite zu nehmen und zu fragen, was mit ihrer Ehe los sei, bis ihr aufging, dass es ihr egal war. Sie war plötzlich so abgrundtief müde, dass sie Flecken vor den Augen hatte und das Schlafzimmer um sie herum immer enger wurde; nichts und niemand kümmerte sie jetzt noch, nicht mal Flicka. Also teilte sie stattdessen in Kurzform mit, dass sie nächste Woche wieder einen neuen Chemiecocktail ausprobieren werde, und Carol tat ermutigt.

»Das klappt nicht«, lallte Flicka auf dem Weg hinaus, »es gibt sowieso wieder Blutegel.«

Vielleicht waren es die Blutegel, aber als die Gäste gegangen waren und sie sich von der Tür abwandte, musste Glynis daran denken, wie sich kurz nach ihrem Umzug nach New York, noch vor Shepherds Zeit, in der Küche ihrer winzigen Wohnung in dem Haus in Brooklyn ein Kakerlakenproblem entwickelt hatte. Natürlich mochte sie keine Kakerlaken, aber statt sie zu bekämpfen, sich an die Mühen der Vernichtung mit Insektenfallen und Borsäure zu machen, hatte sie *weggeschaut*. Zwischen dem Küchenschrank und der Wand, wo sie die Papiertüten aus dem Supermarkt aufbewahrte, befand sich ein Riss, und es dauerte nicht lange, da begannen sich die Tüten von selbst zu bewegen. Sie wusste auf abstrakte Weise, dass sich dort das Nest befand, und konnte nicht umhin, sie beim Frühstückmachen leise rascheln zu hören. Aber sie hatte sich darin geschult, beim Betreten des Raums den Blick geradeaus zu richten und mit sorgsam geneigtem Kopf um die Spüle und den Kühlschrank herumzugehen, damit die Stelle mit den Papiertüten am verschwommenen Rand ihres Sichtfelds blieb. Irgendwann wurde das Nest so groß, dass es einen dunklen Fleck an der Wand bildete, aber solange sie den Fleck nicht direkt ansah, stellte er sich nicht als wimmelnde Menge widerlicher, einzelner, haufenweise übereinanderkrabbelnder Insekten dar, sondern blieb ein Schatten.

Das Gefühl, das sie jetzt hatte, war identisch und hatte sie seit ihrer Diagnose immer wieder heimgesucht. Da war ein dunkler Fleck, ein Schatten, den sie nicht direkt fixieren wollte, und indem sie ihr geistiges Auge auf andere Dinge richtete, egal, auf was, nur nicht auf diese wimmelnde Ecke, war sie die meiste Zeit in der Lage, das Bild als optische Täuschung abzutun. Aber ähnlich wie bei den Kakerlaken wurde der Fleck immer schwärzer und größer, je länger sie ihn ignorierte, und desto größer wurde der Bogen, den sie im Kopf um ihn herummachen musste. An Abenden wie diesem raschelte er leise wie Tausende Beinchen hinter braunem Papier.

Kapitel 16

Aus den Umständen hätte man lernen können, dass Sex nicht alles war. Beim Verlust des Augenlichts zum Beispiel wurden doch angeblich alle anderen Sinne geschärft, sodass Blinde zur Kompensation ein übermenschliches Gehör und eine geradezu unheimliche taktile Sensibilität entwickelten. Analog dazu hätte auch die sexuelle Enthaltsamkeit das ganze phantasmagorische Füllhorn all jener anderen Freuden des Lebens nur intensivieren müssen.

Doch indem er sich in säuerlicher Stimmung den überspannten Ausdruck *phantasmagorisches Füllhorn all jener anderen Freuden des Lebens* ausdachte, fielen Jackson keine ein. Welche Freuden? Er hasste seinen Job. Sein vermeintlich »bester Freund« war inzwischen genau der Mann auf der Welt, dem er am dringendsten aus dem Weg gehen wollte. Der Gleichgewichtssinn seiner ältesten Tochter hatte sich so drastisch verschlechtert, dass sie bald im Rollstuhl sitzen würde. An sein jüngeres Kind kam er aufgrund von dessen Schutzbarriere aus Fett und Fast Food kaum heran, wobei er sich beim Durchdringen der stumpfen, aufgedunsenen Fassade seiner Zwölfjährigen ohnehin nur ihren Zorn zugezogen hätte, nachdem sie jahrelang mit »Cortomalaphrine« für dumm verkauft worden war und sich selbst standhaft geweigert hatte, das Wort *Placebo* nachzuschlagen. Und seine Frau, so nah und doch wie hinter Glas, lebte im Grunde in einem Paralleluniversum; er stellte sich vor, dass dieses Gefühl, zu winken, zu rufen und auf und ab zu springen, während man offenbar weder gesehen noch gehört wurde, so ähnlich sein musste, als wäre man tot. Er lebte nicht mehr mit einer Ehefrau zusammen; er war nur noch ihr Quälgeist. Mit der Entnervtheit einer überzeugten Rationalistin, die sich dem unsichtbaren Treiben des Paranormalen stellen musste, schien sie gelegentlich zu entdecken, dass ein Sandwich verzehrt oder ein Sockenpaar getragen worden war.

Hinzu kam, dass jedes Plakat für Haarcolorationen, jede Fernsehreklame für Schokolade, jeder nicht-jugendfreie Spätabendfilm und jede Zote im Büro dafür warben, dass, ganz im Gegenteil, Sex *doch* alles war. Da seine Versorgung plötzlich auf Diät gesetzt war, da er ohne leben musste, sah Jackson wirklich erst jetzt, wie ausgesprochen wichtig Sex war. Er musste nicht nur auf die Aktivität an sich verzichten, bei der der runde Stift in das runde Loch gesteckt wurde, sondern auch auf all die schattigen Blicke und versehentlichen Berührungen, das Flüstern, Lachen und Lächeln, das mädchenhafte Zurückschieben einer rötlichen Strähne hinters Ohr oder auf zwei zarte Finger auf seinem Unterarm, die ihm einst den Tag elektrisiert hatten. Also vermisste er weniger die Sache an sich als die Energie, die alles andere antrieb; Sex war nicht das Ziel, sondern der Treibstoff. Mit leerem Tank hatte Jackson keine Freude am Essen, wodurch er unweigerlich mehr aß. Alkohol löste kein Hochgefühl mehr aus, sondern machte ihn reizbar; stets hoffnungsvoll, dass ein weiteres Bier ihn in die großspurige Stimmung von einst zurückversetzen werde, trank er auch mehr. Gequält und ausgehöhlt, wie er war, dachte Jackson zu selten darüber nach, dass auch Carol auf Diät gesetzt worden war, dass auch Carol der Sprit ausgegangen war, dass Carol aufgrund einer fatalen Mischung aus seiner Dummheit und ihrem anhaltenden Unmut ja selbst ohne Sex leben musste.

Inzwischen lösten die dräuenden Kreditkartenschulden das seltsame Gefühl in ihm aus, verfolgt zu werden. Wenn er durch die Straßen ging, sah Jackson aus dem Augenwinkel eine Gestalt oder hörte hinter sich ein Rascheln im Gebüsch, fühlte sich gejagt von einer flüchtigen Gestalt, die sich, sobald er sie ins Visier nahm, als ein Zweig im Wind oder der Nachbarshund entpuppte. Dennoch war die Gestalt stets in seiner Nähe. Mit den Schulden war es weitaus schlimmer, als Carol je hätte ahnen können. In einem vorgeblich großzügigen Versuch, beim Bürokram mitzuhelfen, hatte er die Haushaltskasse übernommen, da Carol sämtliche Krankenversicherungsforderungen regelte. Um ihre Besorgnis angesichts der Unmenge Plastikkarten zu zerstreuen, ließ er sich die Rechnungen einiger Karten ins Büro schicken; drei weitere waren papierlos, und er zahlte das Minimum jeweils online. Er fragte sich, ob das damit einhergehende Gefühl der Krankhaftigkeit und drohenden Katastrophe vielleicht in irgendeiner Weise Glynis' Erfahrung mit dem Krebs widerspiegelte. Er wollte keineswegs schmälern, was Glynis durchmachen musste, aber es schien ein Zusammenhang zu bestehen; Jackson hatte finanziellen Krebs. Das heißt, selbst wenn er an etwas ganz anderes dachte, nagte etwas Falsches und Böses auf ähnliche Weise an ihm, wie etwas Falsches und Böses an Glynis nagte, wenn sie sich gelegentlich bei ihren verflixten Kochsendungen auf eine der Speisen konzentrieren konnte, die sie niemals zubereiten würde. Eine tödliche Krankheit war die Insolvenz des Körpers. Glynis und Jackson lebten beide mit der Angst vor jenem ungenannten bevorstehenden Tag, wenn der Geldeintreiber an die Tür klopft und nach ihrem Pfund Fleisch verlangt.

Ähnlich wie man mit dem Rauchen anfängt, wenn man ohnehin die denkbar schwerste Krankheit hat ... Ähnlich wie junge Mädchen jedwede Verhütung in den Wind schlagen, weil sie ohnehin schon schwanger sind ... Ähnlich wie sich die krankhaft Fettleibigen sagen, was soll's, jetzt wiege ich schon dreihundert Kilo, die ich nie wieder abnehmen werde, warum nicht noch ein

Stück Kokostorte essen, wenn ich Lust drauf habe ... war Jackson in ein so tiefes finanzielles Loch gefallen, dass es an keinem Punkt mehr eine Rolle zu spielen schien, ob er das Loch noch einen Teelöffel tiefer aushob. Außerdem schien er in eine Feedback-Schlaufe geraten zu sein: Die Schulden machten ihm ein schlechtes Gewissen. Und indem er seine eigene Zukunft, die Zukunft seiner Frau und die Zukunft seiner Kinder in Gefahr brachte, war es ja *richtig*, dass er ein schlechtes Gewissen hatte, und um sich zu geißeln, ließ er seinen Schuldenberg noch mehr anwachsen. Mal beim Hunderennen, mal mit einem Zeitschriftenabonnement oder einem Oberteil von L.L. Bean, auf das er genauso gut hätte verzichten können; tatsächlich entdeckte Jackson mit großer Faszination, wie viel Geld man tatsächlich durchbringen konnte, ohne nennenswerte Verbesserungen in seinem Leben herbeizuführen oder irgendetwas Sinnvolles zu erwerben. Dieses Ersatzprassen wurde zu einem Spiel, einem kleinen Zeitvertrieb in Sachen Selbstquälerei, und er hatte eine perverse Freude an der Feststellung, dass man sein gesamtes Geld für nichts und wieder nichts verbraten konnte, *ohne dass einen jemand davon abhielt*. In einem halluzinatorischen Anfall fehlgeleiteter Frömmigkeit hatte er tatsächlich auf einer Website seine Kontonummer und Sozialversicherungsnummer eingeben und im Wert von vierzehntausend Dollar zehn abscheuliche Plastikleuchter kaufen können, und sie wären direkt von seinem Konto abgebucht worden.

Sicher, das Haus wollte er nicht verlieren. Nicht nur war das Hypothekendarlehen noch offen; auch die ursprüngliche Hypothek war noch nicht abbezahlt. Doch die Vorstellung einer Zwangsvollstreckung war für ihn völlig abstrakt. Sie lebten in dem Haus. Er kehrte jeden Tag in das Haus zurück. Er hatte einen Schlüssel zu dem Haus. Seine Sachen hingen in den Kleiderschränken; die Lebensmittel für ihr Frühstück waren in der Küche gebunkert; seine Post wurde jeden Tag an die entsprechende Adresse geliefert. Die schiere Dreidimensionalität des Hauses, die große haptische Qualität und das Den-Großteilseines-Ehelebens-hier-geschlafen-Habende machten ihm die Aussicht auf Enteignung unbegreiflich, und was er nicht begreifen konnte, konnte auch nicht passieren.

Gelegentlich dachte Jackson mit Bitterkeit zurück an die frühen Tage bei Allrounder, als er und Shep Seite an Seite draußen die Jobs gemacht hatten – als das Unternehmen im Grunde eine Zweimannfirma gewesen war, die zwar gelegentlich auch gelernte Klempner oder Elektriker unter Vertrag genommen hatte, aber sonst de facto eine Partnerschaft gewesen war. Beim Verkauf hätte Shep also eigentlich mit ihm Hälfte-Hälfte machen müssen. Shep hätte ihn auf dem Papier zu dem machen müssen, was er in der Praxis war. Dann wäre die Firma für diese lässige Million über den Ladentisch gegangen, und er hätte jetzt fünfhundert Mille, die ihn schmerzfrei über sein Rechnungsmeer getragen hätten. Oder aber er hätte ein Machtwort sprechen und sich weigern müssen, eine hastig aufgesetzte Übereinkunft zu unterschreiben, damit Shep sich sinnloserweise auf irgendeinen Misthaufen in der Dritten Welt absetzen konnte. Er hätte den Kerl ja unter Druck setzen können, damit er zugab, dass Pemba, genau wie die vielen willkürlichen Vorgänger, ein Hirngespinst war, das Shep im wahren Leben niemals in die Tat umsetzen würde. Dann wären sie nämlich die Chefs eines blühenden Online-Unternehmens, das viermal so viel wert war wie der Verkaufspreis von 1996, und nicht Randy Pogatchnik wäre reich, sondern Jackson Burdina.

Im Februar in seiner Wabe kauernd, nahm Jackson erbittert zur Kenntnis, dass es, ausgerechnet, Valentinstag war. Kurzzeitig kam ihm tatsächlich in den Sinn, dass er losziehen und Carol ein letztes Mal um Gnade ersuchen könnte, ähnlich wie die vielen früheren, spektakulär gescheiterten Gnadenersuche. Aber er sah sie schon vor sich: ein Dutzend Rosen, die hastig in ein Gurkenglas gestopft wurden. Eine Packung Pralinen, gedankenlos auf ein Regal geschoben, begleitet von der Bemerkung, nur ja vor Heather nichts davon zu sagen. Nicht mal ein trockener Wangenkuss, sondern ein förmliches »Ach, danke, Jackson, das ist aber lieb von dir«, in ähnlich kühlem Tonfall, in dem seine Frau unliebsame Telefonwerber abzuwimmeln pflegte. Im Grunde hatte seine Frau ihn selbst, ihren eigenen Ehemann, abgewimmelt, und somit war essbare Reizwäsche komplett aus dem Rennen.

Hatte er selbst denn gar kein Valentinsgeschenk verdient? Und warum sollte er sich lediglich ein weiteres Holzfällerhemd gönnen und sich nicht noch ein bisschen mehr verschulden, um sich etwas zu sichern, das er wirklich brauchte?

Jackson hatte so etwas noch nie getan, aber wo Pogatchnik gerade nicht im Haus war, Shep mal wieder unerlaubt freimachte und seine Leute auf die tropfenden Wasserhähne dreier New Yorker Bezirke verteilt waren, gab er die Begriffe »Escortservice« und »Brooklyn NY« in seine Suchmaschine ein.

AUCH WENN SEIN Puls raste, war es eigenartig banal, seinen neuesten Kreditkartenkauf in einem Starbucks auf der 5th Avenue zu treffen. Das Mädchen auf dem Foto, das er sich im Internet ausgesucht hatte, hatte langes rotbraunes Haar, einen üppigen Busen und einen entrückten Blick gehabt, der eigentlich ein Stimmungskiller gewesen wäre, doch er vermisste die Katz-und-Maus-Spiele, bei denen damals seine Frau nie ganz zu fassen gewesen war, und außerdem wollte er wenigstens ein bisschen was für sein Vergnügen tun müssen. Er nahm sich einen Moment, um einen Blick über die anderen Gäste zu werfen, die neben abgestandenen Cappuccinos auf ihre Laptops einhackten, und erkannte endlich sein persönliches Valentinstags-Geschenk, weil sie aus dem engen roten Top quoll, das sie ihm am Telefon beschrieben hatte. Streng genommen sah sie ihn zuerst und winkte ihm fröhlich zu; zweifellos war sein Kalte-Füße-Blick – der rasche Blick zur Tür, durch die er vielleicht noch heimlich, schnell und leise das Weite suchen könnte – ein Blick, den »Caprice« (oder wie immer sie hieß) schon aus Erfahrung kannte.

»Sorry«, sagte Jackson, zog einen Stuhl heran und bereute es sofort, da er eigentlich nichts wie raus und die Sache hinter sich bringen wollte. »Du bist nicht das Mädchen auf dem Bild.«

»Ach, Süßer, das sind wir nie«, sagte sie lachend. »Keine Ahnung, was das für Fotos sind. Und, willst du einen Kaffee?«

Eher einen doppelten Bourbon. Dennoch ließ sich Jackson einen Kaffee bestellen, damit er einen Blick auf sie werfen konnte, wobei er einen Moment brauchte, bis er begriff, dass sie deshalb mit hochgezogenen Augenbrauen neben ihm stand, weil sie Geld wollte; er hatte nur einen Zehner. Während sie in der Schlange wartete, stellte er fest, dass sie keine schlechte Figur hatte, abgesehen von dem etwas fetten Hintern. Er hatte sich eine der kostspieligeren Seiten ausgesucht, also war sie zumindest nicht aufgedonnert, sondern trug ein stilvolles, figurbetonendes schwarzes Kostüm. Er ärgerte sich zwar, dass sie nicht die war, die er sich ausgesucht hatte, aber immerhin war »Caprice« – nun – weiß. Vorgeblich war sie blond – vielleicht waren die Mädchen ja farbcodiert – wobei er gern zurückgekehrt wäre in die Zeit, als Haarefärben noch ein schändliches Geheimnis war und die Frauen sich mit einem Millimeter dunkler Haarwurzeln nicht aus dem Haus gewagt hätten; seine Eskortierdame stellte ganze zwei Zentimeter zur Schau. Auch die Brüste waren, wie er bei ihrer Rückkehr sah, nicht echt. Als Endzwanzigerin mochte die Frau vielleicht ganz passabel ausgesehen haben, doch ihre Gesichtsproportionen waren schief. An solche Anormalitäten hatte man sich bei Frauen wie der Schauspielerin Julia Roberts zwar inzwischen gewöhnt, bei einer Hure aber drängte sich die Frage auf, wovon ihr Mund wohl so breit geworden war.

Jackson schlürfte seinen mittelgroßen Coffee of the Day – nur ein paar Dollar, und sie hatte das Wechselgeld behalten –, wobei ihm aufging, dass dieses Treffen an einem öffentlichen Ort hauptsächlich deswegen stattfand, damit sie einen Blick auf *ihn* werfen konnte. Am normalsten wirkte man jedenfalls, indem man beruhigend langweilig war. »Und, wie lange machst du schon diesen … Job?«

»Kein Sorge, ich mach das nicht hauptberuflich«, sagte sie luftig, und Jackson hatte zu seiner Überraschung den Eindruck (wie kam es, dass man es in weniger als einer Minute immer bei allen erkennen konnte? Welcher Tupfer im Auge verriet sie?), dass sie schlau war. »Ich finanzier mir damit meinen Kurs in Personalmanagement am Brooklyn Community College. Weißt du, Personalwesen, wie man früher sagte. Da dacht ich mir, es gibt doch keinen besseren Weg, sich ein bisschen *Personalmanagement*-Praxis anzueignen.«

Den Spruch hatte sie vermutlich schon öfter losgelassen, aber immerhin war das Eis damit gebrochen. Als sie schließlich gingen, hatte er von seinem (beruhigend langweiligen) Job erzählt und hinzugefügt, dass er außerdem in seiner freien Zeit ein Buch schreibe. Wozu sollte eine solche Begegnung sonst gut sein, wenn nicht, um ein bisschen hochzustapeln? Zuzugeben, dass er über den Titel noch nicht hinaus war, käme nicht gut. Er probierte sogar seinen neuesten an ihr aus: *Der Mythos des »gesetzestreuen Bürgers«: Wie wir gutgläubigen Gutmenschen gebrainwashed werden, damit wir uns jeden Scheiß bieten lassen (oder) Sie haben ja keine Ahnung, womit Sie alles durchkämen, wenn Sie nur Eier in der Hose hätten.*«

»Es geht darum, wie wir alle zu Mitläufern manipuliert werden«, erklärte er auf dem Weg hinaus mit einer Spur seines alten Überschwangs. »Kennst du diese billigen Fernsehsendungen wie *Die verrücktesten Polizeivideos der Welt*? Irgendein Versager in einem Pick-up rast mit hundertsechzig als Geisterfahrer über die Autobahn und unsere tapferen Männer in Blau hinterher. Gelingt es dem Bösewicht jemals, sich glücklich aus dem Staub zu machen? Nie im Leben! Am Ende des Clips liegt der arme Wichser immer mit Handschellen im Dreck. Das ist soziale Manipulation, und zwar keine sehr subtile. *Verbrechen lohnt sich nicht. Niemand kommt damit durch.* Genau wie diese ganzen linientreuen Polizeisendungen, von *Dragnet* oder *Law and Order.* Das nennt man vorsätzliche Desorientierung, reine Propaganda.«

Da stand er nun draußen in der Kälte mit einer Prostituierten und schwafelte über Politik. Sie wirkte belustigt. »Gibt gar keinen Grund, so nervös zu sein, weißt du.«

»Ich bin nicht nervös«, sagte er. »Ich red immer so.«

»Kein Wunder, dass du 'ne Eskortagentur brauchst.«

Sie wollte witzig sein. Eigentlich hätte ihm das gefallen müssen. Unpersönlich konnte er so was nicht durchziehen; es lag nicht in seiner Natur. Er wollte ihre Sympathie gewinnen. Er wollte sie beeindrucken, was jämmerlich war. »Gonorrhö ist nicht das Problem«, sagte er, und dann wurde ihm klar, was er da gerade gesagt hatte und hätte sich dafür in den Hintern treten können. »Ich meine, Logorrhö. Es ist nur, meine Frau zeigt mir … die kalte Schulter.«

Sie sagte nichts, konnte sich ein kleines Lächeln aber nicht verkneifen.

»Ja, klar, hast du alles schon mal gehört. *Meine Frau ist frigide.* Aber sie ist nicht frigide. Und komm nicht auf die Idee, dass ich ein Hausmütterchen in Stützstrümpfen zu Hause sitzen habe. Meine Frau ist traumhaft schön.« Er konnte sich gerade noch davon abhalten, *sieht besser aus als du* hinzuzufügen.

»Du musst dich bei mir nicht entschuldigen, ›Jonathan‹. Und, willst du was trinken gehen, 'ne Kleinigkeit essen?«

»Ich hab nicht viel Zeit. Lass uns gleich zur Sache kommen, wenn du verstehst.« Er hatte am Nachmittag mit Carol telefoniert und ihr erzählt, dass er ein paar Stunden später nach Hause käme, weil er die Neuausrichtung einiger falsch aufgehängter Küchenschränke beaufsichtigen müsse, wodurch für den Kühlschrank gerade mal sechzig Zentimeter Platz geblieben wäre … Die Ausschmückungen hätte er sich sparen können, denn Carol hörte ihm gar nicht zu. Das Eigentümliche an dem Gespräch war, dass sich das Lügen kein bisschen anders angefühlt hatte als sonst, wenn er zu Hause anrief und die Wahrheit sagte. Details hin oder her, heutzutage logen sich die beiden zumindest auf emotionaler Ebene eigentlich ständig an. Deswegen war die wortwörtliche Lüge fast eine Erleichterung gewesen. Es war zumindest ein ehrliches Lügen.

Caprice führte ihn zu einem unschuldig wirkenden Hotel, einem umfunktionierten Brownstone in der Union Street, das seiner schmutzigen Phantasie spottete. Am Empfang war man geschäftig und gleichmütig, während er seine Brieftasche nach einer Visakarte mit Online-Rechnung durchsah, die unglaublicherweise gerade seinen Kreditrahmen erhöht hatte. Oben im Zimmer waren die Stofflampenschirme mit kitschigen Troddeln behangen; die Tagesdecke war aus heimeligem Chenille, der Druck über dem Bettgestell eine überbordende Farblithografie vom Feuerwerk über der Brooklyn Bridge bei ihrer Eröffnung im Jahr 1883. Ob man's glaubte oder nicht, der Laden war irgendwie süß.

Jackson betrachtete den Druck, während er die zwei obersten Knöpfe seines Hemdes öffnete, aber mehr Knöpfe gingen nicht. »Übrigens, eine Woche nach der Eröffnung der Brücke da verbreitete sich das Gerücht, dass sie einsturzgefährdet sei. Bei der Massenpanik kamen zwölf Menschen ums Leben.«

Caprice trat hinter ihn und ließ die Hände in seine beiden vorderen Taschen gleiten. »Sag bloß.«

»Du lachst mich aus.«

Sie hätte es eigentlich abstreiten müssen. »Du hast recht.«

Jackson drehte sich, umfasste ihre Hüften und erschrak angesichts der ungewohnten Konturen. Dennoch, allein ihre Körperwärme durch den Stoff erregte ihn auf eine Weise, vor der er zuvor ein wenig Angst gehabt hatte. Ihr Parfüm war nicht sein Ding; Carol trug selten kommerzielle Düfte, und was ihn wirklich anmachte, war der Moschusduft ihrer Haut, nachdem sie Flicka den ganzen Nachmittag ins Auto rein- und aus dem Auto rausgehievt hatte, ein tiefer, erdiger Duft wie von morschem Holz. Wenn er wirklich hätte sichergehen wollen, dass er seinen Mann stehen würde, hätte er von Caprice verlangen müssen, ein getragenes T-Shirt von Carol überzuziehen.

»Gehörst du auch zu diesen Mädchen, die nicht küssen? Ich hab mal gelesen, dass ihr nicht gerne küsst.«

»Das hast du also *mal gelesen.*« Sie küsste ihn sanft, ohne

Zunge. »Ich glaube, du hast zu viele Bücher gelesen, Freundchen.«

Irgendetwas war mit dem Wort *Freundchen.* »Du lachst mich ja immer noch aus.«

»Hast du auch irgendwo *gelesen,* dass das hier 'ne bierernste Veranstaltung sein muss? Du würdest dich wundern, aber manchmal hab ich 'ne Menge Spaß. Und du bist doch toll. Du bist … lustig.«

Jackson legte sich aufs Bett, während sie sich aus dem kurzen Bleistiftrock schlängelte und ihre Jacke abstreifte; die Achtsamkeit, mit der sie die Jacke über den Stuhl hängte, hatte etwas beruhigend Häusliches. Das hautenge rote Oberteil entpuppte sich als Body; wie effizient. Carols Unterwäsche war eher schlicht … er war nicht sicher, ob er jetzt eigentlich an Carol denken sollte, wobei er offenbar keine Wahl hatte.

Rückblickend war das der Zeitpunkt, an dem er das Licht hätte löschen sollen.

Noch immer in ihrem roten Body, legte sich Caprice zu ihm. Sie hatte hübsche Beine. Carols Oberschenkel fingen gerade an, ein wenig … Holla, das Mädchen ging aber ran. Carol hatte nicht die Gewohnheit … Dieses Knie zwischen seinen Beinen war köstlich … Jackson zuckte zusammen, als sie etwas zu viel Druck auf seinen Hosenschlitz ausübte, doch es gelang ihm, das Zucken zu überspielen. Es war immer noch ein bisschen empfindlich, aber vielleicht war das in Ordnung, denn empfindlich war ja nichts Schlechtes. Sie öffnete ihm den Gürtel und zog den Reißverschluss auf, und er atmete heftig ein beim plötzlichen Zusammenprall mit der kalten Luft, bei der willkommenen Befreiung aus seinen Boxershorts, und er dachte, vielleicht könnte sie ihm ja zuerst einen blasen, komm, Baby, lutsch ihn mir –

Kaum hatte Caprice ihn entblößt, da schrak sie zurück. »Was ist *das* denn?«

»Was meinst du denn, was es ist?«

Caprice zog ihr Knie zurück. »Was ist denn mit dir passiert, zur Hölle? Ist das ein Geburtsfehler?«

»Ich bin völlig normal auf die Welt gekommen!« Oder zumindest war es das, was Carol ihm schon seit einem Jahr predigte.

»Hör mal, tut mir leid, ich kann das nicht.« Caprice stand auf und begann wieder in ihr Kostüm zu schlüpfen.

»Warum nicht? Ist dir mein Geld nicht gut genug? Du sollst dich nicht in mich verlieben, sondern mit mir ficken.«

»Ich kann's einfach nicht, es ist zu … Pass auf, so knapp bei Kasse bin ich nicht. Ich fürchte, das Hotel wirst du übernehmen müssen, aber ich kann's einrichten, dass dir die Agentur die Kosten für den Begleitservice nicht in Rechnung stellt. Es gibt ein paar andere Seiten, die auf so was … Steht alles im Netz. Die auf … Behinderungen spezialisiert sind. Spezielle Bedürfnisse.«

Wütend zog Jackson seinen Reißverschluss zu. »Spezielle Bedürfnisse? Ich hab ein bisschen vernarbtes Gewebe, aber ich bin doch kein Idiot!«

»Nenn es, wie du willst, aber für mich ist das nix.« Als der Reißverschluss ihres Rockes klemmte, schien diese bislang unerschütterliche junge Frau regelrecht in Panik zu geraten, und als es ihr endlich gelang, den Reißverschluss zu bewegen, hatte sie den Ausdruck einer tüchtigen Heldin aus einem Thriller, die es soeben geschafft hat, mit einer Haarnadel das Schloss zu knacken, bevor sich der Serienkiller durchs Fenster stürzt. An der Tür erinnerte sie sich wieder an ihre guten Manieren. »Viel Glück mit dem Buch!«, sagte sie. »Ich … ich werd bestimmt danach Ausschau halten!«

Am folgenden Morgen war Jackson schon im Büro, als Shep eintraf. Shep war zu spät – und zwar nicht zum ersten Mal. Jackson hätte ihn gern gedeckt, aber Pogatchnik lauerte schon in seiner Bürotür. Unter dem scharfen Blick seines Arbeitgebers setzte Shep sich an seinen Platz und zog seine Schaffelljacke aus, und darunter kam ein Muskelshirt mit Hawaiimusterblüten hervor;

Jackson beklagte im Stillen die neue Fleischigkeit seines Freundes, normalerweise hätte das ärmellose T-Shirt eine Muskulatur zur Schau gestellt, auf die er immer neidisch gewesen war. Shep schlüpfte aus seiner Schneehose, unter der er ein paar bunte Bermudashorts trug, wie sie Pogatchnik im Sommer bevorzugte, nur dass es gerade Februar war. Zum Schluss zog er einen winzigen batteriebetriebenen Ventilator hervor, den er auf seinen Computer stellte. Das alles gehörte zum anhaltenden Temperaturkrieg (es war gerade zehn Uhr und bestimmt schon an die dreißig Grad warm hier drin), doch wenn Shep vorhatte, Pogatchnik mit dem ganzen Aufzug auf die Palme zu bringen, hätte er wenigstens pünktlich sein können. Irgendwas war los mit dem Kerl, er hatte etwas Mutwilliges und leicht Abgedrehtes, das aber auf eigentümlich stille Weise; abgesehen von seinem Zubehör verhielt Shep sich wie jemand, der, um einen gewissen noch ausstehenden Bestseller zu zitieren, *sich jeden Scheiß bieten ließ*. Inzwischen war die übrige Belegschaft verstummt, hatte den Blick fleißig auf den eigenen Bildschirm gerichtet und schielte heimlich zur Seite, um Shep und Pogatchnik beobachten zu können.

»Schön, dass Sie auch mal vorbeischauen, Knacker«, sagte Pogatchnik. »Ich bin richtig überwältigt, dass Sie so gnädig sind. Wie kommen wir zu dieser Ehre? Welchem Umstand verdanken wir die außergewöhnliche Sichtung des großen Faultiers, das sich ausnahmsweise mal unters Volk mischt und tatsächlich zur Arbeit kommt?«

»Meine Frau hatte gestern vierzig Grad Fieber«, sagte Shep in gleichmütigem Tonfall, schaltete seinen Computer an und rückte den Ventilator zurecht. »Eine Infektion. Ich war die ganze Nacht im Krankenhaus und habe kein Auge zugetan.«

»Sie sind sich darüber im Klaren, dass chronisches Zuspätkommen und Fehlen bei der Arbeit ein Kündigungsgrund sind – und zwar egal vor welchem Gericht, vor das sie mich schleppen?«

»Ja, Sir. Und ich verstehe, wie Sie sich zu drastischen Maßnahmen gezwungen sehen könnten, wenn es nur darum ginge, dass ein Angestellter mal verschlafen hat. Wobei das allerdings unmöglich ist, wenn besagter Angestellter gar nicht erst ins Bett gekommen ist.«

»Ich soll also nicht nur weggucken, wenn Sie hier reingeschneit kommen, wann's Ihnen passt, jetzt soll ich auch noch Mitleid mit Ihnen haben?«

»Nein, Sir. Ich erwarte nur, dass Sie Rücksicht auf die außergewöhnlichen medizinischen Umstände in meiner Familie nehmen, wie es jeder andere vernünftige und wohlwollende Arbeitgeber tun würde.«

»Tja, dann bin ich wohl *nicht* vernünftig. Sie sind gefeuert, Knacker.«

Shep erstarrte. Sein Blick durchbohrte den Bildschirm. »Sir. Mr Pogatchnik. Ich kann Ihre Verärgerung nachvollziehen. Und ich verspreche Ihnen, dass ich versuchen werde, pünktlich zu sein und so viele reguläre Werktage einzulegen, wie es meine derzeitige schwierige Lage erlaubt. Mit Ihrer Erlaubnis möchte ich bemerken, dass ich meinen Verpflichtungen immer nachgekommen bin. Die vielen Beschwerden über unseren unterdurchschnittlichen Servicestandard« – hier hielt er inne, und Jackson hörte die undiplomatische Formulierung *unser einst beispielhafter und mittlerweile unterdurchschnittlicher Servicestandard* heraus – »haben sich nicht angehäuft. Wie Sie sehr gut wissen, hängt die medizinische Versorgung meiner Frau von der Versicherung ab, mit der mich dieses Unternehmen versorgt. Nicht meinetwegen, sondern ihretwegen bitte ich Sie nochmals um Nachsicht.«

»Verdammte Scheiße, das ist Ihr Pech. Ich habe nicht Ihre Frau eingestellt, und ich betreibe hier kein Hospiz. Wenn Sie Probleme mit dem System haben, schreiben Sie Ihrem Kongressabgeordneten. Jetzt suchen Sie Ihr Zeug zusammen, und raus hier.«

Pogatchnik hatte allerhand Drohungen ausgesprochen, aber diesmal war es anders. Abgesehen davon, dass ironischerweise zu Allrounder-Zeiten der wenig professionelle Randy selbst ein notorisch unpünktlicher Krankschreibekünstler gewesen war; das Spiel war aus.

Shep ließ die Schultern sinken, als er erkannte, dass dieser fette, sommersprossige einstmalige Angestellte nicht mit sich reden lassen würde. Er straffte den Rücken, und sein Körper richtete sich neu zu einer so entspannten, symmetrischen Haltung auf, dass er als Yogameister hätte durchgehen können.

Sein Mund verzog sich zu einem fatalistischen Lächeln. Er wirkte vollkommen gelassen. Jackson glaubte zu verstehen. Wenn man lange genug vor etwas Angst gehabt hatte und es dann geschah, war das schreckliche Ereignis wie eine Erlösung. Man heißt es willkommen. Man freut sich über das Böse. Denn im Bauch des Bösen herrscht keine Angst mehr. Bereits Geschehenes kann man nicht mehr fürchten.

Als Shep sich aus seinem Computer ausloggte und durch den Raum ging, um sich einen leeren Briefpapierkarton zu holen, hatte er wieder die Haltung jenes Mannes angenommen, den Jackson einst verehrt und den nachzuahmen er bisweilen peinlich offensichtliche Versuche unternommen hatte. Endlich bewegte sich der Kerl wieder mit lässigem Selbstbewusstsein und nicht wie ein Arschkriecher. Der Unbeugsame war zurück. Jackson war gar nicht klar gewesen, wie sehr ihm dieser Mann gefehlt hatte: mächtig, kompetent und standhaft. Ein Mann, auf den man sich verlassen konnte – der es niemals zulassen würde, dass die Haustiere verhungerten oder die Pflanzen eingingen, während man im Urlaub war, und der niemals den Ersatzschlüssel zum Haus verlegen würde. Der nicht mit der Wimper zucken würde, wenn er einem Kumpel Geld leihen sollte, seien es 5 oder 5000 Dollar. Der nicht mal mehr daran denken würde. Ein zuverlässiger, großzügiger Mann, wie er heute in diesem Land eine gefährdete Spezies war, wo alle nur noch die Hand aufhielten, und der daher natürlich Gefahr lief, von jedem ausgenutzt zu werden. Ein Mann mit einem einzigen exzentrischen Hobby, das die meisten belächelten, das Jackson aber liebenswert finden musste, denn Shep Knackers verschrobene Springbrunnen stellten ein paar blubbernde Quellen der Schrulligkeit dar in einem sonst nüchternen und pragmatischen Leben. Ein Mann, der bei all seiner Güte und harten Arbeit am Ende eigentlich nur um eines gebeten hatte: entlassen zu werden. Jetzt, wo nolens volens sein Wunsch in Erfüllung ging, war es verflucht noch mal eine Schande, dass das Timing so hundsmiserabel war.

Pogatchnik stand mit finsterer Miene in seiner Tür und wirkte seltsam unzufrieden, nachdem ihm selbst das Prinzip der erfüllten Angst aufgegangen war: Hatte man ein richtig großes Vergnügen erst mal hinter sich gebracht, konnte man sich nicht mehr darauf freuen. Unterdessen schlenderte Shep an den Waben vorbei und warf seinen Mitarbeitern wohlwollende Bemerkungen zu, schüttelte Hände, griff hier und da eine Schulter, tätschelte beschwichtigend ein paar Unterarme. Trotz des schrägen Strandgutsammler-Outfits hätte jeder Fremde beim Blick durch diesen Raum sofort angenommen, dass die energische, Respekt einflößende Gestalt im Hawaiihemd der Chef sei. Tja, war er ja auch. Das war es, was Pogatchnik nie hätte ertragen können, und das war der eigentliche Grund für Sheps Entlassung. Gesetz hin oder her, Shep war immer noch Chef und war auch immer Chef gewesen, während Pogatchnik die Seele eines Arbeitssklaven besaß, und daran würde auch Knackers Entlassung nichts ändern.

Dank Pogatchniks Verbot von jedwedem »persönlichen Mist« brauchte Shep nicht erst eine ganze Collage an Familienschnappschüssen abzunehmen, und die Räumung war schnell erledigt. Die Jacke über einem Arm, den Karton unter dem anderen, warf Shep von der Tür aus einen Blick über das Büro.

Der Webdesigner rief: »Yo, Knacker, du hast was vergessen!«

Shep zog die Augenbrauen hoch.

»Deine verdammte Firma, Mann!«

Erst zog sich unterdrücktes, dann aufrührerisches Gelächter durch die Belegschaft. Der Buchhalter rief: »Genau, nimm mich mit!«

Jackson hatte es als Kompliment aufgefasst, von Sheps Abschiedsrunde ausgenommen worden zu sein; er wäre ungern nur irgendein Mitarbeiter von vielen gewesen. »Komm, ich helf dir damit«, sagte er.

Auch wenn Shep den einen Karton auch selbst hätte tragen können, sagte er: »Danke«, und sie verließen zusammen das Haus.

SCHWEIGEND GINGEN SIE, um den Karton in Sheps Auto zu stellen. »Ich musste Glynis' Golf verkaufen«, sagte Shep milde und klappte den Kofferraumdeckel zu. »Zum Glück hat sie noch nichts davon gemerkt.«

»Sie glaubt also immer noch, dass sie ihn eines Tages wieder fahren wird?«

»Wahrscheinlich. Oder keine Ahnung, was sie glaubt.«

»So, wie sie in ihrer eigenen Welt lebt«, sagte Jackson. »Der Realität nicht ins Auge sieht. Muss für dich doch … ein bisschen einsam sein.«

»Ja«, sagte Shep dankbar. »Das kann man wohl sagen. Hör zu, du solltest lieber wieder reingehen. Du willst schließlich nicht auch noch entlassen werden. Du weißt, er würde die Gelegenheit beim Schopf ergreifen.«

»Soll er doch. Du stellst dir doch wohl nicht vor, dass ich da noch weiter arbeite, wenn du weg bist.«

»Sei dir mal nicht so sicher. Bei den vielen Rechnungen. Du darfst nicht denken, dass du meinetwegen jetzt was Dramatisches tun musst.«

»Keine Sorge«, sagte Jackson. »Wenn ich was Dramatisches tue, dann meinetwegen.«

Seltsam, aber der Entschluss manifestierte sich nicht mit einem Mal. Es ging kein Licht an – oder aus. Weder sein Kopf noch seine Stimmung beschrieben eine scharfe Kurve nach Süden. Aber es war genau in diesem Moment, als sich Jackson nicht vorstellen konnte, noch einen einzigen Nachmittag in dieser lächerlichen Wabe zu schuften, und sich ebenso wenig vorstellen konnte, sich allen Ernstes irgendwo zu bewerben, um in irgendeiner anderen Wabe zu schuften, dass sich die theoretische Urlaubsinsel in seinem Kopf, auf die er sich seit einigen Monaten immer wieder zurückgezogen hatte – sein ganz privates Pemba –, tatsächlich zu einer Landmasse zu erhärten begann. Jackson wusste, wohin er vielleicht reisen würde. Denn diese Niete, die er gezogen hatte, rührte ja nicht von falschen Vorstellungen, ja nicht mal wie bei Glynis von einer Weigerung, der Realität ins Auge zu sehen. Es war keine Verleugnung, sondern die Erkenntnis, dass er sich nicht noch einmal durch einen sinnlosen Arbeitstag schleppen würde, als eine von vielen winterharten Pflanzen, die den Kopf aus der Erde streckten und sich vom Staat ernten ließen. Das würde er nicht wieder tun. Das war einfach nicht mehr drin.

»Ich glaube«, verkündete Jackson leichthin, »*ich nehme mir heute frei.*«

Shep zuckte mit den Achseln. »Na dann, wie wär's mit einem Spaziergang? Prospect Park, wie in alten Zeiten. Da ich von jetzt an ja wohl nur noch frei haben werde.«

»Nur, wenn du dir die Jacke da überziehst. Ich frier schon beim Anblick.« Pflichtschuldig zog Shep seine Schaffelljacke über. »Die Hose auch«, sagte Jackson vorwurfsvoll.

Shep sah auf seine nackten Beine und grinste. »Ich glaube nicht. Irgendwie passt mir der Aufzug gerade ganz gut.«

»Du siehst total durchgeknallt aus.«

»Genau das meine ich.«

Also machten sie sich auf und liefen die 7th Avenue hinunter. Das war der nächste Moment, der Punkt, an dem sein bislang verschwommenes inneres Pemba ein wenig schärfer wurde, als hätte er den Sucher einer Wegwerfkamera darauf gerichtet: der Moment, an dem er mit Sicherheit erkannte, dass dies sein letzter Spaziergang sein würde. Dass sie zum letzten Mal zusammen in die 9th Street bogen.

»Und – wie *geht's* dir?«, fragte Shep in dem gleichen emphatischen Tonfall wie Ruby damals in der Klinik am Krankenbett ihrer Schwester.

Jackson nahm sich einen Moment Zeit und spielte ernsthaft mit dem Gedanken auszupacken – die Schulden, dass er allein schon mit der Mindestmonatsrate für eine Visa- und eine Discoverkarte schon im Zahlungsrückstand war. Die Operation, die unsäglichen Rekonstruktionen, die alles nur schlimmer gemacht hatten. Die Erkenntnis in der Union Street, dass er offenbar eine Frau nicht mal mehr für Geld dazu bringen konnte, mit ihm ins Bett zu gehen. Aber er hatte das Gefühl, es war zu spät und würde zu lange dauern. Treffender noch, nachdem er sein Herz ausgeschüttet hatte, wäre alles noch immer genau wie vorher. Es war natürlich anzunehmen, dass am Ende ohnehin alles rauskäme, aber das konnte er akzeptieren. Dann könnten sie sich alle das Maul zerreißen, und ein Gesprächsthema würden sie brauchen. Die Erklärung wäre eine saubere Sache, und sie würden sich daran festhalten. Den echten Grund auszuformulieren hatte Jackson gar keine Lust, denn zu den vielen ihm merklich entgleitenden Gelüsten gehörte auch der Wunsch, verstanden zu werden; wunderbarerweise erlöste ihn die heutige »Du kommst aus der Therapie frei«-Karte auch von der Verpflichtung, sich selbst zu verstehen.

Nichtsdestotrotz wollte er Shep nicht weiter so grausam ausgrenzen, also zog er ihn aus Nettigkeit ins Vertrauen. »Flicka geht den Bach runter. Dass das unvermeidlich ist, hilft einem nicht weiter. Meine Ehe geht den Bach runter, was nicht unvermeidlich ist. Aber die Vermeidlichkeit – ist das ein Wort? – hilft einem auch nicht weiter.«

»Das tut mir leid. Was ist denn passiert?«

Jackson gab sich alle Mühe, ehrlich zu sein, sich dabei aber kurzzufassen. Shep war derjenige, der im Moment die Probleme hatte, und er wollte nicht egoistisch sein. Da ihm ein ähnlicher Dauerurlaub bevorstand, wie ihn Shep jahrelang geplant hatte, und da er sein eigenes Pemba nicht mehr nur aus der Ferne betrachtete, sondern immer deutlicher schon die verkürzte Gegenwart aus der Inselperspektive sah, kam sich Jackson vielleicht zum ersten Mal in seinem Leben wahrhaftig und zutiefst selbstlos vor. »In Wahrheit hatte ich immer das Gefühl, dass ich sie nicht verdient habe. Sie ist so attraktiv und wirklich fähig, egal, was sie anpackt, ob Landschaftsgärtnerei oder IBM. Sie lebt perfekt angepasst an den Fluch eines Kindes mit einer Krankheit, die so selten ist, dass nur noch dreihundertfünfzig andere Menschen auf der Welt daran leiden. Und sie ist so, na ja, *gut*. Aber ich denke, sie hat sich jetzt endlich damit abgefunden, wie ich die Dinge sehe. Sie stimmt mir zu und findet jetzt auch, dass ich sie nicht verdient habe.«

Vielleicht war es der ruhige, philosophische Tonfall, den Jackson angenommen hatte, die Leichtigkeit des letzten Satzes, aber Shep wandte sich zu seinem Freund, sah ihm forschend ins Gesicht und wirkte verstört von dem, was er sah, oder verstört von dem, was er nicht erkennen konnte, und er schwieg.

Als sie zum Park kamen, musste Jackson an das Gespräch bei ihrem frostigen Spaziergang auf dieser Runde vor etwa einem Jahr denken, als Shep geschworen hatte, Glynis keine »Putenburger-Krankenversorgung« zu kaufen; war der Kerl also losgezogen und hatte eine gut abgehangene Premium-Angus-Hochrippensteak-Versorgung gekauft, und Glynis würde trotzdem ins Gras beißen. Ein weiteres freudiges Ereignis, auf das Jackson nun zu verzichten gedachte. Aussteigen erschien ihm nicht feige, sondern vernünftig. Denn die Kümmernisse, denen er in Kürze zu entkommen plante, passten auf keine Kuhhaut: Flickas Abgang; vielleicht würde auch Carol an Krebs erkranken; Heather, die immer mehr aus dem Leim gehen und keinen Freund finden würde; die unschöne Szene, wenn er Carol seine Schulden gestehen musste, weil vor ihrem Haus gerade ein Schild mit den Worten »Zu verkaufen« aufgestellt wurde; ganz zu schweigen von den Hurrikans, Missernten, Börsenkrächen und Bürgerkriegen und was einem der Rest der Welt sonst noch so ans Bein pinkelte, nur weil man morgens aufgestanden war. Glück bestand meist daraus, dem Unglück auszuweichen, und demnach musste er wohl im Moment zu den glücklichsten Männern auf der Welt gehören.

Jackson wartete, dass Shep die Frage seiner von grober Hand gekündigten Krankenversicherung zur Sprache brachte. Stattdessen erzählte er von seinem Vater.

»Ich hatte ein schlechtes Gewissen, weil ich ihn nicht besucht habe«, sagte er. »Mit dieser CDiff-Geschichte konnte ich nicht in seine Nähe, wegen Glynis. Irgendwie schaffen sie's nicht, der Sache Herr zu werden. Trotz immer wieder der nächsten Runde Antibiotika. Vor ein paar Wochen ist dann wohl irgendwas mit mir durchgegangen, als ich mit einer der Schwestern telefoniert habe. Aber pass auf: Als ich mich beschwert habe, dass der Laden offenbar ein Hygieneproblem hat und dass sie vielleicht mal damit anfangen könnten, sich die Hände zu waschen, da hat sie *gelacht*. Sie meinte, in Laborversuchen, wenn man CDiff zusammen mit dem starken Desinfektionsmittel, das sie benutzen, in eine Petrischale tut, dann *wächst es*.«

»Diese Scheißdinger vermehren sich in dem Zeug, mit dem sie abgetötet werden sollen? Mann, so viel Entschlusskraft bei einem Organismus kann man eigentlich nur bewundern. Viele denken ja, der Mensch wird eines Tages durch irgendeine höhere Lebensform ersetzt, die in der Evolution weiter ist. Ich persönlich glaube, die Zukunft gehört den winzigen und hirnlosen Lebewesen. In ein paar Tausend Jahren wird die Erde von einer Kruste aus Rhinoviren, Kopfläusen, Schimmel und Streptokokken überzogen sein.«

»Hört sich an, als würdest du dich drauf freuen.«

»Tu ich auch«, sagte Jackson. »Und wie.«

»Mein Vater hat noch mehr abgenommen, haben sie gesagt, was gar nicht gut ist. Aber was mir bei den letzten zwei oder drei Anrufen den Rest gegeben hat, ist nicht nur, dass er so geschwächt klingt. Er sagt, er glaubt nicht mehr an Gott.«

»Gibt's doch gar nicht«, sagte Jackson. »Der hatte nur einen schlechten Tag, oder er nimmt dich auf den Arm.«

»Es ist ihm total ernst. Er sagt, je näher das Ende rückt, desto mehr könne er erkennen – nämlich, dass es nichts zu erkennen gibt. Er sagt, er wisse nicht, warum er so lange dafür gebraucht hat, weil es so einfach ist, aber wenn man stirbt, stirbt man. Und er sagt, nachdem er all diese Jahre ein frommer presbyterianischer Pastor gewesen sei und dafür jetzt über Monate hinweg gedemütigt werde – in seinem eigenen Durchfall liegen, sich von einer gereizten, übergewichtigen Krankenschwester aus Ghana mit einem kalten nassen Schwamm die Geschlechtsteile abschrubben lassen –, da kann da oben ja wohl keiner sein. Er sagt, genau das hätte ihm seine Gemeinde zu sagen versucht, wenn wieder ein Kind gestorben war oder jemand einen Autounfall hatte und auf einmal sabbernd im Rollstuhl saß, und er habe nichts davon wissen wollen, aber jetzt sei der Groschen gefallen.«

»Wow. Eigentlich ganz schön anspruchsvoll.«

»Ich fand's schrecklich.«

Jackson blieb stehen und wandte sich zu ihm. »Ich dachte, du glaubst nicht an diesen religiösen Quatsch.«

»Tu ich ja auch nicht wirklich. Ich meine, tu ich nicht. Die Story ist gut, aber zu ausgefallen für meinen Geschmack – die ganze Sache mit dem Sohn Gottes und der unbefleckten Empfängnis. Und jede Religion, die behauptet, dass unsere Spezies, auf diesem einen Planeten, der diesen einen Stern umkreist, zufälligerweise den Sinn des Universums ausmachen soll – da kann man doch nur stutzig werden. Wenn man nach oben in den Himmel guckt, mit allem, was sonst noch so da draußen ist, ist das statistisch gesehen schlichtweg unwahrscheinlich. Und ein paar Sachen, die ich in diesen wirklich armen Ländern gesehen habe, in die ich mit Glynis gereist bin: offene Gullys, eiternde Wunden, kleine Kinder, die von den Parasiten im Wasser blind werden … da kommt man nicht auf den Gedanken, dass da oben jemand sitzt, der alles in der Hand hat – zumindest niemand, der es gut mit uns meint. Trotzdem, Papas Glaube hat mich auch immer ein bisschen beruhigt. Wenn ich glaube, dass es nichts gibt und er *auch* denkt, dass es nichts gibt … ich weiß nicht. Plötzlich ist das alles ein bisschen unheimlich. Ich überlege, was ich wirklich tun sollte, wenn mir ernsthaft was an ihm liegt. Und ich glaube, ich sollte versuchen, ihm einzureden, dass er wieder an irgendwas glauben soll, woran ich nicht glaube. Ich sollte ihm aus dem Buch Hiob vorlesen. Sollte ihm am Telefon ›Alles, was Odem hat‹ vorschmettern. Diese atheistischen Gespräche neuerdings finde ich wahnsinnig deprimierend. Großer Gott, ich dachte, die Leute würden *zum* Glauben finden, wenn sie Angst vor dem Tod haben.«

»Hat Glynis doch auch nicht.«

»Sie ist zu verkorkst. Selbst wenn sie die Erleuchtung hätte, würde sie's nicht zugeben, und sei es nur, um ihrer Schwester eins auszuwischen. Außerdem ist sie so überzeugt, dass sie nicht stirbt, dass sie sich sogar weigert, Angst davor zu haben.«

»Wenn es auch nur irgendwas mit Willenskraft zu tun hat, wird Glynis noch hundert Jahre alt.«

»Glaubst du an ein Jenseits? Also, das normale Jenseits.«

»Ach was«, sagte Jackson. »Außerdem will ich das gar nicht. Mal ehrlich, wer will denn noch mehr von *dem hier*?«

»Ich glaube, es geht darum, dass es da kein Mesotheliom oder Allrounder-dot-com gibt.«

»Trotzdem. Ich hab's langsam satt, Kumpel.«

»Was denn?«

»Alles. Den ganzen verdammten Scheiß.«

Shep warf ihm wieder so einen Blick zu.

Sie kamen am Gehege vorbei, wo eine junge Frau ein Pferd herumführte, das aussah, als wäre ihm kalt. Sie warf dem seltsamen Kerl in Schaffelljacke und Bermudashorts einen Seitenblick zu, aber mochte vielleicht dadurch beruhigt gewesen sein, dass immerhin der stämmige Typ, der ihn begleitete, halbwegs normal aussah. Der Prospect Park war fast menschenleer, die Äste wie ausgefahrene Krallen, der breiartige Himmel klumpig und erstarrt. Die asphaltierte Straße, die rings um den Park führte, war salzfleckig, während die harten schwarzen Eisklumpen am Straßenrand allmählich tauten und gefrorene Hundehaufen zum Vorschein kamen. Parks hatten im Winter in der Stadt eigentlich nichts verloren. Sie waren einfach fehl am Platz.

Sheps Ansage war so grau und karg wie die Landschaft: »Möglicherweise muss ich mich für bankrott erklären.«

Bis jetzt hatte sich Jackson in eine hübsche elegische Apathie gleiten lassen, ein so narkotisiertes Schweben über den Dingen, dass er von oben sehen konnte, wie ihre beiden Gestalten am Ausgang an der 15th Street um die Ecke bogen. Doch Sheps Enthüllung brachte ihn sehr schnell wieder mit dem Hintern voran auf den Bürgersteig. »Komm, das ist nicht dein Ernst! Bei all der Kohle, die du für den Allrounder eingesackt hast?«

»Vierzig Prozent Selbstbeteiligung. Mein Vater, Amelias Prämien ... Inzwischen hab ich alles, was ging, auf Ebay verkauft: Glynis' Auto, meine Angelausrüstung, meine Plattensammlung; fast hätte ich den Hochzeitsbrunnen verkauft, aber ich hatte Angst, dass ihn jemand wegen des Silbers einschmilzt, und am Ende hab ich's doch nicht übers Herz gebracht. Hätte dafür sowie nur Kleckerbeträge gegeben; gerade genug für einen Bluttest und einen PET-Scan. Vor allem nach der Kapitalgewinnsteuer hattest du am Ende nämlich doch recht. Ich war nicht reich. Eine Million Dollar ist nicht so viel Geld.«

»Würde es denn irgendeinen Unterschied machen, wenn Glynis – wenn Glynis ...?«

Behutsam nahm ihm Shep mit einer Geste fast physischer Großzügigkeit den Gedanken ab, ähnlich wie er Jackson vor dem Auto die Kiste mit seinem Bürokram abgenommen hatte. »Wenn sie früher stirbt? Klar, das würde mich wohl entlasten. Und, klar hab ich darüber nachgedacht. Es liegt nun mal auf der Hand. Meine praktische Veranlagung, weißt du, kann auch ein Fluch sein. Du kannst dir gar nicht vorstellen, wie schlimm solche Gedanken sind.«

»Aber wär's für sie am Ende denn nicht auch besser?«

»Was schlägst du denn vor, soll ich sie mit dem Kopfkissen ersticken? Es ist nicht meine Aufgabe, die Sache zum Abschluss zu bringen. Sie hält ja immer noch durch. Mit einer Handvoll

Pillen pro Stunde und winzigen pürierten Mahlzeiten. Also muss ich doch davon ausgehen, dass es ihr Wille ist, weiterzumachen. Aber jetzt einen Monat ganz ohne Krankenversicherung, und ich bin am Ende. Schlimmer noch: Ich stecke bis zum Hals in den Miesen, und jetzt hab ich nicht mal mehr ein Gehalt.«

»Du kriegst bestimmt eine Abfindung.«

»Die geht ja doch nur an die Gläubiger.«

»Na ja, aber dann ist es vielleicht okay, pleite zu sein. Steh die Sache mit Glynis durch, lass die Rechnungen sich anhäufen, dann reichst du die Papiere ein. Ziehst einen Schlussstrich. Fängst noch mal von vorne an. Genau dazu ist eine Bankrotterklärung doch gut.« Spaßeshalber malte sich Jackson die gleiche Lösung für seine eigenen Schulden aus, dann aber verwarf er den Gedanken. Nicht wegen der Schmach. Es war einfach zu viel Aufwand.

»Ich hab bisher immer alles auf die Reihe gekriegt«, sagte Shep. »Du hast mir immer in den Ohren gelegen, dass ich mich von Leuten wie Beryl nicht ausnutzen lassen darf, aber so was hat mich nie gekümmert. Mich kümmert es, dass ich mir meinen Stolz bewahre, dass sich andere auf mich verlassen können. Jetzt werde ich nur noch ein Versager von vielen sein.«

Jacksons anfänglicher Anfall von Wut um seines Freundes willen hatte sich schon in Langeweile gekehrt. Wäre er noch interessiert gewesen, hätte er Shepherd Knackers finanzielle Schande als Ungerechtigkeit verurteilt, aber er war nicht mehr interessiert. Seltsam, die antriebsstarke Gefühlsmischung aus Empörung, Bestürzung und Verachtung, die sein ganzes Erwachsenenleben angeheizt hatte, schien sich plötzlich geleert zu haben wie ein Benzintank. Er hätte natürlich gern in Sheps Namen losgewettert, und sei es, bei diesem traditionellen Spaziergang durch den Prospect Park, um der alten Zeiten willen. Doch selbst wenn man ihm die Pistole auf die Brust gesetzt hätte, hätte er keine vernünftige Schimpftirade mehr zustande gebracht.

Diesmal liefen sie den vollen Rundgang von vier Meilen, und

auf dem letzten langen Anstieg behielt jeder seine Gedanken für sich. Als sie wieder vor Sheps Auto standen, wollte Jackson ihm etwas Weises und Erinnerungswürdiges mitgeben, aber es wollte ihm nichts einfallen, außer »Pass auf dich auf« – irgendwer musste schließlich auch vernünftig weitermachen. Dennoch, obgleich sie es nie groß mit Körperkontakt gehabt hatten, packte Jackson nach unbeholfenem Trödeln neben der Fahrertür seinen besten Freund und umarmte ihn fest und sehr lange. Nachdem sie sich voneinander gelöst und Jackson gewinkt hatte, um sich schließlich umzudrehen und mit gebeugtem Rücken die Straße hinunter zu verschwinden, glaubte er, dass die Umarmung wirklich die bessere Lösung gewesen war. Besser als irgendein schlauer Spruch.

Auf dem Heimweg, am frühen Nachmittag dessen, was sein ultimativer *freier Tag* zu werden versprach, schlenderte Jackson mit zunehmender Behaglichkeit und Leichtigkeit dahin, von einer ähnlichen Gelassenheit beseelt wie Shep bei Handy Randy nach dem eingetretenen Supergau. Er fühlte sich geläutert – als hätte Gabe Knacker unrecht und als wäre wirklich irgendein armes Schwein für seine Sünden gestorben; als wäre er gerade aus der Dusche gekommen, zu der Zeit, bevor er sein Genital gleich in ein Duschhandtuch wickeln musste, damit es niemand sah. Jackson sorgte sich nicht mehr wegen der Kreditkartenrechnungen; er fühlte sich nicht mehr verfolgt. Er war in der Lage, die gestrige Begegnung mit »Caprice« in komischem Licht zu betrachten, und bedauerte es ein wenig, dass er diese verdammt gute Story nicht beim Bier würde zum Besten geben können. Es betrübte ihn ein wenig, dass Shep arbeitslos und pleite war, doch es war eine sanfte, tröstende Traurigkeit wie der bedeckte Himmel. Sheps Misere zeigte deutlich, dass alles sinnlos war, dass zwischen Tugendhaftigkeit und Belohnung keinerlei Zusammenhang bestand und auch nie bestanden hatte. Doch diese Wahrnehmung war ruhig und direkt und faktisch, und er war in der Lage, gleichmäßig und gelassen darüber nachzudenken, ähnlich wie er vielleicht daran gedacht hätte, Papierservietten einzukaufen.

Das Gefühl der absoluten Unbekümmertheit machte ihm bewusst, wie sehr er sich etwa das ganze letzte Jahr, wenn nicht fast sein ganzes Leben lang gequält hatte. Im Nachhinein hätte er sich diesen Inselrückzug längst gönnen sollen. Im Grunde war Shep ein psychologisches Genie. Alle Menschen sollten ein Pemba haben.

Die milde, laue Sorglosigkeit spendete ihm auf dem größten Teil des Heimwegs noch Trost. Er war natürlich müde, aber es war eine angenehme Erschöpfung, wie nach dem Gerätetraining. Versuchsweise rief er die verschiedensten Themen auf, über die er sich früher echauffiert hatte: Die Alternativsteuer, das niedrige Bildungsniveau und das abgekartete Spiel mit den Beamtenparkplätzen in Lower Manhattan regten in ihm jedoch nur freundliche Gleichgültigkeit. Übertriebene Bauvorschriften kümmerten ihn nicht, der Irak kümmerte ihn nicht. Es kümmerte ihn nicht, ob einer seiner Trupps aus Versehen nassen Zement in den Terrassenabfluss eines Kunden hatte laufen lassen, und es kümmerte ihn nicht, ob sie mit dem Druckluftnagler Mulden in einer Trockenbauwand hinterlassen hatten. Wenn er ganz ehrlich war, in diesem Moment kümmerte es ihn nicht mal, wenn Flicka eines Tages einfach für immer einschlief; das war ein guter Weg, und sie würde ohnehin sterben. Es kümmerte ihn nicht, dass er Carol mit einem Schuldenberg zurückließ, denn sie war eine attraktive, patente Frau, die im Nu einen neuen Ehemann gefunden hätte.

Und den Staat um zwanzig Jahre Steuereinnahmen zu bringen, war die gerissene kleine Aussteigeroption, die ihm vorschwebte, genial gehässig, der ultimative Steuertrick. Er würde sich selbst von der Steuer abziehen. Überhaupt würde es diesen Arschlöchern recht geschehen, wenn die gesamte arbeitende Bevölkerung seines Landes in einem Akt spontanen Widerstands gegen die Staatsgewalt über Nacht seinem Beispiel folgen würde. Wo blieben dann die Absahner? Sie säßen allesamt auf dem Trockenen, diese Wichser. *Verdammt, wo sind meine Sklaven, wo bleibt mein Frühstück?*

Doch dieses kurzzeitige Gefühl der Genugtuung machte sofort einer tieferen, schläfrigeren Erschöpfung Platz, die viel weitreichender war – er war wie ein Junge inmitten von Spielzeug, dem er entwachsen war, während die anderen Kinder alle noch mit Begeisterung spielten. Bei einem Neunzigjährigen wäre das Gefühl wahrscheinlich die Norm gewesen; wenn ja, sprach es immerhin von Effizienz, dass er schon nach der Hälfte der Zeit an diesem Punkt angelangt war. Es begann am Windsor Place, dessen massige, palastartige Häuser aus den 1920ern er immer bewundert hatte. Auf einmal schien ihm die Arbeit, die es erfordert haben musste, um mit der Laubsäge die Holzschnörkel an der Brüstung der großen, gemauerten Veranden anzufertigen, unbegreiflich; noch unbegreiflicher schien es ihm, dass sich jemand die Mühe machen könnte, dieses eitle architektonische Detail neu zu streichen, zu reparieren oder auszutauschen, und anstatt erneut die geometrische Spitzenverzierung zu bewundern, dachte Jackson: *meinetwegen*. Und dann dehnte sich in einem schwindelerregenden, wuchtigen Rausch die gleiche schmerzfreie Großzügigkeit auf alles andere aus, ähnlich dieser kleinen Schwelle, die man überschreitet, wenn man seinen Kleiderschrank ausmistet, und anstatt sich über jedes abgelaufene, aber noch tragbare Paar Stiefel den Kopf zu zerbrechen, stellt die Trennung von all dem Plunder, den man ohnehin nie mehr anziehen wird, auf einmal kein Opfer mehr dar, sondern eine Lust. *Meinetwegen*: nicht nur die sonntäglichen Mittagessen in Bay Ridge, bei denen er vergeblich versucht hatte, seine Eltern damit zu beeindrucken, dass ihr Sohn kein nutzloser Gammler war – er war Shep Knackers rechte Hand, und später gehörte er zum *Management* –, schon die traditionellen Sonntagsessen, und der Wochentag selbst. Dankesbriefe und heimliches Auftupfen von Soßenflecken; laminierte Päckchen, die man nur mit der Gartenschere aufbekam; nichtkompatible Software. Ramadan,

Columbus Day und Picknicks. Nationale Selbstbestimmung, Rezepte für Bananenbrot und amazon.com. Bungeejumping, Selbstmordattentäter und Sichverlieben. Raumstationen, Parda und Geheimratsecken. Demonstrationen gegen Abtreibung, selbst abtauende Kühlschränke und Rocklängen; Wunderbäume, Attentate auf Präsidenten und Retrospektiven zum zehnjährigen Ende der Apartheid. Mikrokredite, Holzwurmbehandlung und Initiativen gegen die Vivisektion. West-Bank-Siedlungen und genmodifizierter Mais; Atomwaffensperrverträge, National Salt Awareness Week und mit Fluor versetztes Trinkwasser. Drogenstaaten, Bettröcke und Vandalismus in Wartehäuschen; Glückszahlen, Lieblingsfarben und Knopfsammlungen. Tribalnarben und die Preisverleihung für das Polka-Album des Jahres; Teezeremonien, kahl geschorene Köpfe und alternative Energie. Spielfilme, die fünfte Änderung und die Wettervorhersage; Arktis-Entdeckungsfahrten, Quotenregelung und Mobilfunkverträge. South-Beach-Diät, Missbrauch gegen ältere Menschen und die Schlacht bei Waterloo; Burkas, Bettgestelle und Familienerbstücke; Einlegesohlen und die Europäische Union. Autobomben, Bruttosozialprodukt, MP3-Spieler und Gore-Tex, Gasknappheiten und Gartentipps: Er hatte die Schnauze voll von all dem Zeug. Von der Menschheit mit ihrem ganzen Scheiß.

Als Jackson an seine Haustür kam, sagte ihm das verriegelte obere Schloss, dass niemand zu Hause war. Heather war bei einem außerschulischen Antidiskriminierungsworkshop, und Carol fuhr Flicka zu ihrer Ernährungstherapeutin.

Ohne besondere Eile schlenderte er hinunter in den Keller. Er zog die Metallkiste hervor, die zwischen den drei pyramidenförmig aufgetürmten Pappkartons versteckt war, in denen sich die reichlichen Überreste von Heathers neu verlegtem Eichenfußboden befanden, die der Hersteller nicht wieder zurückgenommen hatte. Er hatte sich damals bei der Quadratmeterzahl des kleinen Kinderzimmers total verrechnet gehabt und zu viel Holz bestellt. Obwohl die Firma die ungeöffneten Kisten wirklich hätte zurücknehmen müssen, war es ihm nicht mehr begreiflich, weshalb ihn die Bezahlung von überflüssigen Holzbrettern mit Nut-und-Feder-Verbindung im Wert von 500 Dollar derart in Rage gebracht hatte; immerhin war es sein Rechenfehler gewesen. Er hatte in seinem Leben jede Menge Energie verschwendet, und wenn er nur die Klugheit besessen hätte, seinen Zorn in die Hauptleitung zu stecken, hätte er damit das ganze Haus beleuchten können.

Mit einer Drehung jenes Schlüssels, dessen leises Klimpern an seinem Schlüsselbund ihm seit gut einem Monat Auftrieb gab, öffnete er das Vorhängeschloss der Metallkiste und nahm den Inhalt heraus. Selbst Jackson musste den Hut ziehen vor einer Nation, die anstandslos den Erwerb eines solchen Gegenstands ermöglichte – ganz zu schweigen von einer Nation, die seelenruhig zusah, wie er seine Kreditkarte mit weiteren 639,95 Dollar belasten ließ, wo er bereits mehr als die Hälfte vom Wert seines Hauses schuldig war. Aber was soll's, vielleicht war Amerika ja doch ein freies Land.

Oben in der Küche wühlte er in der Schublade mit den Küchenutensilien. Als er das Gesuchte nicht fand, stellte die aufflammende Wut eine chemische Überraschung dar; in seiner Frustration zog er die Schublade aus den Leisten, und der Inhalt fiel zu Boden. Das Klirren von Küchenspachteln, Schaumlöffeln und Schneebesen zerrte an seinen Nerven, wenngleich das dümmliche Durcheinander aus Knoblauchpresse, Eierbechern, Teeeiern und Julienneschälern zu seinen Füßen eine sinnvolle Erinnerung an sein neues Motto darstellte: *meinetwegen*. Er war dankbar für die Wiederkehr seiner ruhigen, systematischen Vorgehensweise, als er das Gerät eine Schublade tiefer entdeckte. Dort fand er auch den Messerschärfer. Die meisten hatten keine Ahnung, wie man damit umging, und machten sich ihre Messer kaputt. Nach mehreren Schwüngen in ein und demselben Winkel musste er daran denken, wie oft er selbst den Schliff komplett verdorben hatte, bis er den Bogen raus gehabt hatte mit diesem Ding. Aber inzwischen konnte er damit umgehen, und es war schön, die Fertigkeit rechtzeitig zum nötigen Zeitpunkt entwickelt zu haben.

Stahl: Das war es, was Burdina auf Baskisch bedeutete. Ein Metall, das seinen wahren Charakter darstellte. Auf das Werkzeug bezogen ein Name, der ihm immer zugesagt hatte. Seltsam, es wollte ihm partout nichts einfallen, was er auch nur im Geringsten vermissen könnte, bis auf das ein oder andere Wort – *beschlagnahmen*. Vielleicht war es eine Schande, dass er sein Buch nie geschrieben hatte. Allein die Titel! Für seine Titel wäre Jackson Burdina zur Legende geworden.

Mit der Logistik war es nicht ganz einfach, und irgendwann entdeckte er, dass er das beste Ergebnis erzielen würde (auch ein Wort, das er mochte, da es seinem pragmatischen Charakter so gut entsprach), wenn er das Schneidebrett auf den Frühstückstisch legte. Jackson schnallte sich den Gürtel auf und spielte mit dem Gedanken, seine Hose ganz auszuziehen, damit sie ihm nicht auf unwürdige Weise um die Fußgelenke hängen würde. Aber derlei Äußerlichkeiten waren nie seine Sorge gewesen. Was er zum Beispiel kochte, war männlich und derb, und er hielt nichts davon, ein Steak mit einer Kugel gefrorener Melonenbutter zu servieren oder den Fisch mit Nelken zu garnieren.

Mit einer Hand zog er und mit der anderen hielt er das Hackmesser in die Höhe, dann ließ er mit einem einzigen sauberen Schlag die Klinge niedersausen, an Hühnerschenkeln lang erprobt. Es hatte eigentlich nicht melodramatisch sein wollen; die Geste war als Versicherung gedacht, als Garantie, dass es kein Zurück gäbe. Dennoch hatte der Anblick dieses knorpeligen, schrumpeligen Gebildes auf dem Schneidebrett etwas eigentümlich Befriedigendes. *Rache*, dachte er, und dann steckte er sich die Pistole in den Mund und drückte ab.

Kapitel 17

Shepherd Armstrong Knacker
Merrill Lynch Konto-Nr. 934 – 23F917
01.01.2006 – 31.01.2006
Gesamtnettowert des Portfolios: $ 3 492,57

UNTERWEGS IN NÖRDLICHER Richtung auf dem West Side Highway, dachte Shep darüber nach, dass er sich öfter feuern lassen sollte. Tagsüber war so viel weniger Verkehr.

Seine Nachbarin beim Autofahren vom Handy aus anzurufen war eigentlich rechtswidrig. Aber irgendetwas in ihm lief gerade aus dem Ruder. Jeder andere New Yorker ignorierte dieses Verbot, und Shep hatte keine Lust auf die Rolle der einzigen Ausnahme, die sich für die einzige Ausnahme hielt.

Mit Nancy zu telefonieren war für ihn meist ein Horror. Sein ganzes Leben lang war er der Mann gewesen, den andere um Hilfe gebeten hatten, und als Bittsteller fühlte er sich unwohl. Auch wenn sie ihm immer gern einen Gefallen tat, war es eine Erleichterung, die arme Frau zu kontaktieren und sie ausnahmsweise vom Haken zu lassen. Mal wieder vollgepumpt mit Antibiotika, durfte Glynis jetzt nach Hause, und er konnte sie auf dem Heimweg nach Elmsford abholen. Nancy war so dankbar dafür, ihre Hilfe anbieten zu können, dass sie regelrecht enttäuscht klang, heute nicht zur Columbia-Presbyterian-Klinik fahren zu müssen. Solche Menschen waren heutzutage rar gesät. Herrgott, im Gegenzug hatte er nicht mal etwas bei Amway bestellt.

Er hatte schon beschlossen, Glynis von seiner Kündigung nichts zu erzählen. Nancy hatte sich über seine plötzliche Freiheit mitten in der Woche gewundert. Glynis aber war so gleichgültig geworden gegenüber der Tatsache, dass er nebenbei noch einen Job hatte, dass er sich vielleicht gar nicht würde verstellen müssen.

Denn Glynis hatte sich einer so vollendeten Selbstsucht überlassen, dass Beryl dagegen aussah wie die Ehrenvorsitzende von »Save the Children«. Sie kommandierte ihn herum, und er ließ sich von ihr herumkommandieren. Seltsam, was für eine Macht von der Krankheit ausging, die sich Glynis inzwischen nicht nur mit imperialer Überheblichkeit, sondern auch einem Hauch von Niedertracht zunutze machte. Es war anscheinend eine Art Rache, wobei seine totgeborene Unabhängigkeitserklärung namens Pemba nur ein Punkt auf ihrer langen Beschwerdeliste war. Auch früher schon hatte Shep das Gefühl gehabt, ein wenig unter ihrem Pantoffel zu stehen. Glynis hatte immer das Sagen gehabt, hatte immer ihren Willen bekommen, von den Vorhängen bis hin zu Zachs Schule. Auch wenn sie es selbst wahrscheinlich nie so gesehen hatte. Er gab sich alle Mühe, die Dinge aus der Sicht seiner Frau zu betrachten: Als geniale, aber unterschätzte Kunsthandwerkerin, die in einer konventionellen, paternalistischen Ehe gefangen war, hatte sie sich abgerackert, um Kinder großzuziehen und stilvolle Abendessen zuzubereiten, während sie eigentlich Museumsstücke hätte schmieden sollen. (Abgesehen davon, dass sie nie irgendwas von ihrer Kunst abgehalten hatte; abgesehen davon, dass ihr Mann sich abgerackert hatte, um anderer Leute größtenteils deprimierende und geschmacklos eingerichtete Häuser zu reparieren, damit sie die Freiheit haben würde, zu schaffen, was und wann immer sie schaffen wollte. Sich in seiner eigenen Perspektive zu ergehen war jedoch nicht Sinn dieser geistigen Übung.) Also schien es nur gerecht, dass ihr Mann zum Knecht geworden war, der das Einkaufen, Kochen und den Gang zur Apotheke erledigte.

Glynis war erst einundfünfzig, das alles hätte nicht sein dürfen, ihr war Unrecht widerfahren, und man schuldete ihr etwas. Wer nun genau die astronomischen Summen zahlen musste, war vermutlich nicht von Belang.

Er nahm die Ausfahrt 96th Street in den Riverside Drive. Schwaches Winterlicht tastete sich durch die nackten Äste des Parks, flackerte und stach erneut zu wie eine ungewollte Erinnerung. Die Szene, auf die er vor zwei Tagen gestoßen war, wollte ihm nicht aus dem Kopf gehen.

Als er abends von der Arbeit nach Hause kam, brannte im ganzen Haus das Licht. Er schlenderte nach oben, aber Glynis lag nicht wie üblich in ihrem Nest aus verknäulten Decken. Er klopfte an Zachs Zimmertür und fragte seinen Sohn, ob er wisse, wo seine Mutter sei. Begleitet von Gewehrsalven, rief der Junge, keine Ahnung, aber sie müsse irgendwo im Haus sein. Shep suchte erneut im Erdgeschoss und im Obergeschoss, ehe er in den Keller ging. Sie war weder mit der Wäsche zugange, noch kramte sie in seiner Werkstatt herum. Er ging sogar mit einer Taschenlampe durch Vorgarten und Garten. Bevor er die Polizei rief, wollte er ganz gründlich sein und stieg auf den Dachboden. Da war nur Glynis' Atelier, und seines Wissens war seit Monaten niemand mehr oben gewesen.

Er fand sie zusammengesackt über ihrer Werkbank, und die Tischlampe tauchte die Szene in das goldene Licht eines Rembrandt: *Stillleben mit Krebs und Silber*. Sie hatte es geschafft, ein Sägeblatt in ihre Metallsäge zu spannen. Durch die nötige Spannung brachen die zarten Sägeblätter leicht entzwei; und dieses war zerbrochen. Es steckte in einem dünnen quadratischen Stück Sterlingsilber, das in ihrem Schraubstock lag. Eine einzige wacklige Schnittlinie zog sich etwa zweieinhalb Zentimeter ins Silber hinein. Dann war das zerbrochene Sägeblatt hängen geblieben, die Säge selbst baumelte in der Schnittlinie. Neben der schlaffen Hand seiner Frau lag ein Zettel mit undeutlichen Skizzen und wütenden Pfeilen. Er konnte nicht sagen, ob sie schlief oder bewusstlos war, und für einen Augenblick fürchtete er, dass sie – schlimmer noch als bewusstlos war. Als er ihre

Stirn berührte, stellte er erleichtert fest, dass sie stattdessen hohes Fieber hatte. Bevor er sie nach unten trug, schob er sanft ihren Arm beiseite und zog das zerbrochene Sägeblatt aus dem Metall. Das quadratische Stück Metall mit dem minimalen Einschnitt würde, wie er annahm, ihre letzte Arbeit sein.

Wie er vorausgesehen hatte, wirkte Glynis nicht überrascht, als sie vom Krankenhausbett zu ihm hochsah. Auch Shep war nicht überrascht, seine Frau in so zerbrechlichem Zustand zu sehen; die Halssehnen stachen hervor, als hätte sie Sägeblätter verschluckt. Da er sich an ihren Verfall gewöhnt hatte, lief er in letzter Zeit Gefahr, zu glauben, dass seine Frau tatsächlich so aussah. Nur Fotos rissen ihn zurück in die Erinnerung an jene Frau, die er siebenundzwanig Jahre lang begehrt hatte, insofern konnte er nachvollziehen, weshalb sie sich jetzt jedes Fotografieren verbat. Ohne visuelle Aufzeichnungen würde dieses Bild ihrer Krankheit verblassen und rasch in den Schatten gestellt werden durch die majestätische Frau, die er geheiratet hatte, mit ihren zupackenden Händen, den langen, eleganten Beinen und dem Zauberwald dazwischen.

Er half ihr beim Anziehen. Als er Schwierigkeiten hatte, ihre Arme in die Ärmel der kirschroten Fleecejacke von Carol zu stecken, fuhr sie ihn an: »Lass mich. Dann kann ich's ja gleich selber machen!« Die Schwester brachte ein neues Rezept; auf dem Rückweg konnte er bei der Apotheke halten.

»Goldman will was Neues ausprobieren«, sagte Glynis im Auto, schloss die Augen und lehnte ihren Turban gegen die Kopfstütze. »Ein Versuchsmedikament gegen Darmkrebs hat in klinischen Studien großartige Ergebnisse erzielt. Damit könnten wir den Dreck in meinen Eingeweiden endgültig k.o. schlagen.« Sie hustete; sie hustete ständig. »Wobei ich sicher bin, dass auch wieder eine Wundertüte voller *Spezialeffekte* dabei ist.«

Er hätte zu gern gefragt, ob sich ein neues Medikament denn

lohnte, aber er wusste es besser. Seit September kannte Glynis die Ergebnisse ihrer CTs nicht. »Das ist ja ziemlich aufregend« – es machte ihm Mühe, etwas Überschwang in seine Stimme zu legen –, »wenn das Zeug bei anderen Patienten so vielversprechende Ergebnisse zeigt.«

»Ach ja, und Goldman hat mir eine fabelhafte Geschichte erzählt! Irgendein Kollege hat zu seinem Mesotheliom-Patienten nach der Diagnose gesagt: ›Machen Sie mal keine Pläne für Weihnachten.‹ Drastischer geht's ja wohl nicht, oder? Also hat der Patient mit dem Arzt um 100 Dollar gewettet, dass er zwei Jahre später noch quicklebendig sein würde. Der Arzt hat ihn verspottet und ihm eine 50:1-Quote angeboten. Und dieser Onkologe musste gerade 5000 Dollar lockermachen. Ist das nicht irre? Gott sei Dank habe ich nicht einen dieser zynischen Ärzte, die auf ihren ›Realitätssinn‹ auch noch stolz sind – da fehlt nicht viel, und sie reichen einem den Spaten, mit dem man sein eigenes Grab schaufeln soll.«

»Schade, dass Goldman nicht *zynischer* ist«, sagte Shep gezwungen lebhaft, doch insgeheim ärgerte er sich ein wenig darüber, dass ihr Internist solche *fabelhaften Geschichten* nicht für sich behalten konnte. »Bei 50:1 könnten wir uns richtig was dazuverdienen.«

Die Sonne über dem Hudson war so blass und wenig überzeugend wie diese Unterhaltung.

»Shepherd«, sagte sie seufzend, »zu sagen, dass ich mich wirklich darauf freue, wenn diese Sache endlich vorbei ist, wäre nicht ansatzweise … Ich weiß ja, wie's einem Marathonläufer bei Kilometer zweiundvierzig geht. Man sollte meinen, sobald die Zielgerade in Sicht kommt, wird es einfacher. Ich dachte, die letzten paar Behandlungen wären ein Kinderspiel – du weißt schon, fast geschafft. Stattdessen wird es schwerer und schlimmer. Vorbei und *fast* vorbei scheinen fast dasselbe zu sein. Dabei sind es Gegensätze. Fast vorbei heißt, dass es immer noch weitergeht. Man will aufrunden und sagen, eigentlich war's das. Aber das war's noch nicht. Als hätte man noch eine Meile zu laufen, man erkennt, dass es keine Rolle spielt, wie viele Meilen man schon zurückgelegt hat, denn eine Meile ist immer noch ein langer Weg. Manchmal denke ich, ich halte es nicht mal mehr einen Tag aus. Einen ganzen Tag. Du hast keine Ahnung, wie lang einem das werden kann, ein ganzer Tag.«

»Ich weiß, es scheint wie eine Ewigkeit, als würde es nie vorbeigehen. Aber es geht vorbei«, sagte er mit fester Stimme und diesmal mit Gefühl.

Glynis wartete im Auto, während er schnell in die nächste Apotheke lief. Vermutlich war es eine feine Sache, wenn einem der Barmann ungefragt seinen Lieblingsdrink einschenkte, aber ein kumpelhaftes Verhältnis zu seinem Apotheker war alles andere als erhebend. Als er in ihre Auffahrt eingebogen war, hielt Shep ihr seinen Arm hin und stützte sie, und sie gingen die Verandatreppe langsam, Stufe für Stufe, hinauf. Allein auf dem Weg vom Auto ging ihr die Puste aus, und er setzte sie zum Verschnaufen ins Wohnzimmer, bevor sie die Treppe hinauf ins Schlafzimmer in Angriff nahmen. Außerdem musste er etwas mit ihr besprechen, und das etwas förmlichere Wohnzimmer schien dafür der passende Ort zu sein.

Er ließ sie dort sitzen, um ihr einen Cranberrysaft zu holen, den er in ein Weinglas einschenkte, wobei der biegbare Strohhalm darin nichts Erwachsenes hatte. Sie war so schwach, dass sie kaum allein in der Lage war, das Glas zu heben, einen Schluck zu trinken und das Glas wieder abzustellen, ohne den Saft zu verschütten. Die Couch war weiß, und es bestand immer die Möglichkeit, dass sie den nächsten Wutanfall bekam.

Er stellte das Glas neben ihrem Ellenbogen auf den Beistelltisch, drehte ihr den Strohhalm entgegen und schüttelte zwei Tabletten aus dem Röhrchen mit Antibiotika, bevor er ihr erst eine, dann die zweite auf die Zunge legte. Die ganze Zeit beschlich ihn das Gefühl, dass irgendetwas nicht stimmte. Es war die Stille. Er blickte hinüber zum Hochzeitsbrunnen auf dem gläsernen Wohnzimmertisch. Zu seinem Leidwesen bemerkte er, dass das Silber der ineinander verschlungenen Schwanenhalsrinnen gelblich angelaufen war, das gleiche fahle Gelb wie die kränkliche Nachmittagssonne. Bei allem Elend hatte er bislang immer einen Moment gefunden, um das Silber zu polieren. Schlimmer noch, das gleichmäßige, beschwingte Tröpfeln, das den akustischen Hintergrund zu manch einem Feierabenddrink gebildet hatte, war versiegt. Mindestens seit einer Woche musste er vergessen haben, das Wasser nachzugießen.

In der Küche ließ Shep einen Krug mit Wasser volllaufen. Als er zurückkam, um das Becken aufzufüllen, saß das Wasser still im Becken. Da der Brunnen versiegt war, hatte sich vorhersehbarerweise die Pumpe heißgelaufen und den Geist aufgegeben. Das geschah nicht zum ersten Mal, und die bevorstehende kleine Reparatur war kein Grund zur Besorgnis. Dennoch kam es ihm vor wie ein Omen.

Es war eindeutig nicht der richtige Moment, aber er musste sich zusammenreißen, um den Brunnen nicht sofort zu reparieren; im Keller lagen ein paar Ersatzpumpen. Reparaturen waren das, womit er sich beschäftigte. Er verdiente sein Geld mit Reparaturen, zumindest hatte er das bis heute Vormittag noch getan. Er starrte in das stille Wasser, und der Stress, diese kleine Fehlfunktion nicht sofort zu beheben, spiegelte den größeren Stress des letzten Jahres wider: Er konnte die Dinge nicht reparieren.

Er ließ den Krug auf dem Boden stehen, rutschte behutsam neben seiner Frau aufs Sofa und nahm ihre Hand. »Ich bin nicht sicher, ob du das Datum noch im Kopf hast. Weißt du noch, dass du morgen früh deine Aussage wegen Forge Craft machen musst?«

Sie atmete rasselnd ein und hustete. »Ich weiß es noch.«

»Ich mache mir Sorgen, dass du's vielleicht nicht schaffst.«

»Na ja, das Timing könnte besser sein. Das Fieber ist zwar überstanden, die Infektion ist aber immer noch … Also, ich denke, wir könnten's noch mal …«

»Ich weiß, wir könnten den Termin verschieben, aber auch das macht mir Sorgen. Wir haben diesen Termin jetzt schon mehrmals verschoben. Langsam wird's peinlich, und zu viele Verzögerungen könnten im Prozess gegen uns verwendet werden. Du weißt ja, dass ich nie ein großer Freund dieses Unterfangens war. Aber es ergibt keinen Sinn, diese Sache zu verfolgen, wenn wir verlieren. Ich wünschte, du hättest das alles hinter dich gebracht, als du noch die Kraft hattest. Es geht ja nicht nur darum, auf Video ein Statement abzugeben. Die Anwälte von Forge Craft werden da sein. Rick hat mich vorgewarnt, dass so was Stunden dauern kann, und das Kreuzverhör kann zermürbend sein. Aber ich werde jetzt nicht noch mal um einen neuen Termin bitten. Entweder ziehst du's morgen durch, oder wir ziehen die Klage zurück.«

»Ich will die Klage nicht zurückziehen«, sagte sie beleidigt. »Irgendjemand muss büßen.«

»Dann musst du morgen aussagen.«

»Ich fühle mich schrecklich, Shepherd! Warum kannst du's nicht noch mal verschieben? Wenigstens bis nächste Woche, bis dahin bin ich sicher –«

»Nein.« Es war ein seltsam belebendes Gefühl, das Heft in der Hand zu haben. Seit Monaten hatte sie von ihrem Mann keine Widerworte geduldet. »Wenn es dir so am Herzen liegt, dass jemand ›büßt‹, dann versteh ich nicht, warum du es immer weiter vor dir herschiebst. Bring die Aussage hinter dich. Morgen. Sonst sagen wir die ganze Sache ab.«

Glynis hatte sich aufgerichtet, die Handflächen auf den Oberschenkeln, die Augen geschlossen, und der Turban gab ihr lustigerweise etwas von einem Swami. In dieser gelassenen Haltung strahlte sie fast etwas Meditatives aus, wenn sie nicht angefangen hätte zu zittern. Als er ihre Hand berührte, bebte sie wie eine elektrische Zahnbürste.

»Glynis?«, sagte er sanft. »Wovor hast du Angst? Ich bin doch bei dir, und wir können jede Menge Pausen machen.«

Tief aus ihrem Zwerchfell kam ein Laut und drang hinauf in ihre Kehle, und sie versuchte, ihn wieder hinunterzuschlucken. Immer wieder durchfuhr sie ein Zittern, als würde ihr jemand mit einem Vorschlaghammer gegen die Brust schlagen.

»Gnu, was ist los? Wenn's dir zu viel Stress ist, dann ziehen wir einfach die Klage zurück –«

Es war ein seismisches Beben, von dem sie erschüttert wurde, doch der einsame Vokal, der aus ihrem Mund entwich, glich eher einem ängstlichen *Eh*.

»Ist ja gut.« Er streichelte ihr die Hand. »Ganz ruhig, wir können auch noch später drüber reden.«

»Es ist ...«, sagte sie jetzt deutlicher und rang um die Worte, sie rang in der Kehle mit ihnen, als wollten sie das Kommando übernehmen.

»Tief durchatmen, und versuch nicht zu reden.«

Doch als er sie in den Arm nehmen wollte, schob sie ihn mit einer Kraft, die er ihr gar nicht mehr zugetraut hätte, von sich. Auch wenn Shep inzwischen gut darin geworden war, nichts mehr von dem persönlich zu nehmen, was Glynis dieser Tage so tat, war die heftige körperliche Reaktion nun doch eine unerwartete Kränkung. Er zog sich auf die andere Seite des Sofas zurück und verschränkte die Arme.

»Es ist«, presste sie wieder hervor, und dann endlich schleuderte sie ihm die Worte entgegen, erbrach sie gleichsam mit Ekel und Erleichterung zugleich: *»Es – ist – alles – meine – Schuld.«*

»Was ist alles deine Schuld, Glynis?« Die Kälte in seiner Stimme war eine Gefälligkeit. »Ich kann mir nicht vorstellen, was deine Schuld sein soll.«

»Das hier!«, stieß sie hervor und fuhr mit der Hand über ihren eingesunkenen Unterbauch. »Das alles!«

»Was alles?«

»Der Krebs, die Chemo!«, brachte sie zwischen Schluchzern hervor. »Ich hab's darauf angelegt. Ich hab mir das selbst eingebrockt!«

»Was redest du denn da. Du bist einfach nur erschöpft –«

»Halt den Mund!«, rief sie und schlug beide Hände auf die Oberschenkel. *»Halt den Mund, halt den Mund, halt den Mund!«*

Sie wartete, dass er wie üblich tat, was sie befahl. Stumm saß er da, ein Stück von ihr entfernt, während sie sich wieder halbwegs in den Griff zu bekommen schien.

»Auf der Kunstschule«, sagte sie. »Die Wickelpappeblöcke, die Handschuhe, die Beschichtung der Schmelztiegel – klar, in den Siebzigern war Asbest in solchen Produkten ja nicht verboten. Aber es war immerhin ein Thema. Ich wusste davon und meine Lehrer auch. Eine meiner Professorinnen war sogar richtig besorgt deswegen. Woher hätte ich denn sonst überhaupt gewusst, dass das alles Asbest enthält?«

Er wollte sagen, nur weil sie es gewusst habe, sei es noch lange nicht ihre Schuld, aber er merkte, dass das »Halt den Mund«-Edikt noch in Kraft war.

»Jedenfalls, diese Professorin, ich weiß sogar noch ihren Namen, Frieda Luten. Sie hatte ziemlich viel über das Thema gelesen. Zu Beginn meines ersten Semesters hatte sie die Blöcke und Handschuhe eingesammelt, wirklich alles, was eine ›Gefahr für Leib und Leben‹ hätte darstellen können, und in einen Vorratsschrank getan. Die Regale waren beschriftet mit ›Bitte nicht verwenden und nicht anfassen‹. Sie hatte Ersatzmaterialien bestellt, wollte aber das alte Zeug nicht wegwerfen. Die Verkaufsabteilung von Forge Craft hatte ihr gesagt, dass die Firma wahrscheinlich eine Rückrufaktion starten würde und die Schule die alten Vorräte dann gegen neue eintauschen könnte. Die Firma startete den Rückruf auch tatsächlich, aber erst ein Jahr später. Das ist die Rückrufaktion, von der Rick Mystic sagte, dass wir sie damit bei unserer Klage drankriegen.«

Er konnte sich nicht mehr zurückhalten. »Du willst mir also damit sagen, dass du die Produkte nie benutzt hast? Aber wie ist es denn sonst möglich, dass –«

»Ich bin noch nicht fertig.«

Shep verstummte.

»Du musst verstehen«, sagte sie und richtete den stumpfen Blick auf den Hochzeitsbrunnen; defekt und trübe, wie er war, wirkte er plötzlich verstörend billig, wie irgendein Kitsch aus dem Trödelladen. »Oder dich erinnern. Wie es war, als man jung war. Das Gefühl zu haben, dass die neurotischen kleinen Sorgen der Älteren für einen nicht gelten. Diese Sache mit dem Asbest, das war was Abstraktes. Ich dachte, die Leute machen einen Riesenwirbel um nichts, so wie dieser Riesenwirbel um den roten Farbstoff Nr. 2, nachdem ich als Kind immer die Maraschinokirschen auf meinem Eisbecher gegessen hatte und auch nicht davon gestorben bin. Und wie du weißt, ändern sie ständig ihre Meinung über das, was gut für einen ist und was einen umbringt – wie dieser ganze Aufstand um Sacharin, und dann bringen sie Aspartam ins Spiel, was wahrscheinlich genauso schlimm ist … dies ist giftig und das ist giftig … na ja, irgendwann nimmt doch keiner mehr irgendwas ernst, oder? Und damals gab es ja noch kein Internet; ich konnte nicht einfach bei Google das Wort *Asbest* eingeben und 15 Millionen Einträge finden. Und ich war total pleite.«

Sie drehte sich zu ihm und blickte ihn wütend an. Er hatte das Gefühl, jetzt etwas sagen zu müssen. »Und …?«

»Ach, sei doch nicht so ein Idiot! *Ich hab das Zeug gestohlen, Shepherd!* Ich wusste, sobald ich meinen Abschluss hätte, würde ich mir ein eigenes Atelier einrichten müssen, und du weißt es doch am besten – Schmiedematerialien kosten ein Vermögen! Ich dachte mir, wenn diese Materialien nicht mehr in Gebrauch waren, würde sie auch keiner vermissen. Herrgott, was glaubst du denn, warum ich mich so haargenau an die Etiketten unter den Lötblöcken erinnere oder an das kleine lila Blümchenmuster auf den feuerfesten Handschuhen? Weil ich eine ganze Kiste davon aus dem Regal geklaut habe, auf dem ›Bitte nicht verwenden und nicht anfassen‹ stand, weil ich alles eingepackt und mit nach New York genommen habe und weil ich *jahrelang* in Brooklyn damit gearbeitet habe! Das ist genau so, als hätte ich jahrzehntelang zwei Päckchen Zigaretten am Tag geraucht, um dann total überrascht zu tun, wenn ich an Lungenkrebs erkranke, ich wusste ja, dass das Zeug giftig war, und habe es trotzdem benutzt, weil ich – zu verflucht geizig war!«

Ah. Seinetwillen war Shep erleichtert. Da der ursprüngliche

Warnruf von der Verkaufsabteilung von Forge Craft selbst ausging, würden sie die Klage zurückziehen müssen. Auch wenn die aufrichtige Erklärung nicht verbrieft war, wäre es nicht richtig, aus opportunistischer Gewinnsucht die Klage weiter zu verfolgen. Um sie zu schützen, könnte er Mystic ja vielleicht erklären, dass sie nicht mehr die Kraft habe, um eine Aussage durchzustehen. Somit würde er um einen mühsamen Rechtsstreit herumkommen, dessentwegen er von Anfang an ein mulmiges Gefühl gehabt hatte.

Sie leistete keinen Widerstand, als er auf ihre Seite des Sofas rutschte und ihr den Arm um die Schultern legte. »Es ist wirklich paradox«, murmelte er. »Eine der Eigenschaften, die ich so reizvoll an dir fand, als wir uns kennenlernten, war deine Sparsamkeit. Für deine Werkbank in Brooklyn hast du knallhart verhandelt.« Er lachte in sich hinein. »Was du ausgeben wolltest, hat kaum die Materialkosten gedeckt. Ich habe für fast nichts gearbeitet – da wurde mir klar, diese Frau muss es mir total angetan haben. Für niemand anders hätte ich umsonst gearbeitet. Aber ich wollte dich ficken«, sagte er leise in ihr Ohr, und allein bei diesen Worten wurde er hart. »Ich wollte dich um jeden Preis ficken.«

»Ich versteh nicht, wie du dich dazu bringen kannst, noch immer mit mir zu reden«, sagte Glynis, die Stimme gedämpft durch sein Hemd. Sie hatte seine Erektion bemerkt und legte ihm behutsam die Hand in den Schritt. Sie streichelte ihn, während er zur gleichen Zeit ihre Schulter streichelte, als wäre er ein geliebtes älteres Haustier. »Nachdem ich dich beschuldigt habe. Ich kann nicht ganz nachvollziehen, was mich dazu getrieben hat. Außer, dass es so schwer zu akzeptieren war … die Diagnose … was mit mir passieren würde, die Operation, die Behandlungen … Ich konnte einfach nicht auch noch mit der Schuld umgehen. Es war zu viel. Es war ja nicht so, als hätte ich vergessen, dass ich auf der Kunstschule diese Materialien aus dem Schrank geklaut hatte. Ich habe mich der Tatsache nur nicht … *zugewandt*. Aber mich gegen dich zu wenden, dir die

Schuld zu geben – weil du eben da warst –, weil du stark warst und ich dachte, du könntest ertragen, was für mich unerträglich war – weil es eine bessere, plausiblere Geschichte ergab, die ich anderen Leuten besser erzählen konnte … das war nicht gerecht, und ich weiß nicht, ob du mir jemals verzeihen kannst.«

»Ich rede immer noch mit dir, viel mehr noch«, flüsterte er und küsste sie auf den glatten Schädel. »Irgendwann hast du ja woanders die Schuld gesucht, und das war schön. Danach war es leichter für mich, weil ich nicht mehr glauben musste, dass ich deine Krankheit verursacht habe, nur weil ich dich …« – es war tatsächlich schwer, den Satz auszusprechen, ohne dass ihm die Stimme versagte – »umarmt habe, wenn ich nach Hause kam.«

Shep haderte noch mit sich, ob er mit seinem Ständer etwas anfangen oder einfach nur den Zustand genießen sollte, dieses beharrliche, pumpende Zucken, das ihm wieder das Gefühl gab, jung zu sein und verheiratet – als das Telefon klingelte. Er hätte es ignorieren können, aber hin und wieder gehörte es sich eben, daran zu denken, dass er auch noch einen Sohn hatte, der eigentlich schon längst aus der Schule hätte zurück sein müssen. Da die Eltern des armen Jungen seit über einem Jahr in jedweder Hinsicht unansprechbar waren, konnten sie sich wenigstens herablassen, ans Telefon zu gehen.

Es war nicht Zach. Als er die Stimme am anderen Ende der Leitung erkannte, zog er entschuldigend eine Augenbraue hoch und hob den Zeigefinger. Sie wirkte auf einmal so erschöpft, dass ihr ein paar Minuten Ruhe vielleicht ganz recht wären. Er ging hinüber in die Diele. Während die Stimme weitersprach, hatte er Angst, dass das hysterische Weinen durch den Hörer und zu Glynis dringen könnte, und so ging er hinaus auf die vordere Veranda. Es war kalt draußen, doch es hatte sich eine solche Kälte in ihm ausgebreitet, dass sein Blut die Temperatur der Luft angenommen hatte, wie bei einem Reptil.

Man konnte durchaus behaupten, dass Shepherd Armstrong Knacker ein anderer Mensch war, als er ins Zimmer zurückkam. Um des wenigen willen, was von seinem Eheleben noch übrig war, hätte er sich gewünscht, dass sein sofortiger Entschluss, seine gebrochene Frau vor einer gewissen Nachricht zu schützen, im Mittelpunkt seiner Verwandlung gestanden hätte. Doch seit er im Internet ihre Prognose gelesen und die Information wie eine ganz eigene Krebserkrankung für sich behalten hatte, seit er auf ihren verwirrenden Wunsch hin die Ergebnisse der CTs vor ihr geheim gehalten hatte, war es ihm zur Gewohnheit geworden, Glynis vor wichtigen Informationen zu schützen. Durch das Nichterzählen war er, und zwar schon seit Langem, zu Hause zum Lügner geworden.

Doch in der Öffentlichkeit war er bis zu diesem Telefonat nie unehrlich gewesen. Seine Steuererklärung war immer akribisch gewesen, und er hatte selbst Zahlungen angegeben, die ihm mit einem Augenzwinkern in bar zugeschoben worden waren. Anders als seine tragisch langfingrige Frau hatte er Pogatchnik nicht um einen einzigen Schraubenzieher erleichtert. Er hatte mit der Morgentau-Residenz einen Vertrag unterschrieben; durch sein Wort gebunden, hatte er nie ernsthaft in Erwägung gezogen, die monatlichen Zahlungen einzustellen und der Einrichtung selbst oder dem Staat die unschöne Aufgabe zu überlassen, das Haus in Berlin gegen den Willen seiner Schwester zu verkaufen und mit dem Gewinn die ausstehenden Rechnungen zu begleichen.

Jahrzehntelang hatte er sich von seinem besten Freund als »arme Sau« beschimpfen lassen – wahlweise auch als Dumpfbacke, Prügelknabe, Volltrottel, Sklave, Depp oder Lakai, je nachdem, welchen absurden Modebegriffs sich der Mann gerade bediente. Während Shep bisweilen zugab, dass seine Steuergelder nicht ausschließlich Zwecken zugeführt wurden, die er persönlich unterschrieben hätte, waren Jacksons Schimpfkanonaden über die wahre Trennung der Gesellschaft in Nehmende und Ausgenommene bei ihm stets auf taube Ohren gestoßen.

Für Shep waren die Tiraden einfach nur erheiternd gewesen, eine amüsante Zerstreuung, um sich auf den Runden durch den Prospect Park die Zeit zu vertreiben.

Jetzt aber waren sie zum Erbe seines besten Freundes geworden. Abgesehen von einem kranken und einem verfetteten Kind sowie einer Frau mit übernatürlicher Selbstbeherrschung, die nun endlich gebrochen worden war, stellte die Erinnerung an diese Hetzreden seine einzige Hinterlassenschaft dar. Sie zu ehren bedeutete, nach ihnen zu handeln. Einmal in seinem Leben würde Shep Knacker dafür sorgen, dass Jackson stolz auf ihn war.

Glynis hatte sich am Ende der Couch zusammengerollt. Shep kniete sich vor sie hin und bog sie sanft auseinander, ähnlich wie man eine geschlossene Blüte öffnet, wenn man die Blätter nicht beschädigen will. »Gnu«, sagte er monoton und nahm ihre Hände. »Setz dich mal auf, ja? So. Ich möchte jetzt, dass du mir zuhörst. Schau mich an, ja? Es ist alles in Ordnung, ich bin dir nicht böse. Ich verstehe, wie schwer es war, dieses Geheimnis so lange mit dir herumzutragen. Aber ich trage auch ein paar Geheimnisse mit mir herum. Und die sind nicht viel leichter.«

Er wartete, bis sie seinem Blick begegnete.

»Du weißt, dass es uns ziemlich gut ging nach dem Verkauf der Firma und nachdem sich unsere Anlagen nach der Dotcom-Blase und 9/11 wieder erholt hatten. Nur deswegen konnte ich überhaupt verkünden, dass ich nach Pemba gehen würde, mit dir oder ohne dich. Wir hatten das Geld dafür. Gut, mein Timing war schlecht, und das ist noch untertrieben. Aber Glynis, deine Behandlungen waren sehr teuer. Diese beiden Spezialisten an der Columbia-Presbyterian sind nicht im Vertragsnetzwerk. Ich habe die ganze Zeit versucht, dir den Rücken freizuhalten, damit du dich auf deine Genesung konzentrieren kannst. Aber ich denke, allmählich solltest auch du Bescheid wissen. Wir sind so gut wie pleite, Glynis. Seit meinem achtzehnten Lebensjahr habe ich – haben Jackson und ich – sechzig Stunden die Woche gearbeitet, manchmal mehr, und wir haben aus dem Nichts diese

Firma aufgebaut. Seit dem Verkauf war ich – waren Jackson und ich – die Handlanger eines fetten, nichtsnutzigen und komplexbeladenen Exmitarbeiters, der uns nicht ausstehen kann. Unterdessen haben wir beide nicht gerade in Saus und Braus gelebt, und jetzt tut es mir leid, dass ich dich nicht öfter zum Essen ausgeführt habe, als du noch Appetit hattest. Aber alles, was ich verdient habe, und alles, was wir zusammengespart haben, Glynis – ist weg. Mein Konto bei Merrill Lynch ist leer. Ich hab keine Ahnung, ob ich das Geld für die nächste Miete aufbringen geschweige denn noch eine Rechnung für eine Chemotherapie zahlen kann. Und noch was, was ich dir noch nicht erzählt habe: Ich bin heute entlassen worden, Glynis. Ich hab keinen Job mehr. Ich hab kein Gehalt mehr, das heißt, wir sind jetzt nicht mehr krankenversichert. Also geht die nächste Chemo zu hundert Prozent auf mich. Wir stehen vor dem Bankrott. Vielleicht denkst du, du hast eine ungefähre Ahnung, wie ich mich fühle. Du nimmst wahrscheinlich an, dass es mir peinlich ist. Aber es ist mir nicht peinlich. Ich bin *wütend.*«

Die finanzielle Misere schien auf Glynis wenig Eindruck zu machen, seine Wut hingegen schon. »Nicht wirklich«, staunte sie. »Na, das wird aber auch mal Zeit.«

»Jackson –«, Shep hielt inne, um sich zu berichtigen. Er wollte nicht weinen, oder doch, er wollte schon, aber er wollte nicht erklären müssen, warum. Es fiel ihm schwer, den Namen auszusprechen, wobei genau das wichtig zu sein schien. »Jackson lässt sich von der ganzen Ungerechtigkeit runterziehen. Es frisst ihn auf. Und das ist schade. Aber das, was er über die Welt denkt, ist nicht total verrückt. Wenn nur du dich an die Spielregeln hältst und die anderen nicht, bist du der Dumme. Wenn man sein Leben auf die Reihe kriegt, denken sich die Leute, dass man, wenn man schon dabei ist, auch gleich *deren* Leben mit auf die Reihe kriegen soll. Jackson hat uns bis zum Abwinken erklärt, dass Leute wie er und ich ausgenutzt werden. Wir werden bestraft. Allein für den Verkauf vom Allrounder habe ich 280 000 Dollar Kapitalgewinnsteuer an den Staat abgedrückt. Zähl mal dazu, was ich diesen Wichsern seit der Highschool ausgehändigt habe, dann sind das zwischen einer und zwei Millionen Dollar. Und das ist derselbe Staat, der meiner Frau, wenn sie an Krebs erkrankt, nicht mal eine einzige Paracetamol bezahlt. Genauso weigert er sich, für meinen alten Vater zu sorgen, obwohl auch der sein ganzes Leben lang in das System eingezahlt hat – nur weil er, genau wie ich, ein verantwortungsbewusstes Leben geführt hat und nicht mittellos ist. Jackson hat recht. Es ist nicht fair. Und ich glaube, dass es ihm nicht recht ist, wenn wir das alles einfach hinnehmen. Vielleicht zollt man einem wirklich guten Freund am besten damit Tribut, dass man ihm ein Mal richtig zuhört, ihn … ein Mal ernst nimmt, anders als sonst, wie ich zu meiner Beschämung sagen muss.«

Sheps Verwendung der Gegenwartsform war ein Anachronismus, aber *Jackson lässt* und *Jackson denkt* ging ihm relativ leicht über die Lippen; die Verbform diente nicht allein zur Verschleierung. Es hatte Jahre gedauert, bis sein Vater aussprechen konnte, dass Sheps Mutter eine gute Köchin *gewesen sei*, dass sie unermüdlich für seine Gemeinde *gearbeitet habe*. Für die Lebenden, die von keinem anderen Zustand einen Begriff haben, war die Verwendung der Vergangenheitsform eine Disziplin, eine obendrein unnatürliche Grammatik, die man zunächst erlernen musste.

»Mein Vater würde natürlich sagen, es ist doch *nur* Geld«, fuhr Shep fort. »Vielleicht denkst du genauso, wo die einzige Währung in deinem Leben im Moment deine Gesundheit ist. Aber ohne Geld kann ich das Dach über deinem Kopf nicht behalten oder die Heizung im Februar auf zweiunddreißig Grad aufdrehen oder dich im Auto in die Klinik fahren. Außerdem will ich ja nicht ›zynisch‹ sein, aber – was ist mit dir? Ich muss danach weiterleben, und sei es, um für unseren Sohn zu sorgen. Ich habe auch immer versucht, für dich zu sorgen, so gut ich konnte, aber jetzt bitte ich dich um eine Gegenleistung.«

»Soll ich wieder anfangen, Gussformen für Schokohasen zu machen?«

Er lächelte. Es waren schon Pulitzer-Preise für geringere Leistungen vergeben worden, als in Zeiten wie diesen Humor zu beweisen. »Ja, so was Ähnliches«, sagte er. »Als du damals aus Bosheit diesen Halbzeitjob angenommen hast, hatte ich die Bemerkung gewagt, wie schade es sei, dass du nicht wenigstens einen kleinen Beitrag zu unserem Einkommen geleistet hast. Aber jetzt kannst du einen großen Beitrag dazu leisten. So gesehen kannst du alles wiedergutmachen. Du kannst uns eine goldene Nase verdienen.«

»Kapier ich nicht.«

»Ich hab's verstanden, was du mir gerade erzählt hast. Dass du an der Kunstschule gewarnt worden bist wegen dieser Produkte, dass sie aus dem Verkehr gezogen wurden, noch bevor eure Kurse losgingen. Dass du genau wusstest, dass sie Asbest enthalten. Dass du trotz aller Warnungen deiner Professorin, die von Forge Crafts eigener Verkaufsabteilung über eine bevorstehende Rückrufaktion unterrichtet worden war, dieses Material geklaut hast. Ich glaube, du hast recht, wenn du das alles aussagen würdest, wären unsere Chancen auf einen fetten Schadensersatz gleich Null. Aber deine Kunstschule hat vor Jahren dichtgemacht. Selbst wenn sie danach noch woanders gelehrt haben sollte, ist Frieda Luten wahrscheinlich längst im Ruhestand, und wer weiß, wo. Keine deiner ehemaligen Kommilitonen ist in diesem Fall aufgetaucht. Petra könnte sich noch an dies und jenes erinnern, aber sie ist deine Freundin und wird den Mund halten. Nur wir beide wissen, was wirklich passiert ist. Also möchte ich, dass du morgen deine Aussage machst, und zwar mit vollem Einsatz. Und *ich möchte, dass du lügst.*«

Pünktlich um neun Uhr begann in einem sterilen Konferenzraum in Lower Manhattan die Aussage unter Eid. Shep setzte sich auf einen der Plätze an der Wand, während Glynis den heißen Stuhl am Kopf des ovalen Tisches einnahm; mehr als zugegen sein und gelegentlich auf eine Pause drängen konnte er zu ihrer Unterstützung nicht tun. Die Kamera zu ihrer Linken starrte von ihrem Dreibein hinunter und würde jedes Zögern, jedes Abwenden der Augen, jedes verräterische Kratzen an der Nase aufzeichnen. Forge Craft brachte ein Team von vier Anwälten mit, alles Männer, alle vorsätzlich arrogant. Nachdem Glynis damit fertig war, die Produkte aus der Erinnerung zu beschreiben und detailliert zu schildern, wie sie damals bei welchem Vorgang zur Verwendung gekommen waren, begann ihr Anwalt mit der Befragung.

Rick Mystic, das Ergebnis einer halbherzigen Internetsuche nach dem passendem Rechtsbeistand, war erst Mitte dreißig, und Shep hatte gelernt, seine Besorgnis darüber abzulegen, dass er noch ein halbes Kind war; wenn er jedem misstraute, der jünger war als er selbst, könnte er bald niemandem mehr trauen. Mystic hatte das wohlproportionierte, kantig gute Aussehen, das durchaus fernsehtauglich gewesen wäre; eine Hauptdarstellerin in flachen Schuhen hätte darüber hinweggetäuscht, dass er klein war. Angeblich hatte er einen Lieblingsonkel, der an Asbestose gestorben war, und so hatte sein Spezialgebiet etwas von einer persönlichen Mission. Auch wenn Philanthropie allein nicht die treibende Kraft des jungen Mannes in seinem edlen Anzug sein konnte, dachte sich Shep, dass sie Rick Mystics Geldgier ähnlich wie Philip Goldmans Ego für ihre Zwecke nutzen konnten. Altruismus befand sich schließlich eher ganz unten auf der Liste menschlicher Triebfedern.

Von allgemeinen Vorurteilen abgesehen, waren Sheps hauptsächliche Bedenken gegen ihren Anwalt lächerlich dekorativ: Mystics verwendete die Füllwörter »sozusagen« und »ziemlich« zwei- bis dreimal pro Satz. Klar, der sprachliche Tick war weit verbreitet, doch diese zeitgenössische Neigung zur unablässigen Qualifizierung verlieh allen Behauptungen eine ärgerliche Verschwommenheit, etwas Ausweichendes, eine verdächtige Unbehaglichkeit, sich festlegen zu lassen. Der Tisch da wäre niemals »braun«; er wäre »sozusagen« braun, und was sollte das bitte für eine Farbe sein? Und dann hatte der Tick bei einem

Anwalt eine dem Berufsstand widersprechende Ungenauigkeit und lief außerdem im Fall von Glynis' Aussage auf eine surreale Untertreibung hinaus: Ob sie seit ihrer Krankheit nicht »sozusagen arbeitsunfähig« gewesen sei?

»Nein, ich kann nicht arbeiten«, entgegnete Glynis. Ihre Sätze waren stichhaltig, wobei jeder zweite von einem Husten und einer rasselnden Verschnaufpause begleitet war. »Und ich habe es versucht. Ich kann mich nicht mal auf eine einzige Folge von *Alle lieben Raymond* konzentrieren. Also gucke ich Kochsendungen. Meine Aufmerksamkeitsspanne entspricht in etwa einem Rezept für Ziegenkäsebruschetta.«

»Und würden Sie sagen«, fragte Mystic, »dass Sie ziemlich kontinuierlich Schmerzen haben?«

»Mir ist oft schlecht«, sagte sie, »ich kriege kaum Luft. Ganz ehrlich, mir nur ein Glas Wasser zu holen fällt mir heute schwerer, als früher im Fitnessstudio eine Stunde Step-Aerobic zu machen. Und ich habe im wahrsten Sinne des Wortes kein Privatleben mehr. Ständig bekomme ich Spritzen in den Arm, Röhrchen in den Hals und Kapseln in den Darm geschoben. Mein Leben ist eine einzige große Vergewaltigung. Früher, da habe ich meinen Körper geliebt. Vor einem Jahr noch, mit fünfzig, war ich immer noch schön. Jetzt hasse ich meinen Körper. Er ist ein einziges Horrorkabinett. Eigentlich hätte ich eine Lebenserwartung von achtzig Jahren gehabt. Inzwischen glaube ich, dass diese Zahl … erheblich kleiner geworden ist.«

Von allen Versammelten erkannte allein Shep, was das für ein Zugeständnis war.

Danach versuchten die verteidigenden Anwälte abwechselnd, ihre Aussage infrage zu stellen. Sie zählten jede Menge alltäglicher Materialien auf, mit denen sie seit der Kunstschule in Berührung hätte kommen können, aber sie schlug die Fragen zurück wie bei ein Baseballspieler: Ob sie so aussehe, als würde sie sich zu Hause ihre Wärmedämmung selbst einbauen?

Indem er dieselbe Faserntheorie anführte wie ihr erster Onkologe, brachte einer der Anwälte die Handwerkerfirma ihres

Mannes ins Spiel, wo er doch sicherlich mit, sagen wir, Asbest angereichertem Zement gearbeitet haben musste. Abgesehen davon, dass in den Jahren ihrer Ehe Shep hauptsächlich in leitender Position gewesen sei, behauptete Glynis schelmisch, dass sie während der vorhergehenden Zeit seiner Hausbesuche keine Lust gehabt habe, ihren Mann zu umarmen, »bevor er nicht geduscht« hatte. Zudem sei der Kontaminationsweg viel zu umständlich. »Die einfachste Erklärung ist meist die beste. Ich hab's sogar noch mal im Internet recherchiert.« Glynis las von ihren Notizen ab. »Steht man vor der Wahl mehrerer Erklärungen, die sich alle auf dasselbe Phänomen beziehen, soll man diejenige bevorzugen, die mit den einfachsten bzw. der geringsten Anzahl an Annahmen auskommt. Also ist es gar nicht nötig, ein aufwendiges Szenario zu konstruieren, dem zufolge mein Mann – der sich ja im Übrigen *keine* mit Asbest zusammenhängende Krebserkrankung zugezogen hat – mit Asbest gearbeitet, Asbest an der Kleidung gehabt, mich umarmt und die Fasern auf meinen Sachen hinterlassen hat, damit ich sie logischerweise einatme, wo ich einfach selbst mit Asbest gearbeitet habe!«

Sicherlich, sagte ein anderer Anwalt spöttisch, läge ihre Ausbildung doch so lange zurück, dass sie sich unmöglich an die einzelnen Produkte erinnern könne, mit denen sie gearbeitet habe, und an deren Hersteller.

»Im Gegenteil«, sagte Glynis und nahm jene majestätische Haltung ein, mit der sie ihren Mann oft gleichzeitig in Rage gebracht und betört hatte. »Ich hatte gerade angefangen, mein Handwerk zu lernen, mir die ersten Inspirationen zu holen. Es war eine anregende Zeit in meinem Leben damals« – sie hielt inne und musste wieder husten – »im Gegensatz zu dieser, leider. Also habe ich noch sehr genaue Erinnerungen daran, so wie Sie sich vielleicht noch mit ungewöhnlicher Klarheit erinnern, wie es war, als Sie sich das erste Mal verliebt haben. Und ich hatte mich verliebt. Es waren die Jahre, in denen ich mich ins Metall verliebt hatte.«

Mehr als ein Mal war Shep dem oberflächlichen Sinnspruch

begegnet, dass man immer genau das töte, was man liebt; die Umkehrung dessen war ihm bislang jedoch noch nicht untergekommen; dass man vom dem, was man liebt, getötet wurde.

»Und dann«, fuhr Glynis fort, »lagen im Atelier, bei den Lehrbüchern und Fachzeitschriften auf dem Regal neben der Standbohrmaschine, immer Kataloge von Forge Craft. Ich habe immer in den Katalogen geblättert, weil ich mir nach dem Abschluss ja ein eigenes Atelier einzurichten hoffte. Ich weiß noch, wie erschrocken ich war über die Preise. Wie besorgt ich war, ob ich mir jemals eine eigene Poliermaschine, einen eigenen Satz Hammer, einen eigenen Schleudergussapparat würde leisten können. Damals hatte Forge Craft landesweit ja praktisch das Monopol auf den Verkauf von Schmiedematerialien. Deswegen konnte die Firma unbesorgt astronomische Preise für ihre Produkte verlangen. Von wem hätte Saguaro also *sonst* Werkzeug und Materialien beziehen sollen, wenn nicht von Forge Craft, die Konkurrenz war ja ausgeschaltet. Vielleicht sind Sie jetzt Ihrem eigenen Erfolg zum Opfer gefallen.«

Was Shep am meisten beeindruckte, war ihre Gelassenheit angesichts einer Reihe von Fragen, die das Unmögliche vollbringen und ein menschliches Leben mit einem Preisschild versehen wollten. Zu diesem Zweck nahmen sie sie in die Mangel: Wie hoch genau ihre Jahreseinkünfte aus der Kunstschmiedearbeit seien, und Glynis konnte ohne offensichtliche Beschämung die magere Ziffer angeben. Noch beleidigender war, dass sie wissen wollten, ob sie vor ihrer Krankheit eingekauft, welchen Anteil der elterlichen Pflichten sie bei Zach übernommen, wie viele Mahlzeiten sie durchschnittlich in der Woche zubereitet und sogar *wie oft sie Wäsche gewaschen* habe. Sie bemaßen den Wert des Lebens seiner Frau in Waschladungen mit heller und dunkler Wäsche. Einem jahrzehntealten Reflex folgend ertappte sich Shep bei dem Gedanken: *Von diesem Zirkus muss ich unbedingt Jackson erzählen.*

Glynis war einfach umwerfend. Sie ließ sich kein einziges Mal aus der Fassung bringen und blickte ihren Peinigern immer direkt ins Gesicht. Mystics Rat folgend hatte sie kein Make-up aufgelegt, und die vorwurfsvollen, gespenstisch eingefallenen Wangen, die mattgrün schimmernden Lippen, der nackte Schädel, der unter dem verrutschten Turban hervorschaute, lieferten eine eindringlichere Anklage gegen die Firmenprodukte aus den Siebzigerjahren als alles, was sie hätte sagen können.

Erst als sich das Verfahren formal dem Ende zuneigte und die Verteidiger der Gegenseite das Feld geräumt hatten, fiel Glynis in sich zusammen und rutschte von dem glatt polierten Tisch wie ein Schluck verschütteter Tee. Sie war so erschöpft, dass Shep sie regelrecht zum Auto tragen musste.

»Du warst ganz groß«, flüsterte er, und es hätte ihn gern mehr Mühe gekostet, fast ihr ganzes Gewicht zu stemmen.

»Ich hab's für dich getan«, sagte sie undeutlich. »Und das Lügen? Hat mir *Spaß* gemacht.«

Als sie zu Hause waren, hatte sie von der stundenlangen würdevollen Haltung etwas zurückbehalten und weigerte sich, sich von ihm nach oben tragen zu lassen. Stattdessen kroch sie auf allen vieren die Treppe hoch. Mit je einer Verschnaufpause auf den beiden Treppenabsätzen brauchte sie für die fünfzehn Stufen eine halbe Stunde.

IN DEN PAUSEN während der Aussage hatte Shep immer wieder eine Nachricht auf Carols Mailbox hinterlassen; sie ging nicht ans Telefon. Als Glynis oben eingeschlafen war, versuchte er es erneut, und endlich ging sie ran. Bei ihrem ersten Anruf am Vorabend war sie noch hysterisch gewesen, jetzt war sie katatonisch. Die totale Monotonie ermöglichte immerhin den Austausch von Informationen. Sie war mit Flicka in die Küche gekommen. »Das werde ich ihm niemals verzeihen«, fügte Carol tonlos hinzu. »Das war Kindesmissbrauch. Und diesen Begriff verwende ich nicht einfach leichtfertig.« Wenig überraschend, war das Mädchen sofort in eine dysautonomische Krise verfallen; »diese griesgrämige, flapsige Nummer von ihr«, sagte Carol, »ist alles nur gespielt. Kompensation. Sie kann mit Stress nicht umgehen. Jeder noch so unwichtige Test in der Schule, und sie ist nicht zu gebrauchen. Also kannst du dir ja vorstellen ... Ich geb's ungern zu, aber Flicka zu umsorgen, der Blutdruck, das Würgen – und da hätte ich fast mitgemacht –, na ja, es war eine Erleichterung. Mich auf die unmittelbaren medizinischen Bedürfnisse meiner Tochter zu konzentrieren, die noch fordernder waren als das, was Jackson getan hatte. Wahrscheinlich haben wir sie immer nur ausgenutzt ... Anfangs als verbindendes Element, als gemeinsames Projekt, und später dann zur Ablenkung ... Wir haben uns auf Flicka konzentriert, um uns nicht miteinander beschäftigen zu müssen.«

Während sie Flicka in aller Eile in die New-York-Methodist-Klinik fuhr, hatte Carol Heather angerufen, die noch in der Schule war. Sie hatte das jüngere Mädchen direkt in die Klinik bestellt, wo sie zu dritt die Nacht verbracht hatten. Flickas Zustand hatte sich stabilisiert, sie sollte wahrscheinlich am Abend entlassen werden. Carol hatte vor, mit den Mädchen zu einer Nachbarin zu ziehen. Den Berichten der Nachbarin zufolge waren unterdessen Polizei und Rettungswagen eingetroffen. Kaum verwunderlich, dass Carol das Haus auf keinen Fall noch mal betreten wollte. Shep versprach, bei nächster Gelegenheit hinzufahren und alles an notwendiger Kleidung, Flickas Medikamente und vielleicht Carols Computer zu holen. Von den vielen Gefallen, die er in den letzten Jahren seinen Freunden angeboten hatte, schien dieser der größte zu sein.

Als sie zugab, dass das Angebot der Nachbarin gut gemeint gewesen sei, dass sie aber nicht sonderlich eng befreundet seien – das Verhältnis beschränkte sich eher auf den Austausch von Torten und den freundlichen Hinweis, dass das Auto mal wieder auf die andere Straßenseite umgeparkt werden müsste –, bat er sie inständig, ihre verbleibende Familie doch stattdessen nach Elmsford zu bringen. Amelias Zimmer stand frei, und unten gab es noch die Couch. Er gab zu, Glynis noch nicht von Jacksons Tod erzählt zu haben. Aber sie werde das schon wegstecken, sagte er, auch wenn er noch nicht genau wisse, wie.

»Es geht wohl eher darum, dass du es selbst wegstecken musst«, sagte Carol mit aschfarbener Stimme. »Sie ist krank, aber sie ist immer noch bei uns. Nur weil sie krank ist, heißt das nicht, dass sie blöd oder ein kleines Kind ist. Frag Flicka. Glynis war mit Jackson befreundet, und sie hat das Recht, zu erfahren, was los ist. Wenn ich es einer Zwölfjährigen sagen kann«, die Pause war gewichtig, »dann kannst du es auch deiner Frau sagen.«

»Es ihr zu sagen«, sagte er, »macht es wohl auch für mich realer.«

»Es war real«, sagte Carol erschöpft. »Es war sehr, sehr real.«

»Jackson und ich haben gestern einen langen Spaziergang gemacht. Ich hätte was merken müssen. Aber ich war zu sehr mit meinen eigenen Problemen beschäftigt. Das Einzige, was mir auffiel, war, dass er ungewöhnlich im Reinen war mit sich. Philosophisch. Im Prinzip war es das einzige Mal, an das ich mich in letzter Zeit erinnern kann, wo er mal *nicht* total verärgert war. Vielleicht hätte ich stutzig werden müssen, wenn ich nur besser aufgepasst hätte.«

»So macht man das dann«, sagte Carol. »Die Vergangenheit durchkämmen, die Schuld auf sich nehmen. Aber Jackson hatte es ja ständig mit dem Thema Eigenverantwortung. Wenn, dann ist es Jacksons eigene Schuld. Seine und …« Sie seufzte. »Ich will nicht schon wieder damit anfangen, aber auch meine.«

»Jetzt machst du genau das Gleiche.«

»Sag ich doch. Es ist zwanghaft.«

Er beschwor sie noch einmal, nach Elmsford zu kommen, und sie gab nach. Sie machten aus, dass sie am Abend gegen neun mit den Mädchen vorbeikommen würde. Unterdessen hatte Shep sich einen Termin bei Philip Goldman geben lassen, mit dem es, ohne das Beisein seiner großartigen, aber doch wahnhaften Frau, zu sprechen höchste Zeit wurde.

»Wie soll man das jetzt verstehen«, fragte Shep in Goldmans Büro, »mit diesem Versuchsmedikament?«

Normalerweise strahlte der Internist Ausgelassenheit aus; er sprengte gewissermaßen den Rahmen seines kleinen Zimmers, er pflegte den Fuß auf den Schreibtischrand aufzustützen, federnd seinen Stuhl zurückzuschieben und aufzuspringen, um Skizzen irgendeines medizinischen Vorgangs auf kleine Zettelchen zu machen, seine Argumente mit ausladenden Gesten seiner großen Hände zu unterstreichen. Aber diesmal hatte seine unbändige Energie etwas Verkrampftes, und seine Unruhe beschränkte sich auf ein Zappeln. Die winzig kleinen, kreisenden Bewegungen mit der Bleistiftspitze und das Wackeln mit dem Knie beraubten den Arzt jener großen kinetischen Show, auf welcher seine Illusion von Attraktivität beruhte. Dass er zu nah zusammenstehende Augen und einen Bauch hatte, trat deutlicher hervor. Als Verlierer war Philip Goldman längst nicht mehr so gut aussehend.

»Es heißt Peritoxamil«, sagte Goldman, »auch unter dem Namen –«

»Cortomalaphrin bekannt«, sagte Shep bitter.

»Wie bitte?«

»Tut nichts zur Sache. Ein privater Witz.«

»Es ist jetzt in der dritten Versuchsphase und sehr vielversprechend. Nicht bei Mesotheliom, aber es könnte einen Crossover-Effekt mit der Darmkrebstherapie geben. Nun, wie ich fürchte, ist Ihre Frau – zur Zeit nicht die passende Kandidatin, um an der klinischen Studie teilzunehmen, aber –«

»Sie meinen, sie ist zu krank«, fuhr ihm Shep erneut ins Wort. »Da sie's ohnehin nicht mehr lange macht, würde sie die schöne Statistik kaputt machen.«

»Das ist hart ausgedrückt, aber –«

»Ich drücke mich gern hart aus. Lassen Sie uns doch einfach bei der harten Ausdrucksweise bleiben.«

Goldman warf dem Ehemann seiner Patientin einen nervösen Seitenblick zu. Shep Knacker war immer so fügsam gewesen, so kooperativ. Doch der Arzt hatte sicherlich sämtliche Reaktionen auf extreme medizinische Umstände schon erlebt, und vielleicht war Streitlust auch nur eine Standardvariation.

»Es ist so«, sagte Goldman, »wir können die Freigabe des Medikaments für Compassionate Use beantragen. Wir können erklären, dass wir das uns zur Verfügung stehende traditionelle Arsenal aufgebraucht haben. Ich gebe zu, es ist nicht mehr als ein Versuch, aber es ist alles, was uns noch bleibt. Um ehrlich zu sein, an diesem Punkt haben wir nicht mehr viel zu verlieren. Einen kleinen Nachteil hat die Sache aber.«

»Es fällt einem dabei der Kopf ab.«

Goldmans halbes Lächeln war erzwungen. »Keine Nebenwirkung – außer für Sie. Da Perotoxamil von der Behörde nicht zugelassen ist, wird Ihre Versicherung die Kosten nicht übernehmen.«

»Ah ja. Und wie viel soll dieses neue Wunderöl kosten?«

»Für einen Durchgang? Um die 100 000 Dollar. Glücklicherweise wird es in Kapselform verabreicht, insofern müsste Mrs Knacker für die Behandlung nicht herkommen.«

»Hunderttausend. Es gibt also ›nicht viel zu verlieren‹? Ich glaube, ich bewege mich nicht in Ihrem Einkommensspektrum. Ich hab das Gefühl, ich kann hier eine ganze Menge verlieren.«

Goldman wirkte verdutzt. »Es geht hier um das Leben Ihrer Frau –«

»*Jim!*«

Der Doktor warf ihm einen besorgten Blick zu. »Ich gehe davon aus, dass das Thema Geld bei Ihnen zweitrangig ist, wenn es denn überhaupt ein Thema ist.«

»Wenn ich jetzt also sage, es *ist* ein Thema, dann bin ich grausam veranlagt, ja? Aber selbst wenn ich mitspiele und sage, in Gottes Namen, Doktor, tun Sie alles, was Sie können, bombardieren Sie den Krebs mit der Küchenspüle – einer vergoldeten Küchenspüle –, ich liebe meine Frau, und Geld spielt keine Rolle. Selbst dann: Wie kommen Sie darauf, dass ich *100 000 Dollar habe?*«

»Oft kann man in solchen Fällen ein privates Darlehen aufnehmen. Mr Knacker, ich weiß, Sie stehen unter Stress, aber ihr aggressiver Tonfall macht mir Sorgen. Offenbar wissen Sie nicht zu würdigen, dass wir hier am selben Strang ziehen. Sie, Mrs Knacker und alle in dieser Klinik wollen schließlich nur dasselbe.«

»Ach ja? Und das wäre?«

»Selbstverständlich versuche ich das Leben Ihrer Frau so weit wie möglich zu verlängern.«

»Dann ziehen wir nicht am selben Strang.«

»Ach nein? Was ist Ihr Ziel?«

»Ihrem Leiden so bald wie möglich ein Ende zu machen.«

»Es ist wirklich Mrs Knackers Entscheidung, die Behandlung abzubrechen. Aber als ich ihr von Peritoxamil erzählte, klang sie, als wollte sie's unbedingt ausprobieren. Selbstverständlich werden wir alles tun, damit es ihr gutgeht. Aber davon zu sprechen ... nun, einfach zu planen, ein für allemal ihrem ›Leiden ein Ende zu machen‹, ist defätistisch.«

»Gut. Bin ich also ein Defätist«, verkündete Shep. »Ich gebe mich geschlagen. Ich gebe gern zu: Mesotheliom ist mir eine Nummer zu groß. Wenn das hier wirklich ein Kampf war«, *gegen das Wetter,* dachte er, »dann ist es jetzt vielleicht an der Zeit, die Waffen zu strecken. Und wenn es allein die Entscheidung meiner Frau wäre, ist mir auch klar, dass sie alles versuchen würde. Aber es ist nicht allein die Entscheidung meiner Frau, solange nicht sie es ist, die dafür zahlt.«

Goldman war deutlich verwirrt von diesen Worten. Immer wieder wandte er den Blick ab, verzog das Gesicht, zeigte unverhohlen seine Missbilligung und schlug gereizt gegen die Leertaste seiner Tastatur. Shep gewann den Eindruck, dass es befremdend und anstößig war, eine medizinische Entscheidung, egal von welcher Größenordnung, nach den Behandlungskosten zu treffen, anhand des Geldes, »nur des Geldes«, wie sein Vater sagen würde. »Ich möchte mich ganz klar ausdrücken, Mr Knacker. Dieses Medikament ist unsere letzte Hoffnung.«

»Ich bin gestern entlassen worden, Dr. Goldman. Ich habe gerade meinen Job verloren.«

Interessant war die subtile und doch merkliche Veränderung in der Haltung des Internisten, als ihm klar wurde, was dieser Umstand zur Folge hatte. »Das tut mir leid.«

»Das glaub ich Ihnen gern. Aber ich bin einfach zu oft zu spät zur Arbeit gekommen. Die Krankheit meiner Frau hat die Krankenversicherungsprämien meines Arbeitgebers beträchtlich in die Höhe getrieben. Als ehemaliger Leiter dieser Firma kann ich meine Entlassung aus der Belegschaft nur als clevere Geschäftsentscheidung loben.«

»Das ist aber eine furchtbar verständnisvolle Sicht auf Ihre missliche Lage.«

»Für mein *Verständnis*«, sagte Shep, »bin ich bekannt. Doch infolge meines Frührentnerstatus wird sich meine Krankenkasse nicht nur weigern, 100 000 Dollar für Pterodaktylus hinzublättern, oder wie das Zeug heißt. Sie wird auch Ihre Rechnungen nicht bezahlen.«

»Verstehe«, sagte Goldman. »Und ich nehme an, dass Ihre persönlichen Ressourcen einigermaßen erschöpft sind?«

»*Einigermaßen?* Das können Sie laut sagen.«

»Nach dem, was Sie mir gerade geschildert haben, kann ich verstehen, warum Sie vielleicht ein wenig wütend sind.«

»Nein, das können Sie nicht. Meine Entlassung war das Schönste, was mir seit über einem Jahr passiert ist. Aber Sie haben recht, dass ich ›ein wenig wütend‹ bin. Mir ist klar, dass Sie ganz normal Ihr Programm abgespult haben. Sie haben getan, was Leute wie Sie eben so machen. Sie pflügen sich immer weiter durch die Medikamente, arbeiten sich durch die Liste, sorgen dafür, dass keiner den Kopf hängen lässt, dass alle optimistisch bleiben und niemals das Wort *sterben* in den Mund nehmen. Meine Frau zum Beispiel nimmt nie das Wort ›sterben‹ in den Mund. Ehrlich, ich kann mich nicht erinnern, wann ich sie zuletzt das unaussprechliche Wort habe sagen hören. Niemand in diesem Gewerbe soll jemals die Hände über dem Kopf zusammenschlagen und sagen, das war's, solange es noch die klitzekleinste Chance gibt, dass irgendeine neue Therapie noch ein paar Tage mehr rausschlägt. Sie haben sich nur an Ihr Drehbuch gehalten. Aber könnten wir einmal, wo Glynis nicht dabei ist, die Karten auf den Tisch legen? Dieses ›Versuchsmedikament‹ – Sie glauben doch nicht wirklich, dass es irgendeinen Unterschied machen wird.«

»Ich sagte ja, es ist nicht mehr als ein Versuch.«

»Wie stehen die Chancen? Fünfzig zu eins? Wären Sie bereit, ihr eigenes Geld darauf zu setzen?«

»Es ist schwierig, so etwas mit Zahlen zu belegen. Sagen wir einfach nur, es gibt eine entfernte Chance.«

»Wenn ich ein Spieler wäre, würde ich persönlich keine Hunderttausend auf eine ›entfernte Chance‹ setzen. Sie?«

Goldman antwortete nicht.

»Zweitens, verzichten wir doch einmal auf den Satz ›Ich glaube nicht daran, Prognosen aufzustellen‹. Sie wissen doch, wie's läuft. Sie wissen mehr über Mesotheliom als sonst jemand in diesem Land, Sie sind der Experte. Also sagen Sie mir: Wie lange hat sie noch zu leben?«

Goldmans Miene erinnerte Shep daran, wie er sich als Junge in Berlin mit seinem besten Freund geprügelt und sich auf ihn gesetzt und ihn endlich dazu gebracht hatte, seine Niederlage einzugestehen.

»Vielleicht einen Monat? Möglicherweise eher drei Wochen.«

Shep zuckte zusammen, als hätte ihm jemand einen Schlag in die Magengrube verpasst.

»Das will niemand hören, das ist mir klar«, fuhr Goldman behutsam fort. »Und es tut mir sehr, sehr leid.«

Drei Wochen waren genau die Zeit, die Shep selbst vorhergesagt hätte, doch die nüchterne Einschätzung eines Arztes war noch mal etwas anderes. Es war nicht mehr möglich, kämpferisch, aggressiv und feindselig zu sein, wobei er beim Verlust dieser Stimmung merkte, wie sehr sie ihm noch fehlen würde. Abgesehen von diesem Termin bei Dr. Goldman beschränkte sich die Lebenszeit, die Shep Knacker damit zugebracht hatte, kämpferisch, aggressiv und feindselig zu sein, auf unter fünf Minuten.

Shep sammelte sich, und währenddessen füllte der Doktor das Schweigen. »Wenn ich an meine vielen Patienten denke, hat Ihre Frau vielleicht den überwältigendsten Kampfgeist gezeigt. Sie hat einen bemerkenswerten, einen wirklich bewundernswerten Widerstand geleistet.«

»Das ist nett von Ihnen, und ich verstehe, dass Sie ihr ein großes Kompliment machen wollen, aber ... diese Art zu denken ...«

Shep stand auf und lief auf dem kleinen Stück Teppich vor der Tür auf und ab. »*Widerstand. Widrigkeiten überwinden*. So wie die Leute in der Online-Selbsthilfegruppe, zu der Glynis neuerdings gehört, immer davon reden, *die Ohren steif zu halten. Nicht loszulassen. Nicht aufzugeben. Die letzte Meile zu gehen.* Man könnte meinen, da wird irgendein Schulsportfest organisiert. Dr. Goldman, meine Frau ist sehr ehrgeizig! Sie ist leistungsorientiert, eine Perfektionistin – und auch wenn es komisch klingt, ist das auch der Grund, warum sie professionell nicht so produktiv gewesen ist, wie sie es mit geringeren Ansprüchen gewesen wäre. Wie hätte sich ein so strebsamer Mensch dieser Sache anders stellen sollen? Und dann kommen Sie alle und legen noch einen drauf. Das hier ist kein Sackhüpfen, das hier ist Krieg. Der *Kampf* gegen den Krebs. Das *Waffenarsenal*, das uns zur Verfügung steht ... Sie geben ihr das Gefühl, dass sie was tun muss, ein tapferer Soldat sein muss. Wenn sich ihr Zustand also dennoch verschlechtert, dann hat sie irgendwas nicht richtig gemacht: Sie hat unter Beschuss nicht genug Tapferkeit bewiesen. Ich weiß ja, Sie meinen es gut, aber nach dieser ganzen Kriegshetze setzen Sie das Sterben mit Unehre gleich. Mit Scheitern. Mit persönlichem Scheitern.« Zum ersten Mal hatte es Shep für sich ausformuliert.

»Die Militärsprache ist nur eine Metapher«, sagte Goldman. »Ein Weg, medizinische Sachverhalte so zu schildern, dass der

Laie sie nachvollziehen kann. Sie soll den Patienten nicht für das Ergebnis einer Therapie verantwortlich machen.«

»Aber wenn Sie einerseits ihren Widerstand loben, glaubt Glynis, Sie gäben ihr in der Folge auch die Schuld, wenn die Therapie nichts bringt, verstehen Sie das nicht? Deshalb will sie ja auf keinen Fall aufhören. Deshalb können Glynis und ich über … im Grunde über gar nichts reden.«

»Ich sehe keinen Grund, warum sie ›aufhören‹ sollte. Glynis – Mrs Knacker – schöpft aus ihrer Beharrlichkeit Mut. Da ich sie inzwischen etwas kenne, würde ich Ihnen eher dazu raten, meine Prognose für sich zu behalten.«

»Ein Geheimnis mehr, was macht das schon aus?«, sagte Shep missmutig und ließ sich zurück auf seinen Stuhl plumpsen.

»Ich denke nur daran, die Qualität ihrer restlichen Lebenszeit zu erhalten. Dafür zu sorgen, dass sie optimistisch bleibt.«

»Aber wird sie's denn nicht ohnehin schon wissen? Was in ihrem Körper vor sich geht?«

»Sie würden sich wundern. Nicht unbedingt. Dennoch würde ich Ihnen empfehlen, ihre Familie und Freunde zu kontaktieren. Unterstreichen Sie, dass es hier nicht um Monate, sondern um Tage oder Wochen geht und dass sie den Besuch nicht zu lange hinauszögern sollten. Damit sie sich verabschieden können.«

»Was bringt es denn, sich zu verabschieden, wenn man sich nicht verabschieden kann?«

»Wie bitte?«

»Na ja, wenn wir Glynis nicht Bescheid sagen, kann sich doch niemand verabschieden. Nicht mal ich kann mich dann verabschieden.«

»Na ja, manchmal ist *hasta la vista* auch sehr herzlich, aber einfacher aufzunehmen. Und eigentlich sagen wir doch zu allen möglichen Leuten ›bis später‹, die wir nie wiedersehen werden.«

»Stimmt wahrscheinlich«, sagte Shep widerwillig. »Vielleicht haben Sie recht, und Glynis will die Wahrheit über Peritoxamil nicht hören. Sie hat nämlich auch sonst nichts hören wollen, so viel ist sicher.«

»Ich denke, ich verstehe, warum Sie auf Peritoxamil lieber verzichten würden. Aber Glynis war Feuer und Flamme. Wenn Sie dafür sorgen wollen, dass bei ihr alles im Lot bleibt, könnte ich auch ein Placebo aufschreiben.«

Was wirklich hieße, dass man Glynis wie eine Zwölfjährige auf »Cortomalaphrin« setzen würde. Dass die letzten Tage seiner Frau eine einzige Täuschung sein sollten, deprimierte Shep mehr, als er in Worte fassen konnte. »Vielleicht. Ich würde mich bei Ihnen melden.«

»Unterdessen halten Sie mich auf dem Laufenden, was ihren Zustand angeht, und setzen Sie sich mit mir in Verbindung, wenn Sie Rat brauchen.«

»Es gäbe da etwas, das Sie tun könnten«, sagte Shep und senkte den Blick auf seinen Schoß. »Ich will wirklich nicht, dass sie im Krankenhaus stirbt. Aber ich will auch nicht, dass sie mehr leiden muss, als unbedingt nötig. Ich hätte gern etwas – um ihr das Ende zu erleichtern.«

»Das Ende ist nie einfach. Es kann sehr unangenehm sein. In fachkundigen Händen hat sie bessere Chancen, dass für ihr Wohlergehen gesorgt ist.«

Nachdem die Floskel mindestens drei Mal wiederholt worden war, hatte Shep genug. Vermutlich war *Wohlergehen* aus dem Mund eines Mediziners ein sehr dehnbarer Begriff.

»Sind Sie sicher, dass Sie sich's nicht noch mal überlegen wollen, mit dem Krankenhaus?«, drängte der Doktor. »Liegt Ihnen das wirklich so sehr am Herzen?«

»Das tut es. Und ich glaube ehrlich, wenn sich Glynis jemals der Sache stellt und erkennt, was mit ihr passiert, wird sie's genauso sehen.«

»Schmerzmittel sind kontrollierte Substanzen. Die Behörde hat uns da genau im Blick. Aufgrund der Suchtgefahr kann ich nicht einfach nach Belieben Tabletten verteilen.«

»Der Staat hat Angst, dass meine *sterbende* Frau medikamentensüchtig wird?«

Goldman seufzte. »Logisch ist was anderes, das gebe ich

zu …« Er biss sich auf die Unterlippe. »Es ist etwas riskant … Aber ich denke, ich kann Ihnen ein Rezept für flüssiges Morphium ausstellen. Es ist nichts Kompliziertes. Nur ein paar Tropfen auf die Zunge, wenn es ihr dem Anschein nach –«

»*Nicht gut geht*«, sagte Shep mit einer Spur seiner anfänglichen Bitterkeit. Er stand auf. »Danke. Und wegen vorhin, Sie wissen schon, mein ›Tonfall‹ – ich wollte Ihnen damit nicht zu verstehen geben, dass ich undankbar bin.«

»Ich weiß, dass Sie dankbar sind, Mr Knacker. Und es tut mir leid, dass ich nicht mehr für Ihre Frau tun konnte. Wir haben alles versucht, was in unserer Macht stand – wie Sie ja bereits festgestellt haben. Aber Mesotheliom ist eine absolut tödliche Krankheit. Nicht umsonst heißt »Asbest« auf griechisch ›unvergänglich‹. Und Sie als Handwerker werden verstehen: Man hat in seiner Werkzeugkiste immer nur eine bestimmte Anzahl Werkzeuge.«

Sie gaben sich die Hand, und Shep wollte gerade gehen, da wandte er sich noch einmal in der Tür um. »Eine Sache noch. Die Operationen, die vielen Chemotherapien. Die Bluttransfusionen, Lungendrainagen, Kernspintomografien. Nach meinen Berechnungen belaufen sich Glynis' Rechnungen für all diese Behandlungen auf über zwei Millionen Dollar. Könnte das in etwa hinhauen?«

»Gut möglich«, räumte der Arzt ein.

In einem Augenblick perverser Muße hatte Shep ausgearbeitet, dass sie bislang mehr als 2700 Dollar pro Tag gezahlt hatten, und weiteren Schätzungen zufolge hätte Glynis gern genauso viel bezahlt, um einen dieser Tage zu überspringen. Natürlich konnte er sich nicht dafür verbürgen, wie schlimm die Krankheit gewesen wäre, wenn man sie sich selbst überlassen hätte, doch immerhin ließ sich trefflich darüber streiten, was schlimmer war, die Behandlung oder der Krebs selbst. »Was haben wir denn nun eigentlich gekauft? Wie viel Zeit?«

»Oh, ich wette, wir haben ihr Leben wahrscheinlich um gut drei Monate verlängert.«

»Nein, tut mir leid, Dr. Goldman«, sagte Shep auf dem Weg nach draußen. »Gute drei Monate waren das nicht.«

Zurück in Elmsford hatte Zach eine Nachricht von Rick Mystic, von dessen Privatnummer. Da er Carol und die Mädchen in knapp einer Stunde erwartete, zog Shep die Zimmertür seines Arbeitszimmers zu und rief direkt zurück.

Rick kam sofort zur Sache. »Sie wollen zahlen.«

Ausnahmsweise wollten sie nicht *sozusagen* zahlen. »Das ging aber schnell.«

»Fälle wie diese können sich jahrelang hinziehen, aber wenn sich doch was bewegt, kann sich das Leben an einem einzigen Nachmittag auf einen Schlag ändern. Ich wette, die Leute von Forge Craft waren ziemlich beeindruckt von der Aussage Ihrer Frau. Aber sie waren auch ziemlich beeindruckt von ihrer … Krankheit.«

»Sie meinen, die haben Angst, dass sie …«

»Genau. In dem Fall könnte die Schadensersatzzahlung sozusagen ins Astronomische steigen. Sie haben denen ziemlich Angst gemacht.«

»Und, was bieten sie?«

»Eins-komma-zwei Millionen.«

Da sich zwölf genau durch drei teilen ließ, bedurfte es nur der einfachsten Grundschulmathematik, um sich auszurechnen, was nach dem Drittel Erfolgshonorar des Anwalts übrig bliebe; Mystics Anteil beliefe sich auf einiges mehr als das *Erfolgshonorar* des US-amerikanischen Staats damals beim Verkauf des Allrounder. »Und, was würden Sie raten?«

»Tja, wenn Sie vor Gericht ziehen, vor allem erst, nachdem Sie einen – noch größeren Verlust erlitten haben, bin ich mir ziemlich sicher, dass Sie die Summe verdoppeln könnten. Aber ich muss dazu sagen, ein Geschworenengericht kann hart werden. Das ist sozusagen kein Zuckerschlecken. Sobald ein Verschulden nachgewiesen ist, geht es darum, festzustellen, was

Ihre Ehe wert war. In Dollar. Also liegt es sozusagen in deren Interesse, zu beweisen, dass Ihre Ehe sozusagen miserabel war. Eine sozusagen miserable Ehe verdient rechtlich gesehen längst keinen so hohen Ausgleich wie eine gute.«

»Was geht es diese Leute an, wie meine Ehe war?« Er hatte die Vergangenheitsform verwendet und war froh, dass er vorher die Tür zum Arbeitszimmer geschlossen hatte. »Das heißt, für jedes Mal, wenn Glynis und ich Streit hatten, werden uns 10 000 Dollar abgezogen?«

»Sie mögen es lächerlich finden, aber ja, so läuft das, sozusagen. Man wird sie in die Mangel nehmen und von Ihnen wissen wollen, wie oft Sie miteinander geschlafen haben. Man wird versuchen, jemanden aus Ihrem Freundeskreis aufzutreiben, der Ihre Ehe als sozusagen unglücklich bezeichnen würde oder als sozusagen problematisch. Ich hatte eine Klientin, die sozusagen auf der Beweisebene schon gewonnen hatte; ihr Mann hatte zwanzig Jahre lang mit gesprühtem Asbest im Bereich Flammschutzmittel gearbeitet. Aber man fand heraus, dass sie während ihrer Ehe eine sozusagen lesbische Affäre hatte. Sie wollte auf keinen Fall, dass die Familie davon erfährt, und zog die Klage zurück. Es war sozusagen Erpressung. Und in Ihrem Fall, das, was Sie mir erzählt haben, dass Sie sozusagen schon die Koffer gepackt hatten und nach Afrika ziehen wollten? Wenn nötig auch allein, kurz bevor Sie erfuhren, dass Glynis Krebs hat? Ich verspreche Ihnen, man wird jemanden auftreiben, der die Geschichte kennt, und das wird ziemlich schlecht aussehen.«

»Wenn ich mich auf die Zahlung einlassen würde, wie schnell hätte ich den Scheck?«

»Sie müssten einen Geheimhaltungsvertrag unterschreiben. Aber dann hätten Sie Ihren Scheck innerhalb von kürzester Zeit. Zumal Glynis in keiner guten Verfassung ist. Sie würden sich, nun, ungern von den Ereignissen überholen lassen, wo Sie sich's vielleicht anders überlegen könnten. Wenn es hart auf hart käme, könnte das für Sie ja ein Anreiz sein, erst recht zuzuschlagen.«

»Ich werde mit Glynis reden müssen. Aber wenn Sie uns dieses Geld so schnell wie möglich besorgen – und damit meine ich, in etwa bis *Montag,* nicht erst in ein paar Wochen, denn wir haben keine paar Wochen mehr –, dann, würde ich sagen, nehmen wir's.«

Nachdem er aufgelegt hatte, dachte Shep erneut betrübt über Jackson nach. Dass sein bester Freund diese Wandlung von armer Sau zum Absahner nicht mehr erleben durfte, war eine Schande.

Kapitel 18

Shepherd Armstrong Knacker
Union Bancaire Privée Konto-Nr. 837-PO-4619
Datum: 21. Februar 2006
Geldtransfer: $ 800 000,00

Shep packte mit einer aus der Generalprobe geborenen Sicherheit. Anstatt willkürlich ein paar Geräte auszusuchen, würde er diesmal seinen ganzen getreuen Werkzeugkoffer mitnehmen, den er seit frühesten Allrounder-Tagen von Job zu Job getragen hatte. Die uralten Schraubenschlüssel, Ahlen und Zangen waren von einer Qualität, wie es sie heute nicht mehr zu kaufen gab. Er rollte das Werkzeug in eine unberührte *New York Times* ein und drückte die Bündel fest in die vertraute zweistöckige Kiste. Die ehemals leuchtend rote Farbe war größtenteils vom Metall abgesprungen wie bei einem heiß geliebten Kinderwägelchen. Er packte das Werkzeug dicht an dicht, damit es nicht klappern würde, ehe er die metallenen Haken schloss. Er wickelte die Kiste in eine der vielen Bettdecken, die er frohen Herzens zurückzulassen gedachte, und verschnürte sie mit Zwirn. Die Werkzeugkiste hatte dreißig Jahre unversehrt überstanden, und er wollte nicht, dass sie auf ihre alten Tage auf irgendeinem Gepäckband zerbeult wurde; es war die gleiche Sorge, wie er sie bald auf seine lebende Fracht würde verwenden müssen. Der Umstand, dass ihm die Werkzeugkiste wahrscheinlich als Übergepäck berechnet würde, war ihm herzlich egal.

Nachdem er eine neue Pumpe eingebaut hatte, wickelte er den

Hochzeitsbrunnen ein und packte ihn in eine Kiste. Er holte Glynis' Besteck aus der Küchenschublade – das Fischmesser mit der Einlegearbeit aus Bakelit, die gekrümmten Essstäbchen aus Sterlingsilber, die Eiszange aus Kupfer und Titan. Er hatte das Besteck für den Transfer schon vorab liebevoll in meergrüne Filzschichten eingeschlagen. Dann trabte er sogar noch hoch unters Dach, um den Bogen Silber mit dem nicht mal drei Zentimeter langen Einschnitt zu retten. Auch diesmal sollten der Stepper, die Salatschleuder und die ungeliebten Möbel zurückbleiben, doch jedem von Glynis' Werken war ein Platz in der ZanAir-Arche gesichert.

Er hatte das Wetter recherchiert, ein paar leichte Kleidungsstücke würden für den Großteil des Jahres reichen, wobei er gestern noch für die Monsunzeit hochwertige Regenkleidung von Paragon erstanden hatte. Nachdem er mit der Geschäftsleitung von Fundu Lagoon gemailt hatte, war er nun auch in puncto Elektrik im Bilde. In Erwartung der europäischen 220 Volt packte er drei Adapter von Radio Shack ein, die sich auf britische Dreistiftstecker aufsetzen ließen. Nachdem er eine Handvoll Ersatzbürstenköpfe gegriffen hatte, schraubte er das Oral-B-Aufladegerät von der Badezimmerwand. Nur weil man in der Dritten Welt war, hieß das noch lange nicht, dass man seine Zahnhygiene vernachlässigen durfte; die elektrische Zahnbürste käme also mit.

Er war froh, diesmal nicht umherschleichen zu müssen und stattdessen laut über die knarzenden Dielen unter dem Teppich im Flur stampfen zu können, auf dem noch immer die Flecken von Glynis' Nasenbluten im letzten Frühjahr zu sehen waren. Davon abgesehen war die Übung eine getreue Wiederholung, als würde er gewissenhaft eine Feuerübung veranstalten, während das Haus in Flammen stand: Klebeband; Schrauben, Muttern und Unterlegscheiben; Silikonspray; Dichtungsmittel; Gummibänder; eine kleine Rolle Draht. Eine Taschenlampe für Stromausfälle und ein Päckchen Batterien. Einen Vorrat Malarone-Tabletten und eine frische Tube Cortison für den Ausschlag an seinem Fußgelenk, der unter dem Stress des letzten Hiobsjahres schlimmer geworden war. Diesmal ein Päckchen Einläufe, Antibiotika bis zum Umfallen und, ehrerbietig zwischen eingerollten Socken verstaut, das flüssige Morphium.

Um seine Trockenübung vom letzten Jahr zu optimieren, hatte er anstelle der Redewendungen ein dickeres, seriöseres Suaheli–Englisch/Englisch–Suaheli-Wörterbuch gekauft. Er hatte aus allen Zeitungen des letzten Monats den Kunstteil herausgezogen und die Kreuzworträtsel ausgeschnitten; schon seit Jahren hatte er keine Muße mehr gehabt, diesem Laster zu frönen. Im Rätsellösen war Shep immer miserabel gewesen, und ohne Übung wäre er noch miserabler; bestens, denn so hatte er noch mehr davon.

Über die Lektüre hatte er sich diesmal sehr viel mehr Gedanken gemacht. Seine Erfahrung mit dem, was echte Waffen mit echten Menschen machen konnten, hatte ihn geheilt von jedwedem Wunsch nach leichtfertigen Pseudogewaltdarstellungen aus der Feder von Leuten, die keine Ahnung hatten, wovon sie sprachen – Thriller kamen also nicht infrage. Ebensowenig reizte ihn Panikmache zum Thema Klimawandel oder zur Zunahme des islamistischen Terrors; wenn die Prognosen stimmen, würde sich die Katastrophe von selbst einstellen, ohne dass er eigens darüber etwas lesen musste. Seriöse Romane waren nie seine Sache gewesen; dazu hatte ihm immer die Zeit gefehlt. Aber jetzt würde er ja Zeit gewinnen. Deswegen hatte er gestern auf einer Einkaufsfahrt nach Manhattan einen bebrillten Verkäufer bei Barnes and Noble angesprochen, der im Gegensatz zu den meisten Angestellten dort tatsächlich lesen gelernt hatte. Und so hatte er in einer Ecke seines Hartschalen-Samsonite vor ihm auf dem Bett vier dicke neue Taschenbücher verstaut: *Wem die Stunde schlägt* von Ernest Hemingway, dessen laut Klappentext tapferer, selbstloser Protagonist ihm beruhigend bekannt vorkam. *Absalom, Absalom!* von William Faulker, weil die große, anschwellende Traurigkeit der ersten Seiten, in die er vor dem Regal hineingelesen hatte, zu seiner momentanen Stimmung passte. *Der Idiot* von Fjodor Dostojewski, ein Titel, der Jackson Burdinas sämtliche verschachtelten Untertitel in nur zwei Wörtern zusammenzufassen schien. Außerdem hatte der junge Mann bei B&N erklärt, in dem Roman gehe es um Güte und wie man durch Güte den Hass anderer Menschen auf sich ziehen könne; auch das passte zu seiner Stimmung. Als Shep Afrika erwähnte, lenkte der Verkäufer sein Augenmerk auf *Moskito-Küste* von Paul Theroux. Ging man nach der Zusammenfassung, war der Roman ein guter Witz auf Sheps eigene Kosten. Diese Romane würden nicht ewig vorhalten, aber zum Glück war er ein langsamer Leser. Bestimmt würden die Touristen auf Pemba ihre ausgelesenen Taschenbücher dalassen, und wer weiß, vielleicht würde Amazon ja gegen Aufpreis auch nach Afrika liefern.

Natürlich war sein letzter Fluchtversuch still, heimlich und höchst konzentriert vor sich gegangen. Dadurch, dass das Haus inzwischen eine Mischung aus Hospiz und Flüchtlingslager darstellte, wurde die Wiederholung ständig von Heather unterbrochen, die lautstark nach einem zweiten Stück Streuselkuchen verlangte, oder von Zach, der sich beschwerte, dass man ihm ruhig früher hätte Bescheid sagen können, dann hätte er sich vor Donnerstag noch das neueste *Mighty-Mordlock*-Computerspiel von UPS liefern lassen können. Shep lauschte unwillkürlich nach Gesprächsfetzen, während er durchs Schlafzimmer lief, wo Glynis und Carol auf den Kissen hockten und sich leise unterhielten: Was war der wahre Grund für Jacksons Misere gewesen, hatte er aus Traurigkeit oder bösem Willen gehandelt? Shep war eifersüchtig. Jackson war sein bester Freund gewesen. Wenn es Antworten auf diese Fragen gab, wollte er sie hören. Verstärkt wurde seine Eifersucht, als die beiden Frauen mitten im Gespräch verstummten, als er den Raum betrat.

Nachdem er das Telefonat mit Rick Mystic am letzten Donnerstag beendet hatte, war ihm noch eine Stunde geblieben, um

Vorbereitungen zu treffen für die Ankunft von Carol und den Mädchen, wobei es ihm dabei nicht um das Beziehen von Gästebetten gegangen war. Er konnte Carol nicht einladen und dann von ihr erwarten, dass sie Glynis verschwieg, was sie aus ihrem eigenen Haus getrieben hatte und warum ihr Mann offenkundig verschollen war. Echte Gastfreundschaft hieße, Glynis rechtzeitig aufzuklären. Er betrachtete sich gern als mutig. Aber ohne die Galgenfrist hätte er die Sache wahrscheinlich noch länger vor sich hergeschoben.

Shep hatte mit sich gehadert. An einem Tag hatte er zwei völlig widersprüchliche Ratschläge bekommen. *Du musst es ihr sagen,* hatte Carol ihn beschworen. *Nur weil sie krank ist, heißt das nicht, dass sie blöd oder ein kleines Kind ist.* Keine zwei Stunden später hatte Goldman gekontert: *Ich würde Ihnen eher dazu raten, meine Prognose für sich zu behalten … um die Qualität ihrer restlichen Lebenszeit zu erhalten. Dafür zu sorgen, dass sie optimistisch bleibt.*

Es war eine abgedroschene Formulierung, aber es ging wohl nicht um Originalität: »Ich habe eine gute Nachricht und eine schlechte Nachricht«, hatte er sachlich verkündet, nachdem er ihr das Abendessen ins Schlafzimmer gebracht hatte, Erbsensuppe aus der Dose – zu mehr hatte es in fünf Minuten nicht gereicht. »Welche willst du zuerst hören?«

Glynis pustete auf ihre Suppe und blickte ihn skeptisch wie ein Gladiator über ihren Löffel hinweg an. »Da wir in diesem Haus so wenig gute Nachrichten zu hören bekommen, solltest du vielleicht besser damit anfangen.«

»Forge Craft will zahlen. Sie bieten uns 1,2 Millionen.«

Wenn man bedenkt, dass das Angebot eine Würdigung ihrer herausragenden Darbietung an jenem Vormittag war, hätte er von ihr zumindest einen müden High-Five erwartet. Doch ihre Reaktion war verblüffend unaufgeregt. »Das ist ja schön«, sagte sie und aß noch einen Löffel Suppe.

»Willst du's annehmem?«

»Wenn ich mich recht entsinne, gab es da ein kleines Problem mit der Miete«, sagte sie und tupfte ihre Mundwinkel mit der Serviette sauber. »Also würde ich sagen: Ja.«

Nach ihrer Reaktion, die er unter »einigermaßen zufrieden« verbucht hätte, graute es ihm davor, zum zweiten Teil der Nachricht überzugehen. Trotz der scheinbaren Ausgewogenheit des Klischees von der guten und der schlechten Nachricht überwog die schlechte bei Weitem. In Wirklichkeit hatte es eigentlich nur eine gute Nachricht gegeben, die nun vertan und nicht besonders gut angekommen war. Hin- und hergerissen zwischen Carols Aufrichtigkeit und dem Rat des Arztes, schlafende Krebspatienten nicht zu wecken, würde er als beste Strategie zunächst den goldenen Mittelweg nehmen.

»Die schlechte Nachricht«, sagte er zögerlich, »ist sehr schlecht.«

Sie ging mit den Augen auf ihn los. »Bist du sicher, dass du's mir sagen willst?«

»Natürlich würde ich's dir lieber nicht sagen. Aber ich muss.«

»Du *musst*.«

»Wenn ich's dir nicht sagen würde, würde sich überhaupt nichts ändern, es würde die Sache – nicht ungeschehen machen.«

Langsam legte sie den Löffel hin. Sie strich über den Rand des Tabletts, begradigte es wie ein Lastwagenfahrer sein Lenkrad, während er weiter aufs Gaspedal tritt. Wäre das Bett ein Sattelschlepper gewesen, hätte sie ihren Mann überfahren.

»Jackson hat sich erschossen.«

Offenbar war das so weit entfernt von allem, was sie erwartet hatte, das sie ihn fast nicht gehört hätte. Ihre Frage machte wenig Sinn.

»Und geht's ihm – wieder gut?«

Shep ließ ihr einen Moment Zeit. »Nein.«

»Ach so.« Sie ließ die Hände fallen. Komplexe Gedanken standen ihr ins Gesicht geschrieben, und es dauerte einen Augenblick, bis ihre tief empfundene und echte Trauer – »Arme Carol!« – über ihre schuldbewusste Erleichterung die Oberhand gewann.

Jetzt, sechs Abende später, würde er nicht so weit gehen und die groteske Behauptung aufstellen, dass der Selbstmord eines ihrer ältesten und engsten Freunde seine Frau aufgeheitert hätte. Nichtsdestotrotz wirkte Glynis merklich dankbar, sich einem Leiden hingeben zu können, das nicht ihr eigenes war. Seit Ankunft der Burdinas hatten Carol und sie nur aufgehört zu reden, um sich in den Arm zu nehmen. Endlich das Gefühl zu haben, nützlich zu sein, und wenn auch nur als Carols Vertraute, schien Glynis' Lebensgeister zu wecken. Das Timing war günstig. Er hatte vor, sich ihrer ganzen Kraft zu bedienen für eine anstrengende Reise, die morgen Nachmittag beginnen und mehr als einen ganzen Tag dauern würde.

Andererseits könnte es keine schlimmere Reise mehr geben als die weitaus kürzere, die er am Freitagmorgen nach der Ankunft von Carol und den Mädchen hatte machen müssen. Der Gerechtigkeit halber sei gesagt, dass ihm Carol reichlich Gelegenheit gab, sich davor zu drücken – sie könne sich neue Sachen kaufen und neue Rezepte holen, sagte sie –, aber er hatte es ihr versprochen.

Mit einer detaillierten Liste der lebenswichtigen Habseligkeiten der Burdinas nebst deren Standort hatte Shep an jenem Vormittag geschlagene zwanzig Minuten hinter dem Steuer seines Wagens gesessen, ohne den Motor anzulassen. Er war eigentlich kein Mensch, der lange zauderte. Aber er wollte nicht. Für den Großteil der zwanzig Minuten hatte sich das Nichtwollen in ein Nichtkönnen verwandelt: in ein Nichtfahren. Er war außerstande, den Motor zu starten. Stimmt schon, in allen anderen Dingen hatte er sein Pflichtbewusstsein aufgegeben: gegenüber seiner Firma, gegenüber seinem Land und sogar – indem er einen Firmenvorstand betrogen hatte, der, was immer seine Vorgänger vor dreißig Jahren fabriziert hatten, eigentlich unschuldig war – gegenüber seinem eigenen Gewissen. Seine Freunde jedoch waren die Ausnahme. Er glaubte inzwischen nur noch an wenig, aber daran hielt er fest. Wenn er diese belastende Aufgabe in winzige, machbare Einheiten teilte – Rückwärtsgang rein, Auffahrt runter, rechts den Blinker sitzen, einmal um den Golfplatz herum, rauf auf die 287 –, wäre es bald geschafft, und in diesem mechanistischen Sinne ließ er den Wagen an.

An der Haustür in der Windsor Terrace donnerte Sheps Herz gegen sein Trommelfell, und ein Adrenalinstoß löste Schwindel und leichte Übelkeit aus. Trotz seines Beruhigungsmantras wollten ihm seine Organe nicht glauben, *dass es nichts gab, wovor er Angst haben* musste. Er kam sich vor wie in einem Horrorfilm auf der falschen Seite des Bildschirms. Nachdem er die Tür der verglasten vorderen Veranda aufgeschlossen hatte, stand er mit dem Seesack zur Plünderung bereit und starrte mit wildem Blick zu Boden. Neben seinem Schuh prangte der schmale Fußabdruck eines Frauenschuhs auf dem blauen Linoleum. Der Abdruck war rostbraun. Es gab kein Entrinnen vor dem, was sich hier abgespielt hatte, nicht mal, indem man zu Boden starrte.

Er hob den Blick und betrat das Wohnzimmer. Gegenüber war der Kücheneingang mit gelbem Polizeiband behelfsmäßig abgesperrt. Die Treppe zu den Schlafzimmern und zum Arbeitszimmer, wo die meisten der Sachen auf Carols Liste zu finden waren, befand sich zu seiner Linken. Also bräuchte er die Küche weder zu betreten noch einen Blick hineinzuwerfen. Einen Moment lang blinzelte er und kniff die Augen zusammen, sodass die gegenüberliegende Küche verschwommen blieb. Angst machte einem aber nur das, was man noch nicht hinter sich gebracht hat. Er würde befreiter zu Werke gehen, wenn er sich dem Anblick der Küche stellte. Allein schon aus Loyalität war es geboten, sich mit dem Unglück seines Freundes in seiner ganzen Wucht zu konfrontieren.

Er trat vor das Absperrband. Sonnenlicht strömte höhnisch durch die Fenster und sorgte dafür, dass ihm nur ja nichts entging: Ein Haufen Spachtel, Kellen und Metallspieße lag auf merkwürdige Weise über das Linoleum verteilt, das Jackson vor zehn Jahren zu verlegen geholfen hatte. Auch eine Schublade lag auf dem Boden; eine zweite stand offen. Ein Messerschleifer und ein schweres Sabatier-Hackmesser auf dem Küchentisch, beides so rotbraun eingetrocknet wie der Fußabdruck auf dem Boden – als wäre es dort liegen gelassen worden, um vor sich hin zu rosten, obwohl Jackson Burdina trotz seiner schlampigen Seite immer Respekt vor Werkzeugen gehabt hatte. Ein dickes hölzernes Schneidebrett, das normalerweise auf der Arbeitsplatte neben dem Kühlschrank lehnte, jetzt aber auf dem Tisch lag und in dieselbe unerfreuliche Farbe getaucht war. Carol musste ihm irgendetwas verschwiegen haben.

Ansonsten entsprach der Anblick dem, worauf er seelisch vorbereitet gewesen war, wobei es Dinge gab, auf die man sich nicht vorbereiten konnte. Wie hätte er beim Verlegen des Linoleums ahnen können, dass Jacksons Wahl eines Bodens in der Farbe »Blauer Mond« mal einen so atemberaubenden Kontrast zu den festgetretenen Spritzern und Lachen abgeben würde. Auch Carol hatte beim Nähen der cremefarbenen, mit blassen Kornblumen gesprenkelten Gardinen nicht ahnen können, dass sie einmal als Leinwand für das Rorschachbild der Verzweiflung ihres Mannes würden herhalten müssen. Denn es war überall – als hätte jemand einen blubbernden und zischenden Topf Tomatensauce auf dem Herd vergessen. Unter dem Tisch war es zu einer trüben Pfütze erstarrt, und ein einsames getrocknetes Rinnsal zog sich schlängelnd unter den Kühlschrank, dorthin, wo der Boden unmöglich zu reinigen war. Die Spritzer und Lachen waren stumpf und nachgedunkelt; ein leuchtenderer, glänzenderer Anblick hatte Carol vermutlich beim Betreten des Hauses begrüßt. Noch in der Tür, sagte sie, habe sie sich buchstäblich auf Flicka gestürzt und das Mädchen auf die Veranda gezerrt, aber zu spät.

Es war eine Pilgerfahrt. Er konnte hier nichts erfahren bis auf das, was nun mal passiert war, aber es war eine Information, die Shep hatte verinnerlichen müssen.

Er ging mit dem Seesack nach oben, um ihn mit Schulbüchern und Kleidungsstücken zu füllen. Er sah den Aktenschrank in Carols Arbeitszimmer durch, fand die Testamente und Versicherungspolicen, um die sie ihn gebeten hatte; mit einem Instinkt, der ihn im Nachhinein selbst beeindruckte, hatte er außerdem eine kleine Mappe gegriffen: die Reisepässe der Familie. Auch aus Flickas Handysammlung steckte er ein paar ausgewählte Exemplare ein, obwohl auch sie darum nicht gebeten hatte. Fortwährend fühlte er sich verfolgt, von hinten beäugt, und er schrak zusammen, als ein Kleiderbügel von der Stange fiel und ihm kurz darauf das Netzteil von Carols Computer auf die Dielen knallte. Als er endlich wieder an der Haustür war, drehte er den Schlüssel im Schloss nicht etwa deshalb herum, um Einbrecher auszusperren, sondern um irgendetwas im Haus einzusperren. Die beißende weiße Februarluft hatte etwas Reinigendes, und er nahm tiefe Atemzüge, trank gewissermaßen durstig die Luft.

Als heilsame Geste verzichtete Shep auf die mautfreie Brooklyn Bridge und nahm den weniger verstopften Battery Tunnel. Nach seiner nächsten Besorgung würde er sich die Maut ohnehin leisten können. Durch die Straßen von Lower Manhattan zu fahren rief unweigerlich die Erinnerung an Jackson und seine Tirade gegen die großflächige Vereinnahmung der Parkplätze durch die Oberherren des Stadtteils wach. Um ihm Tribut zu zollen, stellte er sein Auto eigens im Parkverbot ab, um ein Strafticket zu riskieren. Auch das konnte er sich jetzt leisten.

In Rick Mystics Büro am Exchange Place unterschrieb er den Geheimhaltungsvertrag. Unglaublicherweise versprach Mystic, dass er Forge Craft tatsächlich dazu bewegen könne, bis Montag den Scheck auszustellen. Diese Leute hatten es so eilig, dass es fast den Eindruck machte, als hätten sie das niederschmetternde Gespräch mit Philip Goldman gestern belauscht. Passenderweise wurde Shep in diesem Moment bewusst, dass es ihm unmöglich sein würde, auch nur vierundzwanzig Stunden länger »noch ein« Geheimnis vor Glynis zu haben. Die Prognose ihrer verbliebenen Lebenserwartung saß ihm in den Eingeweiden wie ein Nierenstein.

Erstmals gekommen war ihm die Idee am Vorabend während

des Telefonats mit Mystic, als der ihm das Zahlungsangebot unterbreitete: Sein Notgroschen für das Jenseits war auf wundersame Weise wiederhergestellt. Mit jeder zähen Meile heimwärts durch den grauenerregenden Freitagabendverkehr hatte sich ein spontaner Einfall endgültiger in einen festen Schlachtplan verwandelt.

Bei der Szene, auf die er traf, den Seesack über die Schulter geschlungen, tat ihm Carols Familie leid, dass sie keinen privaten Ort hatte, um ihre Wunden lecken – oder aufreißen – zu können, ohne dass ihr eine andere Familie dabei zusah. Dennoch wäre es albern gewesen, in der Diele auf dem Absatz kehrtzumachen; er war hier zu Hause.

Schon lange war Flicka mit Carol ungeduldig gewesen und hatte die mütterliche Fürsorge als Belastung empfunden, aber seit ihrer Ankunft hier war das Mädchen regelrecht kaltschnäuzig geworden. Bis auf diese oder jene logistische Bitte hatte sie kein Wort mit ihrer Mutter gewechselt, was Carol eigentlich hätte glücklich stimmen müssen angesichts dessen, was sie sagte, wenn sie dann doch etwas sagte.

»Er wollte nur ein bisschen Anerkennung«, sagte Flicka mit wütendem nasalem Knurren. Sie hockte in der Ecke der Wohnzimmercouch, während Carol steif im entferntesten Sessel saß. »Er hat sich so viel Mühe gegeben, Sachen zu lernen und über Sachen nachzudenken und nicht einfach nur irgendein lahmarschiger *Handwerker* zu sein. Er hat doch gesagt, er hat das Wort immer gehasst, und du hast es trotzdem ständig benutzt: *Handwerker, Handwerker, Handwerker!*«

»Liebling, ich freue mich, dass du stolz bist auf deinen Vater, und das sollst du auch sein«, sagte Carol mit unbeugsamer Selbstbeherrschung. »Aber wenn ich ihn hin und wieder ›Handwerker‹ genannt habe, dann lag das daran, dass es kein anderes Wort für das gibt, was er nun einmal war. Wobei das kein Grund zur Beschämung ist.«

»Du hast ihn nie beachtet! Er wollte irgendwas, und du hast ihn einfach *ausgeschaltet*. Meinst du, er hätte das nicht gemerkt? Wenn das Radio läuft, hörst du genauer zu. Sogar bei der Werbung!«

»Dein Vater hat manchmal geredet, anstatt etwas zu sagen. Ich garantiere dir, wenn er etwas Wichtiges mit mir zu besprechen hatte, habe ich ihm zugehört. Sehr genau sogar.«

»Du meinst, was *dir* wichtig war. Und nichts, was ihm wichtig war, war dir wichtig! Kein Wunder, dass Papa sich umgebracht hat! Jeden Tag hast du ihm das Gefühl gegeben, *nutzlos* zu sein und *langweilig* und *blöd*!«

Stumm ließ Carol den Kopf sinken, bis ihr die Tränen übers Kinn rannen und auf die Hände tropften – jene Art langsames, beständiges Tröpfeln, mit dem ein Handwerker seine liebe Mühe gehabt hätte.

»Süße«, sagte sie schließlich und sah wieder zu Flicka hoch. »du bist nicht die Einzige, die ihren Vater verloren hat. Du bist nicht die Einzige, der es nicht gut geht. Ja, du hast eine genetische Krankheit. Aber das heißt noch lange nicht, dass du sagen kannst, was du willst – wenn es keinem nützt, nichts bringt und einfach nur wehtut. Es tut mir leid, dass du FD hast. Du musst aber trotzdem Rücksicht nehmen.«

Es war jene elterliche Strenge, der Flicka aus Angst vor der Notaufnahme allzu lange beraubt worden war. Flicka schloss sich ihrer wortlos weinenden Mutter an und begann zu schluchzen, wenn auch ohne Tränen. Wenn sie Gefühle zeigte, weinten ihre Augen nicht; sie entzündeten sich.

»Es ist nicht deine Schuld, sondern meine«, presste das Mädchen zitternd hervor. »Ich hab doch immer wieder gesagt, es lohnt sich nicht, weiterzumachen. Ich hab doch immer gesagt, es ist gar nicht so toll, hier zu sein. Ich glaube, er hatte das von mir.«

Carol ging hinüber zum Sofa und schloss Flicka in die Arme. »Schh. So etwas denken wir alle hin und wieder. Du bist da nicht die Erste. Aber so viel lass dir gesagt sein, meine Süße: *Ich* glaube, eine der Hauptgründe, warum er uns verlassen hat, ist folgender. Er hatte Angst, dass dir etwas passiert, und die Vorstellung konnte er nicht ertragen. Diese Welt ohne dich hätte er nicht ertragen können. Er hat dich so geliebt, Schätzchen, mehr, als du dir vielleicht vorstellen kannst, und es war nicht sehr mutig von ihm, nicht mal sehr nett. Aber wenn jemand etwas aus Liebe tut, muss man nachsichtiger sein. Denn ich glaube, er konnte nicht mit ansehen, wie sich dein Zustand verschlechtert. Ich glaube, er wollte der Erste sein, der geht.«

Am nächsten Samstagmorgen warf Shep ein paar Decken auf seinen Rücksitz. Er gab Glynis in Carols Obhut und machte sich auf den Weg nach Berlin.

Er hatte Angst, auf Widerstand zu stoßen. Er war es nicht gewohnt, seinem Vater Anweisungen zu geben, und ältere Menschen hatten ja bekanntlich gegen jedwede Veränderung etwas einzuwenden. Auf der Fahrt nach Norden musste sich Shep vor Augen halten, dass ein Pflegeheim kein Gefängnis war. Wobei er bestimmt gegen irgendein hausinternes Gesetz verstieß, wenn er sich ohne einen Stapel Papierkram mit einem der Schutzbefohlenen davonmachte. Egal, in welchem Maße er gegen die Vorschriften verstieß, allmählich fand er Gefallen daran.

Am Empfang informierte er die Schwester, dass er seinen Vater auf eine »Exkursion« mitnehmen werde. Sie runzelte die Stirn. »Er ist ziemlich geschwächt. Und es ist eklig da draußen. Sieht nach Schnee aus.«

»Keine Sorge«, sagte Shep. »Da, wo ich meinen Vater hinbringe, ist es sehr, sehr warm.«

Der kläglich abgezehrte Patriarch lag im Bett und döste. Shep tröstete sich, dass ein so magerer Mann zumindest leicht zu tragen sein würde. Er flüsterte seinem Vater ins Ohr: »Hey, Papa, wach auf.«

Als der alte Mann die Augen aufschlug, wurden sie noch größer, und mit der gleichen verblüffenden Kraft, mit der Glynis ihn vor drei Tagen von sich gestoßen hatte, schlang er die Arme um seinen Sohn. »Shepherd!«, krächzte er. »Ich hatte schon Angst, ich würde dich nie wiedersehen!«

Sanft befreite sich Shep aus der Umklammerung seines Vaters. »Schh. Jetzt hör zu. Wir müssen den Ball flach halten. Soweit die Schwestern wissen, mache ich mit dir nur einen kleinen Ausflug, okay? Aber ich möchte jetzt, dass du dir genau überlegst, was du dabeihaben musst. Du wirst nämlich gleich entführt.«

»Du meinst … wir kommen nicht zurück?«

»Nein. Kannst du damit leben?«

»Damit leben?« Gabe umarmte ihn erneut. »Mein Junge! Vielleicht gibt es ja doch einen Gott!«

Während er leise ein paar Kleidungsstücke zusammenpackte und die Pillenfläschchen vom Schreibtisch einsammelte, murmelte Shep, dass sie »vorher« zurück nach Elmsford fahren müssten.

Sein Vater wollte gerade seine dünnen Beine über die Bettkante schieben, doch er hielt inne. »Aber was ist mit Glynis? Die zehn biblischen Plagen sind nichts gegen deinen Vater. Das hast du doch selbst gesagt. Ich darf meiner Schwiegertochter nicht zu nahe kommen. Du hast mich gewarnt, dass ich sie umbringen könnte.«

»CDiff? Wenn wir hier schon biblisch werden, dann ist Glynis inzwischen bei der Offenbarung angelangt. Mit ihr geht es zu Ende. Ein paar biologische Waffen mehr oder weniger spielen jetzt auch keine Rolle mehr.«

»Bist du sicher?«

»Ich … ich hab so was ja noch nie gemacht. Du hast es unzählige Male in deiner Gemeinde erlebt. Wir könnten deine Gesellschaft gut gebrauchen. Ich könnte deinen Rat gebrauchen.«

»Meinen Rat? In welcher Sache?«

Shep holte Luft. »Wie ich meiner Frau beim Sterben helfe.«

Als Shep auf der langen Fahrt zurück nach New York seinen Vater über die bevorstehende gemeinsame Afrikareise in Kenntnis setzte, blieb der alte Mann gelassen – und bemerkte nur mit dem typischen Knacker'schen Pragmatismus, dass leider sein Reisepass abgelaufen sei. (Shep erklärte, dass die Firma It's Easy, Inc., in Midtown für einen gewissen Obolus einen Antrag auch über Nacht bearbeiten könne, und als sein Vater nach der Summe fragte, sagte Shep mit seligem Lächeln: »Das ist mir völlig egal.«) Der Sommer in Kenia damals hatte dem »dunklen Kontinent« wohl seinen Schrecken genommen. Insofern schien Sheps Vater die anstehende Reise nicht im Geringsten zu bekümmern; Hauptsache nicht zurück ins Pflegeheim. Die Singgruppe hatte ihn offenbar nicht überzeugt.

Shep fragte sich, ob er sich von Beryl hätte verabschieden müssen. Der Vorschlag, ihren Vater in ein wenige Meilen entfernt liegendes öffentliches Heim einweisen zu lassen, hatte ihren Zorn erregt; dass ihr Vater nach Afrika entführt werden sollte, hätte sie zur Weißglut gebracht. Außerdem hatte sie ihm nur allzu deutlich zu verstehen gegeben, was sie von den Ambitionen ihren Bruders in puncto »Jenseits« hielt. Da nun immerhin das Pflegeheim die Finanzen der Familie nicht mehr nekroseartig aufzufressen drohte, konnte sie das Haus behalten. Wenn das nach einer großzügigen Belohnung für wenig großzügiges Verhalten aussah, war nach Sheps Erfahrung das Haus seiner Kindheit mehr Fluch als Segen. Und selbst wenn die Erinnerung an Vergangenes nicht ihren üblichen lähmenden Einfluss geltend machte, würde Beryl die drei hohen Etagen in der Mt. Forist Street spätestens dann weitaus weniger als Jackpot empfinden, wenn sie die Heizkosten selbst zahlen musste.

Mehr als einmal musste die Fahrt für Toilettenpausen unterbrochen werden. Nachdem er seinen Vater zur Männertoilette einer Tankstelle halb getragen hatte, stützte Shep ihn mit einem Arm und zog ihm mit der anderen Hand die Schlafanzughose über den Hintern – worin er durch die ähnlich uneigenständigen Phasen seiner Frau zum Experten geworden war. Er ließ seinen

Vater bei geschlossener Kabinentür sein Geschäft verrichten, wobei die vermeintliche Privatsphäre nicht von Dauer war. Die Zusicherung seines Vaters, das Abwischen selbst erledigen zu können, entpuppte sich als Übertreibung, und natürlich bedurfte es einer erneuten Hilfe, die Pyjamahose wieder hochzuziehen. Im Nahen Osten galt es als ultimative Demütigung, die Genitalien seines Vaters zu sehen, doch für Shep war auch das nur wieder eine Übung darin, sich mit der Realität abzufinden. Also hatten sie beide einen Penis, na und?

Natürlich mussten auf dem letzten spätabendlichen Abschnitt durch das nördliche Connecticut viele Tankstellen und Raststätten geschlossen haben. Sein Vater schaffte es nicht. Ein stechender brauner Geruch breitete sich im Auto aus, und Gabe begann zu weinen.

»Papa«, sagte Shep. »Seit Monaten stecke ich bis zu den Ellenbogen in Scheiße, und das meine ich nicht im übertragenen Sinne. Ich bin mit sämtlichen Ausflüssen und Auswürfen meiner Frau aufs Engste vertraut, und ich liebe sie noch immer. Jetzt werde *ich* dich pflegen, und statt irgendeinen wildfremden Menschen anzuheuern, um dir den Hintern abzuwischen, wisch ich ihn dir selbst ab. Du musst dich deswegen nicht schämen. Die Einzigen, die sich schämen sollten, sind Beryl und ich, weil wir das Abwischen bisher immer anderen überlassen haben.«

Um ein Uhr morgens waren sie zurück in Elmsford. Nach der fünfzehnstündigen Autofahrt hätte Shep todmüde sein müssen. Aber seitdem Pemba vom traurigen Luftschloss zum festen Reiseziel wiederauferstanden war, befand er sich in einem eigentümlichen Rauschzustand. Sein Gang hatte noch immer etwas Federndes, während er seinen Vater sauber machte und im Fernsehzimmer auf die Couch bettete, unmittelbar neben der unteren Toilette.

AM SONNTAGMORGEN, ALS Glynis noch schlief, nahm Shep die Sache mit Zach in Angriff. Nachdem sein Sohn ihm widerwillig den Zutritt in sein Heiligtum gewährt hatte, setzte er sich schwungvoll auf das Bett des Jungen und verkündete: »Wir ziehen nach Afrika.«

Zach drehte sich von seinem Computerbildschirm weg und sah seinen Vater mit nachgiebig ausdrucksloser Miene an. Er glaubte genauso wenig an das durchgedrehte Jenseits des guten Mannes wie Beryl. »Ach echt. Und wann.«

»Ich muss noch mal auf die Website von British Airways, aber hoffentlich noch vor Ende dieser Woche.«

Zach nahm seinen Vater genau in Augenschein. Shep blickte freundlich zurück und stellte mit Genugtuung fest, dass die Gesichtszüge seines Sohnes wie erwartet an Kontur gewannen, und mit sechzehn war der junge Mann fast gut aussehend. »Ohne Scheiß jetzt.«

»Ja. Du solltest also anfangen, ein paar Sachen zu packen. Leichtes Gepäck. Selbst wenn wir auf Pemba nicht alles bekommen, was wir brauchen, gibt es auf Sansibar wohl alles, und wir sind nur eine halbe Flugstunde von Stone Town entfernt.«

»Und für wie lange ›ziehen wir nach Afrika‹?«

»Ich, für immer. Du? Das ist deine Entscheidung. Sobald du achtzehn bist, steht's dir frei. Auf deiner neuen Schule gefällt's dir doch sowieso nicht.«

»Ich dachte immer ...« Zach leckte sich die Lippen. »Ich dachte immer, dass die Kinder plötzlich irgendwelche verrückten Ideen haben. Und dass es dann die Eltern sind, die auf sie einreden und sie zwingen, na ja, *realistisch* zu sein.«

»Ich bin jetzt neunundvierzig Jahre lang realistisch gewesen, Kumpel. Und wenn man etwas in die Realität umsetzt, dann ist das realistisch. Übrigens, auf Pemba gibt's auch Internet. Ich wusste, das würde dich überzeugen.«

»Und wenn ich nicht will?«

»Mh ... du könntest bei deiner Tante Beryl wohnen, in Opas Haus in Berlin – wobei das ein ziemliches Nest ist, wie du weißt. Du wärst also immer noch am Arsch der Welt, nur ohne Kokospalmen und Korallenriffe. Es wird auch ziemlich kalt da oben.

Und in Opas Haus wird's demnächst noch viel kälter werden, wenn ich mich nicht täusche. Oder aber du ziehst zu deiner Tante Deb, wobei du dich jetzt schon darauf einstellen kannst, dass du da jede Menge Babysitting machen und zumindest so tun musst, als würdest du dich zum wiedergeborenen Christentum bekehren lassen. Tante Ruby wäre auch noch da, aber sie ist Workaholic und hat nicht mal Zeit für einen Freund, geschweige denn für einen Neffen bei sich zu Hause. Deine Oma in Tuscon würde dich mit Kusshand nehmen, allerdings hast du dich immer beschwert, dass sie dich wie ein sechsjähriges Kind behandelt. Sie ist dreiundsiebzig. Ich kann mir kaum vorstellen, dass sie's sich jetzt noch abgewöhnt.«

»Du hast echt vor, mich bei der Verwandtschaft zu parken?«

»Nein, ich habe echt vor, mit dir an einen faszinierenden Flecken Erde zu fahren, wo du lernen kannst, von einem *mtumbwi* aus, also von einem Holzkanu aus, Fische zu fangen. Zu tauchen. Suaheli zu sprechen. Wo du die besten Ananas und Mangos deines Lebens essen kannst. Und mir helfen kannst, ein Haus zu bauen.«

»Du bist echt komisch drauf. Hast du irgendwas genommen? Bist du sicher, dass du dir nicht von Mamas Pillen was abgezweigt hast?«

»Wenn du wirklich nicht mitwillst, kannst du dich ja auch vertrauensvoll an einen Sozialarbeiter wenden, weil dein Vater drogensüchtig geworden ist.«

»Z« hatte nie sonderlich gern mit seinem Vater geflachst, und er wirkte auch jetzt angestrengt. »Wie lange hab ich Bedenkzeit?«

»Bei mir ist der Entschluss auf der Fahrt zwischen Lower Manhattan und Westchester gereift. Aber das war ein Freitag, und es war viel los auf den Straßen. Also geb ich dir die Hälfte der Zeit.«

»Ich soll mich *heute* entscheiden, ob ich mein ganzes Leben auf den Kopf stelle und ›nach Afrika ziehe‹?«

»Entscheidungen werden in Bruchteilen von Sekunden gefällt. Das Nichtentscheiden ist es, was so lange dauert.«

»Aber was ist mit Mama? Sieht ja wohl gerade nicht so rosig aus mit ihr. In Afrika … Was ist mit Ärzten?«

»Ärzte haben wir jetzt genug gehabt.«

»Aber ich meine, wie geht's ihr? Ist das okay für sie?«

»Das«, sagte Shep und erhob sich, »wird sich gleich herausstellen.«

GLYNIS WAR GERADE aufgewacht, und er setzte sich behutsam aufs Bett und zog ihren Kopf auf seinen Schoß. Sie schmiegte sich an ihn. »Und, wie geht's deinem Vater?«, murmelte sie.

»Frag ihn selbst. Er ist unten.«

»Du hast ihn mit hierher gebracht?«, fragte sie schläfrig. »Wozu? Ist das ratsam?«

»Es ist *ratsam*. Er ist mein Vater. Ich will ihn mitnehmen.«

»Mitnehmen?«, murmelte sie und seufzte. Ihre Hand auf seinem Oberschenkel war köstlich wie immer. »Wohin mitnehmen?«

»Gnu?« Er strich ihr über die Wange. »Weißt du noch, letztes Jahr, als ich dich gefragt habe, ob du mit nach Pemba kommst? Also, ich frage dich jetzt noch mal. Und diesmal ist der Krebs keine Entschuldigung.«

»Mmm?« Sie bettete ihren Kopf neu. Im Beisein anderer hielt sie ihn stets bedeckt; er aber hatte die ausgeprägte Form und Glätte ihres haarlosen Scheitels zu bewundern gelernt.

»Es ist warm«, stimmte er an. »Die Strände sind weiß. Die Bäume sind hoch. Der Fisch ist frisch. Und die Brise duftet nach Nelken.«

»Moment«, sagte sie und schlug die Augen auf. »Ich träum doch jetzt nicht.«

»Ich auch nicht und hab's auch nie getan. Ich will mit dir nach Pemba. Ich will, dass wir noch diese Woche fahren.«

Sie setzte sich auf. »Shepherd, bist du wahnsinnig? Das ist

wohl jetzt kaum die richtige Zeit, um wieder mit Afrika anzufangen.«

»Das ist die einzige Zeit, um wieder mit Afrika anzufangen. Und die einzige Zeit zu fahren.«

»Selbst wenn ich nicht mit diesem Versuchsmedikament anfange, habe ich noch fünf Mal Chemo vor mir! Ich bin fast durch, nur eben noch nicht ganz.«

»Nein.« Er legte ihr die Hand auf die Wange. »Du bist durch.« Er hatte gemeint, »durch« mit allen weiteren Behandlungen, doch die Formulierung klang krasser als beabsichtigt.

Sie wand sich aus seinem Griff. »Das heißt, *du* hast mich jetzt auch schon abgeschrieben?«

»Gnu. Was ist los mit dir? Was glaubst du denn, was mit dir passiert?«

»Ich bin schwer krank, wie man sieht, aber die letzten Tage ging es mir schon viel besser –«

»Du kannst kaum noch essen. Du kannst kaum noch scheißen, du kommst kaum noch die Treppe hoch. *Was glaubst du denn, was mit dir passiert?*«

»Hör auf! Du bist grausam! Es ist wichtig, positiv zu denken, immer wieder einen neuen Versuch zu machen –!«

»Ich glaube, es ist grausam, immer wieder neue Versuche zu machen!«

Sie begann zu weinen. »Ich sag dir, ich kann diese Krankheit besiegen!«

»Siehst du? Es ist nicht deine Schuld«, sagte er. »Du hast einen so starken Willen. Und dann dieses ganze Gerede, in der Klinik, von wegen ›bekämpfen‹, ›besiegen‹ und ›gewinnen‹. Natürlich wärst du dem gewachsen. Wenn das ein Wettbewerb wäre, würdest du mit Bestnoten abschließen. Aber es ist kein Wettbewerb. Krebs ist keine ›Schlacht‹. Dass man allmählich abbaut, ist kein Zeichen von Schwäche. Und sterben« – er sprach das Wort leise, aber deutlich aus – »ist keine Niederlage.«

Naturgemäß nährte sich Glynis von ihren Feinden und war nur allzu gern bereit, das Augenmerk vom Bösewicht Krebs auf ihren Mann zu richten. »Was verstehst du denn schon davon?«, knurrte sie.

»Was ich davon verstehe?« Er nahm sich einen Augenblick Zeit und dachte über die Frage nach. Seit Donnerstagabend musste er dem Drang widerstehen, Carol ins Vertrauen zu ziehen. Gestern hatte er sich trotz der langen Autofahrt zurückhalten müssen, um seinem Vater nicht sein Herz auszuschütten, und auch vorhin bei seinem Sohn hatte er sich zurückgehalten, statt ihn aufzuklären. Er hatte keines der Telefonate gemacht, die der Doktor ihm empfohlen hatte. Ausnahmsweise rührte seine Zurückhaltung nicht – wie bei der Nachricht über Jacksons Tod – von seiner Angst vor der Realität. Shep empfand es als *Beleidigung*, auch nur eine einzige Menschenseele zu informieren, bevor Glynis nicht selbst Bescheid wusste.

»Goldman wollte nicht, dass ich es dir sage«, fuhr Shep beherzt fort. »Genau genommen wollte er, dass ich es allen anderen sage, nur dir nicht. Damit deine Mutter und deine Schwestern sofort nach New York kommen. Deine Freunde wären plötzlich alle auf einmal hier aufgetaucht, um wieder ihre kleinen Reden zu schwingen, die dir so verhasst sind, und du hättest nicht verstanden, was das alles soll. Goldman wollte, dass alle Bescheid wissen und du im Dunkeln bleibst. Aber weißt du was? Mir ist es lieber, die anderen bleiben im Dunkeln. Zur Hölle mit den Leuten. Es dir aber nicht zu sagen ist respektlos. Und ich respektiere dich. Vermutlich hab ich mich in den letzten Monaten nicht so verhalten, aber ich respektiere dich.«

Sie hockte auf allen Vieren und war kurz davor, ihm die Augen auszukratzen. »Mir was sagen?«

»Goldman gibt dir noch drei Wochen.«

Sie knickte ein, aber er wollte diese Sache zu Ende bringen. Er war des Redens noch nicht müde.

»Inzwischen eher zweieinhalb. Vielleicht täusche ich mich, und du willst es wirklich gar nicht wissen, aber ich finde, das ist mir gegenüber nicht gerecht. Alles, was ich für mich behalten musste – die CTs. Sie sind schrecklich gewesen, Glynis. Darf ich mir das auch mal von der Seele reden? Die Stellen werden immer größer. Ach, und rate mal, wie lange du von Anfang an eigentlich zu leben hattest? Ein Jahr. Ein Jahr ab der Diagnose, das ist der Durchschnitt bei Mesotheliom. Richtig, mit ausschließlich epitheloiden Zellen hättest du vielleicht bis zu drei Jahren gehabt, allenfalls, mit Chemo. Aber in dem Moment, als Hartness diese scheißbiphasischen Zellen entdeckt hat, sank deine Lebenserwartung auf zwölf Monate. Du hast fast zwei Monate mehr geschafft, und wir sollten alle dankbar sein. Aber ich habe mit diesem einjährigen Todesurteil ganz allein leben müssen; du hast bei Knox im Büro ja deutlich gemacht, dass dich deine Lebenserwartung nicht interessiert. Dann bringt sich Jackson um, und mein erster Gedanke ist: Ich kann es meiner Frau nicht erzählen. Weil ich dich mit allem verschonen soll. Aber das macht einsam. Ich will im Moment nicht allein sein. Ich habe weniger als drei Wochen, dann kann ich für den Rest meines Lebens allein sein. Und wir haben weniger als drei Wochen, um zu tun, was wir tun werden, überhaupt, was immer es ist, und deswegen will ich nach Pemba. *Jetzt.*«

Er hatte ihr nun also gesagt, dass es kein Kampf war. Dass es nie ein Kampf gewesen war. Dass es ohne Kämpfen auch kein Verlieren gab. Er hatte sie vom Haken gelassen. Sie konnte jetzt aufhören zu kämpfen. Glynis lag auf der Seite wie eine Jagdtrophäe – wie ein *Gnu* mit Bauchschuss, noch keuchend – und murmelte ins Bettzeug: »Okay, ich kapituliere.«

Doch als sie nach ihrer offiziellen *Kapitulation* den Kopf hob, wirkte sie angenehm überrascht, immer noch am Leben zu sein, als hätte sie seit Monaten nur ihre Entschlossenheit davon abgehalten, auf der Stelle umzukippen. »Also gut«, sagte sie munter. »Lass uns nach Pemba fahren.«

Während sie in seine Arme kroch, hatte Shep den verblüffenden Eindruck, dass es ihr ernst war. Er drückte sie an sich.

»Ich wollte noch so viel machen, Shepherd«, sagte sie. »So viele Sachen, und die stecken jetzt für immer in meinem Kopf fest.«

»Das spielt keine Rolle.« Er verzichtete auf den Proformatribut, wie exquisit die wenigen Arbeiten seien, die es in die Dreidimensionalität geschafft hatten. Die Zeit war knapp, und Komplimente würden sie nur langweilen. »Ich bin nicht wortgewandt genug, um zu erklären, was ich meine, aber ich weiß, dass es keine Rolle spielt. Denn vielleicht ... wenn du einen Schritt zurückgehst ... weil du und alle und alles irgendwann stirbt und die ganze Welt ... auf so seltsame Weise ...«

Sie machte eine wegwerfende Geste mit kräuselnden Fingern. »Pff.«

»Ja, alles ist *pff*. Dann ist ja vielleicht alles, was du nur in deinem Kopf gemacht hast, genauso wichtig und genauso real und genauso schön wie das, was du da oben aus Metall geschmiedet hast.«

Sie küsste ihn. »Danke.«

»Weißt du, diese Filme ...« Er suchte nach Worten. »Weißt du, wie manchmal, mittendrin, ein Film sich ewig hinzuziehen scheint? Ich werd dann immer unruhig, geh pinkeln oder hol mir Popcorn. Aber manchmal, im letzten Teil, wird's noch mal richtig spannend, und dann, direkt vor dem Abspann, kriegt einer von uns beiden Tränen in die Augen – und dann vergisst man, wie mies der mittlere Teil war. Es ist einem egal, ob er nicht in die Gänge kam oder ob es dazwischen eine Wendung gab, die nicht aufging. Weil der Film einen am Ende doch noch gerührt hat, weil er den Bogen noch geschlagen hat, denkt man beim Rausgehen, dass es ein guter Film war, und man ist froh, dass man ihn gesehen hat. Verstehst du, Gnu«, sagte er zuversichtlich, »wir können immer noch für ein gutes Ende sorgen.«

Als er aus dem Schlafzimmer schlüpfte, lachten sie sogar, wobei schwer zu sagen war, ob Glynis' erneuerter Sinn für Humor von ihrer Befreiung aus der Realitätsverweigerung oder deren sofortiger Wiederherstellung herrührte.

Bevor er nach unten ging, um für sieben Leute ein Frühstück

auf die Beine zu stellen, klopfte er bei Zach an die Tür. Aus dem argwöhnischen Gesicht im Türspalt sprach die drängende Hoffnung, die Wirkung jener bewusstseinsverändernden Droge im Blutkreislauf seines Vaters, egal was es sei, möge nachgelassen haben.

»Deine Mutter ist dabei. Und wie sieht's mit dir aus?«, fragte Shep. »Ja oder nein?«

»Das war gerade mal eine Stunde!«

»Na und? Nach dem Frühstück muss ich die Tickets kaufen.«

»Du spinnst doch total. Aber ... diese vegetarische Pampe, die Tante Beryl immer kocht, kann ich nicht ausstehen. Ich hab keine Lust, *Jesus in mein Herz zu lassen,* und Oma drückt mich immer in ihre Titten, voll peinlich. Und ich will ... ich will Mama nicht im Stich lassen. Also muss ich wohl. Aber stimmt schon, wenn ich einem Sozialarbeiter von deinem bescheuerten Plan erzählen würde, ich wette, die würden dich verhaften.«

»Deswegen müssen wir uns beeilen«, sagte Shep leichthin. »Wir *absentieren* uns.« *Absentieren* war so ein Wort, von dem Jackson begeistert gewesen wäre.

»Musst du denn gar nicht bei mir in der Schule Bescheid sagen und den ganzen Scheiß?«, fragte Zach. »Mir 'ne Befreiung holen?«

»Wahrscheinlich schon«, sagte Shep. »Mach ich aber nicht.«

»Aber du kannst doch nicht einfach so *gehen.*«

»Das macht man so als Absahner.« Bei Sheps seligem Grinsen war jede weitere Frage überflüssig.

Zach gestikulierte in Richtung Erdgeschoss, wo Heather gerade einen neuen Streuselkuchenanfall hatte. »Und was ist mit denen da? Was willst du mit denen machen, sie hier im Haus lassen? Ich glaub nämlich kaum, dass sie so bald zurück nach Windsor Terrace gehen.«

Sein Sohn war der Einzige, den die Neuigkeiten über Jackson nicht schockiert hatten. Vermutlich galt Selbstmord in seiner *hikikomori*-Clique nachvollziehbarerweise als eine vollkommen vernünftige Alternative zu einem Leben von unbestimmter

Dauer in einem kleinen Zimmer. Zachs lässige Erklärung, dass er und seine Freunde sich so selbstverständlich über das »Ausklinken« unterhielten, wie Jugendliche zu Zeiten seines Vaters in die Leihbücherei gegangen waren, war für Shep ein weiterer Beweggrund, den Jungen aus dem Land zu schaffen.

»Damit hab ich mich wohl noch nicht befasst«, musste Shep zugeben. Die Möbel zurückzulassen bereitete ihm das größte Vergnügen. Die Hausbesitzer würden das Zeug entsorgen müssen, aber Shep hatte gerade erst entdeckt, dass man zur Abwechslung auch den anderen mal etwas aufbürden konnte. Die Burdinas im Stich zu lassen war allerdings etwas anderes.

Nachdem er allerdings nun hinter das Geheimnis der schnellen Entscheidungen gekommen war, hatte Shep zwischen der ersten Treppenstufe im Obergeschoss und seiner Ankunft im Erdgeschoss das Problem gelöst.

Heather hatte den Wasserhahn über der Spüle nur aufgedreht, um den kinetischen Springbrunnen anzustellen. Sie stocherte unaufhörlich an dem rotierenden Schneebesen und hatte den ganzen Fußboden nass gemacht. (Seit das Mädchen hier war, war sie nicht niedergeschlagen, sondern manisch. Allein ihre Hyperaktivität und die ständigen Fressattacken deuteten darauf hin, dass sie mitbekommen hatte, dass ihr Papa nicht mehr da war. Shep fragte sich, ob Antidepressiva auch etwas zu wirksam sein konnten.) Im Moment schmetterte Heather mit schiefer Stimme das Erkennungslied aus Pogatchniks Werbespot, »The handyman can, oh, the handyman can«, und drehte den Wasserhahn im Takt auf und zu. Es war nervtötend – schlimmer noch, es war nicht auszuhalten –, aber er brachte es nicht übers Herz, ihr irgendetwas zu verbieten, ebenso wenig wie er ihr ein weiteres Stück Streuselkuchen verwehren konnte.

Unterdessen saß Flicka auf dem Küchenhocker wie eine ausgediente Gliederpuppe. Sein Vater war – wo sonst – auf der Toilette. Carol tat, als würde sie Frühstück machen. Sonst die Effizienz in Person, hatte sie jetzt nur eine Schachtel Cornflakes auf den Tisch gestellt, aber weder Schälchen noch Löffel. Statt der Milch hatte sie eine Flasche Tonic aus dem Kühlschrank geholt. Als er in die Küche kam, stand sie wie angewurzelt im Raum, als wäre ihr entfallen, was sie gerade noch hatte tun wollen. Wie bei seiner Digitalkamera war offensichtlich Carols Speicherkarte beschädigt.

Er führte sie zum Tisch und setzte sie auf einen Stuhl; sie wehrte sich nicht. Da Speicherkarten immer nur an einzelnen Stellen kaputtgehen, fuhr ihr Gehirn wieder hoch und formulierte genau das, was Carol Burdina eigentlich hätte sagen sollen. »Vielen Dank für deine Gastfreundschaft in den letzten Tagen. Aber wir können dir hier nicht länger zur Last fallen … Vielleicht sollten wir in ein Hotel ziehen … Die Mädchen … Eigentlich müssen sie ja wieder zur Schule …« Aber sie war nicht bei der Sache, sie klang wie ein Roboter.

Also ging er darüber hinweg. »Glynis, Zach, mein Vater und ich fliegen nach Pemba, und zwar mit dem nächsten Flieger, den ich buchen kann. Ihr solltet mitkommen, du und die Mädchen.«

Wenn sie mit etwas gerechnet hatte – in etwa wie *nein, nein, nein, fühlt euch hier wie zu Hause, bleibt ruhig, so lange ihr wollt* –, damit jedenfalls hatte sie nicht gerechnet. Sie neigte ein wenig den Kopf und gab ihm zu verstehen, dass er ihre volle Aufmerksamkeit hatte. Auch Flicka blickte hoffnungsvoll.

Carols Lachen hatte etwas von einem Schluckauf. »Ihr geht nach Afrika.«

Der hirnverbrannte Zwischenruf »The handyman can …« ließ die vorgeschlagene Reise noch absurder erscheinen.

»Richtig. Jackson meinte ja mal« – Shep hatte sich fest vorgenommen, den Namen seines Freundes ruhig auszusprechen –, »du glaubtest, ich würde nie fahren.«

»Tja, dann, viel Spaß«, sagte sie ausdruckslos.

»Ihr kommt mit.«

So mutlos sie auch sein mochte, letztlich schlug dann doch

ihre berühmte praktische Veranlagung durch. »Geht nicht wegen Flicka.«

»Ich weiß, ihre Krankheit wird eine Herausforderung sein, aber das kriegen wir schon hin.«

»Heiß«, sagte Carol.

»Kühlende Handtücher, Ventilatoren. Wann immer und wo möglich: Klimaanlage.«

»Flugreise. Luftdruck.«

»Alles, was sie tun muss, ist schlucken. Das hat sie doch gelernt.«

»Medikamente.«

»Internet.«

Es war wie ein Badmintonspiel. Der lange Ballwechsel endete mit einem sauberen Schmetterball vom Küchenhocker aus: »Ich fahre nach Pemba.«

Carol wandte sich zu Flicka um und seufzte. »Du kannst nicht nach Afrika fahren.«

Flicka ließ sich von ihrem Hocker gleiten und hangelte sich im Zickzack durch die Küche, indem sie erst einen Stuhl, dann den Tisch und schließlich die Vorratskörbe mit dem Obst packte; in letzter Zeit erinnerte Flickas agiles Seitwärtskraxeln an Jeff Goldblum in der Neuverfilmung von *Die Fliege*. Sie schob Heather von der Küchenspüle weg, füllte ihre Flasche auf, drehte den Wasserhahn zu, wischte sich in einer einzigen Bewegung mit ihrem Frotteeschweißband ein Rinnsal Speichel vom Kinn und machte sich daran, für ihre stündliche Rehydrierung die Spritze ihrer PEG-Sonde zu füllen. Es war eine Darbietung ihrer Selbstständigkeit, womit sie sagen wollte: *Seht ihr? Wieso sollte diese ermüdende Prozedur nicht auch in Afrika möglich sein?*

Shep hatte keinen Zweifel, dass Carol vor jenem verhängnisvollen Mittwochabend geschickter darin gewesen wäre, unwiderlegbare Gründe zu finden, warum sich ein behindertes siebzehnjähriges Mädchen nicht auf einer Insel auf der anderen Seite der Welt niederlassen sollte, auf der es nur ein einziges, mangelhaft ausgestattetes, von chinesischen Ärzten betriebenes Krankenhaus gab und wo niemand wissen würde, wie man eine rein jüdische degenerative Erbkrankheit wie die familiäre Dysautonomie zu behandeln hatte. Doch an die Stelle dieser systematischen, energischen Mutter zweier Kinder war eine fast noch liebenswertere Frau getreten, die komplett von der Rolle war. Vermutlich drängte sie das, was sie gerade durchgemacht hatte, zur Flucht.Und vielleicht deshalb ließ sie ihre vernünftigen medizinischen Gründe beiseite und beging einen taktischen Fehler.

»Geld«, sagte sie. »Wir haben keins.«

»Ihr habt sogar weniger als keins«, pflichtete er ihr bei. »Ich hab einen Blick auf einige der Kreditkartenrechnungen geworfen, die Jackson bei euch zu Hause vor seinem Computer liegen hatte. Umso mehr ein Grund, das Weite zu suchen. MasterCard wird euch nicht bis an die Küste von Sansibar folgen. Außerdem habe ich Geld. Genug, wenn wir sparsam sind, um auf unabsehbare Zeit in Tansania bleiben zu können. Die Wapemba leben von ein paar Dollar am Tag. Bei unserem Budget sind mindestens fünf Dollar drin.«

Ihre Augen wanderten zu der Cornflakesschachtel und flackerten angesichts der Dutzend, vielleicht sogar Hundert weiteren handfesten Gründe, weshalb dieser groteske Plan niemals in die Tat umgesetzt werden könnte.

»Papa würde wollen, dass wir fahren«, sagte Flicka.

»Sie hat recht«, sagte Shep zustimmend. »Sollen Jacksons Eltern doch die Gedenkfeier organisieren, wenn sie sich dann besser fühlen. Aber ich verspreche euch, und ich hab den Kerl fast genauso gut gekannt wie ihr: Es gäbe keine passendere Gedenkfeier für deinen Mann, als von hier abzuhauen. Wenn es wirklich ein Jenseits gibt, wäre er begeistert, wenn er wüsste, dass du deine Kinder eingepackt und nach Pemba geschafft hast.«

»Aber es läuft doch noch die polizeiliche Untersuchung.«

Noch ein Grund mehr, das Land zu verlassen. Er fragte:

»Bestehen für dich irgendwelche Zweifel über das, was passiert ist?« Betrübt schüttelte sie den Kopf. »Warum sich dann über eine Untersuchung den Kopf zerbrechen?«

»Ich fahre mit, Mama«, verkündete Flicka entschlossen, stützte sich gegen die Arbeitsplatte und füllte sich den letzten Schluck Wasser in ihre Kanüle, »ob du und Heather mitkommen oder nicht.«

Als begabte Manipulatorin anderer Leute Kummer hatte Flicka ihre Eltern jahrelang nach ihrer Pfeife tanzen lassen. Jetzt konnte sie ihre Kunst mit weitaus größerer Wirkung anwenden, als sich nur vor den Mathehausaufgaben zu drücken.

EINE LETZTE EINLADUNG blieb auszusprechen – auch wenn es nur eine Geste war, wie man sie Leuten gegenüber ausspricht, von denen man ohnehin schon weiß, dass sie zur Party nicht kommen können. Und siehe da, als Shep Amelia die Sache mit Pemba auseinandersetzte und dass sie natürlich willkommen sei, erklärte Amelia, dass sie nicht bereit sei, alles aufzugeben: ihre Freunde, ihren Job, ihren Freund. Aber sie klang ein wenig verdutzt, also drückte er sich noch einmal bewusst kristallklar aus: »Deine Mutter stirbt, mein Schatz, und endlich weiß sie es auch selbst. Du hast jetzt noch die Chance, dich von ihr zu verabschieden. Und vielleicht kriegt ihr's diesmal etwas besser hin, als, na du weißt schon, *grob gestampft oder cremig.*«

Als Amelia das letzte Mal in Elmsford gewesen war, hatte sie ihren neuen Freund dabeigehabt – bestimmt war der Junge ganz in Ordnung, aber angesichts der Umstände fehl am Platz. Die geschwächte Mutter der Freundin hatte nicht mehr die Kraft, die beflissenen Fragen eines normalen Kennenlerngesprächs zu stellen: Und, wo arbeiten Sie? Wie sehen Ihre Zukunftspläne aus? Woher kommen Ihre Eltern? Natürlich lief gerade eine Kochsendung, was vermutlich der Grund war, weshalb sie sich schließlich den ganzen Besuch hinweg über Kartoffeln unterhalten hatten.

Vor allem über Kartoffelpüree: ob das cremige mit viel Sahne oder das unkonventionelle klumpige mit Stücken und Pelle zu bevorzugen sei. Shep hatte dabeigesessen. Nach zwanzig Minuten Mikroanalyse der Kartoffelzubereitung erforderte es seine ganze Selbstbeherrschung, um nicht aufzuspringen und herauszuplatzen: *Pass auf, Teddy oder wie du heißt, ich bin sicher, du bist ein netter Kerl, aber ich fürchte, wir haben jetzt keine Zeit, dich kennenzulernen. Also raus hier; du gehörst hier nicht hin, und deine Freundin hat dich nur mitgeschleppt, um sich hinter dir zu verstecken. Und Amelia, wie du siehst, befindet sich deine Mutter in desolatem Zustand, das könnte also euer letztes Gespräch sein. Wenn du am Ende dasitzt und dir vorstellst, dass ihr eure letzten Minuten mit KARTOFFELN verschwendet habt, wirst du dir niemals verzeihen.*

Da sie glücklicherweise die Chance hatte, diese fürchterliche Szene noch mal auf Zurück zu drehen, war Amelia immerhin innerhalb von einer Stunde in Elmsford. Sie kam gerade in dem Moment durch die Tür, als sich Shep aus der British-Airways-Website loggte. Er lief nach unten, um sie zu begrüßen, und erkannte mit Erleichterung, dass sie weder ihren Freund mitgebracht hatte noch ein glitzerndes Dekolleté trug oder getuschte Wimpern und Zöpfe. Blass, dünn und mit Pferdeschwanz, war Amelia in weiten Jeans und schlabbrigem Sweatshirt als das Mädchen wiederzuerkennen, mit dem er im Huckepack durch den Garten galoppiert war, und diese enterotisierte Version macht es ihm irgendwie einfacher, seine Tochter ohne Verlegenheit in die Arme zu schließen. Ihr erschöpftes, abgehärmtes Gesicht war reichlich erwachsen und zeugte davon, dass sie gegenüber dem prekären Zustand ihrer Mutter durchaus nicht blind gewesen war.

Glynis hatte sich auf Amelias Ankunft eingestellt. Sie hatte sich gezwungen aufzustehen und kam wankend nach unten, wobei sie den Kopf in Sheps Richtung schüttelte; dies war ein richtiger Auftritt, und sie wollte keine Hilfe. Zum ersten Mal seit Wochen hatte sie sich richtig angezogen, eine ihrer liebsten

Abendkombinationen aus pechschwarzem Rayon. Über einer fließenden Bluse und der passenden Hose trug sie einen flatternden, bodenlangen, mit winzigen geschmackvollen Strasssteinen gesäumten Umhang. Sie hatte sich Augenbrauen gemalt. Shep ahnte, dass es keine Verkleidung sein sollte. Es war ein Gefallen, wie auch Amelias Kluft ein Gefallen war: Ihre Mutter sollte so gut wie möglich und die Tochter so unverfälscht wie möglich aussehen.

Während sie sich zu dritt ins Wohnzimmer setzten, schob sich Zach durch die Tür. Zumindest gab es weder fieberhaftes Kochen noch Freund noch Kartoffelpüree. »Tut mir leid, dass ich nicht öfter hier war«, sagte Amelia neben ihrer Mutter auf der Couch. »Es ist total schwer für mich, dich in diesem … Zustand zu sehen, Mama. Ich hab dich immer bewundert, wie schön du bist – wie eine Statue. Deine Haltung – wie du immer über allem gestanden hast, so distanziert. Dass du nicht mehr diese Nummer durchziehen kannst, dich nicht mehr aufführen kannst wie … 'ne Majestät, das kann ich kaum mit ansehen. Ich weiß, das ist keine Entschuldigung. Aber ich hab immer versucht, über Z auf dem Laufenden zu bleiben, wie's dir geht.«

Die Eltern wandten sich fragend nach Zach um, der nickend in der Tür stand. »Stimmt, sie schickt mir ungefähr fünf Mal am Tag 'ne SMS. Was glaubt ihr denn? Schließlich sind wir Geschwister.«

»Warum hast du *mir* nicht gesimst?«, fragte Glynis.

»Na ja …« Amelia wandte den Blick ab. »Bei Z wusste ich, dass ich mich auf die Berichterstattung verlassen kann.« Sie wandte den Blick zurück zu ihrer Mutter. »Ich kann dieses Geheuchel nicht ertragen. Es ist so künstlich und ekelhaft, wie 'ne Vergewaltigung. Wir sollten alle die ganze Zeit so tun, als würde es dir besser gehen, und ich – ich wollte dich einfach so nicht in Erinnerung behalten.«

»Dann tut es mir leid«, sagte Glynis und nahm die Hände ihrer Tochter. »Aber jetzt ist Schluss mit dem Geheuchel, okay? Also, ich hab was für dich. Als Andenken.« Glynis griff nach einem Kästchen neben dem Sofa, das sie vor Amelias Ankunft dort hingestellt haben musste. Shep erkannte, dass es die Entsprechung zu seinem zerbeulten roten Werkzeugkoffer war.

»Ich möchte, dass du meinen alten Schmuck bekommst«, fuhr Glynis fort. »Die Sachen, die ich gemacht habe, bevor ich mit Besteck anfing. Manche dieser Arbeiten sind sehr dramatisch, und es gibt nicht viele Frauen, die so was tragen können oder, wie du sagst, ›diese Nummer durchziehen‹. Aber du schon. Du hast auch etwas von einer Statue, und du wirst diesen Sachen alle Ehre machen.«

»Oh!«, rief Amelia mit mädchenhafter Begeisterung, während sie sich eines der Schlangenarmbänder über ihren schlanken Arm streifte. Da waren sie, all die Artefakte, in die sich Shep zuerst verliebt hatte, auch die morbiden Vogelknochenbroschen. »Früher als Kind hab ich die Sachen manchmal anprobiert, wenn du nicht zu Hause warst. Heimlich. Ich hab's dir nie gesagt, aber später hab ich angefangen, mir zum Wegggehen die Halsketten auszuleihen, und ich hatte solche Angst, dass du's rauskriegst, denn du hättest mir den Kopf abgerissen. Ich hatte auch schreckliche Angst, irgendwie Kratzer reinzumachen. Aber alle waren immer total geplättet, wenn ich deinen Schmuck anhatte, und ich hab immer allen erzählt: *Das hat meine Mutter gemacht*. Die konnten's gar nicht glauben. Also danke, danke! Ich hätte mir nichts sehnlicher wünschen können.«

Mutter und Tochter schwelgten in Erinnerungen und malten aus, was sie aneinander bewunderten; um nicht ganz abzuheben, gruben sie auch ein paar weniger schöne Erinnerungen aus. Zwischenzeitlich schwiegen sie und zerbrachen sich beide den Kopf, um sich später nicht vorwerfen zu müssen, irgendetwas vergessen zu haben. In abgehackten Sätzen schwang Amelia genau eine jener »Reden«, die ihre Mutter das letzte Jahr über zur Weißglut gebracht hatten. Doch zum ersten Mal war Glynis in der Lage, stillzusitzen und die Komplimente anzunehmen. Es hatte nichts Unsensibles, zu reden, als würde sie sterben, wenn das tatsächlich der Fall war.

Der Besuch war herzlich genug und gut genug, um nicht übermäßig lang sein zu müssen.

»Habt ganz viel Spaß in Afrika«, sagte Amelia, nachdem sie aufgestanden war. »Ich hoffe, ihr schafft es bis nach Pemba, bevor ...«, sie zögerte, ehe sie in die neue Offenheit hineinfand, »... bevor du stirbst. Und ich hoffe, dass das Ende ... nicht zu sehr wehtun wird. Wahrscheinlich haben sich die Dinge nicht ganz so entwickelt, wie du's gern gehabt hättest, aber ich glaube trotzdem, dass du ein gutes Leben hattest, Mama.«

Shep hatte schon Angst, dass sich seine Frau mit irgendeinem Satz aus der Affäre ziehen würde, der einem Pogatchnik würdig wäre, etwa: »Tja, es war, wie es war.« Stattdessen warf sie ihrem Mann einen langen Blick zu, bevor sie sich wieder zu ihrer Tochter wandte. »Ja, mein Schatz«, sagte sie. »Ich glaube auch, dass ich ein gutes Leben hatte.«

Als die beiden Frauen an der Tür standen und einander ansahen, war es ein seltsamer Augenblick, aber seltsam einfach – ja sogar elegant. Sie umarmten sich. Keine der beiden weinte. Ihr Lebewohl war würdevoll: einer diese gelungenen Abschiede, bei dem keiner seinen Pullover vergaß und noch einmal zurückkommen musste.

»Mach's gut, Mama«, sagte Amelia.

»Mach's gut, Amelia.« Und dann fügte Glynis mit ironischem kleinen Lächeln hinzu: »War nett, dich kennengelernt zu haben.«

»Ja«, sagte Amelia, und ihr Lächeln war ebenso ironisch, und in ihrer Stimme schwang das gleiche trockene, stilvolle Understatement mit, und es bestand kein Zweifel: Die beiden mussten verwandt sein. »War ebenfalls nett, dich kennengelernt zu haben.«

Kapitel 19

Shepherd Armstrong Knacker
Union Bancaire Privée Konto-Nr. 837-P0-4619
Kontoauszug Februar 2006
Haben: $ 771 398,022

Die Reise selbst hatte etwas von jenen Wohltätigkeitsveranstaltungen, bei der eine tüchtige Gruppe Schwerbehinderter gegen jede Wahrscheinlichkeit den Montblanc besteigt; hätten sie ein paar Sponsoren gefunden, hätte ihre bunte siebenköpfige Schar womöglich Tausende für einen guten Zweck sammeln können.

Im Anschluss an die neunzigminütige Fahrt zum Kennedy-Flughafen stellte Shep seinen Geländewagen auf dem Langzeitparkplatz ab, wobei er dachte: für *sehr lange Zeit*. (In ihrem Anschaffungswahn prellten sich die Amerikaner selbst um die Freuden der Entsorgung, die sich bislang als die viel größere Erleichterung entpuppt hatte. Mit jedem Multifunktionsdrucker, mit jeder flannellgefütterten Jeans, die er zurückließ, fühlte Shep sich so viel leichter, dass er, angekommen am Gate 3A, auch ohne Flugzeug nach Pemba hätte fliegen können.) Nach drei Stunden Warterei dauerte der Nachtflug nach London sieben Stunden, gefolgt von einem dreieinhalbstündigen Zwischenstopp in Heathrow, einem achteinhalbstündigen Flug mit Kenya Airlines nach Nairobi, einem weiteren zweistündigen Zwischenstopp, einer Stunde und vierzig Minuten Flug nach Sansibar, einem vierstündigen Zwischenstopp ohne Klimaanlage, was für

Flicka bei achtunddreißig Grad fast verheerend gewesen wäre, einem wackligen halbstündigen Flug in einer Propellermaschine mit zwanzig Sitzplätzen, die ihrer ausgeblichenen Ausstattung nach etwa Baujahr 1960 sein musste, einer einstündigen Rumpelfahrt in einem Minitransporter sowie zwanzig Minuten mit dem Schnellboot. Ingesamt dauerte die Reise von Tür zu Tür – wobei ihr Zeltlager streng genommen gar keine hatte – dreiunddreißig Stunden.

Es mangelte nicht an Zerstreuungen: Shep konnte seinem Vater in einer engen Flugzeugtoilette assistieren; den Mitpassagieren böse Blicke zuwerfen, da diese so taten, als würden sie Flicka nicht anstarren, während die ihr Oberteil hochzog und mal wieder eine Miniflasche Mineralwasser durch ein Plastikloch in ihren Magen füllte; die eisigen Offerten der Flugbegleiterinnen abwehren, die eigentlich sagen wollten: »Wieso ausgerechnet ich, verdammt noch mal?« oder »Was haben diese Krüppel hier oben in der Luft zu suchen, und wehe, es stirbt mir einer weg, ausgerechnet auf meinem Flug«; Flickas tragbaren Sauerstofftank aus dem Weg schieben, wenn der Getränkewagen vorbeikam; Flicka abwechselnd mit Carol ans Schlucken erinnern; drei komplexe Medikamentepäckchen verteilen und akribisch nach Form und Farbe ordnen, nachdem bei einer Turbulenz eine Schoßladung zu Boden und unter diverse Sitze gerollt war; nach mehr Flugzeugdecken für Glynis bettelnd den Gang hinunterlaufen; in Sansibars heruntergekommenem Flughafen *kikois* kaufen, um sie in kaltes Wasser zu tauchen und Flicka damit zu kühlen, wobei es wirklich die Rettung war, dass Shep daran gedacht hatte, den kleinen tragbaren Ventilator mitzunehmen, den er in Randys überheiztem Büro auf seinem Computer stehen gehabt hatte – danke, Pogatchnik.

Der letzte Abschnitt in der ZanAir-Maschine war Übelkeit erregend, die Luftzirkulation war nicht besser als heißer Atem. Alle fächerten sich Luft zu mit den laminierten Notfallinstruktionen, die sie im Hinblick auf das Alter der Maschine besser hätten lesen sollen. Shep hielt seiner Frau die Hand und versuchte auf andere Gedanken zu kommen, indem er seine erste Lektion Suaheli lernte – Sicherheitsgurte befestigen: *fungu mikanda*; »Bitte nicht rauchen«: *usivute sigara*. Drei der Passagiere waren dem Tod ohnehin so nahe, dass sie nicht über die Gefahren für Leib und Leben ins Nachdenken gerieten. Doch als die Flugzeugmotoren ohrenbetäubend zu kreischen begannen, betete er zu Gott, den ersten Zeh auf Pemba aufsetzen zu dürfen, ohne vorher fünftausend Fuß im freien Fall zurückgelegt zu haben.

Schließlich flog die Propellermaschine ruckelnd über das Flachmeer vor Pemba dahin – einem breiten alabasternen Kräuseln aus Azurblau, Smaragdgrün und Aquamarin von einer Fülle, der man jenseits der Computeranimationen nur selten begegnete –, um dann an einem filigranen, leuchtend weißen Strand entlangzusegeln.

»Wow«, sagte Flicka und reckte über Heather hinweg den Hals, um aus dem Fenster zu sehen.

»Iiih, du sabberst mich schon wieder total voll!«, beklagte sich Heather, obwohl sie ohnehin schon mit ihrem Guave-Bananen-Joghurt bekleckert war.

Auch Glynis klebte an ihrem Fenster. »Shepherd, es ist wunderschön.« Sie seufzte. »Vielleicht hattest du recht.«

»Herrjemine«, sagte Gabe auf seinem Fensterplatz in der Reihe gegenüber. »Und ich dachte schon, ich würde den Rest meiner Tage damit zubringen, in der Morgentau-Residenz zu sitzen und auf einen billigen Druck von Thomas Hart Benton zu starren.«

»Die Aussicht hätte ich auf Google Earth auch haben können, nur ohne dreimal umsteigen zu müssen«, sagte missmutig Zach, der es vorgezogen hatte, allein zu sitzen.

»Ich hatte mir Afrika immer trocken vorgestellt«, staunte Carol. »Aber diese Insel sieht ja richtig üppig aus!«

Tatsächlich war Pemba dicht bewaldet und mit kleinen Hügeln überzogen, das dicke, breitblättrige Laub der Banyanbäume und Bananenpflanzen wechselte sich ab mit den sternförmigen Kronen der Palmen. Zwischen bescheidenen kleinen Äckern zogen sich rote Feldwege dahin, die ab sofort die West Side Highway ersetzen würden. Während sie über die Wellblechdächer hinwegflogen, blitzten sie silbern in der Sonne auf, als wollte die Bevölkerung Pembas im Morsealphabet einen Gruß an ihre neuesten Bewohner aussenden.

Sie landeten auf einem Flughafen, den Glynis »bezaubernd« nannte. Mit seinem kleinen sechseckigen, in Fantaorange und Hellblau gestreiften Wachtturm wirkte er wie ein Spielzeug. Das Flughafengebäude selbst hatte die Größe einer Einklassenschule. Nach der bedrückenden Ernsthaftigkeit des vergangenen Jahres konnte Shep eine Geisteshaltung, die das Beiwerk der westlichen Zivilisation zu verspielten legosteinartigen Anordnungen zusammenschrumpfte, nur begrüßen.

Während er seine Frau, seinen Vater und den leidenden siebzehnjährigen Schützling aus dem Flugzeug in die drei Rollstühle hob, die Fundu Lagoon umsichtigerweise bereitgestellt hatte – sie waren alle so erschöpft, dass nicht mal Flicka Widerstand leistete –, plagte Shep die erste Spur von Enttäuschung. Als er die schwere, ansonsten duftgeschwängerte Luft schnupperte, die von der Rollbahn zurückstrahlte, konnte er eine vage blumige Süße ausmachen, vermischt mit den Flugzeugabgasen, aber – *keine Nelken.* Selbst dann, als ihre Gruppe von einem jovialen, muskulösen Fahrer in einen Minitransporter geladen wurde und der Wagen losfuhr, steckte Shep noch immer mit nicht zu unterdrückendem Trotz die Nase aus dem Fensterspalt. Es war nur ein Satz, den er im Internet gelesen hatte, aber aus irgendeinem Grund war es ihm furchtbar wichtig geworden, dass die ganze Insel Pemba nach Kürbistorte duften würde.

Die Fahrt war dennoch bezaubernd. Zwischen dem Flughafen Chake Chake und dem Hafen Mkoani fuhren sie auf einer der wenigen asphaltierten Straßen Pembas und kamen schnell voran, weshalb die Aussichten fast zu schnell vorüberzogen: mit Papayas schwer behangene Bäume, bei denen Shep mit Verdruss an die gealterten Hoden seines Vaters denken musste, unreife

Mangos in Limabohnenform, Brotfruchtknollen, stachlig wie Seeminen. Es schien nicht viel Autoverkehr zu geben, denn als ihr Fahrzeug passierte, standen die örtlichen Frauen in ihren bunten *kangas* auf, um ihnen vom Schatten ihrer Veranda aus hinterherzustarren. Shep ließ seinen Blick über den Wohnbestand schweifen und überlegte, ob er *Chez Knacker* wie die neueren Häuser aus den weniger attraktiven Betonziegeln errichten oder es mit den Einheimischen halten und die traditionelle Bauweise mit auf Holzgittern getrockneten Lehmwänden und Strohdächern aus Kokosnusspalmen erlernen sollte. Letztere Häuser, so der Fahrer, hielten gut vierzig Jahre, und die Räume seien kühl.

Als sie sich jedoch dem Hafen näherten, wo das Schnellboot von Fundu auf sie wartete, säumten Strohmatten den Straßenrand, die mit dünnen grünlichen bis bräunlichen Krümeln übersät waren. Die Matten wurden immer mehr – in den Außenbezirken reihten sie sich dicht an dicht entlang der Straße bis hin auf den Asphalt –, und allmählich zog der Duft von Kürbistorte durch den Transporter. Es waren *Nelken,* die in der Sonne zum Trocknen auslagen. Shep inhalierte tief und setzte sich zufrieden zurück. Sie waren im Jenseits angekommen.

Mit 1250 Dollar pro Nacht war die »Superior Suite« von Fungu Lagoon – das allerhinterste und teuerste der Zelthäuser lag zehn Minuten zu Fuß vom Haupthaus entfernt und bot größtmögliche Privatsphäre – bestimmt nicht der Ort, an dem Shep Wurzeln zu schlagen gedachte. Bei diesen Kosten würde der Schadensersatz von Forge Craft kaum mehr als ein paar Jahre vorhalten. Und doch war der feudale Luxus genau das Richtige für diese Erholungspause: Das Essen wurde gebracht, die Handtücher waren groß wie Bettlaken und aus ägyptischer Baumwolle, und ihr Zelt an sich bot alles, was Shep vergessen haben könnte: Schlapphüte aus Stroh, Sandelholz-Shampoo, Bio-Hibiskus-Tee, Insektenspray, Moskitospiralen,

Strohtaschen für die Strandwanderung sowie ein Buch namens *Afrikanische Vogelkunde*, und dann natürlich die geeiste Flasche Champagner und die gekühlten Gläser, mit denen man sie bei ihrer Ankunft empfing.

Ja, der Champagner war es, der ihn direkt zu einer Lösung in Bezug auf Flicka inspirierte, die in der Hitze unter extrem hohem Blutdruck litt. Da das kleine runde Tauchbecken auf der Terrasse im Prinzip nur ein besserer Champagnerkühler war, brauchte sich Flicka nur hineinzulegen und konnte den ganzen heißen Tag lang im kühlen Wasser vor sich hin dümpeln. Schnorchelausflüge zum Riff, Tauchunterricht und Schnellbootfahren im Morgengrauen durch sich tollende Delfinschulen würden Zach davon abhalten, sich zu beschweren, dass es nichts zu tun gebe; kaum hatte er seine Tasche in die Zeltanlage geworfen, steuerte der Junge schnurstracks auf den internetfähigen Computer im Entertainmentzelt zu; womöglich hatte er den Schweiß an seinem Haaransatz schon als erste Entzugserscheinung gedeutet. Auch Sheps Vater mochte unter Zeitungsentzug leiden, ging jedoch sofort dazu über, sich in Boxershorts auf einem Liegestuhl im Schatten eines großen Sonnenschirms einzurichten. Er schlürfte Champagner und blickte hinaus auf den menschenleeren Strand, wo die *daos* und *mtumbwis* träge über den Horizont glitten, und schien seine wundersame Rettung aus den leblosen vier Wänden der Morgentau-Residenz auch ohne die *New York Times* genießen zu können. Stattdessen zog er den ersten seiner Krimis von Ruth Rendell oder Walter Mosley hervor, die sein Sohn im Gepäck hatte – jene Prosa, die Gabriel Knacker auf der Treppe in der Mt. Forist Street zum Verhängnis geworden war. Nachdem sie Hauptzelt und Badezimmer erkundet, mit der Außendusche herumexperimentiert, sich im Obergeschoss des Nachbarzelts umgesehen sowie mit dem Perlenvorhang aus Mangrovenkernen gespielt hatte, quetschte sich Heather in ihren Badeanzug und trollte sich hinunter ans Wasser. Carol hatte ein Auge auf sie, doch es war Ebbe, und das Mädchen lief zehn Minuten hinaus, und das Wasser ging ihr noch immer erst über die Knie. Soweit Shep erkennen konnte, hatte Heather nach einer einzigen Stunde in Fungu mehr Bewegung bekommen als in den letzten zehn Jahren zusammen.

Er bettete Glynis auf die breite Matratze unter dem Baldachin. Auf seine Bitte hin tauchte prompt ein Hotelangestellter mit einem frischen Glas Maracujasaft mit Strohhalm auf, wobei er seiner Frau zudem einen kleinen Begrüßungsschluck Champagner einflößte. Vorsichtig befreite er sie aus ihrem Velouranzug – es war das einzige Kleidungsstück, das sie noch auf der Haut ertragen konnte – und zog ihr behutsam ein zartes Musselinkleid über, das er gleich bei der Ankunft im Souvenirladen erstanden hatte. Glynis fuhr mit der Hand über das gestärkte und gebügelte weiße Bettzeug und warf einen Blick nach oben auf das zusammengeraffte Moskitonetz.

»Das ist also mein Totenbett«, sagte sie schlicht.

»Besser als dieses Knäuel aus Bettdecken im Crescent Drive, meinst du nicht? Und hier müssen wir wenigstens nicht draufzahlen, um den Raum auf dreißig Grad aufzuheizen.«

Sie lächelte. »Aber was mache ich bloß ohne meine Kochsendungen?«

»Von dem, was ich so auf der Speisekarte im Internet gelesen habe – Wahoo vom Grill, thailändischer Rindersalat, Zitronenbaisertarte –, würde ich sagen, du *bist* hier in einer Kochsendung.«

»Jedenfalls haut's mich ganz schön um, Shepherd. Auch wenn die Reise der Horror war.«

»Ich weiß. Ich wusste, es würde der Horror werden.«

»Das könnte ich nicht noch mal. Bloß gut, dass wir für mich nur die Hinreise gebucht haben.«

»Für mich gibt es auch nur die Hinreise.«

»Bist du sicher, dass du bleiben willst?« Dies war ihre erste vorsichtige Erkundigung im Hinblick auf Sheps bevorstehendes Jenseits: auf sein Leben ohne Glynis. »Wir sind doch erst seit ein paar Stunden hier.«

»Noch bevor die Flugzeugpropeller ausgegangen sind, war ich

mir sicher. Und dann auf der Fahrt nach Mkoani ... Man merkt es den Leuten an, dass sie hier hart arbeiten. Kann sein, dass inzwischen jeder ein Handy hat, aber trotzdem ist alles immer noch ganz schön primitiv. Es gibt mehr Fahrräder und Ochsenkarren als Autos. Wenn du einen Fisch willst, fängst du dir eben einen. Wenn du eine Banane willst, pflückst du dir eine. Mir passt das. Und hast du gesehen, die Männer am Straßenrand – da werden Schuhe neu besohlt, Kühlschränke auseinandergebaut. Ich hab's so satt, in den Staaten ständig zu hören, ach, die Reparatur würde Sie mehr kosten, als er wert ist, also kaufen Sie sich einfach einen neuen. Auf Pemba sind importierte Waren teuer, Arbeitskräfte sind billig, und die Leute sind arm. Also reparieren sie ihre Sachen und halten die alten Geräte am Laufen. Das kommt mir persönlich mehr entgegen. Es ist ein Paradies für Handwerker. Ich glaube, ich könnte irgendwann dieses Leben hier verstehen. Das andere hab ich, glaube ich, nie verstanden.«

»Ich vielleicht auch nicht«, sagte sie traurig. »Ich habe mich so verstrickt in ... du hast ja mit Kunst nichts am Hut, aber in meinem Feld können die Dinge anfangen, einen in Konflikte zu stürzen. Nicht nur mit dem Rest der Welt, sondern mit sich selber. Dieses Hadern mit sich, ob die Sachen, die man macht, irgendetwas taugen. Aber Ruby hat wahrscheinlich recht. Man stellt was her, und dann stellt man beim nächsten Mal wieder was her. Eigentlich wie ein Handwerker. Ganz normal. Hätte ich das bloß von Anfang an erkannt.«

»Dich wegen der Besteckstücke zu grämen, die du vollendet oder nicht vollendet hast – auch das kannst du jetzt loslassen. Sieh dich doch mal um. Spielt das alles noch irgendeine Rolle?«

Der Perlenvorhang aus Mangrovenkernen raschelte sanft in der Brise. Eine grüne Meerkatze wagte sich auf die Veranda und schnappte sich die Hälfte von Gabes gegrilltem Käsetoast. Die Sonne rückte näher an den Horizont und tauchte die Anlage in die sirupgoldene Farbe eines Spätrieslings.

»Eigentlich nicht«, sagte Glynis. »Diese Luft hier, die hat was, diese Trägheit. Schwer vorstellbar, dass hier überhaupt irgendetwas eine sonderlich große Rolle spielt.«

»Ich sag dir, was eine Rolle spielt«, sagte Shep wehmütig. »Wir hätten schon 1997 herziehen sollen.«

Die Tage darauf – eine gefühlt endlose Zeit, dabei war es nicht mal eine Woche – kam Glynis auf wundersame Weise zu Kräften, und Shep wagte zu hoffen, dass Philip Goldmans Prognose zu pessimistisch gewesen war. Sie unternahmen gemütliche Strandspaziergänge und sammelten Schneckenmuscheln. Sie beobachteten die Krebse, die zu ihren Löchern huschten, und wie die Vögel über den Banyanbäumen herabschossen und wie winzige silberne Fischschwärme vor dem Pier in die Luft sprangen und sich mit einem Platscher durch die sich kräuselnde Wasseroberfläche zurückfallen ließen. Als die unbarmherzige Hitze am späten Nachmittag nachließ, nahm er seine Frau an die Hand und führte sie ins seichte Meer, wo der Sand fein und sauber und das Wasser fast heiß war von der äquatorialen Sonne. In der geräumigen, mit Holzlamellen verhängten Duschkabine tupfte er ihr mit dem Schwamm das Salz von der Haut und spülte ihr die Sandkörner aus den Zehenzwischenräumen. Er prasste im Souvenirladen, kleidete sie fürs Abendessen in hauchdünne baumwollene Hemdkleider und wickelte ihr weiche indische Tücher um den Schädel. Wegen der Mücken tupfte er ihr Insektengel hinter die Ohren wie feines Parfum. Bei Sonnenuntergang saßen sie träge an der Bar am Fuß des Piers, wo Glynis komplizierte Wodka-Papaya-Cocktails bestellte, einfach nur zum Spaß. Sie trank zwar keinen davon aus, und zu den vielen Dingen, die nun keine Rolle mehr spielten, gehörte ihr Alkoholkonsum.

Ihr Appetit wurde ein wenig besser, und beim Abendessen knabberte sie an einem Stück Langustenquiche, spießte einen Calamaresring oder einen Bissen von Sheps gegriller Königsmakrele auf ihre Gabel. Sie schwelgten in Erinnerungen an frühere Rechercheresien; Glynis sagte, Pemba erinnere sie an die Bucht von Puerto Escondido an der mexikanischen Küste. (»Hilf mir auf die Sprünge«, sagte Shep. »Was war noch mal falsch an Puerto?« »Zu viele Amerikaner«, sagte Glynis.) Schließlich erkundigte sie sich nach seinen Plänen – was für eine Art Haus er bauen wolle und wo. An ihrem dritten Abend meinte sie sogar schelmisch: »Du bist ja nun nicht gerade zum Mönch geschaffen. Ich weiß, wovon ich rede. Gehen wir mal davon aus, dass sie bleibt … Findest du Carol eigentlich attraktiv?«

So dumm war Shep nicht, dass er geglaubt hätte, seine Frau wolle ihn allen Ernstes verkuppeln. Äußerst besitzergreifend und von Natur aus eifersüchtig, wie sie war, hatte sie bis vor knapp über einer Woche nicht mal zur Kenntnis genommen, dass ihr Mann sie überleben würde. Also besaß er die Klugheit, umstandslos zu behaupten: »Nicht im Geringsten.«

»Bist du sicher?«, fragte Glynis neckisch. »Sie hat die schönsten Titten in der ganzen nördlichen – und jetzt auch südlichen – Hemisphäre.«

»Kleine sind mir lieber.«

»Hattest ja auch keine Wahl.«

»Außerdem ist sie zu nett«, sagte er wegwerfend. »Nicht genug Abgründe.« Insgeheim glaubte er, dass sich spätestens nach dem letzten Besuch ihrer Küche in Windsor Terrace bei Carol allerhand »Abgründe« aufgetan haben mussten.

»Du hast doch selber keine nennenswerten Abgründe«, sagte Glynis.

»Genau. Deswegen brauche ich ja welche.«

Sheps war grenzenlos dankbar, dass er über seine Zukunft sprechen durfte. Unweigerlich hatte er darüber nachgedacht, aber immer mit schlechtem Gewissen und reichlich Aberglauben, als wünschte er ihren Tod herbei oder könne ihn mit dem Gedanken daran tatsächlich beschleunigen. Jetzt, wo das Thema nicht länger tabu war, hatte es verblüffenderweise sogar komische Seiten. »Du weißt, dass ich die Absicht habe, dich im Garten zu begraben«, scherzte er beim Nachtisch, »wie einen Hund.«

Als sie sich schlafen gelegt hatten, gingen das Gekeife zwischen Flicka und ihrer Schwester im Gesang der Zikaden und dem ausgelassenen Gackern der Buschbabys in den überhängenden Zweigen unter. Er las seiner Frau aus Hemingway vor. Er sang ihr Lieder vor, an die er sich aus seiner Kindheit erinnern konnte, als seine Mutter ihn und seine Schwester zu Bett gebracht hatte; seine Mutter hatte eine schöne, klare Stimme gehabt, und ihre Version des Zapfenstreichs tauchte das Zelt auf Pemba nun in die willkommene Illusion, dass sie geschützt waren: *Day is done. Gone the sun. From the hills, from the lake from the skies ... All is well. Safely rest. God ist nigh.*

An ihrem vierten Abend massierte er ihr bei Kerzenschein die Füße mit Zitronengrasöl, nachdem ihre Fußsohlen von den Strandspaziergängen wie glatt geschmirgelt waren. Er verteilte das Öl über die faltige Haut ihrer zurückgebildeten Waden. Er strich über die scharfe klassische Kurve ihrer Schienbeine, diese exquisite Form, der nicht mal der Krebs etwas hatte anhaben können. Er glättete die Haut ihrer Innenoberschenkel, die schlaff geworden war über dem wenigen Fleisch, das sie noch zu bedecken hatte. Er hielt inne, um sich noch eine kleine Menge Öl in die Handfläche zu gießen. Doch als er ihren Unterleib berühren wollte, hielt sie ihn am Handgelenk fest. Er glaubte, es ginge ihr um die Operationsnarbe. Dann aber schob sie seine Hand tiefer, drückte die Handvoll Zitronengrasöl in jenen Teil ihres Körpers, dessen zunehmende Nacktheit ihm wahrhaft in der Seele wehgetan hatte. Fragend zog er die Augenbrauen hoch.

»Dieses Moskitonetz«, sagte sie, »hat was von einem Hochzeitsbaldachin, findest du nicht?«

Und so war es.

Die vorübergehende Besserung war kostbar, und die wenigen Tage, an denen die sinkende afrikanische Sonne den Wangen seiner Frau wieder Farbe verlieh, rechtfertigten allein die qualvolle Anreise. Für den Rest der Welt konnte Shep sich kaum verbürgen, für ihn aber waren diese wenigen Tagen auf Pemba zwei Millionen Dollar wert. Doch die Ruhe war nicht von Dauer. Eines Morgens wachte er auf und sah, dass das Bettzeug rot war. Schon vor Monaten hatten Glynis aufgehört zu menstruieren. Das Blut kam aus ihrem After.

Das war das Ende der Strandspaziergänge, denn sie konnte nun nicht mehr weiter gehen als bis zur Toilette, und das nur mit Unterstützung. Sie hatte Schmerzen, und zum ersten Mal holte Shep das flüssige Morphium hervor.

Shep war mit Glynis in Marokko gewesen, als seine Mutter den Schlaganfall erlitten hatte, von dem sie sich dann nicht mehr erholte. Jackson hatte einen denkbar abrupten Abgang gemacht, und alle anderen Zeitgenossen waren immer gesund gewesen. Zu seiner Bestürzung beschränkte sich seine Erfahrung mit dem unmittelbaren Tod auf Kino und Fernsehen. Auf der Mattscheibe lagen die Figuren mit tödlichen Krankheiten immer ruhig in ihren Krankenhausbetten und murmelten etwas Anrührendes, ehe sie den Kopf auf die Brust fallen ließen. Es dauerte nie lange, und der Tod selbst war so sauber, als hätte man einen Lichtschalter betätigt.

Für Filmemacher war der Tod ein Augenblick; für Glynis war der Tod eine Aufgabe.

Über zwei lange Tage und Nächte hinweg stellten die Organe seiner Frau allmählich ihre Funktion ein. Weit entfernt von der Verstopfung durch die Chemotherapie, konnte sie überhaupt nichts mehr bei sich behalten, und aus jeder Körperöffnung begann es herauszusickern. In ihrem Erbrochenen war Blut. In ihrem Durchfall war Blut. In ihrem Urin war Blut. Vielleicht half es, dass er die Ferienanlage vorgewarnt hatte, denn die Mitarbeiter waren zuvorkommend und wechselten zweimal täglich das Bettzeug, nachdem Shep zuvor seine Frau in einen Liegestuhl gelegt hatte. Die Afrikaner wirkten gelassen. Er hatte das Gefühl, dass sie so etwas nicht zum ersten Mal sahen – und dass auch ihre eigene Version des Todes mit einem Lichtschalter wenig gemein hatte.

»Wollen Sie, dass wir den Doktor holen?«, fragte einer der älteren Portiers, indem er Shep zur Seite nahm. Als Shep den Kopf schüttelte, erklärte der Portier: »Nein, keinen Doktor vom Krankenhaus in Mkoani. *Uganga*. Sehr mächtig in Pemba. Eine große Kraftader läuft direkt unter Ihrem Zelt entlang.«

»*Uganga?*« Shep hatte das Wort gelernt. »Nein, danke. Wir haben unserer eigenen schwarzen Magie den Rücken gekehrt. Wir haben nicht vor, uns an irgendwelche Hexenmeister zu wenden, das wäre dasselbe in Grün.«

Shep und die anderen fünf hielten Wache. Wenn sie wach war, sich wälzte und aufschrie, setzte er sich aufs Bett und hielt sie im Arm oder zog ihren Kopf auf seinen Schoß. Er legte ihr auf ihrem tragbaren CD-Player ihre Lieblings-CDs ein: Jeff Buckley, Keith Jarrett, Pat Metheny. Nach Ansicht seines Vaters war das, was Glynis am meisten brauchte, Körperkontakt: Berührungen. Das gleichmäßige Schnarren einer menschlichen Stimme, wobei es nicht die geringste Rolle spielte, was derjenige sagte. Um sie also zu beruhigen, erzählte er ihr alles von Pemba, was er von den Portiers, Zimmermädchen und Kellnerinnen wusste, die sich ihrerseits über sein Interesse für ihre Insel gefreut hatten.

»Nelken«, betonte er und achtete dabei auf eine ruhige und tiefe Stimme. »Früher war diese Insel dafür die weltgrößte Quelle. Wir denken selten über Nelken nach, außer im Zusammenhang mit Pfirsichen oder Torten. Aber sie waren mal unglaublich wichtig als Konservierungsmittel und als Betäubungsmittel. Wusstest du, dass Nelken mal mehr wert waren als ihr Gewicht in Gold? Der Staat hier hat die Ernte heute rigoros unter seiner Kontrolle, und die Bauern müssen ihre sämtlichen Nelken an die Regierung verkaufen – zu einem sehr schlechten Preis, wie es heißt. Also gibt es Nelkenschmuggler, unglaublich, oder? Die bringen die Schmuggelware säckeweise in Booten nach Mombasa, wo sie mehr Geld dafür bekommen. Es ist sehr gefährlich, und wer erwischt wird, landet im Gefängnis. Aber das Schlimme ist, dass der Nelkenmarkt eingebrochen ein. Für medizinische Zwecke werden sie kaum noch benutzt. Weil es

Kühlschränke gibt, werden sie nicht mehr als Konservierungsmittel gebraucht. Der größte Markt ist der Nahe Osten, wo man damit parfümierte Zigaretten herstellt.«

Sie regte sich. »Wenn es keinen Markt gibt …«, murmelte sie, »warum dann das Gefängnis riskieren?«

Er hatte gar nicht damit gerechnet, dass sie ihm zuhörte, und er war stolz auf sie; stolz, dass sie sich noch immer Mühe gab, präsent zu bleiben, seiner Begeisterung gegenüber nachsichtig zu sein; stolz, dass sie noch immer ein Gespräch führen wollte. Sie hatte sich immer gern mit anderen unterhalten – es gehörte zu den vielen Freuden, über die man nicht nachdachte, bis sie einem entzogen wurden. Unterhaltungen, sinnierte er, gehörten zu den größten Wonnen des Lebens. Sich mit ihr zu unterhalten würde ihm außerordentlich fehlen.

»Ich vermute, dass selbst ein Bruchteil der Ernte, die keiner wirklich haben will, für hiesige Verhältnisse viel Geld einbringt. Das war doch immer der Grundgedanke des Jenseits, oder? Jedenfalls, das Lustige daran ist, die Wapemba verwenden Nelken gar nicht zum Kochen. Sie halten sie für ein Aphrodisiakum. Oder wie ich von unserem Fahrer erfuhr: ›Gut für häusliche Dinge‹.«

Sie lachte in sich hinein, musste aber husten. Er hielt ihr ein Taschentuch vor den Mund und wischte ihr den rosafarbenen Schleim von den Lippen.

»Pemba sehen und sterben«, sagte sie mit listigem kleinem Lächeln, nachdem sie aufgehört hatte zu husten.

Der Satz klang wie ein Zitat, und Shep wusste nicht, was sie damit sagen wollte. Es überkam ihn ein seltenes Gefühl des Bedauerns, dass er nie studiert hatte.

DOCH, ACH, AM zweiten Tag war es vorbei mit den Unterhaltungen. Zumindest in dem Sinne, wie sie Shep fehlen würden.

»Tut weh«, sagte sie, worauf er ihr wieder zwei Tropfen Morphium auf die Zunge träufelte. »Nein«, sagte sie, aber nicht als

Antwort auf irgendeine Frage. »Scheiße«, sagte sie. »Oh Gott«, sagte sie und ballte die Bettdecke so fest in der Faust zusammen, dass beim Loslassen ein Abdruck zurückblieb. »Heiß«, sagte sie, oder »kalt«. Eiswürfel in den Mund schieben, den Deckenventilator höher schalten oder die Bettdecke hoch- oder wegziehen – das musste genügen für das absurde Ideal ihres *Wohlergehens*.

Carol hatte sich gefragt, ob sie die Kinder von ihr fernhalten sollte. Doch Gabe drängte sie, das Gegenteil zu tun. Ihren Tod zu bezeugen, sagte er, sollte einen Teil, ja sollte vielleicht endlich den Beginn ihrer Entwicklung darstellen. Es könnte Heather helfen, mit dem Schicksal ihres Vaters besser umzugehen, statt bis zum Umfallen den Werbespot seines abscheulichen Arbeitgebers nachzusingen und beim Frühstück Schokocroissants in sich hineinzustopfen. Des Weiteren könnte es Flicka lehren, nicht immer wieder mit dem Holzhammer auf ihren eigenen Tod hinzuweisen, und Zach, nun – Glynis war seine Mutter. Also bezogen sie die Kinder mit ein, die ihr reihum mit einem feuchten Tuch die Stirn kühlten, mit einem *Africa Geographic*-Magazin Luft zufächelten und ihre Kissen aufschüttelten.

Nach einer großzügigen Dosis Morphium gab es jedoch Phasen, in denen Glynis in einen Dämmerschlaf sank, und zwei Tage und zwei schlaflose Nächte waren eine lange Zeit für eine Wache. Zu lange, um betroffen zu sein, um fortgesetzt Trübsal zu blasen. Als Carol ihre Kinder also zum ersten Mal ermahnen musste, weil sie gekichert hatten, sagte Shep zu ihr, nein, schon gut; lachen sei sogar völlig in Ordnung. In Wahrheit hatten sie streckenweise bei der Totenwache sogar richtig Spaß. In der ersten Nacht leerten Carol, Shep und sein Vater zusammen eine Flasche Bourbon, und von da an floss ein steter Strom von Cabernet, Kilimandscharo-Bier und noch mehr Champagner. Die Küche von Fundu lieferte dem Zelt zu jeder Mahlzeit ein sich biegendes Tablett mit Bergen von Mangos, Ananas und Papayas; gegrillten Hummerschwänzen, Garnelencurrys und gekochtem Maniok; Schokobrötchen, Eclairs und ganzen Kokosnusstorten. Er forderte die Kinder auf, schwimmen zu gehen oder sich in der Nachmittagshitze zu Flicka ins Tauchbecken zu setzen. Er bewunderte ihre Beute von den Strandspaziergängen, ungewöhnliche Muscheln, die sie als Opfergabe um das Bett herum arrangierten.

Seine eigene Opfergabe bestand aus Glynis selbst. Nachdem am Ende des zweiten Tages die Sonne untergegangen war, steckte er rings um das Zelt ein Dutzend Fackeln an. Er rollte das Besteckbündel aus, das er im Crescent Drive eingepackt hatte. Er ordnete die Stücke entlang den Regalen an, stützte das Salatbesteck gegen Heathers Muscheln, sodass die rote Einlegearbeit das Kerzenlicht reflektierte. Er steckte die silbernen Essstäbchen in die Korallen vom Strand, bis sie so selbstbewusst aufragten, wie sie es auch im Cooper-Hewitt-Museum getan hätten. Er lehnte ihre Eiswürfelzange gegen den Champagnerkühler, der vom Kühlen einer weiteren Flasche schwitzte; er richtete die Zange so aus, dass das Leuchten der Kupfer-Titan-Einlegearbeit genau vom mittleren Kissen aus zu sehen war. Er stellte das Fischmesser in den richtigen Winkel, damit es in der flackernden Flamme zuckte, silbrig glänzend wie die Fischschwärme, die vor dem Pier von Fundu aus dem Wasser sprangen.

Er hatte Glynis gegenüber zwar beteuert, dass die Menge ihrer Arbeiten nicht von Belang sei, doch für sich selbst wünschte er, es hätte mehr davon gegeben. Sie hatte sich clevererweise in einem Material verewigt, das weitaus haltbarer war als Fleisch und längst nicht so launisch. Das Besteck würde sie um Generationen überleben.

Das Moskitonetz schimmerte gelblich im Kerzenlicht und hüllte mit sanftem Faltenwurf das Bett ein. Das Meer schwappte keine hundert Meter vom Zelt vor sich hin, und der Abend war gnädigerweise kühler geworden. Zikaden surrten in derselben Frequenz wie der Deckenventilator. Er betrachtete die Szenerie und dachte: *Ich habe mein Bestes getan.* Er hatte zwar seine Zweifel, ob Fundu auf seiner Website damit werben wollte, aber es war ein herrlicher Ort, um zu sterben.

Doch die Nacht war lang, schon die zweite ohne Schlaf. Carol und sein Vater lösten ihn zwar ab und hielten Glynis die Hand, die sich unruhig hin und her warf, doch er hatte Angst, den Augenblick zu verpassen, und ließ die beiden nicht länger als ein paar Minuten ans Ruder.

Gegen zwei Uhr morgens sagte sie undeutlich und trunken: »Ich halt's nicht mehr aus«, und sie begann zu weinen. »Ich halt's nicht ...«

»Du musst es nicht mehr aushalten, Gnu«, sagte er und neigte ihren Kopf zurück, um ihr noch ein paar Tropfen Morphium zu verabreichen.

Auch Shep hielt es nicht mehr aus, wobei er es natürlich aushalten musste. Zu seiner eigenen Beschämung wurde ihm manchmal langweilig, und es drängte ihn, die Sache über die Bühne zu bringen. Denn ihr gemeinsames Leben, wie sie es verstanden hatten, war eigentlich schon in dem Moment vorbei gewesen, als Glynis verkündete, dass sie Krebs habe.

Während er einst überzeugt war, dass es besser wäre, die Liebeserklärungen zu rationieren, hatte er in diesen letzten beiden Tagen so oft »Ich liebe dich, Gnu« gesagt, dass der Refrain Gefahr lief, mit seinem fortgeführten Gemurmel zum Thema Nelken zu verschmelzen. Doch er musste an die Zigarrenkiste mit dem ausländischen Geld auf seinem Nachttisch in Elmsford denken, in der er portugiesische Scheine im Wert von gut hundert Dollar gebunkert hatte. Jetzt, wo die EU auf den Euro umgestellt hatte, waren die Scheine keine gültige Währung mehr und nur noch ein Souvenir. Ebenso wie er im Duty-free-Shop von Lissabon diese restlichen Escudos hätte ausgeben sollen, schöpfte er jetzt aus dem Vollen, solange er noch die Chance hatte.

»Wieso schnarcht Glynis denn so?«, fragte Heather, die gegen fünf Uhr morgens aus ihrem Bett im angrenzenden Zelt gekrochen kam.

»Weil sie sehr, sehr müde ist«, flüsterte Carol. »Jetzt geh wieder schlafen.«

Doch dies wäre den Kindern nicht möglich gewesen. Der rasselnde Atem erschütterte die ganze Anlage und verscheuchte die Buschbabys. Shep hielt seine Frau im Arm und flüsterte noch einmal, dass sie vor nichts Angst zu haben brauchte, wobei er natürlich keine Ahnung hatte. Als der leuchtend rote Rand der Sonne über dem Meer auftauchte, schien sie etwas sagen zu wollen.

»Schhh… sch…«

Er hielt sein Ohr an ihre Lippen. Sie hauchte ihm ein wenig Wärme in den Gehörgang, die sie nicht wieder einsog.

Es gab keine letzte Botschaft. Kein Abschiedswort, keine weltbewegende Erkenntnis, bevor ihr Kopf zur Seite fiel. Das schien nur gerecht. Es stand zu vermuten, dass die meisten Trauernden auf ein letztes Wort verzichten mussten. Man musste vorliebnehmen mit den Jahren ihres Lebens, die einem die Toten stattdessen hinterließen.

ALS *KNACKER* WURDE früher derjenige bezeichnet, der erschöpfte und kranke Nutztiere oder deren Kadaver kaufte, um sie zu Futter oder Dünger zu verarbeiten. Was nach einer morbiden Bezeichnung klingt, war seinerzeit ein respektables Handwerk, und der Familienname Knacker entstammte der mittelalterlichen Tradition, einen Mann nach seinem Beruf zu nennen: Bäcker, Zimmermann, Müller. Zusammen mit dem behütenden Beiklang seines Vornamens hatte Shepherd Armstrong Knacker immer schon einen Bogen geschlagen um die Fürsorge, die Mühsal und jenes »zu Grabe tragen«, das für gewöhnlich im entsprechenden Lebensstadium der Mensch für seine Nächsten vornimmt und sie für ihn.

In den folgenden Jahren blieb Shep seinem Taufnamen treu. Es sollte niemanden seiner Bekannten wundern, dass sich der eingefleischte Handwerker nicht auf einer afrikanischen Insel zur Ruhe gesetzt hatte, um den lieben langen Tag unter einem Sonnenschirm zu liegen und tropische Cocktails zu schlürfen. Für seinen geschickten Umgang mit Schraubenschlüssel und

Metallsäge war die Nachfrage auf Pemba groß, vor allem nachdem die Einheimischen erfahren hatten, dass er zu ihnen nach Hause kam und kein Geld verlangte. Mit Unterstützung einer arabischen Wohltätigkeitsorganisation nahm er das recht ambitionierte Projekt in Angriff, für die Gemeinde einen neuen Brunnen auszuheben; auf der Insel herrschte Frischwassermangel. Dafür lernte er von den Wapemba einige todsichere Methoden, um Königsmakrelen zu fangen, und die Spielregeln von *bao*, alles über die Komplikationen des Landerwerbs in Tansania und die optimale Bestechung, um etwa ein neues Päckchen künstlicher Tränen erfolgreich durch den Zoll zu schleusen. (Jackson hätte sich gefreut, dass sich sein Absahner-arme-Säue-Paradigma problemlos auf andere Kontinente übertragen ließ. In Tansania wurde so häufig *Toa kitu kidogo* verlangt – »Gib mir eine Kleinigkeit« –, dass der Satz mit TKK abgekürzt wurde.)

Sheps Verhältnis zu den Einheimischen war freundschaftlich, doch er stammte nun mal aus einer anderen Welt, und das leichte Geplauder und Geplänkel mit Jackson auf ihren Spaziergängen über den Rundweg vom Prospect Park würde sich in der Form nicht wiederholen. Dennoch war der Austausch mit den Nachbarn gut für seine ersten Gehversuche in Suaheli, und nur weil Shep ein bisschen anders war, ließ sich keine Seite davon abhalten, weniger herzlich zu sein. Erstaunlicherweise war Pemba der einzige Ort in Afrika, den er besucht hatte, an dem die Leute nicht ständig auf Geschäftemacherei aus waren – wo Kinder und *msees* gleichermaßen den auffälligen *msungu* auf der Straße erblickten und fröhlich »*Jambo! Habari yako!*« riefen, einfach, weil sie sich freuten, ihn zu sehen, und nicht, weil sie seine Armbanduhr haben wollten.

Die körperliche Arbeit sorgte bald dafür, dass das ganze von Glynis verschmähte sahnestrotzende Kartoffelpüree dahinschmolz. So beschäftigt er auch war, bekam Shep jedoch immer ausreichend Schlaf, denn Schlafen stand ganz oben auf der Liste der Wonnen, die das Mesotheliom mit seinen Verheerungen ihn täglich und bewusst zu genießen gelehrt hatte. Zum Schlafen hinzu kamen das Reden, Denken, Sehen und Sein – und was Letzteres anging, hin und wieder auch mal rein gar nichts tun und sich nicht im Geringsten dabei langweilen – und unverschämt langes Duschen und Nicht-auf-dem-West-Side-Highway-im-Stau-Stehen.

Nachdem er die äußerst komplizierten sozialistischen Grundstücksscharaden gemeistert hatte – die Beamten in Dar mussten für einen das Grundstück kaufen, bevor man es unter Beigabe von reichlich TKK der Regierung abkaufen durfte –, erwarb Shep für gerade mal 10 000 Dollar ein Küstengrundstück von ansehnlicher Größe gleich außerhalb von Mkoani. Das Aufenthaltsrecht für sich und die fünf Flüchtlinge in seiner Obhut zu sichern war ein kostspieliges Unterfangen, aber auch nur für tansanische Verhältnisse; zum Glück hatten die Diebe in Dar keine Ahnung, wie viel er für sein Bleiberecht noch draufgelegt hätte. Selbst nach dem Kauf eines Pick-up und eines kleinen Boots mit Außenbordmotor würden die Überweisungen aus Zürich an die People's Bank of Zanzibar in Chake Chake seine finanziellen Reserven auf Jahrzehnte hin nicht erschöpfen. (Zum Leidwesen seines Bankers wurden die Gelder konservativ auf ein ganz schlichtes Sparkonto mit lächerlichem Zinssatz gelegt. Shep hatte sich nicht darauf eingelassen, dass er ein »Vermögen« verdienen könnte mit nur »etwas riskanteren« Papieren, denn es kümmerte ihn nicht die Bohne, ob er reich wurde oder nicht, zumal er nach den Maßstäben seiner Wahlheimat ohnehin schon unermesslich reich war. Insofern verschrieb er sich dem, wie er gern sagte, *Prinzip-Prinzip*: glücklich zu sein mit dem, was er hatte.) In dieser Hinsicht waren die Einheimischen so dankbar für die Mitfahrgelegenheiten in die Stadt, für die Reparatur ihrer Abflüsse und das Rücklöten ihrer klapprigen Kochherde, falls sie denn welche besaßen, und für die fröhliche Mithilfe seiner ganzen Familie beim Abpflücken der Stengel von den geernteten Nelken, dass sie auf dem Markt nur selten Geld von ihm verlangten, und es vergingen manchmal Wochen, in denen er allenfalls etwas ausgab, weil er die Schulgebühren eines der Nachbarkinder übernahm.

Es stellte sich natürlich die Frage, ob Forge Crafts Schadensersatzzahlung versteuert werden müsse. Mystic zufolge wäre es davon abhängig, ob man durch die Zahlung »geheilt« worden sei – eine reichlich spirituelle Sorge für ein paar Beamte, mit anderen Worten: Es ging sie einen Dreck an. Die Vorstellung, dass ihn auch nur irgendeine Geldsumme zu »heilen« vermöchte – die Leere füllen, die eine so großartige Frau hinterlassen hatte –, war genauso beleidigend wie die Forge-Craft-Anwälte, die den Wert seiner Frau in Waschladungen hatten messen wollen. Insofern konnte er fast nur *hoffen*, dass es sich um steuerpflichtiges Einkommen handelte. Wenn die Beamten vier Flüge mit drei Zwischenstopps und einer Fahrt im Kleintransporter auf sich nehmen wollten, dann sollten sie ihn ruhig holen kommen.

Mit Zachs zunehmend fähiger Unterstützung baute sich Shep ein Haus, das für seine Verhältnisse bescheiden, für Pembaer Verhältnisse extravagant war. Die mit Betonziegeln verstärkten Außenwände verputzte er mit dem einheimischen roten Lehm, weil ihn die sonnengetrocknete Optik begeisterte – eine lässigere Version des spanischen Terrakotta. Die Fußböden waren aus polierter Mangrove – dunkel, launisch und angenehm unter den nackten Füßen. Flickas Zimmer war das Erste, das fertig wurde, damit sie aus dem Hotel in Mkoani umziehen konnte, das zwar einen Abstieg darstellte von Fundu Lagoon, aber immerhin Klimaanlage hatte. Da die Stromversorgung auf der Insel unzuverlässig war, importierte er aus Sansibar einen Generator, und bald schon wurde ihr Quartier von dem leise tuckernden Gerät gekühlt. Nach den frostigen Sommern bei Handy Randy hätte er selbst gut darauf verzichten können, doch für Flicka war die Klimaanlage kein Luxus, sondern lebensnotwendig.

Shep hätte seinen Sohn nie als sonderlich geschickt oder handwerklich begabt bezeichnet. Doch als der Junge erkannt hatte, dass er mit seinem Widerstand gegen Pemba auf verlorenem Posten war, stürzte er sich in eine Form von Technologie, die er nun tatsächlich nachvollziehen konnte. Wie sich herausstellte, waren Vater und Sohn ähnlich gestrickt, und Zach arbeitete erfolgreich mit den gleichen Materialien wie sein Vater als junger Erwachsener: Holz, Stein und Zement. Bald schon ein sachkundiger Zimmermann und Maurer, wurde er außerdem zu einem geschickten Möbelbauer mit dem einheimischen Mangrovenholz. Im Zuge eines weiteren Wachstumsschubs bekam der Junge breitere Schultern und ähnelte endlich immer mehr seinem Vater – auch wenn Shep mit Bedauern feststellte, dass die schmaleren Züge der Mutter zunehmend in den Hintergrund traten. Als das Haus schließlich fertig war, fand Zach kaum noch Gefallen am Faulenzen. Nachdem er von den Fundu-Leuten tauchen gelernt hatte, begann er für die Ferienanlage selbst als Tauchlehrer zu arbeiten. Leider brachte es der Job mit sich, dass der Junge mit dem Schnellboot in die Lagune fahren musste. Dennoch freute sich Shep: Sein einstmals blasser, in sich gekehrter *hikikomori* hatte sein Zimmer verlassen.

Unterdessen widmete sich Carol der Landschaftsgärtnerei, ihrer eigentlichen Berufung, die sie der Krankenversicherung wegen hatte aufgeben müssen, um zu IBM zu wechseln. Wachsblumen, Magnolien, Eukalyptus, Akazien, Jasmin und Palisander gediehen rasch im äquatorialen Klima. Natürlich musste sie um Sheps wunderliche Springbrunnen herumarbeiten; die abgefahrenen Konstruktionen aus Kokosnussschalen, Mangrovenwurzeln, Muschelhörnern, Taucherflossen und den in Afrika allgegenwärtigen Plastikschuhen waren angesichts der Wasserknappheit ein Luxus, aber er hatte sich einen eigenen Brunnen ausgehoben. Vor dem Haus pflanzte sie Obstbäume: Mangos, Bananen und Papayas zum Selberpflücken beförderten Sheps Versuche beim Brauen von *gongo*, auch »Löwentränen« genannt, dem tödlichen Selbstgebrannten des Archipels. Hinterm Haus baute sie ein Gemüsebeet mit Kochbananen, Maniok und Möhren an und war bald versiert im Weben von *coir*, den Fasern der Kokosnussschalen, die sie zu Matten und Körben verarbeitete. Von ihren Marktbesuchen in Chake Chake brachte sie phantastische Leinwände mit Flusspferden, Gazellen und Nashornvögeln im naiven *tinga-tinga*-Stil mit. Mit Behängen aus *kangas,* ständig frischen Blumen und Glynis' frisch poliertem Besteck begann das Innere ihres kleinen Hauses zu erstrahlen.

Carol gab den Heimunterricht für Flicka auf, deren Protest gegen das Lösen von Gleichungen als Zeitverschwendung auf einer landwirtschaftlich geprägten Insel vor der Ostküste Afrikas mehr Gewicht bekam. Flicka machte ihren Unterrichtsboykott dadurch wieder wett, dass sie die Bücher verschlang, die Shep auf seinen Provisionsfahrten mit der Fähre nach Stone Town aus den Secondhandläden mitbrachte. (Sheps eigene literarische Ambitionen entpuppten sich als Totgeburt: Er beendete seine Tage so herrlich erschöpft, dass er nach ein bis zwei Seiten stets einschlief. Vielleicht war er einfach nicht für Romane geschaffen. Ihm war es lieber, eine gute Geschichte zu leben als zu lesen.) Heather dagegen entging ihrem Unterricht nicht ganz so leicht, doch in ihrer Freizeit entwickelte sie sich zu einer bemerkenswerten Schwimmerin. Sie gewöhnten ihr die Antidepressiva ab. Der Speiseplan aus Fisch und Obst sorgte dafür, dass sie groß und schlank wurde und – jetzt, außer Hörweite von Glynis, konnte Shep es ja zugeben – so schön zu werden versprach wie ihre Mutter.

Da sich Sheps Vater nicht immer wieder von Neuem beim Heimpersonal mit dem endemischen Bazillus anstecken konnte, besiegte er das *Clostridium difficile,* und zur Erleichterung aller Beteiligten benötigte er nicht mehr zehn Mal am Tag die Hilfe seines Sohnes beim Gang zur Toilette. Indem er fleißig seine Krankengymnastik aus dem Pflegeheim machte, kam der alte Mann nicht nur wieder zu Kräften, nein, er unternahm sogar jeden Tag einen strammen Marsch von mehreren Meilen den Strand entlang. Nachdem er seinen Stapel Kriminalromane ausgelesen hatte, begann er selbst handschriftlich einen Krimi zu verfassen. Mit einer Veröffentlichung rechne er zwar nicht, behauptete er, doch wenn sie schon ihr Haus selbst gebaut hätten und ihren Fisch selbst fingen und ihre Körbe selbst flochten, sehe er nicht, warum er im Zuge der allgemeinen Selbstversorgung nicht auch seine eigenen Bücher schreiben sollte.

Das Manuskript wurde nie beendet. Dennoch war Shep erleichtert, dass sein würdevoller, ehrfurchtgebietender Vater nicht dazu verdammt war, in einem Pflegeheim in Windeln zu liegen und sich zu Tode zu scheißen. Womöglich hatte er seine neu gewonnene Vitalität überschätzt, jedenfalls starb er beim Griff nach einer verlockend reifen Mango auf respektable Weise an den Nebenwirkungen eines, so die chinesischen Ärzte, größeren medizinischen Problems als Malaria oder AIDS: dem Sturz aus einem Baum.

Sie begruben Gabriel Knacker neben Glynis auf der Lichtung hinter dem Haus. Was Afrika betraf, war Shep seinem Vater manches schuldig, und die Grabstätte schien ihm angemessen zu sein. Nach der letzten Schaufel Erde sprach er ein paar innige Worte und war froh, keinen Text aus der Bibel vorlesen zu müssen. Gabe Knacker hatte seinen Glauben an Gott nicht wiedererlangt, aber den Glauben an seinen Sohn, und das war vermutlich wichtiger.

Gut, dass er auf der Lichtung noch Platz gelassen hatte. Genau wie Shep hatte sich Flicka auf den ersten Blick in Pemba verliebt und nie ein einziges nostalgisches Wort über Brooklyn fallengelassen. Nachdem sie gelernt hatte, ihre typischen Frotzeleien auch auf Suaheli zu machen, gehörte sie bald zum örtlichen Inventar. Unter den Wapemba waren Behinderungen, entstellende Krankheiten und genetische Abnormalitäten keine Seltenheiten, und ein Mädchen mit seltsamer Hakennase und vorstehendem Kinn, das als Sonnenschutz von Kopf bis Fuß in *kangas* gehüllt war und auf allen vieren über den Boden kroch, schien niemanden aus der Ruhe zu bringen. Doch für ein Kind mit FD war eine brütend heiße afrikanische Insel der schlimmste Ort der Welt, und jedes Mal, wenn Flicka anfing zu würgen und eine ihrer »Krisen« hatte, machte sich Shep Vorwürfe, dass es unverantwortlich gewesen war, sie hierherzubringen. Aber wer hätte sagen können, ob nicht genau am selben Abend zu Hause in New York das Gleiche passiert wäre? Nachdem sie sich die Zähne geputzt, sich die Augen benetzt und mit Vaseline eingeschmiert und mit Plastikfolie bedeckt hatte, legte sich Flicka an einem ganz normalen Abend unter ihrer surrenden privaten Klimaanlage ins Bett und wachte nicht wieder auf.

Was sie davon abhielt, ihren alten Schwur in die Tat umzusetzen und irgendwann einem Leben ein Ende zu setzen, das, wie sie immer wieder beteuert hatte, eine unverhältnismäßige Last war. Weder Shep noch Carol hatten sie in dieser Sache ernst genommen, bis sie betrübt die Besitztümer der jungen Frau zusammenpackten. Versteckt in einem kleinen Rucksack, den Flicka – übrigens – ständig bei sich getragen hatte, entdeckten sie einen Vorrat Pillen. Der Rucksack war eine Wundertüte voller Medikamente, die – übrigens – nach und nach auf mysteriöse Weise verschwunden waren: die Antidepressiva aus der Morgentau-Residenz, die sein Vater abgesetzt hatte, Heathers restliches Zoloft, Glynis' Vorrat »Marzipan« und beunruhigenderweise auch der Rest flüssiges Morphium. Sie würden nicht mehr erfahren, ob sie tatsächlich vorgehabt hatte, Schluss zu machen, oder ob sie den Rucksack einfach nur mit sich herumgetragen hatte wie einen Talisman, eine Zauberlaterne mit einem letzten freien Wunsch. Jedenfalls hatte Flicka bestimmt ihre Freude am dauerhaften Zugang zu ihrer ganz privaten nuklearen Lösung gehabt, durch die jeder weitere Tag mit Medikamenten, Infektionen und Schluckenlernen zumindest nicht ausschließlich Strafe, sondern auch eine Entscheidung gewesen war.

Mit drei Opfergaben an die Erde jener Lichtung hatte Shepherd Knacker seinem Nachnamen alle Ehre gemacht.

Dass ihre Gruppe von sieben auf vier schrumpfen würde, war natürlich unvermeidbar gewesen. Da Zach immer mehr Zeit in Fundu Lagoon verbrachte, waren sie effektiv eine dreiköpfige Familie. Beryls Empörung über die »niederträchtige« Entführung ihres Vaters, der sie durch Sheps Mobiltelefon hindurch Ausdruck verlieh, war wohl der Grund, dass sich ihr Verhältnis nicht mehr wesentlich besserte. (Beryl ärgerte sich schwarz über ihren sozialen Abstieg. Ihr Bruder, der langweilige, gesellschaftskonforme Geschäftsmann, der »Philister«, dreht plötzlich durch und setzt sich auf eine obskure tropische Insel ab. Unterdessen hockt die wahre Künstlerin, die wahre Abenteurerin der Familie, in ihrem Elternhaus, eingemummelt in zwei Pullover und einen Pelzmantel aus dem Secondhandladen, und versucht, einen Dokumentarfilm zum Thema »Energiearmut« zu konzipieren.) Amelia dagegen war dank der vielen E-Mails von Zach, in denen er detailliert seine Tauchgänge, die Delfine und schimmernden Sonnenaufgänge schilderte, neidisch geworden. Da ihr Vater nicht mehr für sie aufkam und sie einen richtigen Job hatte annehmen müssen, bei dem sie »Derivate« verkaufte – was immer das sein mochte –, hatte sie versprochen, zu Besuch zu kommen, wenn nicht gar sich selbst *davonzumachen.* Shep war etwas mulmig zumute; die Vorliebe seiner Tochter für bauchfreie Tops und bis zum Schamhaar tief sitzende Jeans würde sich auf einer überwiegend muslimischen Insel weniger gut machen. Doch solange sich Amelia die Schultern bedeckte und knielange Röcke trug, sah er ein, dass eine Pilgerfahrt zu Glynis' Grab sie vielleicht in ihrer Trauer beschwichtigen würde, jene unheimliche, feierliche Totenwache am Bettrand ihrer Mutter versäumt zu haben.

Nun ja, die drei waren nur im weitesten Sinn eine »Familie«, da sich Carol und Shep züchtig an separate Schlafzimmer hielten. Oder zumindest, bis Carol eine verblüffende Frage an ihn richtete, als sie eines Abends nach dem Essen noch am Tisch verweilten, und Heather zu einem Bad im Mondlicht aufgebrochen war.

»Hast du zufällig einen richtig großen Schwanz?«

Es sollte bis zum Morgen dauern, bis er, nach einem tränenreichen Geständnis, von dem er sich wünschte, sie hätte es sich viel eher von ihrer schönen Seele geredet, den Zusammenhang begriff. In dem Moment am Tisch aber lachte er nur und sagte, es gebe nur einen Weg, wie sie's herausfinden könne.

Natürlich hatte Shep bei seiner »Fluchtphantasie« von Anfang an um die Fallgruben gewusst. Jahrelang hatten ihn die Leute gewarnt, dass eine Flucht nicht möglich sei. Jedes »Inselparadies« müsse irgendwann enttäuschen. Er werde sich langweilen. Er werde sich einsam fühlen. Er werde sich nach der Gesellschaft Gleichgesinnter sehnen. Er werde feststellen, dass er durch und durch Amerikaner sei und sich niemals in einem Land einleben könne, in dem die Einheimischen an Voodoo glaubten. Er werde das Kino vermissen, Nobelrestaurants und Kabelfernsehen. Beryl war überzeugt, dass er in kürzester Zeit mit eingekniffenem Schwanz nach Westchester zurückkehren werde. Denn von jeher hätte er bloß jenes sehr ungeschlachte Tier abstreifen wollen, das ihm überallhin mit schlurfenden Schritten folgen würde: sich selbst.

Die Leute redeten ja so viel Mist. Es war großartig.

Danksagung

MEIN DANK GEHT an David Brenner, den Vorsitzenden der Dysautonomia Foundation, der so unglaublich großzügig mit seiner Zeit und so mitteilungsbereit bezüglich seiner Arbeit und seines aufreibenden Privatlebens war. Dank auch an Faye Ginsburg, ihren Mann Fred Myers und ihre reizende Tochter Samantha sowie an Laurie Goldberger und ihre beeindruckende Tochter Perry (die mir den Mut gab, Flicka als blitzgescheit zu entwerfen), die alle überaus entgegenkommend waren mit ihrer Schilderung der vielen Herausforderungen einer der bizarrsten Krankheiten, die mir jemals begegnet ist. Ich danke den Eigentümern von Fundu Lagoon auf der Insel Pemba, vor allem Ellis Flyte und dem Manager der Ferienanlage, Matt Semark, die es mir ermöglicht haben, mich mit Cocktails, Kokosnusscurrys und Zitronengrasölmassagen verwöhnen zu lassen, und das alles unter dem lächerlichen Vorwand einer »Recherchereise«.

Romanschriftsteller, die ihrem Ehepartner für ihre unfassbare Geduld während der Qualen künstlerischen Schaffens danken, haben etwas Ermüdendes. Zum einen betrachte ich das Schreiben nicht als Qual, zum anderen ist mein Mann Jeff alles andere als geduldig. Dafür hat er mir etwas geschenkt, das jeden Autor zu grenzenlosem Dank verpflichten würde: einen guten Titel.

Des Weiteren möchte ich meinen guten Freundinnen Deb Thomson und Fiametta Rocco danken, dass sie vertrauliche und oftmals schmerzliche Einzelheiten über die Behandlung einer lebensbedrohlichen Krankheit mit mir teilten. Könnte ich Terri Gelenian-Wood für ähnlich vertrauliche Informationen danken, ich täte es, doch Terris Wissen betraf eine Krankheit, die sich nicht nur als lebensbedrohlich, sondern tödlich entpuppte. Jetzt, da es für Dankesbezeugungen zu spät ist, kann ich nur hinzufügen, dass ich sie schrecklich vermisse und erleichtert bin, einer lebenslangen engen Freundin einen früheren Roman gewidmet zu haben, als ich noch die Chance dazu hatte. Terri, ohne dich ist mein Leben ein ärmeres.

Da ich aus reiner Faulheit meinen Büchern bislang keine Danksagungen angeschlossen habe, möchte ich ganz offiziell noch meiner Lektorin Gail Winston danken, deren gesunder Menschenverstand mir so viel geholfen hat und deren Begeisterung für diesen und frühere Romane mir so viel bedeutet. Ebenso kann ich jetzt endlich Kim Witherspoon danken, meiner Agentin, die es mir mit ihrer Effizienz und Intelligenz so viel leichter macht, meiner eigenen Arbeit nachzugehen. Ich zögere ein wenig, das Geheimnis preiszugeben, damit sie nicht überrannt werde von Autoren auf der verzweifelten Suche nach besserer Repräsentation, doch ich bin gesegnet mit einer der wenigen Literaturagentinnen in New York, die nicht verrückt sind.

Noch nicht …